OPERAÇÃO
BANQUEIRO

COLEÇÃO HISTÓRIA AGORA

Volume 1
A USINA DA INJUSTIÇA
RICARDO TIEZZI

Volume 2
O DINHEIRO SUJO DA CORRUPÇÃO
RUI MARTINS

Volume 3
CPI DA PIRATARIA
LUIZ ANTONIO DE MEDEIROS

Volume 4
MEMORIAL DO ESCÂNDALO
GERSON CAMAROTTI E BERNARDO DE LA PEÑA

Volume 5
A PRIVATARIA TUCANA
AMAURY RIBEIRO JR.

Volume 6
SANGUESSUGAS DO BRASIL
LÚCIO VAZ

Volume 7
A OUTRA HISTÓRIA DO MENSALÃO
PAULO MOREIRA LEITE

Volume 8
SEGREDOS DO CONCLAVE
GERSON CAMAROTTI

Volume 9
O PRÍNCIPE DA PRIVATARIA
PALMÉRIO DÓRIA

Rubens Valente

OPERAÇÃO BANQUEIRO

**Uma trama brasileira sobre poder, chantagem, crime e corrupção.
A incrível história de como o banqueiro Daniel Dantas escapou da prisão com apoio do Supremo Tribunal Federal e virou o jogo, passando de acusado a acusador**

GERAÇÃO

Copyright © 2013 by Rubens Valente

1ª Reimpressão – Janeiro de 2014

Grafia atualizada segundo o Acordo Ortográfico da Língua Portuguesa
de 1990, que entrou em vigor no Brasil em 2009

Editor e Publisher
Luiz Fernando Emediato

Diretora Editorial
Fernanda Emediato

Produtora Editorial e Gráfica
Priscila Hernandez

Assistente Editorial
Carla Anaya Del Matto

Capa, Projeto Gráfico e Diagramação
Alan Maia

Preparação
Sandra Martha Dolinsky

Revisão
**Rinaldo Milesi Taissa
Taissa Antonoff Andrade
Josias A. Andrade
Vinicius Tomazinho**

**DADOS INTERNACIONAIS DE CATALOGAÇÃO NA PUBLICAÇÃO (CIP)
(Câmara Brasileira do Livro, SP, Brasil)**

Valente, Rubens
　　Operação banqueiro : Uma trama brasileira sobre poder, chantagem, crime e corrupção. A incrível história de como o banqueiro Daniel Dantas escapou da prisão com apoio do Supremo Tribunal Federal e virou o jogo, passando de acusado a acusador. -- São Paulo : Geração Editorial, 2014.

　　ISBN 978-85-8130-208-9

　　1. Abuso de poder - Brasil 2. Brasil - Política e governo 3. Corrupção na política - Brasil 4. Reportagens investigativas I. Título. II. Série.

13-12022　　　　　　　　　　　　　　　　　　　CDD: 070.449320981

Índices para catálogo sistemático

1. Reportagens políticas : Corrupção no governo :
　　Brasil : Jornalismo　　070.449320981

GERAÇÃO EDITORIAL

Rua Gomes Freire, 225 – Lapa
CEP: 05075-010 – São Paulo – SP
Telefax: (+ 55 11) 3256-4444
E-mail: geracaoeditorial@geracaoeditorial.com.br
www.geracaoeditorial.com.br
twitter: @geracaobooks

Impresso no Brasil
Printed in Brazil

Sumário

INTRODUÇÃO 7

UM ASSUNTO DE 500 MIL DÓLARES..13

O JOGO E O JOGADOR...24

A BATIDA DO MARTELO 47

NEBULOSAS CONSPIRAÇÕES...85

AS SOMBRAS SE MOVEM...92

O INIMIGO DO SEU INIMIGO 99

O VOO DO MACUCO 119

TÓQUIO E CHACAL 140

O PROCESSO ITALIANO 164

A CAIXINHA VERMELHA 196

TIGRES DE PAPEL..217

CAÇADA AO JAPU 237

O DILEMA DO JUIZ..264

AS CONVERSAÇÕES 268

"PERGUNTARAM QUEM ERA O RÉU" 283

HISTÓRIA AGORA

A VIROSE 316

UM CASO EXCEPCIONAL 346

O GOLEIRO DIANTE DO PÊNALTI 389

AS AMEAÇAS DO GRANDE CREDOR 401

EPÍLOGO 435

AGRADECIMENTOS 450

ÍNDICE ONOMÁSTICO 453

Introdução

Poucas vezes a expressão "sacudir o país" descreveu tão bem a realidade. De janeiro de 2003 a 8 de julho de 2008, a Polícia Federal desencadeou 571 operações contra organizações criminosas que atuavam nos mais diversos setores da vida nacional. Foi como destampar um caldeirão. Ministros, juízes, senadores, deputados, governadores, prefeitos, vereadores foram devassados, expostos e denunciados. A Polícia Federal obteve uma inédita importância política, a ponto de influir em eleições e derrubar altos funcionários do Executivo federal.

Demorou a ocorrer. Após a Constituição de 1988, que fortaleceu os poderes do Ministério Público, foram necessários uns quinze anos para que os primeiros sinais efetivos de mudança chegassem à PF, o que já diz muito sobre essa corporação, cujo diretor é nomeado livremente pelo chefe do Executivo e pode escolher também livremente os superintendentes de cada estado.

A modernização veio principalmente com a injeção de recursos públicos — não com uma reforma legal (o inquérito policial, por exemplo, permanece como um dos procedimentos mais anacrônicos do sistema judicial brasileiro).

Em quatro anos, os gastos da PF saltaram de R$ 2 bilhões para R$ 3,53 bilhões. O quadro de servidores cresceu mais de 33%, e o número de delegados dobrou. O salário de agentes e delegados mais que dobrou, tornando as carreiras na PF das mais atrativas do serviço público. Um delegado de classe especial, que recebia R$ 9.281,73 mensais em dezembro de 2002, passou a receber R$ 19.699,00 em dezembro de 2009.

Atraídas pelo salário, pela carreira, pela glória pública ou simplesmente pelo idealismo nascido da repulsa ao crime e à corrupção, levas de jovens se candidataram a um cargo na PF.

Muitos delegados formados no caldo da cultura da ditadura militar, quando a PF exerceu um papel vergonhoso de fiscal da criação artística, foram colocados de lado, rapidamente sobrepujados pela nova geração que se gabava de ser mais profissional e mais honesta.

A polícia ampliou radicalmente o foco de atuação. Deixou de ficar restrita ao eterno "enxugar o gelo" do combate ao narcotráfico para passar à linha de frente do combate ao crime do colarinho-branco e às tramoias nos três poderes.

O governo não pôde reclamar dos investimentos. Quando o escândalo do mensalão estourou, em junho de 2005, foram as operações da PF que permitiram ao presidente Luiz Inácio Lula da Silva e ao PT seguir falando que seu governo combatia a corrupção.

O esforço da PF encontrou uma Justiça Federal também em transformação. No início dos anos 2000, ela adotou uma nova abordagem sobre os crimes de lavagem de dinheiro e contra o sistema financeiro nacional, com a criação de varas especializadas nesses temas. Os postos estratégicos passaram a ser ocupados por juízes que, num movimento silencioso, estudaram e se atualizaram sobre os intrincados crimes financeiros. A primeira vara especializada surgiu no Brasil em 2003. Seis anos depois, vinte e quatro já estavam em atividade.

O resultado, na prática, foi o surgimento de pequenas "células" de combate ao crime, nas quais delegados, procuradores e juízes podiam definir mais rapidamente e com maior conhecimento técnico que medidas precisavam tomar em relação a determinado grupo criminoso.

No andamento de uma investigação, a polícia precisa prestar contas de suas atividades ao juiz e ao procurador, por meio de relatórios parciais. Com base neles é que o procurador pede ou não, e o juiz decide se deve ou não, por exemplo, estender determinadas ações sobre um investigado. Essa afinidade entre os principais responsáveis pelo caso deu velocidade aos processos, garantia de melhores provas e rápido cumprimento das ordens judiciais.

O novo cenário alarmou os críticos da polícia e das varas especializadas. Falaram em "espetacularização" e em sentimento justiceiro. Advogados exploraram todos os erros das operações da PF, numa área em que uma pequena falha é sempre uma grande falha. Estar preso, ainda que por poucas horas, é uma condição arrasadora, que pode marcar uma pessoa para sempre.

A controversa estratégia de desencadear prisões em massa ainda na fase da investigação — a Operação Esporão, por exemplo, prendeu 126 pessoas num único dia, em novembro de 2006, e a Grande Lagos, 106 indivíduos em outubro do mesmo ano —, apenas para que a polícia possa arrecadar uma possível evidência ou colher um depoimento, dificilmente deixa de representar uma violência indelével contra um personagem lateral no caso ou mesmo absolutamente inocente. E ao querer prender todo mundo, a polícia corre o risco de acabar não prendendo ninguém no final do processo.

Por cinco anos, contudo, o discurso antipolícia ficou restrito a grupos de advogados e setores do Judiciário e da imprensa. A PF, o Ministério Público Federal e o Judiciário seguiram em frente com golpes ao crime organizado em vários estados.

Até que uma pessoa foi presa, em 8 de julho de 2008.

De todas as pessoas investigadas nas operações da PF até aquela data, nenhuma se provou tão habilidosa no Judiciário e em páginas de jornais e revistas, procurando tachar processos judiciais de "privatização da polícia", reportagens fundamentadas de "mentiras de desafetos" e uma acusação verificável de corrupção de "armação da TV Globo". E transformando os investigadores em investigados e o juiz, em suspeito".

Este livro é sobre a Operação Satiagraha e as investigações que tocaram nos negócios do grupo Opportunity, sediado no Rio de Janeiro.

Narra a trajetória do banco e dos homens e mulheres que o investigaram. A meu ver, é uma história exemplar de crime e impunidade.

Com históricas ligações com políticos e altos membros do Executivos e apoiado por um vasto grupo de advogados que estão entre os mais bem pagos e competentes do país, o banqueiro Daniel Dantas conseguiu o que parecia impossível. Aproveitou-se de excessos e equívocos do primeiro comando da Operação Satiagraha e de uma violenta briga interna na PF, tudo devidamente amplificado e distorcido na imprensa, para obter estrondosas vitórias no STF (Supremo Tribunal Federal) e no STJ (Superior Tribunal de Justiça).

Dantas conseguiu no STF dois *habeas corpus* sucessivos num intervalo de poucos dias, a queda estrepitosa do delegado do caso, a exoneração do chefe do serviço secreto do Palácio do Planalto, o bloqueio de toda a investigação, em decisão do STJ — depois conseguiu a revisão e a paralisia temporária, por longos catorze meses, do processo principal e de três inquéritos derivados. Por fim, como num passe de mágica obteve a anulação de todo o caso, novamente pelo STJ — cuja decisão final ainda cabe ao STF e não foi tomada até a conclusão deste livro

As operações jurídicas de Dantas conseguiram a proeza de redefinir leis e regras. A cena de Dantas algemado tornou-se o símbolo de um suposto "Estado policial". O rol de novidades jurídicas, todas elas engendradas para tolher e burocratizar as investigações, logo ganhou o apelido de "Legislação Satiagraha". Essa potente reação de parte da imprensa e da cúpula do Judiciário teve o efeito de dividir as operações da Polícia Federal entre antes e depois da Satiagraha.

Desde 2001, acompanhei quatro grandes investigações que trataram de negócios de Daniel Valente (nenhum parentesco com o autor) Dantas: o caso Banestado, a Operação Chacal, a CPI dos Correios e a Operação Satiagraha. Recolhi, ao longo dos anos, os registros de remessas de dinheiro localizados no caso Banestado, os relatórios, os grampos telefônicos e os *e-mails* interceptados pela Chacal, os arquivos do mensalão (escândalo que cobri como repórter em Brasília de 2005 a 2006, além de boa parte do julgamento, em 2012), grande parte das evidências coletadas pela Satiagraha, incluindo o áudio de cerca de 8 mil ligações telefônicas, e as cópias de diversos processos judiciais e administrativos.

Construí um acervo com cerca de 62 mil arquivos virtuais, armazenados em 1.114 pastas, num total superior a trinta gigabytes. Consultei processos em papel e copiei mais de 3.500 páginas, que encheram sete caixas de tamanho médio. Também entrevistei cerca de quarenta pessoas, por telefone, *e-mail* ou pessoalmente, incluindo várias fontes que continuarão sob o anonimato. Elas possibilitaram acesso a documentos que, de outra forma, eu não teria sido capaz de obter. São quase todos servidores públicos que, corajosamente se arriscaram e arriscam suas carreiras para proporcionar aos leitores, por meio dos jornalistas, acesso a informações de interesse público.

Quase tudo de mais relevante que eu pude verificar nessa massa de documentos é considerado sigiloso. A cultura do segredo invadiu os processos judiciais no Brasil. Casos de alto interesse público, como companhias telefônicas sob concessão pública, são hoje escondidos do contribuinte por um carimbo da burocracia. Um motivo que me levou a escrever este livro foi justamente levar o conteúdo desses papéis aos olhos do leitor.

Também pretendi, com o livro, tornar mais didático este assunto, que é, de longe, o mais intrincado da crônica policial brasileira contemporânea, com vários personagens em episódios registrados ao longo de mais de uma década nas áreas jurídica, comercial, policial e política em pelo menos quatro países (Brasil, Itália, Estados Unidos e ilhas Cayman).

O caso se mostra tão complexo, que alguns protagonistas dessa trama se aproveitaram da desinformação dos jornalistas, com notáveis exceções, para reforçar suas posições e mistificar as acusações que contra eles apareceram. Devo salientar que tiveram sucesso em várias ocasiões. O volume de informações incorretas, incompletas ou deliberadamente mentirosas publicado desde 2008 em diversos meios sobre o assunto parece evidenciar a estratégia de criação de um estado de confusão permanente que passa pela imprensa e pelo Congresso e chega ao Judiciário, sufocando fatos e distorcendo evidências. O autor se sentirá satisfeito se, com a obra, conseguir lançar alguma luz sobre determinados eventos.

O livro, escrito ao longo de dois anos e meio no apartamento em que eu morava em São Paulo e no que passei a viver em Brasília a partir de maio de 2010, é fruto da apuração que começou no segundo semestre de 2008. Alguns dos personagens eu conheço há mais de uma década. Os processos e investigações aqui tratados eu pude acompanhar como repórter da *Folha* em São Paulo e Brasília e de *O Globo* em São Paulo, desde 1999. Em Brasília, acompanhei por nove meses a CPI dos Correios entre 2005 e 2006, quando pude presenciar o longo depoimento prestado por Daniel Dantas. Morava e trabalhava em São Paulo quando a PF deflagrou a Satiagraha, e sobre ela exerci cobertura jornalística diária, ao longo de semanas.

Procurei, no texto, reduzir ao máximo o recurso do *off*. Quase todas as gravações telefônicas e ambientais feitas pela PF e aqui citadas eu mesmo as ouvi, o que demandou muitas horas de trabalho e atenção. Quando não foi possível obter os áudios, recorri às transcrições oficiais. Para facilitar a compreensão dos *e-mails*, corrigi erros de digitação, de pontuação e de português e recuperei a grafia de algumas palavras que foram digitadas erroneamente, como é comum em diálogos virtuais, mas jamais, obviamente, alterei palavra que mudasse o sentido do que foi escrito nos *e-mails*.

A narrativa a seguir não é, nem poderia ser, o registro absoluto dos fatos. Ela é apenas o resultado do que pude compreender com base na análise dos documentos oficiais, provas e testemunhos, e o mais perto que cheguei do que entendo ter ocorrido. Até onde me foi possível saber, foi assim que as coisas se passaram.

Um assunto de 500 mil dólares

No início de junho de 2008, o delegado da Polícia Federal Marcos Lino Ribeiro, lotado no aeroporto internacional de Guarulhos, na Grande São Paulo, recebeu um estranho telefonema. O professor universitário Hugo Sérgio Chicaroni queria o número do celular do delegado federal Protógenes Pinheiro de Queiroz. Precisava muito falar com ele. Ribeiro havia conhecido Chicaroni por volta de 2003, quando trataram da ideia de um curso sobre finanças que a Universidade de São Paulo poderia oferecer a policiais. Desde então, eles se falaram apenas ocasionalmente de modo que o delegado desconfiou da chamada. Ele mentiu, disse que não tinha o número. Após desligar, imediatamente alertou o colega.

"Liguei para o Protógenes e falei: 'Tem essa pessoa e está lhe procurando'."[1]

Protógenes e Chicaroni haviam se conhecido dez anos antes, nos corredores da PF em São Paulo. O professor dizia ser membro da "inteligência do GSI", o Gabinete de Segurança Institucional da Presidência da República. Ele chegou a levar Protógenes para uma palestra

---
[1] Interrogatório da testemunha nos autos da OPS (Operação Satiagraha).

sobre crimes financeiros. Disse ainda que trabalhava numa empresa de consultoria de "assuntos estratégicos" denominada Sagres.

Mas, quando Protógenes recebeu os primeiros contatos de Chicaroni em 2008, reuniu sua equipe de confiança na PF para dizer que iria receber "alguma proposta indecente".

No dia 10 de junho, Protógenes e Chicaroni começaram as conversas, primeiro ao telefone e depois numa pizzaria em Brasília. Chicaroni indagou se o delegado tinha informações sobre uma operação da PF e do Ministério Público Federal em andamento, noticiada pela imprensa no final de abril, mas ainda não deflagrada, contra executivos do banco Opportunity, pertencente ao banqueiro baiano radicado no Rio de Janeiro Daniel Valente Dantas. Protógenes disse que sim, mas que o caso estava nas mãos do delegado federal Victor Hugo Rodrigues Alves Ferreira, de trinta e três anos, deslocado de Ribeirão Preto para São Paulo. Era uma desinformação — na verdade, Protógenes seguia coordenando a operação, embora com o auxílio de Victor Hugo.

A isca foi jogada, e a resposta não tardou. Às 20h26 do dia seguinte, Victor Hugo recebeu em seu celular um telefonema de Humberto Braz, um homem ligado ao Opportunity, que pedia uma reunião. O delegado respondeu que poderiam conversar dali a alguns dias. Em seguida, enviou um *e-mail* para a delegada Karina Murakami Souza, outra colega sua na operação. Pediu que ela protocolasse na 6ª Vara da Justiça Federal paulistana um pedido para realizar gravações ambientais e interceptar os telefones que ele mesmo usava.

"É bastante provável que a quadrilha já tenha descoberto também que eu passei a integrar a equipe de trabalho do caso e que a 'reunião' tenha como propósito alguma tentativa de 'acerto.'"[2]

No dia seguinte, o juiz federal Fausto De Sanctis autorizou a chamada ação controlada, prevista na Lei 9.034/95. Consiste no retardamento de uma medida policial, "desde que mantida sob observação e acompanhamento", para que seja deflagrada no momento "mais eficaz do ponto de vista da formação de provas e fornecimento de informações".

---

[2] Informação 01-08 VH, de 11 de junho de 2008, nos autos da OPS.

Depois, De Sanctis indagou a Protógenes o motivo pelo qual não solicitou uma ação controlada desde o primeiro contato de Chicaroni. Protógenes respondeu que naquele momento a medida poderia ter sido um tiro n'água, pois, até então, "não tinha certeza de que o acusado Hugo Chicaroni tivesse contato direto com os acusados Humberto Braz e Daniel Dantas".[3]

Protógenes, Victor Hugo e Chicaroni combinaram uma reunião numa churrascaria típica uruguaia localizada no bairro paulistano de Santa Cecília, a El Tranvía. O local era frequentado por policiais federais desde os tempos em que a sede da PF ficava na rua Antônio de Godoy, no Centro. No teto da sala principal, há um arranjo que mistura folhas de parreira reais e de plástico. Os galhos se cruzam de tal forma, que não dá para separar, numa primeira olhada, o real do irreal. Nas reuniões que ocorreram ali entre os dias 18 e 19 de junho de 2008, os delegados também cruzaram várias vezes a fronteira que separa a mentira da verdade. Eles se apresentaram como dois policiais corruptos que poderiam ajudar o Opportunity.

Os encontros foram todos documentados por Victor Hugo com autorização judicial, em quase oito horas de gravações. Já coberto pela ação controlada, tudo que ele falasse ao celular também seria interceptado. Ele levou dois equipamentos de gravação: o celular e um gravador digital.

No dia 18 de junho, os três se encontraram no bar do restaurante. Pediram uma cerveja uruguaia Norteña. Chicaroni discorreu sobre a cena política de São Paulo, citou vários políticos com os quais teria alguma relação e sugeriu ser alguém bem informado sobre os bastidores da política. Ele procurava impressionar os policiais.

Chicaroni disse que trabalhava num instituto chamado Sagres, de Brasília, formado por profissionais de áreas diversas que haviam deixado o governo.

"Nós pinçamos uma pessoa de cada órgão. No Sagres temos um assessor especial do Ministério da Defesa, temos um assessor especial do GSI, tem assessor especial da Abin [Agência Brasileira de Inteligência].

---

[3] Termo de depoimento ao juízo nos autos da OPS.

Tem gente do Banco Central, pessoal de inteligência da Receita Federal. Tem 140 pessoas."[4]

Chicaroni disse que a equipe se formou depois que o presidente Luiz Inácio Lula da Silva (PT-SP), logo após tomar posse em 2003, extinguiu a SAE (Secretaria de Assuntos Estratégicos), ligada ao Palácio do Planalto. Ela foi transformada em núcleo — anos depois, voltou a ser secretaria. Chicaroni disse que a equipe da SAE, na qual se incluiu, "pediu para ir embora", mas teria recebido um pedido do influente ministro da Casa Civil, José Dirceu (PT-SP).

"Aí, nosso amigo José Dirceu pediu para a gente não sair", prosseguiu Chicaroni. "Mas eu também não estava a fim de ficar", jactou-se. De qualquer forma, e contraditoriamente, Chicaroni disse que "ficou por lá", mas só no papel, pois não aparecia no órgão. Depois, o governo nomeou como chefe do núcleo um militar que trouxe "um pessoal da inteligência do Exército". Eram doze, mas "não deu certo". Foi aí que o grupo resolveu criar o Sagres "para fazer a gestão", ou seja, prestar consultoria sobre a estratégia de gestão de órgãos públicos.

Em 2010, o Instituto Sagres Política e Gestão Estratégica Aplicadas anunciava como "parceiros ou clientes", além de empresas, a Fundação Getúlio Vargas, o Sebrae, a Secretaria de Meio Ambiente do Estado de São Paulo, o Ministério Público de Goiás e a Universidade de Brasília, entre outros.[5]

Depois de tantos rodeios, Chicaroni entrou no assunto principal:

"E o que nós vamos fazer sobre esse *pepino* do Victor?"

"Eu, se pudesse, me livrava...", brincou Victor Hugo.

Chicaroni explicou quem era Humberto Braz e qual o objetivo dos telefonemas para o delegado.

"O Humberto, que está *te* ligando, marcou o jantar para amanhã, é um tremendo cara. Gente muito boa. O cara é dez, é dez. Ele era financeiro da Odebrecht. Veio para arrumar a casa. Ele não é conhecido, ninguém conhece. Nada. Senão, eu também não deixaria *ele* sentar contigo."

---

[4] Para esse trecho e seguintes, áudio da conversa de 18 de junho de 2008, nos autos da OPS.
[5] Procurados em Brasília para este livro, os responsáveis pelo Sagres não receberam o autor.

Chicaroni descrevia Braz como alguém que não colocaria os policiais em maus lençóis. Ele estava em Belo Horizonte (MG), mas no dia seguinte viria a São Paulo para jantar com Victor Hugo.

"Não, ninguém conhece, ninguém sabe quem é ele. E é assim: ele não está atuando dentro do banco, ele fica mais fora de tudo. E é uma pessoa ótima. Ele veio para arrumar a casa."

O professor disse que Braz era profissional, em contraponto à própria gestão do Opportunity.

"É uma empresa de família, cada um faz o que quer, eles *cagam* para todo lado porque o *cara* é forte *pra cacete* e incomoda muita gente. Se você for pegar um empresário neste país que anda direitinho, esquece que não vai achar. Se andar, também quebra."

Chicaroni descreveu o alcance do poder de Braz:

"É um cara bacana. Tem autonomia, assumiu a *direção* agora. Tem falado muito comigo, eu já estive com ele várias vezes."

Victor Hugo procurou se mostrar menos desconfiado:

— *Pô*, você falando assim, até fico [inaudível]. Porque atende a todo mundo, *né*, quando... Até o Queiroz disse que não o conhecia pessoalmente.

— Até o Queiroz achou que você devia jantar sozinho com ele. Eu falei "Queiroz, veja bem, eu acabo sendo a segurança de ambos os lados. Sou amigo, *pô*" — defendeu Chicaroni.

— É porque eu estava até meio inseguro, o Queiroz falou que conhecia você, tal. Você que tinha ligado, até por isso que atendi.

Na peça ensaiada pelos policiais, um fazia o papel de inseguro, o outro era o profissional que conhecia os dois lados da moeda.

Protógenes voltou à questão da "autonomia", ou seja, até quanto Braz poderia oferecer em propina. Pela primeira vez, Chicaroni falou expressamente em dinheiro:

— O Queiroz me disse o seguinte: "O cara tem autonomia, tem poder de decisão?" [Eu respondo] Tem, tem. É óbvio que... Ele é o diretor, não é um dos donos da empresa, mas ele tem uma autonomia *xis*. [...] Aí, conversando e tal, eu perguntei a ele: "Vem cá, me diz uma coisa: qual é a disponibilidade que você tem para cuidar dessa questão? Você tem poder de decisão?". Ele falou: "Tenho. É óbvio que eu não tenho o limite da empresa, sim, mas eu tenho". Eu falei: "Pô, seu limite está onde?". Ele falou: "Eu tenho 500 mil dólares para tratar desse assunto".

— Quinhentos mil? — espantou-se Victor Hugo.

— É, 500 mil dólares — confirmou Chicaroni.

— Isso *hoje*, hein — acrescentou Protógenes, demonstrando animação. No papel de "policiais corruptos", eles já pensavam em jogar o valor para cima.

— Não, ele tem. Na hora. O *patrão* chegou para ele, e ele disse "500 mil dólares para cuidar desse assunto" — disse Chicaroni.

O crime de corrupção ativa (art. 333 do Código Penal) estabelece que a mera promessa ou oferta de "vantagem indevida" a funcionário público já configura crime. A rigor, os delegados podiam ter dado voz de prisão a Chicaroni ali mesmo. Mas eles queriam avançar nas conversas e documentar melhor a oferta, se possível chegar a Braz, um homem próximo de Dantas.

E, com tanto dinheiro em jogo, Chicaroni também não perderia a chance de tirar uma lasca:

— Ele tem 500 mil dólares para tratar desse caso. Eu não falei com ele ainda quanto aos honorários meus. Mas é claro que não vou trabalhar de graça para esses caras, não. Lógico, *né*.

— São 500 mil fora os honorários? — perguntou Victor Hugo. Um bom corrupto não perderia a chance de esclarecer esse ponto, em benefício do novo amigo Chicaroni.

— Eu vou cobrar 100 mil, 100 mil dólares, por aí.

Diante de tão grandes revelações, Victor Hugo advertiu Protógenes, conspirador:

"Fica entre nós essa conversa, hein, Queiroz. Entre nós, hein."

Chicaroni pareceu incomodado com a observação. Se o policial também desconfiava dele, o negócio poderia ruir, junto com seus honorários. E adeus US$ 100 mil.

"Deixa *eu te* explicar uma coisa. Eu tenho vinte e cinco anos de governo. Eu tenho uma história de confiabilidade num monte de gente que manda nessa porra desse país."

Documentada a oferta, Victor Hugo queria averiguar as intenções de Dantas.

— Agora, eu preciso saber se pode acontecer mesmo, quem ele quer livrar, só isso. Ou se ele está querendo livrar todo mundo.

— A questão dele é com o Daniel, o filho e parece que a irmã, *né*, que é sócia dele. Esse é o interesse dele. O filho é funcionário da empresa, é sócio da empresa, o [inaudível] é braço direito do Daniel. O interesse dele é esse. Ele não falou em mais ninguém — respondeu Chicaroni.

Esse ponto da conversa foi bastante atacado posteriormente pela defesa do Opportunity, que afirmou que Dantas não tinha um filho, mas uma filha. Pode ter sido apenas uma confusão de Chicaroni ou uma falsa informação jogada para saber até onde os policiais realmente sabiam da vida de Dantas. De qualquer forma, a afirmação não partiu dos policiais, mas de Chicaroni.

Victor Hugo respondeu sobre a proposta de "tirar" pessoas da apuração: "Se houver um trabalho realmente em andamento, nem estou falando que há, mas eu posso garantir que, se houver, só preciso saber quem ele quer que *tire*. Porque abafar tudo não tem jeito."

Aquela tarde ainda guardava uma surpresa. Chicaroni informou que só o encontro anterior que ele conseguiu manter com Protógenes, em Brasília, já iria render um pagamento aos policiais.

"Olha, pela conversa de Brasília, me deu 50 mil reais. É campeão, *pô*", comemorou Chicaroni. Ele comentou achar bom "termos uma posição". Ele já falava no plural, como se fizesse parte de um time. Protógenes deu corda: "A posição de atender a quem é que está com a investigação. [...] Agora, evidentemente, precisa ter uma coisa antecipada. Já serve até para quebrar o gelo, *né*. Quebra o gelo. Entendeu o que estou falando?"

Chicaroni entendeu, pois orientou Victor Hugo a dizer a Braz:

"Tem que chegar a ele: 'Companheiro, jantamos, caramba, e não sei o quê'. [...] 'Não dá para antecipar pelo menos 100 mil dólares?' É só depositar, que ele liga pro Rio e manda vir para cá. Como, não sei. Manda trazer de carro, sei lá eu."

Ou seja, era só Victor Hugo pedir, que seria corrompido. A conversa derivou para reclamações que Protógenes fez sobre as movimentações dos advogados do Opportunity junto à direção da PF. Protógenes comentou que "o Supremo ligou" e indagou:

"Por falar em Supremo, dá para saber [inaudível] a posição do Daniel? Dizem que ele está preocupado é com a polícia."

Dantas havia impetrado um *habeas corpus* no STF seis dias antes do encontro.

— Ah, não, não. Em princípio, ele se preocupa com o hoje. Com *hoje*. Lá para *cima*, o que vai acontecer lá para trás, ele não está nem aí.

— Está tudo controlado — pontificou Protógenes.

— Resolve. Lógico. Ele resolve. STJ, STF, resolve. O cara tem um trânsito político ferrado[6] — proclamou Chicaroni.

Mais à frente, com decisões que beneficiaram Dantas no STF, essa afirmação foi lembrada com redobrado interesse.

"No TRF [Tribunal Regional Federal] ele ainda perturba, dependendo de onde cair", continuou Chicaroni.

Nesse momento, Victor Hugo cometeu uma falha. Como estava se fazendo passar por um policial corrupto, ele não poderia ter dito o que acabou dizendo:

"Mas tem gente boa no STF e no STJ, não tem?"

Na cabeça de um policial que estava se vendendo, juízes incorruptíveis e severos não deveriam nunca ser uma "gente boa", mas uma "gente má". Se Chicaroni percebeu a contradição, não deu sinal. Caso ele estivesse com seu faro apurado, teria cancelado todas as futuras

---

[6] O laudo da transcrição feito pela PF não registra o "trânsito político ferrado", perfeitamente audível na gravação.

reuniões. Teria ido para casa e esquecido Victor Hugo, Protógenes e Braz. Mas ele não fez nada disso:

"Muita, muita", limitou-se a concordar o professor.

Para mudar de assunto, Protógenes indagou se Dantas também chegaria a São Paulo no dia seguinte, junto com Braz.

— Tem a reunião na quinta-feira. Se for para decidir alguma coisa dentro dessa alçada... — disse Protógenes.

— Não, se for dentro desse contexto, está decidido com o Humberto. Essa parte. Você está dizendo essa parte? — indagou Chicaroni.

— Porque tem limite, como você falou — respondeu Protógenes. (Ele queria saber se Braz iria consultar pessoalmente Dantas, em São Paulo, sobre aumentar o valor da propina.)

— Acima desse limite, ele tem que falar com o Daniel — aduziu Victor Hugo.[7]

— É, é — concordou Chicaroni.

— Demora quanto tempo para decidir? — indagou Victor Hugo.

— [Braz] Pega um avião, vai lá e fala com *o homem*. Porque ele não vai falar por telefone — explicou o professor.

Victor Hugo enfrentou problemas no gravador do celular. Toda vez que alguém lhe telefonava, a gravação era interrompida, o que ocorreu pelo menos três vezes durante a conversa. A bateria também estava acabando. Pouco antes de ir embora, ele pediu licença para ir ao banheiro, onde trocou o celular por um gravador digital oculto no paletó e testou: "Retomando a gravação".

Após pagar a conta e deixar o restaurante, todos seguiram no carro de Victor Hugo em direção ao apartamento de Chicaroni, no bairro de Moema. Com as janelas do automóvel fechadas, a qualidade do áudio beirou a perfeição. Segundo Protógenes, Chicaroni também havia lhe prometido um cargo em comissão no governo e "uma viagem

---

[7] Nesse trecho, o laudo de transcrição atribuiu a fala a Chicaroni, mas é perceptível que o autor da frase é Victor Hugo. De qualquer forma, a essência não muda, pois Chicaroni confirma a fala do delegado.

a Dubai". O professor confirmou, mas disse que essas mordomias ainda não estavam garantidas.

Em Moema, o professor orientou Victor Hugo a entrar pela garagem do subsolo do seu prédio e convidou-os a subir, mas os policiais pediram para ficar no carro. O professor disse que ia pegar o dinheiro e já voltava. Chicaroni novamente explicou:

— Porque ocorreu o seguinte, não sei se o Queiroz *te* falou. Nós estávamos começando a iniciativa lá em Brasília, não sei o quê, e falamos de algumas questões especiais que a gente teria que falar com você, coisa desse tipo, aí o Protógenes falou: "Porra, só o fato de a gente estar conversando aqui, esse troço já tem que valer alguma coisa".

— Não — corrigiu Protógenes. — Você que falou isso para mim.

Protógenes tinha que esclarecer esse ponto, pois quem ouvisse a gravação poderia achar que ele havia induzido a propina, o que disse não ter feito. De fato, Chicaroni fez a correção:

— Nós cansamos de sair em Brasília para tomar chope e falar de tudo. Agora, ali nós saímos para trabalhar. Aí eu falei isso para ele [Protógenes]: "Porra, só o fato de a gente estar fazendo alguma coisa".

— Isso — acalmou-se Protógenes.

— Cheguei lá, ele falou: "Olha, trouxe isso aqui para você, por causa daquela conversa de Brasília, tal". Então ele me trouxe R$ 50 mil.

Os policiais ficaram no carro, enquanto Chicaroni subiu para seu apartamento. Victor Hugo foi para o banheiro da garagem, onde se certificou de que o gravador estava funcionando e deixou registrado: "Banheiro. Aguardando a entrega".

No carro, enquanto esperava, Victor Hugo combinou com Protógenes: "Saindo daqui, vamos direto pro [juiz] Fausto". O delegado queria informar imediatamente a De Sanctis, no prédio da Justiça Federal, tudo o que se passara. Pela primeira vez em mais de três horas, eles puderam relaxar.

"Ficou lindo, *né?*", perguntou Protógenes, dando uma risada.

"Meu, o melhor de tudo, nós não tivemos iniciativa de nada. Toda a iniciativa foi dele, você entendeu?", concordou Victor Hugo. "O finalzinho da conversa no restaurante, o celular não pegou, porque estava sem bateria. Então, agora eu estou com o gravador, na lapela."

Passados treze minutos, Chicaroni reapareceu, carregando uma maleta de *laptop*. A gravação documentou a entrega do dinheiro.

— *Tá* na mão — disse Chicaroni.
— Então está certo, não vamos nem conferir — disse Victor Hugo.
— Eu não conferi. Ele me entregou num saco de supermercado. Eu só pus dentro de outra sacola e botei... Eu tenho essa extra do meu *laptop*, então... — disse o professor.
— Quantos pacotes tem? — indagou Victor Hugo.
— São... cada um de cinco. São cinquenta, dá dez pacotes — contabilizou Chicaroni.

Eles se despediram.

Os policiais seguiram direto para a sede da PF, onde o dinheiro foi contado, fotografado e apreendido. Havia dez pacotes contendo cem cédulas de R$ 50,00 cada um, acondicionados em sacolas plásticas da farmácia Drogasil, guardadas numa pasta preta, de náilon, com os dizeres KA Solution.[8]

Victor Hugo desabafou:

"Como estão as coisas, *né*, puta que o pariu!"

Pilhas de dinheiro encontradas na residência de Hugo Chicaroni em São Paulo. O dinheiro seria entregue como suborno aos delegados da Polícia Federal que investigavam o banqueiro Daniel Dantas.

---

[8] Auto de apreensão datado de 18 de junho de 2008.

O jogo e o jogador

"Ninguém vai se apoderar do que é nosso. Não estão reunidos neste aposento o poder político da Bahia, a administração da Bahia, a justiça da Bahia, o jornalismo da Bahia? Não está aqui a maioria das terras, dos bens, dos rebanhos da Bahia? Nem mesmo o coronel Moreira César pode mudar isso. Acabar conosco seria acabar com a Bahia, meus senhores."

Barão de Canabrava, em *A guerra do fim do mundo* (1982), de Mario Vargas Llosa, personagem fictício que remete ao Barão de Jeremoabo, trisavô de Daniel Dantas, Cícero Dantas Martins.

O amplo sobrado erguido em 1894 num engenho de cana-de-açúcar na zona rural de Itapicuru, a 227 quilômetros de Salvador, resiste em pé como o símbolo do poder que a família Dantas exerceu por várias décadas sobre uma população de sessenta e uma fazendas no sertão da Bahia. No Solar de Camuciatá, nasceram e cresceram gerações da família. De pai para filho, os Dantas dominaram onze municípios no sertão no nordeste baiano, uma hegemonia que em 1939 impressionou o historiador e folclorista Luís da Câmara Cascudo (1898-1986). "Os Dantas baianos nascem políticos como os pássaros voam e os peixes nadam."[9]

O fazendeiro Cícero Dantas Martins, nascido em 1838, foi o fundador do casarão, onde viveu por muitos anos. Designado barão de Jeremoabo em 1880 por ordem do imperador D. Pedro II, Cícero se tornou um homem de grandes posses no final do século. Adquiriu dezessete fazendas só em Itapicuru. Mantinha outras doze em Bom Jesus, município que depois foi rebatizado justamente como Cícero Dantas.

---

[9] "O barão de Jeremoabo", jornal *A Tarde*, 1º de agosto de 1939. Citado por Álvaro Pinto Dantas de Carvalho Júnior.

O poder político de Cícero sofreu um abalo a partir de 1874, com as andanças do beato Antônio Conselheiro (1830-1897). A pregação arregimentou lavradores por todo o sertão, esvaziando propriedades da região. Em pé de guerra, os velhos "coronéis" pediram ao Exército o fim do arraial de Belo Monte. Cícero tinha verdadeiro ódio pelo Conselheiro, do que são prova algumas das cerca de 3 mil cartas deixadas pelo barão no Solar de Camuciatá. No auge do conflito, em agosto de 1897, o barão lembrou, em carta enviada a um compadre, ter sido um dos primeiros a advertir sobre a ameaça. Disse ter sido criticado injustamente quando pediu um reforço de cem praças do Exército para perseguir o beato.

"Antônio Conselheiro está provando ter tido grandioso auxílio, pois não lhe falta armamento moderno, munições, víveres, e povo [...] Há quatro ou cinco anos era eu tido por sanguinário, malvado, rancoroso pelo fato de me esforçar para dar-se caça ao bandido, enquanto era tempo, e hoje..."[10]

A rivalidade entre o barão e o Conselheiro é citada pelo escritor Euclides da Cunha no clássico *Os sertões* apenas numa nota de rodapé. Mas ganhou contornos épicos em *A guerra do fim do mundo*, de Mario Vargas Llosa, romance inspirado na obra de Euclides. Llosa, que nos anos 1980 fez pesquisas no casarão de Camuciatá acompanhado do historiador baiano José Calazans, transformou Cícero, rebatizado de "barão de Canabrava", numa figura-chave no conflito, responsável por aglutinar "as forças da Bahia" contra o Conselheiro.

No século XX, os Dantas mantiveram seu prestígio político, atuando em vários setores da vida baiana. Um dos netos do barão, o promotor de Justiça João da Costa Pinto Dantas Júnior, foi deputado estadual (1921-1923), deputado federal constituinte (1946-1962) e membro da sede estadual do Cade (Conselho de Defesa Econômica) durante a ditadura militar (1964-1970). Dos nove filhos do deputado, três tiveram alguma atividade política. João Carlos Tourinho Dantas foi deputado estadual e federal e secretário de Estado de Justiça na gestão do governador

---

[10] "Cícero Dantas Martins, de barão a coronel: Trajetória de um líder conservador na Bahia" (1838-1903), do historiador Álvaro Pinto Dantas de Carvalho Júnior (2000), dissertação de mestrado pela UFBA. Álvaro é primo de Daniel Dantas.

biônico Roberto Santos. O procurador estadual da Fazenda José Augusto Tourinho Dantas, o Gute, foi chefe da Casa Civil do governador Antônio Carlos Magalhães, o ACM, também durante a ditadura.

Em 14 de abril de 1945, o avô de Daniel, João Júnior, fundou o Instituto Genealógico da Bahia, do qual se tornou "benemérito e presidente perpétuo". Em 1967, a edição de número 15 da *Revista do Instituto* dedicou mais de quarenta páginas à trajetória da família Dantas — deve ter sido a primeira publicação a citar o nome de Daniel. Em uma linha, ele é anunciado como o primeiro filho do empresário Luiz Raymundo Tourinho Dantas, o "seu" Mundico, um dos filhos de João Júnior que não seguiu a carreira política.

Trineto de Cícero, Daniel Valente Dantas nasceu em Salvador, na Bahia, num domingo festivo de 1954, data das eleições diretas e gerais de 3 de outubro em todo o país, mas num dos anos mais traumáticos da história da República — em agosto, o presidente Getúlio Vargas havia se matado no Palácio do Catete. Naquele fim de semana com previsão de sol na Bahia, além da vigorosa campanha eleitoral que opunha Pedro Calmon e Antônio Balbino, os jornais de Salvador destacavam os preparativos para a visita ("não comunicada anteriormente", como reclamou *A Tarde*) da *miss* Brasil e quase *miss* Universo, Martha Rocha.

A vida de uma família de posses como a dos Dantas era marcada por coquetéis, jantares e almoços nos clubes mais tradicionais e exclusivos da elite da cidade, como o Bahiano, a Associação Atlética e o Yatch Club.

"Era uma sociedade fechada. As famílias ricas todas se conheciam, os Dantas, os Valente. Era uma casta."[11]

Desde o trisavô de Dantas, não há registros que puderam ser alcançados pelo autor, em trabalhos de história baiana ou na memória dos parentes, de algum episódio especialmente traumático para a família, como uma morte violenta por motivação política. A vida dos Dantas

---

[11] Entrevista ao autor, em Salvador, do ex-delegado de polícia Álvaro Dantas, 77, que se disse primo de Daniel.

teria sido tão repetitiva que chegou a desanimar uma historiadora que foi estudá-la. "Todos os seus descendentes tiveram uma trajetória de forte vínculo entre prestígio social e inserção política, tornando-se quase monótono recuperar suas biografias."[12]

A mãe de Daniel, Nícia Maria, também provém de uma família abastada na Bahia, dona da firma têxtil Companhia Valença Industrial.

Dos dezessete aos vinte anos de idade, Nícia viveu uma curiosa "vida dupla", ao usar um pseudônimo para escrever crônicas para o jornal *O Estado da Bahia*. Nessas crônicas juvenis, Nícia registra pacientemente, nome a nome, os integrantes da elite baiana que estavam em determinada festa, casamento ou recepção. Numa delas, menciona o então deputado federal João da Costa Pinto Dantas Júnior, pai de seu futuro marido. A Salvador da jovem Nícia é um longo e alegre desfile nos salões da elite, apenas quebrado pela morte de uma amiga ou um parente. Nos raros momentos de tristeza, Nícia se volta, então, para a contemplação do mar e do céu — não há espaço, em seus textos, para qualquer tipo de descrição sobre economia, política ou o modo de viver do baiano que não frequentasse seu círculo social.

Os 243 textos de Nícia foram depois reunidos no livro *Crônicas de Maria Patrícia*, impresso em 1980 pela Gráfica do Senado, em Brasília. O prefácio foi assinado pelo ex-governador baiano Luiz Viana Filho (1908--1990), então presidente do Senado, apoiado pela ditadura do general João Figueiredo. Nícia avisou que abria mão dos lucros do livro em prol de uma entidade beneficente. A família de Dantas aparece de novo frequentando os salões de Salvador nas memórias do empresário da noite Ricardo Amaral. Na década de 1970, os Dantas costumavam receber Amaral, que ia à cidade "três ou quatro vezes ao ano, em temporadas longas", depois que lá fundou, no hotel Othon, uma filial de seu clube privado Hippopotamus. Amaral se relacionava com dois tios e os pais de Dantas, além de "gozar de certa intimidade" com o então governador ACM.[13]

---

[12] Joana Medrado Nascimento, em sua dissertação de mestrado pela Unicamp "Terra, Laço e Moirão" (2008).

[13] *Vaudeville*, de Ricardo Amaral (Ed. Leya, 2010).

O pai de Dantas, Luiz Raymundo, o Mundico, tocava a empresa têxtil de Valença e a LR Turismo, que organizava passeios de escunas. João Falcão, falecido em 2011, ex-banqueiro, empresário e dono do *Jornal da Bahia* — que sofreu graves sanções do então governador ACM, para quem trabalhava à época um irmão de Mundico, no cargo de procurador-geral do Estado —, recordou-se do pai de Dantas como alguém cortês e bem relacionado com o poder político.

Ele [Mundico] não enriqueceu. Era de uma classe muito boa. A família era rica, mas não *muito* rica. Tinha terras, mas tenho a impressão de que já não eram tão valorizadas. Os Dantas sempre foram uma família de classe média alta, todos formados, com estudos. Agora, sempre com cargos no governo, simpáticos ou ligados ao governo. Isso sim. Eram oportunistas nesse sentido.[14]

Daniel Dantas estudou desde cedo em alguns dos melhores colégios de Salvador. À época do vestibular, optou pelo concorrido curso de engenharia civil da Politécnica da Universidade Federal da Bahia (UFBA). A lista de aprovados saiu em 21 de janeiro de 1973 no *Jornal da Bahia*. O curso previa cinco anos de estudos, mas alguns alunos conseguiam completá-lo em quatro e meio. A formatura dos 110 alunos de 1978 foi dividida em dois dias, 18 e 19 de agosto. Houve uma missa na igreja de Conceição da Praia, uma colação de grau "com solenidade" no Instituto Central de Educação Isaías Alves e uma colação de grau "sem solenidade" no auditório da Politécnica — vinte e seis empresas ajudaram nos gastos, incluindo o Banco Econômico, que depois seria ajudado por Dantas.[15]

Dantas deixou entre os colegas uma imagem de aluno eficiente. Três disseram que ele nunca levava cadernos e livros para as aulas e que pegava as lições muito rápido. Politicamente, contudo, Dantas passava despercebido. Antônio Carlos Souza Vilar, que se formou no mesmo ano de Dantas, disse não se lembrar de nenhuma atividade do ex-colega

---

[14] Entrevista ao autor em 19 de janeiro de 2010, em Salvador (BA).
[15] Convite de formatura da turma de engenharia civil da Politécnica, 1978.

no centro acadêmico. A força da ditadura continua sendo uma explicação. "Os líderes estudantis foram todos apagados. Não dava para botar a cabeça de fora."

Os alunos mais pobres precisavam de uma carona para frequentar o curso, pois as salas de aula eram distantes umas das outras. Dantas tinha carro. Manoel Rodrigues Brochado passou no vestibular em 1973 e se formou com Dantas em 1978. "Começamos e terminamos juntos, mas eu não era amigo dele. Ele era um estudante muito bom, mas não era um CDF. Parecia mais um *bon vivant*. Ele chegava sem livro, acho que até sem caneta. Parecia que não sabia direito nem quando eram as aulas. Mas sempre tirava 'S' [nota mais alta]. Dentro dos grupos, havia os subgrupos. Ele se dava mais com alunos de outras famílias ricas, como a dele."

Os ex-colegas dizem que Dantas não costumava ir aos bares mais frequentados pelos estudantes nem participava de excursões organizadas pela turma, como a que passou vinte e sete dias em Buenos Aires.

Disse Artur Watt Filho:

Ele sempre foi uma pessoa inteligente, popular e querida. Mas não entre os que vinham de nível econômico inferior ao dele. O sangue dele é sangue nobre. Sou seu admirador. Tinha gente que queria subir, mas não fazia nada na vida para isso. Gente que não queria porra nenhuma. Houve uma greve brava em 1974, eu não entrei, ele não entrou. O pessoal do centro acadêmico era todo comunista.

Formado, Dantas viajou para o Rio. Lá, deslumbrou-se com o professor Mario Henrique Simonsen, então diretor da Escola de Pós-Graduação em Economia (EPGE) da Fundação Getúlio Vargas e sócio do banco Bozano Simonsen. A trajetória de Simonsen guarda uma grande contradição: admirador de ópera e música clássica, ferrenho defensor do livre mercado, normalmente descrito como "gênio" pela imprensa, por outro lado serviu, por longos anos, ao Estado autoritário militar, que censurou parte da imprensa e obras de arte e comandou a economia com mão de ferro. Simonsen foi conselheiro econômico dos generais Castello Branco e Geisel, presidente do Mobral (1970-1974) e ministro da Fazenda (1974-1979) e do Planejamento (1979). Ele funcionou como articulador e executor do pensamento econômico do regime militar.

"Mario era da elite carioca, a elite dos grandes escritórios de advocacia e de consultoria, da Pontifícia Universidade Católica (PUC) e da Fundação Getúlio Vargas. Era o homem do *establishment* intelectual, acadêmico e burocrático que governou este país durante muito tempo."[16]

Durante a ditadura, Simonsen apoiou sem contrariedade, como informam as atas das reuniões do CSN (Conselho de Segurança Nacional), diversas medidas persecutórias propostas por Geisel e assessores contra opositores do regime. Simonsen integrou o CSN por mais de cinco anos, ao lado de generais e ministros civis. Sigilosas por mais de três décadas, guardadas no Palácio do Planalto, as atas foram finalmente trazidas a público em 2008. Lá, estão as assinaturas de Simonsen concordando com cassação de mandatos e suspensão de direitos políticos de pelo menos nove deputados federais, um estadual e dois vereadores da oposição, que haviam feito críticas à ditadura, além de três do governista Arena.[17]

Em junho de 1977, o ministro apoiou a cassação do mandato do deputado José Alencar Furtado (MDB) e a suspensão de seus direitos políticos por dez anos. O "crime" do deputado foi ter dito num programa de tevê: "Voltemos as costas para o Brasil da censura postal ou discriminatória, da repressão irracional ou desvairada, das punições sem defesa, das prisões arbitrárias, da escuta telefônica e da delação que avilta".

Em 1º de abril de 1976, Simonsen apoiou a cassação do líder do MDB no Rio Lysâneas Maciel. Dias antes, o deputado havia discursado na Câmara: "Estamos nos acostumando com o desaparecimento de

---

[16] Trecho do depoimento da economista Maria Conceição Tavares para o livro *Mario*, de Luiz Cesar Faro e Coriolano Gatto, da empresa Insight. Faro e Gatto foram por um tempo assessores de imprensa do Opportunity. Conceição também elogia a capacidade de Simonsen no mesmo depoimento.

[17] Atas do Conselho de Segurança Nacional, Arquivo Nacional, coordenação regional de Brasília.

brasileiros, sua tortura, sua morte presumida; homens que não se conformaram com a injustiça e colocaram seu talento e sua vida a serviço de seus compatriotas".

Dantas tornou-se aluno da FGV em 1979, no mesmo ano em que Simonsen deixou o governo militar e voltou a dar aulas. Esse passado tão recente não impedia que Dantas e vários de seus colegas adorassem Simonsen. Ele é um ídolo para Dantas. No depoimento de trinta e cinco minutos que concedeu ao projeto de história oral do centro de documentação da FGV, Dantas derramou elogios ao professor, ainda que tenha incluído a controversa informação de ter exercido influência sobre o planejamento das aulas do próprio mestre:

"Participei do primeiro curso que ele deu, e foi amor à primeira vista: do que ele quisesse dar aula eu participava. [...] Acabamos desenvolvendo uma relação que fez que eu pudesse sugerir a aula que eu queria que ele desse, e ele dava."[18]

É fácil intuir o impacto de Simonsen sobre a formação de Dantas. O aluno havia chegado ao Rio com apenas vinte e quatro anos de idade. Começou a fazer economia na FGV e também planejava fazer um MBA em administração na Suíça, mas, antes, "passou no Rio", como disse, e por lá mesmo ficou.

Se "todo indivíduo projeta a si mesmo nas outras pessoas", como disse Dantas, foi em Simonsen que o futuro banqueiro procurou seu reflexo. "Ele era um oráculo, um professor, um amigo, um orientador. Ninguém, com exceção do meu pai, me influenciou tanto na vida."[19]

Simonsen foi o presidente da banca examinadora da tese de doutorado de Dantas, "Indexação", que recebeu nota dez em 11 de agosto de 1982.

Dantas chegou a montar uma revista em parceria com Simonsen, a *Simposium*, junto com Moysés Glat e John Harris. Eles fizeram uma mala-direta que chegou a 2 mil assinantes, mas o negócio mofou. A derradeira edição teve apenas dois exemplares.

---

[18] *Mario Henrique Simonsen, um homem e seu tempo* (FGV Ed., 2002, Org. Verena Alberti, Carlos Eduardo Sarmento e Dora Rocha).
[19] Idem.

No período em que esteve na academia, Dantas também estreitou laços com outro professor, Rudiger Dornbusch, do MIT, em Cambridge (EUA), que passara a dar aulas na FGV do Rio a convite de Simonsen. Os estudos de Dornbusch, graduado em Genebra e Ph.D. na Universidade de Chicago, ajudaram a fundar as bases do moderno estudo da macroeconomia. Dantas estudou no MIT entre 1982 e 1983.

Dornbusch impulsionou a carreira de Dantas em novembro de 1989, ao incluí-lo em um seminário que se tornaria o símbolo do liberalismo econômico preconizado pelos EUA para os países em desenvolvimento. Era o "Consenso de Washington", marco do amplo plano de privatizações de empresas estatais indicado aos países da América Latina. Eles venderiam grande parte de seus ativos em áreas estratégicas da economia, incluindo as empresas telefônicas no Brasil. O organizador do seminário foi o professor inglês John Williamson. Nos anos 1980, ele era o mais ativo membro do IEI (Instituto de Economia Internacional), sediado nos EUA, cujos vínculos com banqueiros são expressos na introdução de um livro produzido pelo instituto em 1986:

> O estudo foi solicitado pelos próprios bancos em meados de 1984, por meio da Associação dos Banqueiros para o Comércio Exterior. Os autores foram assistidos por um grupo formado por renomados especialistas de várias diferentes comunidades envolvidas. O grupo inclui representantes de bancos americanos nacionais e regionais, e, em menor proporção, de bancos não americanos.[20]

Um dos banqueiros mais ativos do IEI foi David Rockefeller, do clã fundador do Chase Manhattan Bank. Rockefeller tornou-se porta-voz do sistema financeiro americano, foi consultor de Henry Kissinger e participou de conversas com Fidel Castro. Também manteve estreitas ligações com diversos homens-chave da CIA, o serviço secreto americano. Em 1989, no ano do "Consenso", Rockefeller integrava o conselho

---

[20] *FMI e países em desenvolvimento: políticas e alternativas* (John Williamson, Fred Bergsten e William R. Cline, Ed. Nórdica, RJ, 1986).

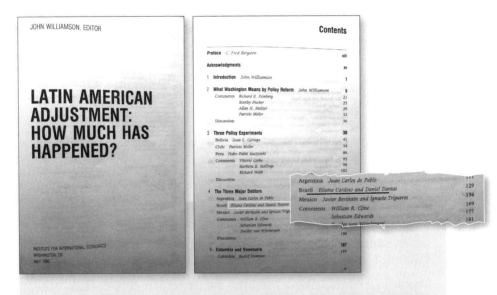

No livro que resumiu o "Consenso de Washington", o maior receituário neoliberal já produzido, Daniel Dantas coassinou artigo em que reclama do ritmo das privatizações no Brasil. O "Consenso" gerou políticas neoliberais para os países em desenvolvimento, incluindo no cardápio um amplo programa de privatizações. Poucos anos depois, Dantas se tornou protagonista nas privatizações no Brasil.

de diretores do IEI. Outro desses conselheiros era ninguém menos que Mario Henrique Simonsen.

O IEI atuava em sintonia com conglomerados financeiros para formular políticas "apropriadas" para os governos de países em desenvolvimento, principalmente os da América Latina, que à época enfrentavam problemas para quitar as dívidas com o FMI.

À reunião do "Consenso" compareceram observadores do FMI, do Banco Mundial e do BID, que verificavam a disposição dos países endividados em seguir o receituário neoliberal. E checavam se poderiam continuar financiando esses países.

Ao reunir nomes para o evento, Williamson pediu uma dica ao professor Dornbusch, que era casado com a economista brasileira Eliana Cardoso e dava aulas na Universidade de Tufts, em Boston.

Eliana e Dantas foram então convidados a produzir e apresentar um *paper* na reunião. Eliana assim descreveu a parceria com o baiano:

> O seminário era uma atividade acadêmica que interessava aos *policymakers*, porque os estudos e as discussões tinham implicações para o desenvolvimento econômico [...] Eu conhecia o Daniel antes de acertarmos a elaboração do texto. Ele havia sido aluno de meu ex-marido, o professor Rudi Dornbusch, na FGV. Rudi o convidara para visitar o MIT em programa de pós-doutorado. Daniel foi aluno brilhante do Simonsen. Rudi tinha ambos em alta conta. Rudi sugeriu ao John Williamson que convidasse o Daniel para ser coautor do trabalho, porque John queria um autor de uma universidade americana (como eu) trabalhando com um economista no Brasil (como o Daniel). Daniel sempre foi extremamente correto, um colaborador inteligente e responsável. Só tenho coisas positivas a dizer sobre ele, embora eu tenha perdido o contato com ele desde 1994.[21]

Eliana, que foi para o Banco Mundial, trabalhou no Brasil entre 1994 e 1996, no cargo de secretária de Assuntos Internacionais do então ministro da Fazenda, Pedro Malan, no governo de Fernando Henrique Cardoso (PSDB).

O texto de Eliana e Dantas, intitulado "Brasil depois de 1982: ajuste ou acomodação?", ocupou vinte e cinco das 445 páginas do livro editado por Williamson que se tornou a 'certidão de nascimento' do Consenso. O *paper* destaca os problemas que o Brasil, apontado como um dos três maiores devedores do FMI, ao lado da Argentina e do México, enfrentava para conseguir o equilíbrio das finanças internas. Ao falar sobre privatização, os autores criticaram a gestão das estatais e desaprovaram a baixa velocidade do processo de venda das companhias. O diagnóstico foi cáustico.

Centenas de empresas públicas foram criadas no Brasil entre as décadas de 1960 e 1980, ultrapassando o número de trezentas. De

---

[21] Entrevista ao autor, por *e-mail*.

acordo com a Secretaria de Controle das Empresas Estatais, 62% das empresas estatais são empreendimentos produtivos, e os 38% restantes são órgãos administrativos e universidades. Essas companhias têm sido criticadas por desperdiçarem dinheiro por conta da capacidade inadequada de gestão e os excessivos custos trabalhistas, objetivos contraditórios e obscuros, e seu privilegiado acesso a capital, subsídios e proteção. Até agora, porém, a privatização no Brasil tem avançado lentamente. Desde 1980, apenas dezessete empresas pertencentes ao Estado foram privatizadas.[22]

Eliana e Dantas apontaram para as privatizações como parte da solução do problema brasileiro. "O equilíbrio orçamentário demanda grandes cortes nos subsídios e a consolidação do débito doméstico. Isso poderia ser conseguido por meio de privatizações, com o produto usado para pagar dívidas, e por um alongamento forçado [das dívidas]."

O Consenso apontou dez linhas mestras para os países endividados, entre as quais a privatização das estatais.

As propostas do Consenso logo foram replicadas pelo empresariado brasileiro. Um documento de 1990 da Fiesp, a federação dos industriais de São Paulo, "sugere a adoção de agenda de reformas virtualmente idêntica à consolidada em Washington".[23]

Ao participar com seu texto do "nascimento" do Consenso, Daniel Dantas colaborou, ainda que lateralmente, na formulação de políticas que ele mesmo ajudaria a aplicar no Brasil. Passou de comentarista a jogador, em um jogo cujas regras ele próprio de alguma forma ajudou a criar.

O grupo de Williamson tinha uma espécie de dublê no Brasil. Em 1988, meses antes da reunião do Consenso, um grupo de economistas formou um "Fórum Nacional", cujo objetivo era apontar "ideias para a modernização

---

[22] *Latin American Adjustment: How Much Has Happened?* (ed. Institute for International Economics, 1990), John Williamson (editor).
[23] *O Consenso de Washington* (1994), do economista Paulo Nogueira Batista (1929-1994).

do Brasil". O fórum era coordenado por João Paulo dos Reis Velloso, também ex-ministro da ditadura, amigo de Simonsen e igualmente participante das mesmas reuniões persecutórias do CSN nos anos 1970, sob o governo de Geisel.

O fórum realizou um seminário com cerca de sessenta economistas e quinze sociólogos e cientistas políticos na sede do BNDES, no Rio, em novembro de 1988. Depois, procurou o empresariado de São Paulo e do Rio entre março e abril de 1989 e, em maio, reuniu-se com cerca de cinquenta senadores e deputados no Congresso. Embora não fosse o tema central, a privatização aparecia com força no discurso de Velloso. Para uma parte dos "conglomerados estatais (Eletrobras, Petrobras etc.)", o ex-ministro defendia um controle rígido dos gastos. Para a outra parte das estatais, que não entrassem no conceito do "Estado-empresário", Velloso defendia a venda imediata de ações em bolsas de valores. Velloso apontou as áreas que não precisavam ser vendidas: "A sugestão é limitá-la [a proibição] à energia elétrica, petróleo, comunicação e transporte".[24] Como se viu depois, todas as áreas passaram por profundos processos de privatização ou de quebra do monopólio.

Dantas também reproduzia amplamente esses argumentos em público. Em maio de 1988, afirmou, em texto publicado na *Folha*:

> O liberalismo econômico é a única solução para sairmos do impasse em que nos encontramos [...] A confusão é grande e decerto o liberalismo é a saída mais rápida e eficaz para esta situação, especialmente porque não exige coordenação. O Governo deveria se engajar em um amplo programa de privatização. Deveríamos começar pela privatização do próprio setor privado: fim das cotas, monopólios e subsídios.

No pé biográfico desse texto, Dantas é identificado como economista e "doutor pelo MIT", dos EUA (os dados geralmente são enviados pelos autores dos textos; neste caso, não foi possível saber a origem). Mas a informação contradiz o currículo coletado pelos pesquisadores

---

[24] *Fórum Nacional: ideias para a modernização do Brasil* (ed. José Olympio, 1990).

do CPDOC em 2002, quando ocorreu a publicação do livro em homenagem a Simonsen. Ali, Dantas informa ter feito "pós-doutorado" no MIT e doutorado na FGV.

De fato, Dantas não é "doutor pelo MIT", mas, sim, pela FGV. No *paper* do "Consenso", Dantas é identificado apenas como "professor da FGV", nada falando sobre o MIT. Quando o Opportunity fechou uma proposta formal de consórcio com o Citibank, em 1997, a resumida biografia de Dantas também silenciou sobre o suposto doutorado pelo MIT. Ouvida para este livro, a assessoria do Opportunity afirmou:

"Parcela considerável da imprensa especializou-se em publicar informações incorretas sobre Daniel Dantas [...] Completou o mestrado e o doutorado em apenas dois anos, na própria FGV. Fez pós-doutorado no Instituto Tecnológico de Massachusetts [...] Daniel foi professor visitante do MIT."

A tese de Dantas na escola carioca transformou-se num livro, publicado em 1987 e financiado pela Icatu Empreendimentos — na qual Dantas era diretor-executivo. No prefácio, Dantas sente-se preparado para dar um "puxão de orelha" em Milton Friedman (1912-2006), um dos maiores teóricos do liberalismo econômico.

> Friedman, num artigo publicado em 1974, recomendou a indexação como meio de facilitar o combate à inflação. Sua linha de raciocínio baseava-se em dois argumentos: o primeiro, de consistência lógica discutível; o segundo, embora absolutamente consistente, pecava por ser válido apenas em condições particulares.

Friedman havia recebido o Prêmio Nobel de Economia dois anos após ter escrito o mesmo artigo atacado pelo recém-formado Dantas.

A despeito de arroubos intelectuais como aquele, Dantas continuava um anônimo fora da FGV e do mercado financeiro do Rio. Isso mudou radicalmente depois de uma capa da revista *VIP Exame*, da editora Abril, de março de 1989, que anunciou ao mundo um novo "Guardião de Fortunas". A capa trouxe Dantas, aos trinta e quatro anos, com os braços cruzados, as mangas da camisa dobradas e a gravata jogada sobre o ombro. A reportagem intitulada "O Rei e o Regente" era extremamente

HISTÓRIA AGORA

A revista Exame VIP *apresenta ao mundo Daniel Dantas, pintado na reportagem como um novo pequeno gênio das finanças. Logo depois um de seus principais apoiadores, o banqueiro Braguinha, iria se desentender e reclamar de seu comportamento.*

elogiosa a Dantas e incluía uma bajulação de Simonsen ("ele sempre foi um azougue"). O texto descreve Dantas como alguém "despojado", cuja vestimenta teria sido, uma vez, comparada à de um "garçom". Também registra sua péssima opinião sobre a cidade de Nova Iorque.

"Ela tem de sobra duas coisas que eu detesto: *yuppies* e muita gente diferente misturada."

Para ele, haveria no planeta apenas duas cidades "dignas de uma nota dez com louvor", Londres e Boston.

O texto narra uma suposta hiperatividade de Dantas, que ficaria sempre em pé enquanto lia "relatórios, livros de economia e publicações especializadas americanas", de modo a "equacionar suas habilidades em arquitetar transações complexas". Para se movimentar melhor "nessas literais marchas intelectuais", Dantas teria retirado os móveis da sala de seu apartamento, no Rio.

A suposta mania de trabalhar em pé aparece no relato de outras pessoas ligadas a ele, como seu fiel defensor no Senado, o ex-senador Heráclito Fortes (DEM-PI).

"Um dia, eu perdi a calma e falei para ele: 'Para, Daniel, senta aí, *porra*, você parece o Sputnik.'"[25]

Dantas foi ouvido aqui e ali pela imprensa para comentar determinada medida econômica do governo Sarney. Isso mudou no final de dezembro de 1989. Fernando Collor, ex-governador de Alagoas, havia sido eleito presidente numa das disputas mais duras da história do país e estava montando a equipe de governo que deveria tomar posse em março de 1990.

Em 30 de dezembro, reportagem do jornalista da *Folha* Alcides Ferreira anunciou que Collor havia feito pelo menos duas reuniões com economistas "para estudar programas de combate à inflação". Collor se reuniu com Simonsen, com o vice-presidente do Unibanco André Lara Resende e com o "presidente do Icatu, Daniel Dantas". Dantas é uma fonte importante da reportagem. Ele explicou a Ferreira que Collor quis saber "como foram resolvidos", em outros países, "problemas semelhantes aos brasileiros, como inflação e *déficit* público". Dantas teve "uma surpresa agradável" com Collor.

"Ele fez perguntas corretas e deu julgamentos rápidos."

O trio havia sido levado a Collor pelo empresário Olavo Egydio Monteiro de Carvalho, do Grupo Monteiro Aranha, um grande investidor do Rio. Olavo contou, anos mais tarde, que Collor tinha um plano que parecia astuto, no qual Dantas teria papel de certo relevo:

> Mario Henrique se animou com aquilo e procurou colaborar, participar: encaminhou-me o Daniel Dantas e o André Lara Resende, e eu os levei para conversar com Collor, para que eles pudessem desenvolver o programa do tão falado Projeto Brasil. Eu achava que

---

[25] Entrevista concedida ao autor no Senado em 2010.

o ministro da Fazenda ia ser o Daniel Dantas, mas um dia o Collor me ligou e disse: "Olavo, vamos ter no começo um trabalho muito duro, muito impopular, muito desagradável, e vou usar a Zélia nessa primeira fase. Depois que estivermos com a casa mais ou menos arrumada, vou chamar ou o André ou o Daniel, para continuar a segunda etapa do Projeto Brasil".[26]

Entre as medidas "desagradáveis" previstas no Plano Collor estava o confisco da poupança acima de determinado valor de todos os brasileiros. Além de inócuo no combate à inflação, o confisco foi uma catástrofe para a credibilidade e imagem de Collor.

No início de 1990, as reuniões entre Dantas e Collor continuaram. A mais conhecida, da qual participou Zélia, ocorreu em 4 de janeiro na embaixada brasileira na Itália. Dantas contou à imprensa que Collor lhe havia encomendado um estudo sobre os efeitos da hiperinflação "e das políticas de estabilização econômica sobre os salários". À noite, Collor foi à ópera com Zélia, mas sem Dantas. No retorno ao Brasil, Dantas escapou da imprensa: "Avisado, ao desembarcar, de que estava sendo esperado pelos repórteres, Dantas escondeu-se atrás de uma das escadas rolantes, usou o elevador privativo da Receita Federal e saiu pelo setor de embarque do Aeroporto Internacional do Rio".[27]

Dantas estava tendo acesso direto a informações estratégicas, o que poderia gerar um conflito ético. O Icatu operava fortemente comprando e vendendo títulos da dívida pública, por exemplo, ou ações ordinárias de empresas estatais. Em entrevista que concedeu em Roma, por telefone, ele afirmou: "Não entramos em consideração sobre um plano de estabilização, até porque participo do setor privado, não poderia conhecer, antes dos outros, medidas em detalhes".

Tempos depois, descobriu-se que o próprio Simonsen havia retirado o dinheiro de uma conta bancária sua, o equivalente a US$ 20 mil,

---

[26] *Mario Henrique Simonsen, um homem e seu tempo* (FGV Ed., 2002, Org. Verena Alberti, Carlos Sarmento e Dora Rocha).
[27] *Folha de S.Paulo*, 7 de janeiro de 1990, "Daniel Dantas foge de jornalista ao desembarcar no Rio".

dias antes do confisco. Questionado por um jornalista se recebera "informação privilegiada", Simonsen reagiu, irônico: "Eu tive formação privilegiada".[28]

Mas os rumores sobre algumas propostas feitas por Dantas a Collor vieram a público, com repercussão negativa: "Causou preocupação no meio empresarial a informação vazada dos encontros entre Collor e [...] Daniel Dantas, de que as sugestões apresentadas pelo discípulo do ex-ministro Simonsen levariam o país a uma profunda recessão devido aos cortes de gastos públicos propostos".[29]

Dias depois, Dantas revelou suas sugestões. Elas incluíam "demissão de funcionários improdutivos, medidas para elevar a produtividade das empresas estatais e corte de todos os desperdícios e gastos" — um resumo simples de boa parte do Consenso de Washington. Dantas fez à imprensa algumas projeções preocupantes. Afirmou que as medidas a serem tomadas por Collor certamente causariam recessão, crise que seria "maior na medida em que for mais demorada a monetização da economia e a efetiva redução do *déficit* público". Ele afirmou, segundo a imprensa, que a recessão era inevitável e que deveria haver desemprego nos setores "financeiro, estatal, oligopolizados ou que sobrevivem pelo excesso de protecionismo".

Seu discurso descrevia um cenário apocalíptico. E as soluções que apresentava sempre passavam por uma imensa tesoura nos gastos públicos, o que gerou pelo menos uma piada involuntária, como quando sugeriu a venda do prédio da embaixada brasileira em Roma, cujo valor ele estimou em US$ 150 milhões. O resultado, disse ele, seria revertido para "eliminar despesas e aumentar a arrecadação" da União.[30] A ingenuidade da proposta matou-a no nascimento.

Em sua biografia autorizada, a ex-ministra da Economia Zélia Cardoso de Mello mencionou outra proposta radical de Dantas. Ele teria sugerido a Collor "dar o calote na nossa dívida interna". Em resposta,

---

[28] Depoimento de Kati Braga ao livro *Mario*.
[29] *Folha de S.Paulo*, 6/01/1990.
[30] *Folha de S.Paulo*, 11/01/1990.

disse a ex-ministra, Collor provocou Dantas: "O senhor assinaria embaixo?". Zélia não deixou registrada a resposta de Dantas.[31]

Anos depois, Dantas disse que nunca propôs qualquer "confisco", mas apenas "procedimento e disciplina" para o Estado brasileiro "arrecadar mais do que gasta". "Collor queria uma coisa mais mágica, com efeitos mais imediatos. Numa reunião, o Mario Henrique disse que não aceitaria nenhum cargo no governo. Eu fiquei quieto. Não podia falar o mesmo, porque não tinha sido convidado para nada", disse Dantas à revista *IstoÉ Dinheiro* em agosto de 2001.

Dantas seguiu tendo ampla cobertura jornalística, a primeira extensa de sua vida. Por alguns dias, a imprensa o citou como provável ministro da Fazenda ou presidente do Banco Central, cercando-o de adjetivos como "notável" e "brilhante". No dia 21 de janeiro, vieram a público os detalhes do plano escrito pelo grupo de Dantas, Simonsen e Lara Resende e apresentado a Collor. Previa um ambicioso programa de privatizações, ainda mais agudo que o feito pelo grupo de Zélia. Mas o nome de Dantas para o ministério foi descartado em meados do mês, quando fontes ligadas a Collor apontaram para a confirmação de Zélia.

As constantes entrevistas e esclarecimentos que Dantas concedeu ao longo daqueles dias, contudo, não tocaram numa parte fundamental das reuniões com Collor. O próprio ex-presidente só a revelou treze anos depois, quando apresentou à revista *IstoÉ Dinheiro* um trecho do livro que estava escrevendo (e que permanecia inédito até setembro de 2013).[32] Collor contou que a decisão pelo confisco da poupança se consolidou, em sua cabeça, após uma reunião entre ele, Simonsen, Dantas e Resende, na segunda quinzena de janeiro de 1990. Collor convidou os três para "um encontro reservado", em Brasília, na casa de um amigo. Eles discutiram assuntos caros ao grupo, como "formas de privatizar estatais, de fazer caixa e de levantar recursos para enfrentar um *déficit* de 9% do PIB".

Collor, então, teria se voltado para Dantas para saber a expectativa do mercado financeiro sobre o seu governo. "[Dantas] respondeu: 'Olha, presidente, nós estamos preparados para tudo. Cada um desenha

---

[31] *Zélia, uma paixão* (1991), pág. 109, de Fernando Sabino.
[32] Revista *IstoÉ*, 29/10/2002, Luiz Fernando Sá e Leonardo Attuch.

seus cenários possíveis dentro da conjuntura atual porque nós, do mercado, queremos sempre ganhar do governo. Nosso jogo consiste em nos anteciparmos para não sermos pegos de surpresa.'"

Segundo o relato de Collor, Resende se dirigiu a Simonsen, para comentar que o problema era a liquidez. "Tem que dar uma congelada nisso", teria dito Resende, no que foi acompanhado por Simonsen. Collor disse então que Dantas reagiu e apontou o dedo para Resende: "Você está maluco? No lugar dele, faria uma coisa dessas? Você sabe que isso é politicamente inviável. Não me venha dar bom-dia com o chapéu alheio!", esbravejou. Collor saiu do encontro para uma reunião com Zélia, a quem disse que iria partir para o congelamento dos ativos financeiros.

O relato de Collor isenta Dantas da decisão sobre o Plano Collor. Contudo, ao omitir o diálogo da imprensa, se de fato ocorreu, Dantas ficou a salvo da enorme repercussão negativa que o confisco enfrentou depois. Por um ponto de vista, foi fiel ao sigilo que as medidas impunham. Por outro, tratou de deixar o público longe de uma informação vital e, ao mesmo tempo, cuidou de tirar seu nome da encrenca.

No final das contas, Dantas contou com a sorte: o Plano Collor tornou-se um desastre.

Ausente do governo, Dantas também saiu do foco do noticiário, com exceção de alguns comentários sobre as medidas econômicas. Até ressurgir de forma não exatamente positiva. Na edição de 27 de maio de 1992, a revista *Veja* circulou com uma capa histórica, "Pedro Collor Conta Tudo", que deu origem à onda de denúncias que levaram ao *impeachment* do presidente. Na página 82, contudo, uma pequena e surpreendente reportagem, sem qualquer conexão com o escândalo Collor, passou praticamente despercebida. O jornalista Arnaldo Cesar revelou uma violenta ação nos bastidores políticos para tentar derrubar o então presidente do BNDES e coordenador do Programa Nacional de Privatização, Eduardo Marco Modiano.

A manobra, segundo a revista, era liderada por Dantas, com apoio do secretário de Assuntos Estratégicos, Eliezer Batista. A revista *Veja* contou que Modiano foi, ironicamente, o responsável pelos seus próprios problemas, pois se reuniu com Dantas para pedir conselhos sobre o programa das privatizações e acabou relatando os entraves que vinha enfrentando para executá-lo. Dantas teria então usado as informações para atacar Modiano nos bastidores, manobra abortada após uma intervenção de Collor. Na reportagem, Dantas aparece dizendo: "É preciso privatizar a privatização". O assunto não mais voltou à imprensa, já inteiramente ocupada com a crise no Palácio do Planalto.

Reportagem da revista Veja revelou uma violenta manobra nos bastidores políticos, capitaneada por Dantas, para destituir o então coordenador do Programa Nacional de Privatizações do governo Collor, Eduardo Modiano. Dantas queria que o país vendesse mais rápido suas estatais.

A antiga devoção de Dantas por Simonsen foi muitas vezes recompensada. Nos anos 1980, Simonsen indicou Dantas ao então presidente do Bradesco, Antônio Carlos de Almeida Braga, o Braguinha, para a vice-presidência de Investimento da Bradesco Seguros. Pouco depois, Braguinha decidiu se aposentar, foi viver em Portugal, mas antes deixou cerca de US$ 50 milhões para os filhos e ex-mulher. Para administrar o dinheiro, Braguinha criou um banco, o Icatu, e escolheu Dantas como gestor da fortuna dos herdeiros. A parceria acabou em 1993, após um desentendimento sobre os ganhos de Dantas, segundo a imprensa relatou à época. "Foi pior que briga de boate. Teve de tudo", revelou, em 1994, à revista *Veja* um operador do mercado financeiro. À época, Braguinha lamentou publicamente: "Fiquei muito decepcionado com esse rapaz".[33]

O "rei" se desencantou com o "regente".

Treze anos mais tarde, uma jornalista que entrevistou Dantas apresentou uma versão diferente da registrada pela imprensa à época. Agora Dantas era apresentado quase como uma vítima do Icatu. Teria sido acuado pelos herdeiros. "O mal-estar veio da resistência de Dantas a reduzir sua participação na sociedade, para que fossem aumentados os ganhos dos demais executivos. Os irmãos [Braga] deram um prazo para que Dantas revisse a política de remuneração. Ele protelou a questão indefinidamente."[34]

Mas aquela foi apenas a primeira de uma série de brigas entre sócios e parceiros que marcariam a trajetória de Dantas — uma simples trovoada, perto da tempestade que iria desabar. Ao sair do conflituoso Icatu, Dantas decidiu erguer seu próprio negócio. Em 1980, Dantas havia sido consultor de uma distribuidora de valores mobiliários que pertencia a Dório Ferman, outro ex-aluno da FGV. Eles abriram um novo banco. Por um infortúnio, corrigido no dia seguinte, ele foi anunciado como "Bando Opportunity" na coluna social de Joyce

---

[33] "Divórcio Milionário", em *Veja*, 31/08/1994. Procurados pelo autor, Braguinha e filha não confirmaram nem negaram o conteúdo da reportagem da revista *Veja*.
[34] "Todos contra Daniel Dantas", revista *piauí* de maio/junho de 2007.

Pascowitch na *Folha*, em 1994. Ferman iria constar, nos registros do Banco Central, como proprietário e diretor-presidente do Opportunity, mas todo o mercado e a imprensa entenderam que era "o banco de Dantas". Apesar de tudo o que a palavra sugere, como ter uma rede de agências, talões de cheque e milhares de correntistas, o banco na realidade tinha poucos correntistas, uma sede, uma filial e só. Atuava pouco como banco comercial, focando sua atividade na gestão de recursos pertencentes a terceiros. Era tudo o que Dantas precisava para sua jogada mais ousada. Ele estava prestes a reeditar, no mundo das telecomunicações no Brasil moderno, o domínio que sua família havia exercido na zona rural da Bahia mais de um século antes.

A batida do martelo

"Nós, realmente, eu, o André [Lara Resende], tínhamos uma preferência pessoal pelo consórcio do Opportunity em relação à Telemar."
Depoimento do ex-ministro das Comunicações Luiz Carlos Mendonça de Barros no Senado Federal, em 19 de novembro de 1998.

Ex-aluno do influente Simonsen, quase ministro de Collor, partícipe ainda que lateral do Consenso de Washington, Daniel Dantas se tornou, no início da década de 1990, uma privilegiada testemunha dos planos do governo federal para as privatizações das empresas estatais no Brasil, considerada a maior competição da história do capitalismo brasileiro. Para surfar na onda, bastava a Dantas pegar a boa prancha dos grandes conglomerados financeiros internacionais que queriam fincar seus investimentos na América Latina em negócios sólidos, empresas donas de bens palpáveis (como postes, fios e torres), que tinham dezenas de milhões de clientes. Ao mesmo tempo, os grupos estrangeiros procuravam contar com a força, o dinheiro e a generosidade do Estado brasileiro. Para isso precisavam encontrar brasileiros politicamente bem relacionados.

Nos anos 1980, Dantas tinha dado muitos passos em seus entendimentos com políticos, estreitando contatos que logo se revelariam excelentes para seus negócios. Novamente Simonsen veio apoiá-lo. O professor era muito ligado ao senador ACM, que por sua vez havia estudado, quando criança, com o pai de Dantas e havia contratado para o seu governo da Bahia um tio do banqueiro, José Augusto, no influente cargo de procurador-geral do Estado.

Por volta de 1985, ACM e outros apoiadores da ditadura passaram a organizar um novo partido político, o PFL (Partido da Frente Liberal), com o objetivo de sepultar a má fama da Arena e do PDS, que haviam dado amplo suporte aos governos militares. Um dos primeiros convidados a se filiar foi Mario Simonsen, a quem ACM chamava de "anjo da guarda da política econômica".[35]

ACM o adorava: "Quantas vezes fui, como muitos outros, ao seu modesto, porém moderníssimo, gabinete de trabalho, na praia de Botafogo, para ouvir conselhos e compreender melhor os graves problemas econômicos do país".

Outro ex-ministro da Fazenda dos militares, Delfim Netto chegou a mencionar uma filiação partidária do próprio Dantas ao PFL:

> Acho que o Mario foi levado para o PFL porque o PFL começou a dizer que era um partido liberal, que tinha alguma expectativa de poder, e ele estava interessado no programa liberal do partido. Fez como outros que se filiaram, como o Daniel Dantas, mas não creio que nenhum deles tivesse ambição política. Podiam ser grandes assessores.[36]

Francisco Dornelles (PFL), ministro da Fazenda em 1985, disse que Simonsen era conselheiro do partido. Ele detalhou à FGV:

> Ele [Simonsen] disse que não queria disputar eleição, mas que, se eu entrasse no PFL, ele entraria também. Algum tempo depois entrou e ficou como um grande conselheiro, principalmente da presidência. Tinha um relacionamento muito bom com o Marco Maciel e com o Antônio Carlos Magalhães. E ajudava muito: todas as vezes que o partido precisava de um documento, ele elaborava. Participava das reuniões do PFL, dando conselhos e opiniões sobre assuntos de natureza econômica.

---

[35] Artigo do ex-senador transcrito no livro *Mario*, de Luiz Fernando Faro e Coriolano Gatto.
[36] *Mario Henrique Simonsen, um homem e seu tempo* (FGV Ed., 2002, Org. Verena Alberti, Carlos Eduardo Sarmento e Dora Rocha).

Anos depois, ACM negou ter contratado Dantas como seu assessor, mas revelou ter tentado atraí-lo para seu governo.

> Tínhamos um amigo comum, o inesquecível professor Simonsen, que me dizia tratar-se o Daniel do melhor economista que ele conhecia e do seu melhor aluno. Procurei ver se levava para a Bahia o sr. Daniel Dantas, por intermédio do sr. Mario Henrique, para ser presidente do Banco do Estado. Não consegui. Ele já estava entrosado em negócios particulares. Um dos seus tios foi meu fraternal amigo, dr. José Augusto Tourinho Dantas, procurador-geral do Estado, excelente jurista e homem a quem dediquei muita amizade, uma amizade que prossegue com a sua família. O seu pai foi meu colega de escola primária. Não tinha intimidade com a sua família, embora tivesse muito respeito pelos seus pais. Daniel foi para os negócios, e eu tinha uma queixa muito grande que sempre externei a ele: apesar de ter tido um grande êxito na sua vida [...] nunca levou para a Bahia uma indústria, um empreendimento, algo dessa importância. Isso fazia que eu não tivesse maior afeto por Daniel Dantas. Entretanto, não posso negar tratar-se de um dos homens mais brilhantes do país, como economista e como homem de negócios. Se os seus negócios são regulares ou não, não tenho autoridade para dizê-lo.[37]

O que ACM não explicou é que Dantas colaborava com o PFL na análise de propostas econômicas desde o início dos anos 1990. Assim, de modo indireto, colaborou também na discussão do plano econômico do próprio governo FHC, pois o PSDB e o PFL firmaram a aliança vitoriosa das eleições de 1994.

As ligações de Dantas com o PFL são confirmadas por uma fonte oficial: o serviço secreto do Palácio do Planalto no governo Itamar Franco (1992-1994), chamado de SSI (Subsecretaria de Inteligência), sucessora do SNI. Quando os arquivos sigilosos do órgão foram

---

[37] Transcrição do pronunciamento do senador ACM na sessão do Senado de 26/09/2005.

finalmente abertos à consulta, em junho de 2012, no Arquivo Nacional de Brasília, foi possível localizar um relatório que liga Dantas à "Comissão Nacional de Estudos e Programas" do PFL.

```
088/1101/180294                    CONFIDENCIAL

                                           CAPA DE ACE

            PFL - Criação da Comissão Nacional de Estudos e
Programas

                          (18 Fev 94)

            O Partido da Frente Liberal (PFL) criou, dia 7 Fev
94, no Rio de Janeiro, a Comissão Nacional de Estudos e
Programas, formada por empresários e economistas.
            Essa Comissão apresentará trabalhos na reunião dos
governadores do Partido, dia 27 Fev 94, em Pernambuco, e já
elaborou sugestões para o programa da Legenda a ser exibido dia
10 Mar 94, em horário gratuito de Rádio e TV, cujos principais
pontos serão a economia de mercado, a privatização, a segurança
pública e a ação social do Estado.
            Além do publicitário MAURO SALLES, Secretário-
Executivo da Comissão, integram-na:
            - ROBERTO PROCÓPIO LIMA NETO, Presidente da
Companhia Siderúrgica Nacional (CSN);
            - NILTON MOLINA, economista;
            - DANIEL DANTAS, economista;
            - PAULO GUEDES, economista;
            - TOMÁS POMPEU MAGALHÃES, empresário; e
            - PAULO RABELO DE CASTRO, empresário.
                    Por ocasião do lançamento da Comissão foi cogitado
o nome do Governador da BAHIA, ANTÔNIO CARLOS MAGALHÃES, para
candidato do Partido à Presidência da República.

                            * * *
```

Documento produzido pelo serviço de inteligência do Palácio do Planalto, antecessor da Abin, liberado a consulta em 2012, expõe a ligação de Daniel Dantas com o PFL na formulação de propostas durante a campanha eleitoral de 1994, que elegeu Fernando Henrique. Dentre os pontos levantados pela comissão, as privatizações. Desde que o PT chegou à Presidência, em 2003, Dantas procurou minimizar seus vínculos com o PFL.

Os arapongas escreveram:

> O PFL criou em 7 de fevereiro de 1994, no Rio de Janeiro, a CNEP-PFL, formada por empresários e economistas. Tal comissão apresentará trabalhos na reunião dos governadores do partido, dia 27 de fevereiro de 1994, em Pernambuco, e sugestões para o programa da legenda a ser exibido em 10 de março de 1994, cujos principais pontos serão a economia de mercado, a privatização, a segurança pública e a ação social do Estado. [...] Por ocasião do lançamento da comissão, foi cogitado o nome do governador da Bahia, ACM, para candidato do partido à Presidência da República. O documento afirma que Dantas era membro da Comissão ao lado do publicitário Mauro Salles (secretário), dos economistas Nilton Molina e Paulo Guedes, dos empresários Tomás Pompeu Magalhães e Paulo Rabello de Castro e do executivo da Companhia Siderúrgica Nacional Roberto Procópio Lima Neto.

Um integrante da família de ACM, que pediu anonimato, também disse que Dantas integrava o mesmo grupo de estudos liderado por Simonsen pró-PFL:

> Ele ajudava, sim, nas discussões internas do partido. A colaboração é clara, à época do Collor, no caso do banco Econômico, no governo do PSDB. Eram sempre ouvidos. Quando o partido queria, procurava Simonsen, Daniel Dantas e outros sobre temas selecionados anteriormente. O Daniel conversava com a cúpula do partido. A mãe de Daniel é muito amiga da viúva do senador [ACM].[38]

Nos anos 1990, Dantas deu palestras sobre economia para altos políticos do PFL, dentre os quais o ex-senador Heráclito Fortes (DEM-PI):

---

[38] Entrevista concedida ao autor em janeiro de 2010, em Salvador, Bahia.

"Lembro-me de duas ou três. Participei de uma, no Recife. Ele dava aulas sobre a situação econômica do país".[39]

Apesar do convite de ACM para ser presidente de um banco na Bahia, apesar dos conselhos econômicos que ele e Simonsen davam ao PFL e apesar das ligações afetivas das duas famílias, Dantas procurou desmentir sua proximidade com ACM, ao depor à CPI das Interceptações Telefônicas, em abril de 2009.

> Havia [após a posse de Lula, em 2003] muita distorção na imprensa criando a imagem de que eu tinha alguma coisa contra o PT, que eu era antagônico ao PT, que eu tinha ligações com o PSDB — que nunca tive. À época do governo Fernando Henrique, diziam que eu tinha ligações com o senador Antônio Carlos Magalhães.

A sugestão de que não tinha "ligações" com ACM é ligeiramente diferente do depoimento que ele próprio havia prestado à Comissão de Constituição, Cidadania e Justiça (CCJ) do Senado em junho de 2006. Na presença de ACM, ele admitiu ter trabalhado como consultor do PFL, partido comandado pelo cacique político da Bahia, muito embora tenha negado a filiação partidária referida por Delfim.

"Em determinado momento, fui convidado a ser consultor econômico do PFL, do qual não sou filiado, e foi uma passagem curta. Foi um convite que foi feito ao Paulo Guedes, ao Paulo Rabello de Castro e a mim. Participou-se de algumas reuniões, depois, não."

ACM costumava comentar com parentes que tinha duas reclamações frequentes sobre Dantas: que o banqueiro não havia levado muitos investimentos para a Bahia e que não deveria ter deixado de morar em Salvador.

Dantas procurou melhorar essa percepção em 1999, no ano seguinte à morte do filho de ACM, o deputado federal Luís Eduardo Magalhães. O banqueiro se tornou membro do conselho de administração da recém-criada Fundação Luís Eduardo Magalhães, que

---

[39] Entrevista ao autor em 4 de março de 2010.

tocou projetos de formação de administradores públicos em parceria com o PNUD e o governo baiano. Ocupou a função entre 1999 e 2006. Outros conselheiros eram David Zylberstejn, ex-genro de FHC, e empresários da OAS.

Dantas pode não ter ajudado a Bahia tanto quanto queria ACM, mas ajudou alguns baianos. Como o publicitário Nizan Guanaes, um dos principais marqueteiros das campanhas eleitorais do PSDB. Quem revelou o apoio foi Sérgio Valente, sócio da agência de publicidade DM9DDB, em entrevista concedida em setembro de 2004 a Enio Martins e disponível na internet.[40] Dantas ajudou Nizan a obter empréstimo no Icatu, com o qual Nizan montou uma agência de publicidade em São Paulo.

O publicitário relatou que Nizan, "por meio de Daniel", de "quem era muito amigo também", conseguiu marcar uma reunião com Kátia Almeida Braga (filha de Braguinha), do Grupo Icatu. Nizan saiu da reunião com R$ 1 milhão:

"Com esse 'milhão', ele comprou a parte do Duda [Mendonça]. Trouxe a agência para São Paulo para disputar o mercado. E aquele milhão foi confiscado pelo plano Collor. E como é que se monta uma agência em São Paulo em 1989 sem aquele milhão?"[41]

Os préstimos de Dantas ao PFL ficaram evidentes no começo do governo FHC, em 1995, em um episódio que atingiu o coração financeiro e político da Bahia. O Banco Central anunciou a intervenção no Banco Econômico, cujo dono, Ângelo Calmon de Sá, mantinha uma antiga amizade com ACM. Havia sido o presidente do Banco do Brasil de 1974 a 1977, na ditadura Geisel, portanto subordinado ao então ministro Mario Henrique Simonsen, o mestre de Dantas.

O Econômico, sexto maior banco do país, contava com 1 milhão de depositantes, 9 mil e 500 funcionários e 70 mil pequenos acionistas, além de manter cinquenta e nove empresas diversas, de fazendas a petroquímicas.

---

[40] Entrevista ao *site* especializado em propaganda e publicidade *Rádio Agência*.
[41] Idem.

No final de 1994, os saques em espécie se acentuaram. Dois dias antes da intervenção, a insuficiência de caixa atingiu R$ 2,9 bilhões.[42]

O poder político baiano entrou em campo. ACM e Luís Eduardo, então presidente da Câmara, pediram ao governo FHC que a intervenção fosse convertida em Raet (Regime de Administração Especial Temporária), o que permitiria uma sobrevida ao Econômico. Dantas disse ter participado do esforço a convite do então ministro da Fazenda, Pedro Malan.

"Malan foi que me pediu, por achar que eu tinha boa relação com o senador Antônio Carlos Magalhães, que pudesse ir até lá para dar algumas explicações em relação à sua visão do Estado, das circunstâncias do banco", disse ao Congresso, anos depois.

A explicação diverge da de Fernando Henrique Cardoso. Quem lhe apresentou Dantas foi a família ACM, com a promessa de uma solução mágica para o Econômico:

> Eu não conhecia o Daniel Dantas. Ele tinha a fama de ser um rapaz economista, brilhante, o que de fato era. Quem me apresentou a ele, pediu que eu falasse com ele, foi o Luís Eduardo Magalhães, por causa do Banco Econômico. Nós estávamos em processo de liquidação, e a Bahia não queria que se liquidasse. Então o Luís disse: "O Daniel Dantas, que é um economista que eu conheço e tal e coisa, tem umas propostas melhores". Foi o Luís Eduardo que me trouxe o Dantas.[43]

FHC disse ter recebido Dantas uma vez no Palácio da Alvorada e "uma ou duas vezes" no Palácio do Planalto.

Calmon de Sá também relacionou ACM à ação de Dantas, mas acrescentou que o próprio Dantas estava interessado. "O trabalho de Daniel não foi remunerado. [Foi indicado] por Antônio Carlos e também por iniciativa dele [Dantas]."[44]

---

[42] Relatório final da CPI do Proer, Câmara dos Deputados.
[43] Entrevista ao autor em 19/02/2010.
[44] Entrevista ao autor por *e-mail* em 21/01/2010.

A proposta de Dantas era vender 51% das ações que Calmon de Sá detinha no banco, cujo rombo oscilava entre R$ 3 bilhões e R$ 4,2 bilhões, por simbólico R$ 1,00 para o Baneb, o banco do governo da Bahia. Era uma mera manobra contábil, com o objetivo de permitir a reabertura das agências e acesso às linhas de redescontos do BC. Uma caravana de políticos, liderada por ACM, foi a FHC entregar a proposta. Mas ela foi engavetada para sempre. Gustavo Loyola, presidente do BC, teria dito a Dantas:

"Esta é uma solução porca, porquíssima, mas parece ter sido a única proposta que conseguiram encontrar."[45]

Para FHC, a proposta ameaçava as finanças da União.

Era uma solução que o governo, o Tesouro, ia incorrer em risco. Todos eles pediam isso. O pessoal da Bahia queria tudo, menos que fechassem o banco. Então não foi aceita a sugestão porque não era compatível com o que o BC, à época, acreditava que era o melhor caminho. Não deu certo. Isso criou um desgaste enorme, o pessoal da Bahia ficou zangado.

Dantas chamou sua proposta de "expropriação". Depois, reconheceu: "O que me pediram foi para tentar conseguir uma solução técnica para viabilizar um desejo político".[46]

Apesar do desfecho adverso, Calmon de Sá aprovou o papel de Dantas. "Não foi maior porque o BC deu para trás."

Um ano depois, uma comissão de inquérito do BC apontou várias irregularidades no banco, dentre as quais:

a) concessão de empréstimos a firmas constituídas dias antes das operações por ex-funcionários do Grupo Econômico e/ou por pessoas do relacionamento do sr. Ângelo Calmon de Sá; b) a concessão de financiamentos a empresas do próprio Grupo Econômico;

---

[45] "A Longa Marcha dos Insensatos", *Veja* de 23/08/1995.
[46] Entrevista de Dantas à *Folha* em 16/08/1995.

c) a concessão de financiamentos com encargos de 90% da TR, ou seja, muito abaixo dos praticados pelo mercado; d) a remessa ilegal de divisas.[47]

Passada a turbulência do Econômico, e seu desfecho nada heroico, Dantas voltou ao seu banco. Desde a fundação, o Opportunity se dedicava a uma área ainda pouco conhecida no Brasil, o chamado *private equity*. Funciona como uma espécie de administradora de recursos que investe em empresas sem ações listadas em bolsas de valores. Os gestores desses fundos passam a ter papel ativo na administração das empresas adquiridas, podendo indicar nomes para o controle das companhias. Os cotistas nomeiam um gestor, uma espécie de "síndico" para gerir o patrimônio, o que implica alta dose de confiança nessa figura. Se a confiança é quebrada, os cotistas podem denunciá-lo por "quebra do dever fiduciário".

A intenção dos investimentos feitos pelos fundos é aumentar os lucros das empresas e sua capacidade de endividamento. E depois elas normalmente são vendidas, no chamado "desinvestimento". O lucro é distribuído entre os cotistas. Os fundos trabalham com geração de valor, oferecendo assessoria técnica e financeira para as empresas.

Um importante ator na área de *private equity* no Brasil era a GP, com três sócios, Jorge Paulo Lemann, Marcel Telles e Carlos Alberto Sicupira. No final dos anos 1990, a GP atuava em mais de oitenta projetos. O êxito foi imenso. Em 2011, Lemann apareceu na lista da revista *Forbes* como o segundo brasileiro mais rico, com US$ 11,5 bilhões, e o 48º bilionário do mundo.

Diversamente da GP, Dantas queria fincar os pés na muito anunciada privatização das estatais. Enquanto Lemann buscou a iniciativa privada, o negócio de Dantas era o setor público. Cinco anos antes, Collor havia instituído o Plano Nacional de Desestatização, iniciado com o leilão da Usiminas, de Ipatinga (MG). Mesmo enredado nas denúncias de corrupção que acabaram por derrubá-lo, Collor conseguiu

---

[47] Relatório citado no trabalho final da CPI do Proer, Câmara dos Deputados (2002).

vender dezoito das sessenta e oito empresas previstas no PND. O presidente seguinte, Itamar Franco, reduziu o ritmo.

FHC retomou com prioridade uma das principais premissas da política do FMI e do Banco Mundial para "ajustar as finanças" dos países da América Latina, como diziam Dantas e Eliana no Consenso. Portos, empresas elétricas, siderúrgicas, telefônicas e petroquímicas, ferrovias, bancos, não ficaria pedra sobre pedra, com raras exceções. O mercado entrou em atividade febril, numa busca por parcerias estratégicas para arrematar o patrimônio construído ao longo de décadas pela União e pelos estados. O governo, que via nas privatizações uma forma de modernizar as empresas e destravar nós do crescimento, anunciou amplas fontes de créditos a juros camaradas. Até dezembro de 1998, a União e os governos estaduais venderam quarenta e oito grandes estatais.

Dantas, o entusiasta número um das privatizações, jamais perderia a oportunidade — nome do seu banco, em inglês. Sua visão era radical, e ele sempre fazia questão de externá-la. Quando lhe indagaram se o governo deveria vender o Banco do Brasil e a Petrobras, afirmou: "Acho que deve e vai. Se o governo tem necessidade de recursos e tem prioridades mais importantes para a aplicação do dinheiro, deve vender. Qual é o sentido de despender energia administrativa e recursos naquilo que não é prioritário?".[48]

Para participar dos leilões, Dantas tomou uma medida estratégica que se revelaria de grande utilidade na criação de seus consórcios para a disputa dos leilões. Trouxe para o Opportunity duas pessoas que haviam ocupado cargos de relevo nas estratégias dos dois últimos governos, Pérsio Arida e Elena Landau. Estudante na oposição à ditadura militar, preso e torturado em 1970, Arida ajudou no Plano Cruzado em 1986. No ano seguinte, tornou-se diretor-executivo de *private equity* do Brasil Warrant S.A., um braço da família de banqueiros Moreira Salles. Entre setembro de 1993 e janeiro de 1995, Arida presidiu o BNDES, que teve papel fundamental nas privatizações, ao

---

[48] Entrevista ao jornal *O Globo* de 21/02/1999.

conceder linhas especiais de crédito. Na prática, o BNDES era o responsável pela execução do programa. No governo Itamar, Arida foi um dos economistas que trabalharam para formatar o exitoso Plano Real (1994). No governo FHC, presidiu o BC no primeiro semestre de 1995, de onde saiu direto para uma sociedade com o Opportunity. Ali, passou a ser apresentado como "parceiro sênior" e responsável pela área de investimentos. A economista Elena Landau também deixou o cargo de coordenadora do programa de desestatização do BNDES para se tornar consultora do Opportunity. Antes, atuou entre setembro de 1996 e outubro de 1997 na gerência do banco de investimentos Bearn Sterns. Essa transição do público para o privado despertou objeções na imprensa e no Congresso, que tiveram pouco eco, pois legalmente nada os impedia de trabalhar para Dantas. Arida e o banqueiro se tornaram sócios.

Depois, o banco reconheceu por escrito o importante papel de Elena para o sucesso do banco nas privatizações: "Enorme e importantíssima foi a atuação de Elena Landau, contribuindo para a conquista das importantes posição [sic] participação do banco Opportunity".[49]

Em julho de 1995, Dantas estreou na primeira venda de uma estatal de energia elétrica, a Escelsa (Espírito Santo Centrais Elétricas). O grupo de Dantas entrou com US$ 34 milhões para uma concessão de trinta anos. No final de 1996, o Opportunity ajudou a comprar, com US$ 2,7 milhões, uma empresa de operação de serviço de *pagers*, a Paging Network do Brasil, que tinha então 47 mil assinantes. Teve como coinvestidores duas empresas norte-americanas e a TVA, do grupo de comunicações Abril, que edita a revista *Veja*.[50] Esse negócio não prosperou.

Na mesma época, Dantas aproximou-se dos maiores fundos de pensão de funcionários de estatais e começou a "manejar certos investimentos

---

[49] Petição ajuizada pelo Opportunity e Elena Landau em ação ordinária contra a Editora Glasberg, em 1999.

[50] Sobre as primeiras aquisições, Memorando Confidencial e Privado do Fundo CVC/Opportunity, de 1997, anexado a processo na Justiça de Nova Iorque.

desses fundos".[51] Tal como havia feito com o Icatu, o papel básico de Dantas era fazer render dinheiro. Desde 1993, o Opportunity também operava dinheiro de aplicadores estrangeiros. Os recursos investidos sob controle do banco passaram de US$ 70 milhões, em dezembro de 1993, para US$ 3,8 bilhões em dezembro de 1997.

Os fundos de pensão de petroleiros, bancários, eletricitários de empresas públicas, dentre outros, sofrem interferência do Executivo. Embora os fundos sejam sociedades civis fechadas de previdência complementar, seus dirigentes são escolhidos parte pelo comando das estatais, às quais eles estão vinculados, e parte pelos servidores. Em última análise, é o governo que nomeia os presidentes dos fundos. As estatais são obrigadas a entrar com dinheiro caso os fundos de pensão enfrentem problemas financeiros, o que torna simbiótica a relação entre as estatais e os fundos. Colossos da economia brasileira, os fundos de pensão são vistos como fonte inesgotável de recursos para os interesses estratégicos do governo. O maior deles, a Previ, dos funcionários do Banco do Brasil, tinha a seu dispor, em 1998, uma carteira de investimentos de R$ 21,41 bilhões. Vinculavam-se à Previ 117.588 bancários, entre aposentados, pensionistas e ativos.

Em agosto de 1996, o Opportunity apresentou aos fundos de pensão pela primeira vez a ideia de uma longa parceria com vistas à aquisição de estatais. O novo método previa uma junção dos fundos de pensão com outros fundos nacionais e estrangeiros, tudo sob o controle efetivo do Opportunity. Pela legislação em vigor, os fundos de pensão tinham restrições sobre a condução administrativa das empresas futuramente privatizadas, não podiam deter mais do que 25% do capital votante. Também havia restrições sobre a gestão administrativa das empresas. O espírito da lei era impedir que os fundos de pensão instalassem um novo monopólio semelhante àquele que estava sendo desmontado. Por isso, e instados a colocar de pé a política privatizante do governo FHC, os fundos de pensão concordaram com a solução que dava grandes poderes ao Opportunity.

---

[51] Testemunho juramentado feito por Daniel Dantas à Justiça dos EUA em 12/05/2006.

HISTÓRIA AGORA

Em maio de 1997, Dantas viveu sua primeira grande vitória na onda das privatizações, aliado aos fundos e a um consórcio liderado pelo empresário Benjamin Steinbruch, da CSN (Companhia Siderúrgica Nacional), e o BNDESPar. E foi uma operação já sob as marcas da suspeita e da polêmica. O grupo arrematou a maior empresa de mineração do país, a Vale do Rio Doce, por US$ 3,3 bilhões, relativos a 41,7% das ações com direito a voto até então em poder da União. Mas os críticos do processo denunciaram que o valor não levou em conta o potencial das jazidas ainda não exploradas. Mais de cem ações judiciais foram protocoladas em todo o país para impedir ou anular a venda, sem sucesso. Em 2010, o valor da empresa foi estimado em US$ 196 bilhões.

Dois anos depois, quando prestava depoimento no Senado, o então ministro das Comunicações Luiz Carlos Mendonça de Barros fez uma revelação que, estranhamente, passou em branco entre os parlamentares. Reconheceu que ele e Ricardo Sérgio de Oliveira manobraram para "procurar criar, como criamos" o consórcio que acabou arrematando a Vale do Rio Doce. Ricardo Sérgio era o diretor da área internacional do Banco do Brasil, por indicação dos ministros José Serra (Saúde) e Clóvis Carvalho (Casa Civil), após uma experiência, nos anos 1980, como executivo do Citibank.[52]

> A primeira relação, quanto à privatização, em que eu trabalhei junto com Ricardo Sérgio, quando eu era presidente do BNDES, foi no caso da Vale do Rio Doce. A Vale foi uma privatização também bastante complexa, também algumas semanas antes do leilão praticamente todos os consórcios, por várias razões, se desmontaram, ficamos apenas com o consórcio da Votorantim, da Anglo American e mais outras empresas, e exatamente eu e Ricardo Sérgio tivemos a responsabilidade de procurar criar, como criamos, uma segunda alternativa, que foi baseada na CSN, no Bradesco e em fundos de pensão, e o Ricardo Sérgio é quem, por ser diretor da área corporativa, foi o encarregado pela diretoria do banco de coordenar esse

---

[52] "Saindo da Sombra", revista *Veja* de 19/08/1998.

trabalho. Talvez aí tenha sido, foi a primeira, ou única, vez que esse trabalho de levantar um consórcio, criar um segundo consórcio, acabou sendo exitoso, porque esse consórcio acabou ganhando.[53]

Ricardo Sérgio e Barros representaram o governo FHC na montagem do consórcio. Pelo lado dos empresários, teve papel relevante Dantas, como ele reconheceu, em depoimento protocolado anos depois na Justiça de Nova Iorque.

Mas Mendonça de Barros não disse ao Senado tudo sobre a privatização da Vale. Dado essencial ele revelaria só dois anos mais tarde, quando contou à *Veja* que, em 1998, Steinbruch lhe disse, num encontro na casa do ex-ministro, em São Paulo, "que ele teria se comprometido com um pagamento de uma comissão para que o consórcio da Vale, que ele liderou, fosse organizado". Teria mencionado o nome de Ricardo Sérgio. Steinbruch teria falado algo em torno de 15 milhões, se dólares ou se reais, Barros já não lembrava.

O ex-ministro da Educação Paulo Renato Souza também disse à revista ter ouvido as mesmas reclamações de Steinbruch. À revista Oliveira rebateu: "É mentira grosseira e leviana". As investigações não resultaram em condenação judicial de Ricardo Sérgio, que sempre negou a história.

Em maio de 1997, Dantas viveu sua segunda vitória, no leilão da Cemig (Centrais Elétricas de Minas Gerais). O Opportunity, por meio de um fundo que ele lançou e gerenciou, se associou aos fundos de pensão Petros (petroleiros) e Sistel (telefônicos), entre outros, e ao consórcio Southern Electric, liderado pela empresa norte-americana homônima. Ajudou a arrematar, por US$ 1,13 bilhão, cerca de 33% do capital votante da Cemig. Elena Landau ajudou na formatação do consórcio e foi a representante do Opportunity no conselho administrativo da Cemig entre 1997 e 2000.

Dantas e seus investidores continuaram colecionando estatais. Comprou parte da Opportrans (operação do Metrô do Rio) e do maior

---

[53] Gravação em vídeo da sessão de 19 de novembro de 1998, Arquivo da TV Senado.

terminal de contêineres da América Latina, o Tecon-1 do Porto de Santos, por meio da empresa Santos Brasil. O banco fechou o ano com US$ 339 milhões investidos em nove companhias.

Mas a prioridade de Dantas era as telecomunicações. Comandado pelo homem forte do governo, Sérgio Motta, ex-coordenador de campanhas eleitorais de FHC e ministro das Comunicações, o programa era o mais ambicioso da gestão FHC. Em novembro de 1995, Motta e FHC lançaram oficialmente, no auditório do Itamaraty, o Programa de Reforma Estrutural do Setor de Telecomunicações. A medida foi precedida pela quebra, em votações no Congresso, do monopólio estatal das comunicações.

Dantas estava de olho no dinheiro do exterior. Em 1996, ele fez as primeiras negociações para atrair um parceiro precioso, o Citibank de Nova Iorque. O banco atuava em mais de 300 companhias no sistema de *private equity* no mundo e tinha a intenção de entrar no Brasil por uma razão especial. Detinha uma fortuna em títulos emitidos pelo governo brasileiro em substituição à parte da dívida brasileira e queria utilizá-los no processo de privatização. Os títulos eram parte do Plano Brady, lançado no final dos anos 1980, ao qual o Brasil se juntou em 1994, para reestruturação das dívidas dos países. Em 1987, quando o então presidente José Sarney declarou a moratória da dívida externa brasileira, o Citibank era o maior credor privado do Brasil, com US$ 4,6 bilhões. O então presidente do Comitê de Restruturação das dívidas dos países com o banco, William Rhodes, também foi um interlocutor privilegiado dos credores com o Brasil, ao presidir reuniões do Comitê Assessor dos Bancos Credores nos EUA.

A negociação da dívida do Brasil com base no Plano Brady foi concluída em 1994. Dois anos depois, na gestão FHC, o objetivo do Citi era trocar os *bradies* — por meio de um fundo montado e controlado pelo banco no paraíso fiscal das ilhas Cayman — pelas ações das empresas estatais que seriam privatizadas no Brasil. Essa estratégia aparece detalhada numa carta de "tratamento confidencial" de 14 de março de 1996, assinada pelo conselheiro-geral do Citicorp/Citibank, Carl Howard. Sob o título "Fundo de Privatização e Infraestrutura Brasileiras", a carta comunica ao agente regulador americano, a OCC, que o banco pretendia utilizar US$ 1 bilhão do total de US$ 3,3 bilhões em títulos relativos ao Brasil — a participação do Citi nas telecomunicações no Brasil acabou sendo de aproximadamente US$ 700 milhões. O fundo então denominado "BIP" seria instituído pelo banco nas ilhas Cayman, mas administrado por alguém residente no Brasil. Um nome que o Citi ainda não revelava.

"Profissionais de investimento com larga experiência no Brasil vão aconselhar o BIP a respeito desses investimentos e vão implementar os objetivos globais da companhia. Esses indivíduos ainda estão sendo identificados."[54]

O "indivíduo" brasileiro seria Dantas. Ele tinha vínculos com o Citibank de novo graças ao seu mentor, Simonsen, que era nada menos que membro do Conselho de Administração do Citigroup. O professor abriu a Dantas muitas portas. Em 1996, por exemplo, eles jantaram no Rio, por mais de quatro horas, com o ex-secretário de Defesa dos EUA Henry Kissinger.

Simonsen pôs Dantas cara a cara com o principal nome do Citigroup.

[Simonsen] me convidou para ajudá-lo a fazer uma apresentação para o John Reed, o então *chairman* do Citigroup, sobre o endividamento do Brasil. Chamou-me à sala dele e disse que a melhor forma de organizar as explicações seria num quadro-negro. Foi para a sala de aula e pôs o John Reed sentado em uma carteira. Ficou no quadro-negro e eu permaneci no outro lado para ajudá-lo a explicar o desenvolvimento das equações. E o John Reed ficou lá como um aluno, prestando muita atenção.[55]

Na mesma linha do que havia feito com Arida e Landau, Dantas convidou para sua equipe no Opportunity uma pessoa intimamente ligada aos planos do Citibank. O americano Robert E. Wilson foi, entre 1993 e 1996, o vice-presidente de Investimento de Capitais dos banco, com trinta projetos na América Latina. Wilson havia desempenhado

---

[54] Apenso ao caso nº cv-02745, na Justiça de Nova Iorque.
[55] Depoimento de Daniel Dantas para o livro *Mario*, de Luiz Fernando Faro e Coriolano Gatto.

papel-chave no sistema bolado pelo Citibank para o uso dos *bradies*, como ele contou à Justiça de Nova Iorque, em 2008: "Eu propus um programa pelo qual o Citibank poderia trocar uma parte de seus *brady bonds* brasileiros para capitalizar um fundo de privatização do Brasil. O *chairman* do Citibank aprovou essa proposta".

O plano ajustado entre Opportunity, Citibank e fundos de pensão previa a criação de três fundos paralelos. Haveria o Fundo Nacional, registrado na CVM (Comissão de Valores Mobiliários) brasileira e constituído com recursos dos fundos de pensão, um Fundo Estrangeiro, formado majoritariamente por um sócio estrangeiro, o Citibank, e, por último, o Opportunity Fund, criado pelos Dantas nas ilhas Cayman. As três "entidades" fariam em conjunto os investimentos e "desinvestimentos". No topo da gestão dos três fundos, mediante uma taxa de administração, estaria o Opportunity. Os acordos de acionistas também permitiram ao banco indicar os principais dirigentes e conselheiros das empresas que seriam adquiridas. Mas tudo isso, é claro, não significava uma carta branca para cometer irregularidades.

Dantas criou o Opportunity Fund no início da década de 1990 nas ilhas Cayman. Era

> uma companhia de investimentos com ativos que excedem US$ 900 milhões. Está organizado em uma gama variada de subfundos, cada um com objetivo de investimento distinto, oferecendo a seus investidores opções que variam desde a renda fixa tradicional norte-americana a investimentos agressivos no Brasil.[56]

O fundo tinha "quase mil participantes, mais de trinta subfundos e investimento mínimo de US$ 50 mil para a maioria dos subfundos".

O atendimento a clientes e a escrituração são efetuados por UBS (Cayman Islands) Ltd., no domicílio do Opportunity Fund. As

---

[56] "Fluxograma de Relacionamento e Investimentos Opportunity Fund", documento apreendido nos autos da OPS.

decisões de investimentos são realizadas pelo Opportunity Asset Management Ltda., responsável ainda pela execução das ordens de compra e venda dos ativos componentes da carteira do fundo.

Uma vez, ao descrever seu fundo, Dantas alegou que simplesmente não sabia quem era o dono final do próprio dinheiro que o banco manobrava:

"O Opportunity Fund é um fundo constituído internacionalmente e ele capta recursos internacionais para investir no Brasil [...] O nosso papel é só administrar os fundos. Nós não temos o conhecimento de quem é o beneficiário final desses recursos."

Para as conversas com Dantas, o Citibank designou a americana Mary Lynn Putney, membro do Comitê de Investimentos do banco, nos EUA. Ela havia atuado no CVC, como era identificada a área de *private equity* do Citi, na Europa e na Rússia. Entre junho de 1996 e junho de 2004, foi a diretora administrativa do CVC Internacional.

Em 1997, Dantas viajou com frequência aos EUA para se encontrar com Mary. Também levou Mary e outro alto executivo do CVC, William Comfort, para uma reunião com o presidente FHC no Palácio do Planalto. Dez anos depois, numa gravação telefônica interceptada pela PF, Dantas disse que a reunião meramente "ajudou a persuadir o governo a estimular" o sistema de *private equity* no Brasil.[57]

Quando deu esse telefonema, em 2008, Dantas já estava em guerra com o Citibank e, por isso, poderia querer minimizar o papel dos norte-americanos. Mas, em 2005, Dantas tinha dado mais detalhes, associando a reunião com FHC à abertura de créditos no BNDES e de parcerias com os fundos de pensão, o que de fato ocorreu:

> Fomos ao governo brasileiro, inicialmente ao presidente Fernando Henrique Cardoso, e pedimos e sugerimos, se fosse possível, criar uma linha e uma estrutura que pudessem apoiar esse tipo de

---

[57] Áudio de gravação nos autos da OPS do dia 13/12/2007. A PF transcreveu esse trecho equivocadamente como "ajudou a persuadir o governo a simular".

iniciativa [*private equity*] [...] O governo, à época, achou que seria interessante, e o BNDES criou uma linha para apoiar esse tipo de iniciativa, e algumas outras vieram atrás. Nós precisávamos também captar recursos institucionais; abordamos o único mercado institucional que existia no Brasil naquele momento, que eram os fundos de pensão. Depois de muito trabalho, conseguimos captar desses fundos um valor que era bastante inferior ao que traríamos de fora, mas que fechava a equação.[58]

Um ano depois, ao depor no Congresso, Dantas deu explicação bem mais genérica. "Eu tive meu primeiro contato com o presidente Fernando Henrique Cardoso, já eleito presidente da República, numa reunião que solicitei para reclamar das pressões que sofremos na compra da CRT [empresa telefônica do Rio Grande do Sul]."

FHC disse que a reunião com Dantas e o Citi foi mais que uma "apresentação de projetos".

"Eu recebi dezenas, centenas de investidores. Uma vez, ele veio com o Citi [...] Uma coisa protocolar. Em geral é para dizer: 'Ah, o Brasil está muito bem, vamos investir mais'. É isso. Eles nunca vêm para perguntar objetivamente sobre alguma coisa."[59]

As conversas entre governo e empresários jamais ficaram só nisso. Entre 1997 e 1998, por exemplo, atendendo a um pedido que, segundo a revista *Veja*, partiu do então ministro Mendonça de Barros, os empresários interessados em participar do leilão das empresas telefônicas foram instados a custear e divulgar peças publicitárias no rádio e na tevê em apoio ao programa de venda das empresas telefônicas. O trabalho teria sido encomendado pelo ministro a Dantas. O banqueiro estimulou uma ONG, a Associação Brasil 2000, em nome de um empresário amigo do setor de construção civil do Rio. A ONG arrecadou R$ 2,12 milhões entre dez empresários.[60]

---

[58] Depoimento prestado por Dantas à CPI dos Correios em 21/09/2005.
[59] Entrevista ao autor em 19 de fevereiro de 2010.
[60] "Uma Missão Especial", revista *Veja*, de 25/11/1998.

O pacto Citibank-Opportunity foi selado no dia 30 de dezembro de 1997, sete meses antes do leilão das empresas telefônicas. O arranjo tornou Dantas o responsável pela gestão do Fundo Estrangeiro no Brasil, denominado CVC/Opportunity, que manejaria cerca de US$ 700 milhões e investiria no Brasil por meio de uma "empresa-veículo" sediada no Brasil. Nos dias anteriores ao leilão, também a TI (Telecom Italia) se associou a Dantas na disputa pela BrT (Brasil Telecom), então chamada Tele Centro Sul e responsável pela telefonia no Centro-Oeste. Mas o consórcio ainda não estava formatado.

Era ainda necessária a entrada efetiva dos fundos de pensão, que iriam adquirir as cotas do Fundo Nacional. O parceiro essencial era a Previ. Esse acordo foi fechado apenas dois dias antes do leilão. Além disso, também foi às vésperas do leilão que o Banco do Brasil emitiu uma carta de fiança para o consórcio — muito embora o grupo já tivesse uma carta semelhante, do próprio Citi. Os bastidores dessas negociações, as quais se encerraram tão em cima da hora, só vieram a público mais de dois meses depois do leilão, e por meio de um crime: uma série de telefonemas gravados ilegalmente por aparelhos acoplados à linha telefônica da sede do BNDES, no Rio. Foi um dos maiores escândalos dos oito anos da era FHC — e Dantas esteve no olho do furacão.

A história surgiu em novembro de 1998, na coluna do jornalista Elio Gaspari na *Folha* e *O Globo* e numa reportagem da revista *Época*. Na semana seguinte, as revistas *Veja* e *CartaCapital* trouxeram informações mais detalhadas e incendiárias, que levaram à queda do então ministro das Comunicações, Luiz Carlos Mendonça de Barros, e do presidente do BNDES, André Lara Resende. Meses depois, a *Folha* fez uma histórica edição com seis páginas de transcrições das principais conversas contidas em quarenta e seis fitas.[61] A pessoa que entregou as gravações nunca foi revelada. Elas permitiram verificar que as figuras de proa do governo FHC na área das privatizações fizeram pressão

---

[61] Para as transcrições dos telefonemas, "Segredos do Poder", série de reportagens dos jornalistas Fernando Rodrigues e Elvira Lobato, na *Folha* (25/05/1999).

para beneficiar o grupo de Dantas na maior privatização da história brasileira. Duas conversas com a voz de Dantas foram interceptadas. O nome do Opportunity foi citado vinte três vezes, e o de Dantas, dez. O homem do Opportunity que mais operou junto ao governo, Pérsio Arida, teve quatro conversas grampeadas e foi citado onze vezes.

Às vésperas da disputa, que ocorreu no Rio em julho de 1998, o ex-ministro Mendonça de Barros explicou ao seu irmão, José Roberto, que o governo tinha poderes para derrubar e construir os consórcios considerados mais fracos, ou "borocoxôs", pois as promessas de financiamento pelo BNDES e as cartas de fiança estavam todas nas mãos do governo. Uma das conversas gravadas expõe a orientação de Barros para que a Previ fechasse o acordo com Dantas. Bilachi procurou acalmá-lo: "Olha, da nossa parte aqui, ministro, nós soltamos a luz branca e já estamos chamando o Daniel [Dantas] para ver se a gente fecha tudo".

Após aquiescer, Barros colocou Pérsio Arida na linha para falar com Bilachi. Na hora mais dramática do fechamento dos consórcios, o sócio de Dantas despachava ao lado do ministro das Comunicações. Arida ponderou: "Só tem uma coisa que me preocupa, que é a 'contragarantia' de vocês à fiança bancária, porque o Banco do Brasil aparentemente não está disposto a dar fiança para a [disputa da] Telemar. Eu tenho a fiança do Citi, mas preciso da assinatura da 'contragarantia'".

Quando a polêmica estourou, Dantas disse, e até hoje diz, que a carta de fiança do BB era desnecessária, mas naquela ligação Arida demonstrou o quanto o consórcio dependia do BB. Arida devolveu o telefone para Barros. Citando o presidente, o ministro advertiu:

— Jair, sabe o que é? Nós estamos aqui, eu, o André, o Pérsio e o Pio, mas estamos muito preocupados com a montagem que o Ricardo [Sérgio] está fazendo do outro lado, porque está faltando dinheiro do outro lado, e a gente está sabendo que uma das alternativas é depois fundir as empresas com a *holding*, e aí fica um negócio... Não fica limpo, *né*, Jair? E a minha primeira preocupação,

o presidente já ligou de novo, é que a gente ponha em pé esse negócio da Telemar, porque, senão, o que aparentemente vai ser um *puta* sucesso pode ficar um negócio meio amargo, se não for uma coisa importante como a Telemar, *né*?
— Ministro, nós estamos concentrando forças nesse aqui, como dissemos — respondeu Bilachi.
— Tudo bem, mas o importante para nós é que montem com o Pérsio, evidentemente chegando a um acordo, e em tudo que precisar aqui nós ajudamos, entende? Agora, vocês precisam se entender.

Ele pregou textualmente que a Previ devia se associar a Dantas, o que de fato ocorreu naquele mesmo dia.

O empresário Carlos Jereissati, irmão do então senador do Ceará Tasso Jereissati (PSDB), tinha boas relações com Ricardo Sérgio de Oliveira e com o seu indicado na Previ, o então diretor de investimentos do fundo de pensão, João Bosco Madeiro da Costa. Jereissati, do Grupo La Fonte, e a construtora Andrade Gutierrez haviam articulado o consórcio adversário do Opportunity na disputa pela parte mais suculenta das telecomunicações fixas, a Tele Norte Leste. Em 1994, Jereissati contribuiu com "cerca de R$ 700 mil" para a campanha de Serra ao Senado. Parte desse dinheiro, ou R$ 95 mil, foi doada "por intermédio do economista Ricardo Sérgio" e declarada à Justiça Eleitoral, segundo Jereissati reconheceu ao jornalista Fernando Rodrigues.[62]

Sabedor da ligação entre Ricardo Sérgio e Jereissati, Mendonça de Barros achava que o diretor do BB fazia corpo mole em relação ao consórcio do Opportunity, na hora de emitir a carta de fiança. No último momento, porém, eles se acertaram. Ricardo Sérgio ligou para Barros e explicou a situação:

Escuta, falei com o Daniel. Ele vai daqui a pouco lá para a Previ. Então, a história é a seguinte: os outros têm, o grupo dele tem

---
[62] *Folha*, edição de 6/05/2002.

Telefónica e vão "bidar" [dar lance no leilão]. Os fundos vêm com o Opportunity e vão "bidar" e devem ganhar [...] Se por acaso perderem, os fundos serão convidados num "momento dois" pelos outros.

Mais tarde, os dois voltaram a se falar. Barros cobrou ostensivamente a carta de fiança para o Opportunity. Ricardo Sérgio respondeu: "O Daniel [Dantas] conversou comigo... Ele falou: 'Eu tenho para a Stet [Telecom Italia], pro Citibank e pros fundos'. Então eu dei [cartas] para Embratel e dei R$ 874 milhões para a...".
O ministro interrompeu: "Está perfeito". Ricardo então advertiu, em frase que ficou famosa: "Nós estamos indo no nosso limite de irresponsabilidade... [*risos*] Eu dei uns três bi de fiança aqui hoje".
Num dos grampos mais comentados, Lara Resende procurou o próprio presidente da República para saber se podia usar seu nome para forçar a Previ a atender às necessidades do Opportunity. "Então, o que nós precisaríamos é o seguinte: com o grupo do Opportunity, nós até poderíamos turbiná-lo, via BNDESPar. Mas o ideal é que a Previ entre com eles lá", explicou Resende. "Com o Opportunity?", quis saber FHC. "Com o Opportunity e os italianos." O presidente concordou: "Certo".
Na noite que antecedeu o leilão, Resende também telefonou para Arida. Eles tiveram uma enigmática conversa. Resende disse que, antes do leilão, queria se encontrar com Arida. "Eu quero falar com você antes, *tá*? Para saber o que você tem... Para sentir o pulso. Porque, se precisar, nós vamos ter que detonar a bomba atômica." A maior parte da imprensa considerou que a "bomba atômica" era FHC, pois a expressão já havia aparecido, em outra conversa, associada claramente ao nome do presidente.
A parceria deslanchou. Ao Congresso Dantas afirmou que o Citibank aportou no "Fundo Estrangeiro" US$ 700 milhões, os fundos de pensão, R$ 560 milhões, e o Opportunity Fund, US$ 200 milhões "ou talvez um pouco mais". No "Fundo Nacional", os fundos de pensão entraram com R$ 485 milhões, na seguinte proporção: a Previ (Banco

do Brasil), com R$ 150 milhões (26,92%), a Funcef (Caixa Econômica), R$ 110 milhões, e dez fundos de pensão menores, com R$ 225 milhões. O BNDES entrou com mais R$ 40 milhões.

O Opportunity também obteve a carta de fiança do BB, protocolada na Bolsa do Rio poucas horas antes do prazo final.

O governo colocou à venda o direito de exploração de todo o sistema Telebras, com vinte e sete operadores estaduais de telefonia fixa, oito de celular e uma operadora de longa distância. A rede fixa foi dividida em três grandes lotes: a Telesp (São Paulo), a TCS (Tele Centro Sul), que englobava Centro-Oeste e Sul do país mais o Acre, e a TNL (Tele Norte Leste), também conhecida como Telemar, responsável pelo Sudeste, com exceção de São Paulo, mais Nordeste e Norte.

A expectativa do mercado e do governo era que os espanhóis da Telefónica iriam dar um bom lance e vencer o leilão da TCS, por uma razão: os espanhóis já haviam adquirido a CRT (Companhia Rio-grandense de Telecomunicações), em sociedade com o grupo gaúcho de comunicação RBS, e o esperado era que comprassem as linhas dos estados mais próximos, como Santa Catarina e Paraná, ambos da área da TCS. Pelas regras instituídas pelo governo, caso os espanhóis comprassem outra área, que não a TCS, eles teriam que vender a CRT. Era, então, um raciocínio lógico prever a vitória da Telefónica na TCS.

O consórcio de Dantas investiu as melhores fichas na disputa pela TNL, que abrangia dezesseis estados e era fonte certa de lucro. Para que tudo isso desse certo, contava com a vitória dos espanhóis na TCS. A Telesp ficaria, por esse prognóstico, nas mãos do consórcio formado por Organizações Globo, Telecom Italia e Bradesco.

À véspera do leilão, Mendonça de Barros telefonou a FHC para dizer que o leilão iria transcorrer da seguinte forma: "A não ser que haja alguma novidade, quer dizer, no fundo é o que a gente já sabia: os espanhóis ficam com o Sul; a [Telecom] Italia [associada] com *O Globo*, com São Paulo; e o Opportunity, com os italianos e com os fundos na Telemar".

Mas a novidade veio.

No dia do leilão, todos os consórcios deveriam entregar ao mesmo tempo os envelopes com as propostas para todos os lotes. Quando um consórcio vencia uma área, suas propostas para as áreas seguintes eram destruídas num picotador de papel, de modo a impedir que um mesmo grupo dominasse duas ou três áreas. Os envelopes foram abertos na seguinte ordem: Embratel, Telesp, TCS e TNL. Para espanto geral, os espanhóis apresentaram lance de R$ 5,78 bilhões para a Telesp, superando o consórcio dos italianos em R$ 1,8 bilhão. Assim, a Telefónica não podia mais disputar a TCS, o bloco seguinte do leilão. O resultado foi que a TCS acabou arrematada quase que por acaso pelo consórcio de Dantas, com um pequeno ágio de 6% e uma oferta de R$ 2,07 bilhões, o que também tirou o grupo de Dantas do lote mais cobiçado, a TNL. O consórcio "patinho feio" da disputa, do grupo dos empresários Jereissati e Sérgio Andrade, tão combatido por uma parte do governo, acabou levando a TNL com um ágio irrisório de 1%, ao preço de R$ 3,43 bilhões.

Por ironia, a derrota do Opportunity na TNL pode ter livrado o governo de uma crise ainda mais séria, pois deu ao governo uma defesa, repetida à exaustão: a "prova" de que não interferiu no leilão foi que o Opportunity perdeu. Contudo, a oposição no Congresso, parte da imprensa e o Ministério Público Federal não concordaram que essa explicação pudesse justificar toda a operação levada a cabo para beneficiar o consórcio de Dantas.

O governo tentou se safar do problema. Em novembro de 1998, Mendonça de Barros foi prestar esclarecimentos ao plenário do Senado. Ele disse que a União amealhou "mais de R$ 22 bilhões". Negou ter privilegiado algum grupo e disse que as gravações foram editadas. Porém, reconheceu que havia atuado para contornar dificuldades que a Previ havia apresentado na última hora sobre o consórcio de Dantas:

> Se apenas um consórcio se apresentasse, nós teríamos, evidentemente, a empresa vendida pelo preço mínimo. Procuramos, por meio de discussões com os três grupos envolvidos nesse consórcio, contornar as dificuldades que a Previ colocava [...] Conseguimos,

antes do leilão, que esses pontos administrativos que ameaçavam a formação desse consórcio fossem superados. E o consórcio de novo passou a existir.

Barros admitiu ter procurado Ricardo Sérgio após uma manifestação do banco de Dantas. "No final da tarde, o Opportunity comunicou ao BNDES que não estava conseguindo a carta de fiança do Citibank exatamente porque a Previ não se propunha a assinar o documento de consórcio oficialmente formado, e isso era uma das exigências do Citibank."

O ministro também deixou bem claro que torcia por Dantas.

Nós, realmente, eu, o André, tínhamos uma preferência pessoal pelo consórcio do Opportunity em relação à Telemar. Por uma simples razão: nós tínhamos acompanhado a formação do consórcio Telemar desde o começo [...] Sabíamos que era formado por empresas importantes, mas empresas que não tinham nenhuma experiência no setor de telecomunicação e, pior ainda, empresas que nunca tinham trabalhado juntas.

Mendonça de Barros pediu demissão do cargo dias depois.

O Ministério Público Federal iniciou uma investigação, mas "bateu cabeça". Em Brasília, o procurador Luiz Francisco de Souza abriu um procedimento, enquanto os procuradores no Rio Rogério Soares do Nascimento, Daniel Sarmento e Flávio Paixão de Moura Júnior abriram outro. Luiz Francisco queria discutir as privatizações como um todo, enquanto o grupo do Rio tinha por foco apenas o leilão das empresas telefônicas.

Em seis anos na função, Nascimento já havia investigado dois bancos, Nacional e Marka, e uma lista de beneficiados por uma "caixinha" do jogo do bicho. O maior problema na sua nova apuração era a impossibilidade de usar os grampos, por serem produtos de um crime. Outro entrave esteve no Banco do Brasil. Os procuradores tiveram de ir à Justiça, com medidas cautelares, para ter acesso aos documentos.

Ao longo da apuração, Nascimento notou três estranhos movimentos. Primeiro, apareceu um homem que se dizia enviado de um jornal da comunidade brasileira em Miami (EUA). Uma rápida checagem demonstrou que o jornal não existia, e o homem nunca mais apareceu. Outra pessoa se disse advogado do Opportunity e irmão de uma desembargadora federal. Pediu e obteve cópias dos depoimentos, pois o inquérito era público. Mas os procuradores descobriram, depois, que a pessoa não era advogada e ninguém a conhecia no escritório que defendia Dantas. Depois, apareceu outro advogado, agora dizendo ser parente de um desembargador do Tribunal de Justiça. Dessa vez, saiu de mãos vazias.

Os procuradores passaram a tomar o depoimento das principais pessoas citadas nas fitas, com exceção do presidente FHC, coberto pelo foro privilegiado no STF. No final de 1998, Dantas compareceu ao gabinete de Nascimento, no 11º andar da rua Nilo Peçanha. Ali já haviam estado Jereissati, Pérsio Arida, Mendonça de Barros e Lara Resende.

"Daniel Dantas foi o mais frio de todos. Não transpareceu estar intimidado, não confortável, mas muito seguro o tempo todo. Ele foi lacônico, seguro e pouco informativo. Falava o mínimo possível", disse o procurador doze anos depois.[63]

Mas o banqueiro teve um problema. O procurador percebeu que Dantas tinha dois números de CPF. O advogado que o acompanhava, Sérgio Bermudes, disse que não havia ilegalidade. "Só é ilegal tirar outro CPF com o propósito de fraude", defendeu o advogado.[64]

Anos depois, Dantas alegou ter se confundido: "Eu morava em Salvador até os vinte ou dezenove anos de idade. E, para abrir uma conta bancária, eu tirei um CPF. Quando fui morar no Rio e comecei a trabalhar, não lembrei que tinha o outro e tirei um outro CPF. Nunca usei o CPF anterior".[65]

---

[63] Entrevista ao autor em fevereiro de 2010.
[64] *O Estado de S. Paulo*, de 2/12/1998.
[65] Depoimento prestado à CPI dos Correios em 21/09/2005.

No depoimento, Dantas alegou que a carta de fiança do Banco do Brasil não era essencial para o consórcio, embora as conversas telefônicas e o depoimento de Mendonça de Barros indicassem o contrário. O banqueiro afirmou que "o Citibank de fato também concedeu fiança; o Opportunity preferiu usar a carta concedida pelo Banco do Brasil, e isso em razão da importância que a instituição tem para o país".

Ricardo Sérgio também disse ao procurador que "não houve nenhum favorecimento" e que concedeu cartas de fiança a outros consórcios. Jair Bilachi reconheceu que o negócio com o Opportunity foi fechado poucos dias antes do leilão:

A Previ já tinha a intenção de participar do processo associada ao Opportunity pelo menos três meses antes do leilão [...] a Previ apenas fechou o negócio com o Opportunity no dia 27 de julho, antevéspera do leilão [...] porque este [o banco] terminou cedendo e os interesses da Previ acabaram prevalecendo, o que tornava esta proposta melhor do que a melhor proposta do outro consórcio.[66]

As explicações nunca convenceram o procurador Nascimento:

Houve um favorecimento, mesmo que tenha sido um favorecimento desastrado. Havia muitos atores, e ninguém tinha como exercer o controle sobre os atores. Mas isso não descaracteriza a ação do governo. O governo exerceu pressão sobre os fundos, o que foi indispensável para viabilizar economicamente o consórcio do Opportunity. Lara Resende e Pio Borges atuaram explicitamente para o lado do Opportunity. O processo de privatização supõe igualdade de condições entre todos os agentes. O governo tem que ser impessoal. Era tudo produto de certa promiscuidade entre o público e o privado. Ficamos convencidos de que só deu errado por uma mera casualidade.[67]

---

[66] Para os três depoimentos, transcrições contidas na ata nº 47 de 27/10/1999 de sessão plenária do TCU.
[67] Entrevista ao autor em fevereiro de 2010.

Um dos principais itens da apuração foi o depoimento prestado por Mendonça de Barros no Senado. Ele simplesmente corroborou a essência do conteúdo das fitas ilegais. Os procuradores ajuizaram ação por atos de improbidade administrativa em junho de 1999, listando catorze pessoas e empresas, incluindo o Opportunity. Os procuradores afirmaram que nem mesmo as "boas intenções" alegadas por Mendonça de Barros poderiam justificar o desrespeito à lei. Eles abordaram a declaração do ex-ministro de que os italianos haviam lhe confidenciado, após o leilão, que a proposta do consórcio do Opportunity seria R$ 1 bilhão superior à do consórcio Telemar. Supondo que sim (nunca se soube ao certo, pois o papel com a proposta foi triturado no leilão), os fundos de pensão poderiam colaborar com, no máximo, R$ 1,1 bilhão, segundo a lei. Se esse dinheiro não houvesse sido aportado, o lance do grupo de Dantas ficaria em R$ 3,32 bilhões. Como a proposta vencedora foi de R$ 3,4 bilhões, os procuradores concluíram que os fundos de pensão eram o fiel da balança da disputa.

> O que aconteceria se a Previ tivesse decidido participar do consórcio Telemar em vez do consórcio do Opportunity? Muito provavelmente, seriam apresentadas duas propostas no leilão da Tele Norte Leste, mas com valores invertidos: o do consórcio formado pelo Opportunity próximo ao lance mínimo, e o do seu adversário com um ágio bastante expressivo.[68]

A ação foi acolhida pela Justiça, mas o mérito não foi julgado até o fechamento deste livro. Como se tornaria frequente nos processos referentes ao Opportunity, uma série de recursos e argumentos jurídicos fez o caso percorrer doze longos anos nos escaninhos da burocracia judiciária sem nenhuma decisão sobre a simples dúvida: houve ou não interferência ilegal do governo no leilão das empresas telefônicas?

---

[68] Ação de Improbidade Administrativa ajuizada em 23/06/1999 na 16ª Vara Federal do Rio de Janeiro.

O ex-presidente FHC continua defendendo a iniciativa do governo de "se meter" na formação dos consórcios.

O que foi que o Luiz Carlos tentou explicar ao Senado e acho que não convenceu? "O governo precisa que haja mais gente [disputando]." Tem que valorizar o patrimônio. "Ah, não tem que se meter." Como não vai se meter? Se não se meter, vai vender pelo mais baixo. Você tem que suscitar mais para defender o interesse público.

Os líderes do PSDB sempre se referem a decisões do TRF e do TCU (Tribunal de Contas da União) que atestaram a ausência de dano ao erário por ocasião do leilão. Nenhum tucano foi condenado por suposta irregularidade no leilão.

O caso, porém, teima em voltar ao noticiário de tempos em tempos, vagando na história do PSDB como seu pior fantasma.

Três anos após o leilão, a revista *Veja* revelou que o senador ACM iria denunciar uma suposta propina de R$ 90 milhões na disputa. Após ouvir "dois interlocutores" de ACM, a revista afirmou que o Carlos Jereissati confidenciou "a dois amigos" que Ricardo Sérgio cobrou uma "comissão de 3,4% para ajudar na formação do consórcio Telemar", dinheiro que "deveria ser pago em três parcelas, mas só uma prestação foi depositada. O trato acabou desfeito assim que veio a público o grampo telefônico no BNDES".[69]

A reportagem apontou que o homem do Opportunity soube dos pagamentos: "Daniel Dantas descobriu a existência da propina ao se associar ao consórcio Telemar". A empresa fundada pelo consórcio de Dantas para gerir a TCS, BrT (Brasil Telecom) e a Telemar teve alguns negócios em comum a partir de 1998. Na edição seguinte, a revista *Veja* voltou ao assunto. ACM disse que tinha a seu favor "uma prova testemunhal", cujo nome não revelou. A reportagem deu uma pista: "O banqueiro Daniel Dantas, dono do Opportunity, que teria

---

[69] Revista *Veja*, edição de 7/03/2001.

descoberto o 'por fora' quando se associou à Telemar, recolheu-se ao silêncio. 'Não confirmo nem desminto', mandou dizer".

Ricardo Sérgio afirmou, à época, em nota, que seu patrimônio era "fruto de uma vida inteira de trabalho honrado". Disse que não haveria lógica no pagamento de propina, pois o grupo de Jereissati venceu a disputa "num lance de sorte". Jereissati também relatou à imprensa ter ficado "perplexo" com a denúncia de ACM.

Depois que a poeira do caso BNDES assentou, Dantas voltou-se para a administração das empresas que ficaram sob seu controle: BrT (receita líquida de R$ 4,5 bilhões em 2000), Telemig Celular e Amazônia Celular (R$ 1,1 bilhão), Sanepar (R$ 655 milhões), Metrô do Rio (R$ 110 milhões) e a empresa Santos Brasil (R$ 103 milhões), administradora do maior terminal de contêineres do Porto de Santos.

Menos de dois anos depois, o Opportunity começou a enfrentar os primeiros sérios problemas com três de seus principais parceiros: a Telecom Italia, sócia na BrT, a canadense TIW, sócia na Telemig Celular, e os fundos de pensão, sócios nas três empresas telefônicas. Depois que estouraram o mensalão e a Operação Satiagraha, em 2005 e 2008, o Opportunity passou a afirmar que foi perseguido pelo PT, mas essa teoria precisa desconsiderar que as primeiras brigas ocorreram anos antes da posse de Luiz Inácio Lula da Silva na Presidência, em 2003, e numa época em que os fundos ainda eram todos presididos por indicados do governo do PSDB. A poderosa Previ, por exemplo, era gerida por Luiz Tarquínio Ferro, homem de confiança do Palácio do Planalto.

Parte dos dirigentes dos fundos era, de fato, ligada ao PT. Na diretoria de investimentos da Previ, estava o jornalista Sérgio Rosa, aliado do petista Luiz Gushiken. Mas o fato é que não foi em um governo petista, mas em pleno segundo mandato do governo tucano de FHC, em julho de 2000, que os fundos Previ, Petros e Telos e a TIW foram pela primeira vez à Justiça contra o Opportunity.

Os canadenses, representados pelo executivo Bruno Ducharme, tinham 48% das ações da Telemig com direito a voto, mas diziam que o Opportunity havia promovido uma manobra societária que os prejudicou. O Opportunity e os fundos haviam criado uma empresa, a

Newtel, sob a alegação de unir os sócios brasileiros e, em seguida, assinar um acordo com a TIW pelo qual a canadense conseguiria manter papel ativo no bloco de controle da companhia telefônica. Mas, quando a Newtel foi criada, ficando com 51% das ações com direito a voto, a TIW passou a dizer que o Opportunity não tinha usado de boa-fé na negociação. A TIW ou foi enganada ou teve uma compreensão muito errada das complexas relações societárias montadas pelo Opportunity. Os fundos de pensão se uniram à TIW na reclamação — poucos anos depois, desgastada por batalhas judiciais, os canadenses deixaram a companhia telefônica.

> Dantas arquitetou um movimento que, aparentemente, passou despercebido pelos canadenses [...] Até hoje não se consegue explicar por que os fundos haviam concordado em criar uma nova empresa, a Newtel, e ceder o controle para o Opportunity. Os executivos da Previ e da Petros envolvidos nessa negociação foram desligados.[70]

No início de 2000, o Opportunity passou a bater de frente com a TI (Telecom Italia). Um dos focos do conflito era a CRT (Companhia Rio-grandense de Telecomunicações), que antes do leilão de 1998 pertencia à Telefónica da Espanha. Pela nova lei que regulava o setor, a Telefónica deveria se desfazer da CRT, e o comprador natural era a BrT. Mas os italianos, os fundos de pensão e Dantas, parceiros no consórcio, passaram a divergir sobre o valor da compra. O Opportunity dizia que a CRT não valia mais do que US$ 500 milhões, mas a TI aceitava pagar US$ 850 milhões. O governo deu um ultimato para a solução do problema, e a venda acabou fechada por cerca de US$ 800 milhões. O Opportunity dizia ter sofrido "pressões" e "ameaças" para selar o negócio. Os fundos de pensão reagiram às suspeitas, cerrando fileiras com a TI. A Petros revelou então que a primeira avaliação sobre o preço da CRT foi feita pela empresa de consultoria Salomon Smith

---

[70] *Capitalismo de laços* (Elsevier Editora, 2010), de Sérgio G. Lazzarini.

Barney, contratada da BrT (à época ainda TCS), que atribuiu um valor entre US$ 1,05 bilhão e US$ 1,3 bilhão. O relatório foi apresentado ao conselho de administração da TCS em janeiro de 2000, sem que os três representantes do Opportunity no órgão apresentassem objeção, segundo os italianos e os fundos.

"É ingênuo pensar que algo pudesse ser feito sem a plena concordância do Opportunity, que controlava o Conselho de Administração da TCS (e controla o da Brasil Telecom) com mão de ferro."[71]

O Opportunity disse à época que a primeira saída oferecida pela Salomon era distinta da solução final, pois envolvia uma troca de ações com a Telefónica, o que acabaria por resultar num custo de US$ 428 milhões para a BrT, bem abaixo do preço final.

Dantas também levou o assunto CRT ao primeiro escalão do governo FHC. Ele contratou como seu consultor o jornalista Mauro Salles, dono da agência de publicidade e relações públicas Publicis, que nos anos 1960 foi diretor de jornalismo da Rede Globo. Ele enviou uma "carta pessoal" ao presidente FHC, na qual contou ter participado de um almoço com o então ministro das Comunicações, Pimenta da Veiga, Dantas e seu braço direito, Carlos Rodenburg, com o objetivo de "uma busca de sintonia" acerca da compra da CRT, mas as coisas não saíram como planejado. Segundo Salles, o ministro afirmou que o banco havia tido uma interpretação equivocada dos "posicionamentos do presidente" FHC.

Contudo, a carta de Salles deixa entrever o que estava por trás da suposta indignação do Opportunity em relação ao valor da CRT: "Preciso de uma palavra sua para dissipar as dúvidas levantadas pelo ministro Pimenta. E para que se refaça o meu ânimo na luta contra a extorsão de vincular o crédito do BNDES, a que a BrT tem direito desde a privatização, a outra operação totalmente diversa como é a compra da CRT".

O crédito do BNDES era o real motivo do atrito Dantas-italianos. No momento da carta, a Techold, acionista indireta da BrT, esperava

---

[71] Carta enviada pela assessoria da Petros à Editora Três e apreendida nos autos da OPS.

obter um aval da Telecom Italia para emitir debêntures em operação com empréstimo do BNDES de cerca de R$ 700 milhões, parte dos quais seria usada para pagar a terceira parcela do leilão da TCS. Desde 1998, as empresas que participaram das privatizações se valiam dessa linha de crédito do BNDES. Os italianos, contudo, não concordavam com as garantias ofertadas ao BNDES, que incluíam as ações da parte italiana na companhia telefônica.

O subtexto já havia sido detectado pelos observadores mais atentos, como o jornalista Felipe Patury, então na *Folha*: "A referência [do Opportunity sobre o BNDES] é dura e mostra que toda a discussão sobre a compra da CRT que povoou os jornais por seis meses era vazia. A Telecom Italia também está certa de que a discussão sobre preço tinha como objetivo pressioná-la a dar o aval".[72]

Salles exerceu uma pressão direta e ameaçadora sobre o governo, e de uma forma muito pouco ortodoxa. Relatou ao governo ter levado a informação sobre "pressões" para a compra da CRT a "uma elevada autoridade do Planalto", de nome não revelado — FHC negou ter sido ele o destinatário. Entregou a cópia de uma carta redigida por Dantas, papel que "pudesse, se necessário, ser usado como prova das pressões e dos constrangimentos verificados". O original foi assinado e guardado num escritório de advogados de Nova Iorque. Dez cópias foram colocadas em envelopes separados, em nome de "pessoas de incontestável idoneidade, entre as quais estavam autoridades do governo". Os envelopes, contudo, não foram enviados, mas sim armazenados num outro envelope, que permaneceu lacrado e em poder de Salles. Caso "houvesse um sinal", ele abriria o envelope e enviaria os dez envelopes pelo correio.[73] Isso não chegou a ocorrer, segundo Salles, porque o Opportunity conseguiu os recursos necessários para quitar a dívida.

A autorização dos italianos só foi concedida após a intervenção de ministros e integrantes do BNDES.

---

[72] *Folha*, em 13/08/2000.
[73] "Histórico do trabalho de apoio à BrT na aquisição do controle da CRT", memorial assinado por Salles em 9/06/2003.

Quando foi depor no Congresso em 2005, Dantas reconheceu o BNDES como pano de fundo no "caso CRT", mas sempre se colocando como o alvo de uma chantagem: "O crédito para o pagamento das parcelas do BNDES, que estava sendo condicionado pela Telecom Italia, só seria liberado se a aquisição da CRT acontecesse, e o BNDES não liberava o crédito. O crédito foi liberado nove dias depois da compra da CRT".[74]

As desavenças entre Dantas e italianos só foram piorando ao longo dos anos. Em 2000, a TI adquiriu licenças para operar uma empresa de telefonia celular, a TIM, na área de influência da BrT. Em 2004, um até aqui inédito relatório do Citigroup — o parceiro americano de Dantas, que acompanhava o caso com apreensão, mas geralmente dando apoio ao brasileiro — descreve a escalada de conflitos que incluíram "táticas clandestinas". O memorando diz que a BrT também tinha seus planos para a telefonia celular. Em 2002, TI e BrT pareciam ter selado as pazes, mas houve um novo movimento da BrT, diz o relatório:

> Poucos meses após o fechamento desse novo acordo, a BrT adquiriu frequências para celulares nesta região e procurou o órgão regulador brasileiro para obter as licenças [...] A TI percebeu isso como um movimento muito hostil por parte da BrT/Opportunity e as tensões entre os campos tiveram uma escalada significativa. Todas as partes envolvidas na disputa começaram a adotar uma série de táticas muito agressivas, às vezes até mesmo clandestinas.[75]

A última palavra ganhará mais sentido adiante.

O Citi citou como exemplo uma "intensa campanha" desencadeada em setores da imprensa brasileira para denunciar supostas irregularidades dos italianos na aquisição da CRT.

A campanha culminou em outubro de 2003 com a requisição para dar início a uma comissão de investigação no Parlamento da Itália

---

[74] Depoimento à CPI dos Correios em 21/09/2005.
[75] Memorando "confidencial" do Citigroup, de 9/09/2004.

para apurar o assunto. Nós fomos informados de que o Forza Italia (o partido político no poder na Itália, fundado por Berlusconi, atual primeiro-ministro), supostamente acionado por Dantas, submeteu pedidos ao parlamento italiano requisitando a abertura de uma comissão de investigação para o assunto.

Várias outras decisões dos controladores da BrT desgostavam os fundos de pensão. A BrT, Telemig, Amazônia Celular e Opportunity, por exemplo, criaram o Consórcio Voa, liderado pelo banco. De 1999 a 2005, o Voa recebeu aportes de R$ 66 milhões.[76] E adquiriu, em *leasing*, um avião turboélice e dois jatinhos, avaliados em R$ 31 milhões. Os fundos de pensão começaram a desconfiar que os aviões fossem usados para transportar políticos, como indicavam notas divulgadas pela imprensa. Isso não pôde ser comprovado porque os responsáveis pelo consórcio, quando consultados pelo Congresso, alegaram que não guardavam as listas dos passageiros dos 2.260 pousos e decolagens.

Outra desconfiança foi direcionada à empresa que organizava viagens e hospedagem para funcionários da BrT, a Kontik Franstur. Descobriu-se que a empresa tinha como diretora uma das três irmãs de Dantas, Mônica, e que "parte das viagens atendia aos sócios do Opportunity: Daniel Dantas, Carlos Rodenburg e Arthur Carvalho, bem como viagens da família Dantas".[77] A empresa recebeu R$ 14 milhões da BrT entre 2005 e 2006.

Por fim, os fundos lamentaram os gastos de R$ 1,9 milhão, entre aluguéis e taxas de condomínio, com um escritório de representação da BrT no Edifício Plaza Iguatemi, na avenida Faria Lima, em São Paulo. Segundo os fundos, na verdade ali sempre funcionou um escritório do Opportunity.

"Trata-se de um dos mais escabrosos casos de desvio de recursos da companhia em benefício de pessoas ligadas ao Opportunity."[78]

---

[76] Relatório de auditoria na BrT feito pela ICTS em 10/10/2005.
[77] Idem.
[78] Representação feita à CVM pelos novos gestores da BrT em 1/08/2005.

As brigas de Dantas com os fundos de pensão e os italianos eram, portanto, muito anteriores à chegada de Lula à Presidência. Isso não impediu que, anos depois, Dantas imprimisse a sua versão de ser uma "vítima" do governo do PT, quase um perseguido político. Essa linha de defesa se vale dos tropeços que Dantas sofreu a partir do primeiro mandado do presidente Lula, em 2003. Ele recebeu a chegada do PT ao poder carregado de desconfiança.

Nebulosas conspirações

"Eu não vejo nenhuma razão de impedir o contato dele [um executivo da Telecom Italia] com Daniel [Dantas]. Pois, acima de tudo, ele é o dono do Brasil e o problema que precisa ser resolvido é brasileiro."

Carta do investidor Naji Nahas a executivo da Telecom
Italia, apreendida pela Operação Satiagraha.

Em 22 de novembro de 2002, na transição entre os governos FHC e Lula, os classificados de *O Estado de Minas*, de Belo Horizonte (MG), estamparam quatro anúncios ininteligíveis, uma sopa de números e letras. Os únicos pontos que podiam ser compreendidos eram a inscrição *PGP Personal Security*, um programa de criptografia que pode ser adquirido na internet, e as palavras: "Telecomunicações", "Secretaria", "Fundos de Pensão" e "Crédito Especial". Os avisos cifrados voltaram a aparecer nos classificados de dezembro de 2002 e fevereiro e março de 2003, com os títulos de "Empresário", "Parecer", "Sobrepreço", "Destituição", "Conselho" e "Causa".

Os leitores mineiros já deviam ter esquecido a esquisitice quando, quatro anos depois, Daniel Dantas revelou ter sido o responsável pelos anúncios. E o fez durante uma ameaça pública ao governo Lula. Em entrevista a uma jornalista de sua confiança, Janaína Leite — que em 2010 se tornaria assessora de imprensa do Opportunity —, Dantas disse que em 2002 "chegou aos seus ouvidos" a informação de que o PT havia feito um acordo com a Telemar, pelo qual ela seria favorecida pelo novo governo. "Como precaução", Dantas mandou criptografar e fazer publicar os anúncios no jornal mineiro. "Mas o que essas notas codificadas revelam?", quis saber a jornalista.

"Só falarei, e em juízo, se os fatos de lá forem confirmados. Em linhas gerais, é um plano para a tomada da Brasil Telecom e da Telemig que envolvia, inclusive, a nomeação de certas pessoas para o governo", respondeu Dantas, cercando de mistério sua teoria persecutória.[79]

Nunca se soube o que os anúncios, de fato, diziam. Mas o que se extrai do episódio é o clima com que o Opportunity recebeu a chegada do PT ao poder. Um espírito dominado por suspeitas de conspirações para a "tomada" de suas companhias. Afinal de contas, os militantes do PT que ocupavam cargos de diretoria nos fundos de pensão à época das primeiras batalhas com o Opportunity eram agora, sob Lula, os presidentes desses fundos. Por outro lado, os fundos tinham razões mais do que suficientes para desconfiar de Dantas, tendo em vista todas as disputas judiciais e as acusações de quebra do dever fiduciário.

Em maio de 2003, Dantas recebeu convite do então poderoso ministro da Casa Civil, José Dirceu, para visitá-lo em Brasília. Foi a primeira vez que ele pisou no Palácio do Planalto no governo Lula. Dantas via-se na urgência de obter apoio para convencer o governo a, segundo ele, não interferir nas disputas que travava com os fundos de pensão. Conforme Dantas reconheceu em depoimento ao Congresso, sua imagem estava vinculada ao PFL do senador ACM. Como ele pretendia se mostrar palatável ao petismo, o convite de Dirceu chegou em bom momento.

A conversa durou pouco menos de uma hora. Não se sabe de registro oficial — se existe, nunca veio à tona.[80] Em 2005, no discurso que fez durante a sessão que cassou seu mandato na Câmara dos Deputados, Dirceu narrou genericamente, sem falar em Opportunity:

Recebi centenas de empresários — Febraban, CNI e Fiesp, quase todas as empresas do setor petroquímico, de petróleo, de siderurgia

---

[79] *Folha*, entrevista a Janaína Leite, em 16 de maio de 2006.
[80] Dirceu foi procurado pelo autor de novembro/2010 a março/2011, mas não houve resposta a uma série de perguntas, enviadas por escrito à sua assessoria, sobre esses e outros tópicos relacionados a ele e tratados neste livro.

deste país —, porque o presidente [Lula] me delegou essa função. Tenho recebido apoio de todos eles neste momento de minha vida, porque jamais tratei de algo que não pudesse tratar publicamente.

Restou conhecida, assim, a versão de Dantas, tantas vezes difundida, mas de difícil comprovação. Ele disse que Dirceu foi "muito educado", mas sugeriu que ele procurasse fazer um acordo com os fundos de pensão, sob a alegação de que eles "detinham participação societária nessas companhias, mas não detinham o controle". Dantas teria então afirmado que isso "foi exatamente o que nós contratamos", ou seja, que o Opportunity apenas seguia os acordos firmados em 1998. Teria dito não que não estava disposto a transferir aos fundos a gestão das companhias telefônicas e que o consórcio recebeu a BrT com R$ 200 milhões em caixa, que agora estava com R$ 2 bilhões.

"Eu não estava entendendo qual era o problema. Ele [Dirceu] voltou e me disse: 'Os fundos de pensão estão reclamando que não mandam'. Eu digo: 'É bem provável que seja por isso que nós estamos conseguindo obter esse resultado [financeiro].'"[81]

Para tentar um acordo de paz, Dirceu teria orientado Dantas a procurar o então presidente do Banco do Brasil, Cassio Casseb. O governo não poderia ter escolhido pior interlocutor. Casseb havia trabalhado por quatro anos no conselho da BrT por indicação, justamente, dos italianos na TI, com quem o Opportunity travava disputa desde o ano 2000. Havia saído da BrT em setembro de 2002 e passado a presidir o BB logo depois, em janeiro de 2003.

Casseb não tinha nenhum motivo para ser receptivo a Dantas. No conselho, ele acompanhou de perto as denúncias, as notícias de imprensa e as acusações do Opportunity contra executivos da TI, e vice-versa. "Era um conselho muito tumultuado", ele disse anos depois.

A reunião entre Dantas e Casseb, na presidência do BB, em Brasília, também não foi registrada em vídeo ou áudio. Sempre que possível, Dantas relatou-a na condição de vítima.

---

[81] Depoimento prestado por Daniel Dantas à CCJ do Senado em 7 de junho de 2006.

Nós fomos pressionados pelo presidente do Banco do Brasil para, por exemplo, abrir mão de todos os nossos direitos nos contratos [...] dizendo que falava em nome do governo. Eu até fiz um memorando ao Citibank, naquela época, e ele teve uma reunião comigo, *aonde* [sic] disse que o governo queria que todos os direitos que nos pertenciam nos acordos aos nossos fundos fossem cancelados, que era uma posição de governo.[82]

Após a reunião, Dantas enviou um *e-mail* a Mary Lynn Putney, a executiva do Citibank responsável por acompanhar a parceria dos americanos com Dantas.

Minha conversa com Casseb foi muito estranha [...] Ele disse que quer desfazer os acordos de acionistas que nós temos com os fundos de pensão e que vincularam os votos deles. Eu disse que o fim dos acordos de acionistas iria implicar que os fundos não tivessem representação nas companhias, porque nossas obrigações estariam encerradas. Ele me disse que isso não foi o que mencionou, que nossas obrigações continuariam e a deles deixaria de existir. Eu entendi o que ele queria. Eu perguntei se havia algo a ser obtido, em troca, ele disse que não. Ele me perguntou diretamente se eu faria isso ou não, eu lhe disse que precisava consultar nossos investidores.[83]

Ele disse que entendia que a decisão estava acima de mim, e que ele estava falando em nome do governo. Eu disse que eu precisava de uma aprovação. "Isso é o que você está dizendo", ele emendou. "Sim, isso é o que eu estou dizendo", respondi. Eu lhe perguntei se os fundos não estavam interessados em vender. Ele disse: "Não a um preço justo". Eu perguntei se eu poderia tomar notas do que ele exatamente disse. Ele disse: "Não, você sabe isso mais do que eu".

---

[82] Depoimento prestado por Dantas à CPI dos Correios em 21 de setembro de 2005.
[83] Apenso ao caso nº cv-02745, na Justiça de Nova Iorque.

No final do *e-mail,* Dantas envolveu seus principais adversários num amplo e maquiavélico plano:

> Eu suspeito que eles vão transferir o controle da direção para a Telecom Italia, que depois poderia dividi-lo com a Telemar para as operações com celular, como eu já informei você sobre a minha suspeita a respeito dessa articulação, em outro *e-mail.* Todo o encontro não durou mais do que dez minutos. P.S.: Hoje fui informado pela Alcatel e NEC de que Carlos Jereissati lhes disse que ele tomaria o controle da Brasil Telecom.

Cinco dias depois, Mary Lynn enviou uma carta a Casseb para comentar as inquietantes notícias trazidas por Dantas. Mas aceitou começar uma conversa, indicando para esse fim um advogado de Nova Iorque. Ao fazer isso, por um lado Mary esvaziou o papel de Dantas como homem do Citibank no trato com o governo. Por outro, concordou com a posição de Dantas e advertiu Casseb: "Nossa política de investimentos nos obriga a defender a continuidade e a efetividade do controle administrativo dos negócios mencionados, assim como a *holding* dessas companhias".

Em 2003, quando houve a reunião entre Dantas e Casseb, o investidor Naji Nahas era o homem contratado pelos italianos da TI para tentar chegar a um acordo com Dantas. Dantas também lhe enviou uma carta. Ele considerava que o governo armava algo contra ele, e qualquer boato, ainda que passado por um contratado seu, isto é, um personagem obviamente parcial, era imediatamente levado a sério.

> Um de nossos advogados nos relatou que você lhe informou contar a Telecom Italia com o apoio do governo (José Dirceu e Anatel) para garantir o retorno desta ao acordo de acionistas consolidado da Solpart. Diante disso, fica desnecessário o item 1 da agenda que sugeri, às páginas 4 e 5, de minha carta de 18 de agosto. Por favor, desconsidere o item 1 da nossa proposta de agenda.

Dantas se referia a uma proposta de calendário de diálogo com Nahas. O libanês respondeu no mesmo dia:

Recebi com muita surpresa sua nota de hoje. Nenhum advogado honesto pode ter lhe relatado coisa alguma pela simples, boa e suficiente razão de eu jamais ter dito a quem quer que seja que a Telecom Italia contaria com o apoio do governo (José Dirceu e Anatel), porque, até onde eu sei, a Telecom Italia não conta com o apoio de ninguém, salvo de seus executivos e advogados, nem tem qualquer expectativa de que autoridades venham a interferir nessas questões. Vou desconsiderar a nota recebida.

Dantas respondeu: "Sempre buscamos trabalhar com colaboradores honestos. As informações desse nosso advogado sempre foram procedentes". De qualquer forma, escreveu Dantas, "por prudência e por medida de segurança", ele voltou atrás e manteve os termos da primeira proposta de agenda. No final, o Opportunity e os italianos entraram em acordo.

Nahas parecia estar acostumado com esses arroubos de Dantas, a julgar pelo que escreveu a Marco Provera, então presidente da TI: "[Eu] precisava construir uma relação de confiança entre você e Daniel, que é um paranoico que tem o complexo da perseguição, no entanto, um pragmático e muito competente e que gosta de ganhar dinheiro (apesar do fato de que ele quase não o usa)".[84]

Após a reunião com Casseb, Dantas voltou a falar com Dirceu. Novamente, tornou-se pública apenas a versão do banqueiro: "Expliquei para ele o que tinha acontecido, e ele me disse que concordava que o governo não tinha que tomar partido nessa disputa e que, se porventura eu detectasse que o governo estava intervindo a favor de outro, eu teria a liberdade de lhe comunicar".

Só anos depois Casseb apresentou sua versão sobre a reunião com Dantas. Em 2009, ele prestava depoimento à Justiça Federal paulista, na condição de vítima de espionagem, quando a procuradora da

---

[84] Carta apreendida em 2008 pela Operação Satiagraha na casa de Nahas.

República Anamara Osório lhe indagou o que foi tratado naquele encontro. Casseb afirmou:

> Quando o [petista] Sérgio Rosa foi para a Previ e estava numa decisão deles, da Previ e dos fundos, de ir procurar seus direitos na Justiça, de ir para uma confrontação maior porque eles achavam que as coisas não estavam indo por um bom caminho, eu perguntei ao Sérgio se nós não devíamos perguntar a ele [Dantas] primeiro, um acordo, tentar por bem resolver a questão. E aí ele concordou, eu chamei o Daniel, sugeri: "Escuta, você não quer sentar com os fundos e tentar um acordo, tentar esquecer o passado, criar uma nova governança, devolver a gestão pros fundos e tentar resolver essa questão de uma vez?". E ele respondeu que aquilo não cabia a ele, que na verdade ele administrava em nome do Citibank e que iria falar com o Citibank.[85]

Depois Casseb recebeu uma carta na qual o Citibank dizia que "a administração devia continuar da forma que era".

A versão de Casseb confirma parte central do relato de Dantas: o BB pediu ao banqueiro que devolvesse "a gestão para os fundos", como disse Casseb. Era, no mínimo, uma pressão do banco, que foi devidamente potencializada por Dantas. Mas a versão do ex-presidente também expressa uma tentativa de pacificação da qual Dantas se esquivou, alegando ser apenas um representante do Citi.

Ao escolher Casseb como interlocutor de Dantas, o governo Lula pareceu desfraldar a bandeira branca para Dantas. Mal podia imaginar que Casseb era nada menos que um dos alvos preferenciais de uma vasta operação de espionagem desencadeada por uma empresa norte-americana a mando da Brasil Telecom controlada por Dantas. Trata-se da mais ampla investigação privada já tornada pública no Brasil. Um movimento dos mais temerários nas disputas societárias de Dantas.

---

[85] Depoimento de Cassio Casseb prestado, em 1/12/2009 gravado em vídeo, nos autos da OPC (Operação Chacal).

As sombras se movem

"É como o general de Napoleão, que disse: 'Se eu fosse você, não atacava por aqui, pois é muito perigoso'. 'Tudo bem, se eu fosse você também não atacava', respondeu Napoleão. E atacou e ganhou."

Dantas, em entrevista a O Globo em 27 de fevereiro
de 1994, sobre os dez anos do Plano Cruzado.

A DIP (Diretoria de Inteligência Policial) da Polícia Federal, ligada ao gabinete do diretor-geral, em Brasília, é o cérebro da poderosa máquina de coleta e análise de informações que a PF montou ao longo de uma década. Em 2008, 450 policiais eram vinculados aos objetivos da DIP, incluindo 200 agentes espalhados em núcleos regionais em todos os estados, os NIPs. Esses policiais produzem diariamente relatórios de inteligência que alimentam o Sisdoc, talvez o mais impressionante banco de dados sigilosos em atividade no país, com mais de 80 mil relatórios sobre todos os aspectos da vida nacional, de uma licitação fraudada à análise de uma escuta telefônica.

Por volta de 2002, a DIP passou a receber informações de que a empresa de investigação privada Kroll Associates, fundada nos EUA em 1972 pelo advogado de Nova Iorque Jules B. Kroll, remunerava policiais federais e outros servidores de áreas sensíveis do governo brasileiro, como a Receita Federal e o Banco Central, em troca do vazamento de informações cobertas por sigilo. Uma das tarefas da DIP era justamente montar operações para "neutralizar ações de grupos ou organizações tendentes a prejudicar o departamento da Polícia Federal", numa atividade chamada de "contrainteligência".

Em trinta e sete anos, a Kroll realizou diversas investigações para empresas e órgãos públicos brasileiros e estrangeiros. Ela dizia contratar "promotores aposentados, contadores, jornalistas investigativos, acadêmicos e pesquisadores especializados", que são denominados internamente pela Kroll como "subcontratados". Por operar essa rede de inteligência, "passou a ser descrita como uma 'CIA privada'."[86]

A questão que começou a ser discutida na PF era o dano causado por esses terceirizados. Uma coisa é desenvolver, por meios próprios, ações investigativas que recuperem recursos públicos ou levem maus servidores ao banco dos réus. Outra, bem diferente, é enfiar garras no Estado e dele extrair dados para seus contratos particulares.

A primeira pista concreta surgiu no decorrer da Operação Anaconda, deflagrada em 2003. A PF recebeu informe de que o delegado aposentado da PF de Maceió Jorge Luiz Bezerra da Silva trabalhava para a Kroll e passou a averiguar se o aposentado, "a serviço da empresa Kroll, oferecera ganhos de R$ 5 mil mensais a [dois] policiais federais no intuito de que fornecessem informações privilegiadas".[87]

Em abril de 2002, o juiz da 4ª Vara Federal de Maceió (AL), Sebastião José Vasques de Moraes, autorizou a interceptação dos telefones do ex-delegado. O agente Elizon Pacheco confirmou à PF o assédio de Bezerra, ocorrido em dezembro de 2001. Mas disse que nada recebeu nem atendeu aos pedidos do ex-delegado. O aposentado teria lhe dito que a "Crow" (*sic*) era uma "empresa especializada em elaboração de dossiês, fazendo levantamento da vida de pessoas ligadas à atividade política ou pública, para posterior negociação com adversários".[88]

Bezerra foi preso durante a Anaconda e condenado pelo TRF da 3ª Região a três anos de reclusão — foi solto em julho de 2005, em livramento condicional.

Desde de então, a PF prestou mais atenção na Kroll e nas estranhas movimentações de seus "subcontratados".

---

[86] Para as contratações e o apelido, "The Secret Keeper", em *The New Yorker*, 19/10/2009.
[87] Relatório preliminar da Operação Chacal, de 14/04/2005.
[88] Processo nº 2002.80.00.002311-7.

Um dos clientes da Kroll era a BrT, então controlada pelo Opportunity de Dantas. No ano de 2002, a empresa de telefonia pagou R$ 737 mil ao escritório da empresa no Brasil. Em 2003, desembolsou mais R$ 1,9 milhão para as filiais da Kroll em Milão, na Itália, São Paulo e Rio.

Era o início do Projeto Tóquio, codinome de uma ampla investigação desencadeada pela Kroll contra os desafetos do Opportunity e da BrT.

O acerto foi feito entre Richard Bastin, diretor do escritório da Kroll em Milão, na Itália, e Carla Cico, presidente da BrT indicada por Dantas. A escolha dela para o cargo, anunciada em 2001, surpreendeu o mercado. Carla chegou ao Brasil como uma alta executiva da TI (Telecom Italia) e ajudou na montagem do consórcio que arrematou a BrT em leilão. Aos quarenta e um anos, Carla ganhava cerca de US$ 120 mil anuais na TI. No novo cargo, ela iria receber, apenas em 2001, US$ 1,7 milhão em "salários, bônus e benefícios", além de um lote de ações "no valor de US$ 5 milhões".[89]

Em dezembro de 2002, Bastin escreveu de forma "particular e confidencial" para Carla: "Agradecemos seu telefonema e sua autorização para prosseguirmos com o projeto, ao qual demos o nome de 'Tóquio', por motivos de segurança".[90]

Bastin apontou um prazo inicial de cinco semanas para a primeira etapa (o projeto compreendeu pelo menos dez fases, com custos sempre crescentes). Carla aprovou a proposta, e Bastin enviou uma segunda carta no mesmo dia: "Agradecemos suas instruções sobre este assunto. Temos o prazer de confirmar que prestaremos os serviços detalhados em nossa carta-proposta datada de 20 de dezembro de 2002".

Além do contrato com a BrT, a Kroll também tratou de negócios com o próprio Opportunity, como indica um *e-mail* datado de 29 de abril de 2002. Vander Giordano, um diretor da Kroll no Brasil, enviou

---

[89] *Veja*, de 6/06/2001.
[90] Autos da petição nº 3.849, STF (Supremo Tribunal Federal).

mensagem para uma subcontratada da empresa: "Conversei há pouco com a sra. Maria Amália [Coutrim], do Opportunity, e ela me assegurou que já foi aprovado o pagamento. Alegou que a demora se dá em função do repasse que fizeram a uma empresa do grupo, que irá desembolsar o valor para o pagamento".[91] Mais tarde, o Opportunity afirmou que "nunca" contratou a Kroll.

Um episódio em novembro de 2000 revelou que a Kroll tinha como alvo altos executivos da TI (Telecom Italia). Três detetives particulares foram detidos no Rio de Janeiro enquanto espionavam o então presidente mundial da TI, Roberto Colannino, um desafeto de Dantas, e o ex-presidente do BNDES Andréa Calabi, indicado pelos italianos para compor o conselho da BrT. Numa trapalhada antológica, os arapongas seguiram de carro a pessoa errada, o então presidente do Banco Central Armínio Fraga. Ele e Calabi são calvos e usavam cavanhaque. O trio detido disse à PF trabalhar para uma firma do Paraná subcontratada da Kroll. À época, o diretor da Kroll em São Paulo, Eduardo Sampaio, declarou "desconhecer o assunto".

Naquele mesmo ano, Dantas havia se reunido com Sampaio. Quem revelou o fato foi o próprio banqueiro:

> Houve outro contato possivelmente no ano 2000, com Eduardo Sampaio, que realizou uma entrevista com o interrogado [Dantas] a fim de saber questões atinentes ao citado leilão da Telebras e aquisição da Companhia Rio-grandense de Telecomunicações (CRT). A Kroll, nesse contato, havia sido contratada pela Brasil Telecom.[92]

Em 2004, no auge do Projeto Tóquio, os valores pagos pela BrT à Kroll foram de R$ 11,4 milhões à filial da Kroll em Milão e R$ 4,1 milhões à filial de Nova Iorque. Entre 2002 e 2005, a BrT depositou R$ 26,79 milhões nas contas da Kroll, dentro e fora do Brasil.

---

[91] *E-mail* interceptado pela OPC.
[92] Auto de qualificação e interrogatório de Daniel Dantas em 13/04/2005, na OPC.

Relação de pagamentos feitos pela Brasil Telecom à empresa Kroll Associates: mais de R$ 26 milhões num dos maiores casos de espionagem empresarial de larga escala na história brasileira.

Tratou-se do mais bem documentado caso de espionagem empresarial já revelado no país. Os investigadores privados se valeram de documentos cobertos por sigilo bancário, registros de cartão de crédito, dados de imposto de renda e filmagens. Seus "alvos" eram todos desafetos ou adversários de Dantas.

Entre 2003 e 2004, Carla Cico disparou inúmeros *e-mails* para os responsáveis pelo Projeto na Kroll. Anos depois, cerca de trinta dessas mensagens foram copiadas e entregues pela Kroll à Justiça dos EUA. Elas documentam os pedidos variados e incessantes da executiva indicada pelo Opportunity para comandar a BrT. Em 4 de junho de 2003, Carla enviou "uma lista de nomes de pessoas que vocês [Kroll] deveriam checar": o investidor Naji Nahas, os empresários Carlos Jereissati e Sérgio Andrade, da Telemar, o investidor Carlos Alberto Sicupira e Calabi.

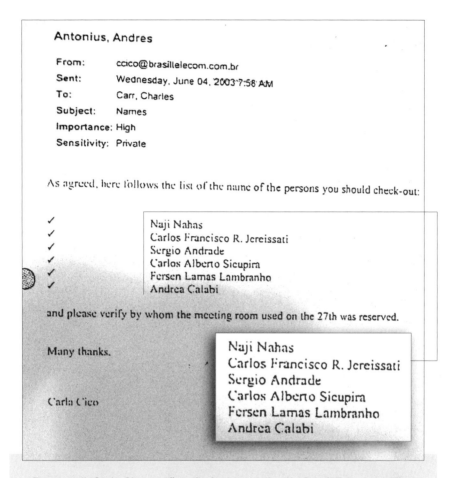

Em e-mail, Carla Cico, então principal executiva da Brasil Telecom indicada por Daniel Dantas, envia aos agentes da Kroll uma lista de alvos que deveriam ser "checados". Todos adversários, concorrentes ou pessoas que poderiam obstaculizar os planos do Opportunity e da BrT.

Em outubro do mesmo ano, Carla orientou que a Kroll procurasse a ex-mulher de Carlos Jereissati. "CJ teve um divórcio amargo, e nós achamos que sua esposa pode ser uma importante fonte de informações. Talvez seu rapaz aqui pudesse tentar uma aproximação com ela e ver o que pode descobrir (claro, sem deixar que ela saiba que nós estamos por trás)."

Não há evidências de que a ideia tenha se concretizado. Nos *e-mails*, Carla menciona diversas vezes Daniel Dantas, quase sempre pelas iniciais "DD", e informa que ele também está engajado na procura por fontes, principalmente "uma da Espanha".

No final de 2003, Carla queria utilizar os achados da Kroll numa operação subterrânea para usar órgãos de imprensa com notícias em benefício dos pontos de vista da BrT/Opportunity. Menciona dois artigos que estavam sendo publicados por um jornal italiano.

Eu acho que é hora de nós começarmos a disseminar nossa informação "privilegiada". Vou discutir essa ideia com DD amanhã e na próxima terça-feira, dependendo de qual seja a estratégia, vamos entrar em acordo sobre a forma de implementá-la.

Outro alvo importante da Kroll chamava-se Luís Roberto Demarco Almeida. Eis um nome que o grupo Opportunity jamais se esqueceria de incluir na espionagem.

O inimigo do seu inimigo

"Ele não me deixa em paz há dez anos, exatamente porque não se conforma com o fato de que eu, muito jovem, saí do Opportunity. Disse a ele as razões pelas quais eu saí do Opportunity. Porque eu não aceitava o pagamento de propina. Disse a ele pessoalmente, e aí ele entrou com uma ação. Segundo me foi relatado por gente conhecida dele, ele entrou para me dar uma lição de moral."

Depoimento gravado em vídeo de Luís Roberto Demarco Almeida em audiência da 5ª Vara Federal Criminal de São Paulo, nos autos da Operação Chacal, em 1º de dezembro de 2009.

"O Demarco trabalhou conosco durante um ano. E, no fim do ano, ele foi demitido na época pelo meu ex-sócio Pérsio Arida por suspeitas de envolvimentos ilegais. E a partir daí passou a trabalhar com adversários nossos na tentativa de nos prejudicar e criar vantagens para os adversários, e profissionalmente, quer dizer, cobrando por isso."

Depoimento de Dantas à CPI dos Grampos em 16 de abril de 2009.

A empresa de Demarco e a filial do banco Opportunity em São Paulo funcionam na mesma avenida Brigadeiro Faria Lima, separadas por apenas 800 metros, o que se vence numa caminhada de uns dez minutos. Mas a distância real é oceânica. Ao longo de uma década de rivalidade, alimentada por acusações e recriminações espalhadas pela imprensa e aliados de lado a lado, Demarco e Dantas protagonizaram um duelo que deixou sequelas por toda parte. Se há alguma disputa entre ex-sócios que se pode denominar de "guerra", esta é a maior. Em alguns raros momentos, houve tentativas de pacificação, sempre inúteis. Por diversos eventos paralelos, como as descobertas de inquéritos e investigações privadas, suas posições se tornaram irreconciliáveis. As torres do número 1.478 e do número 2.227 da Faria Lima continuaram jogando por mais de dez anos um xadrez longo e silencioso — e de consequências arrasadoras para a credibilidade de Dantas.

Demarco nasceu em São Paulo em 1962 e foi criado em Assis, no interior paulista. Seus pais são professores universitários — a mãe, de geografia; e o pai, de letras. Formou-se em engenharia química na USP. Após trabalhar na Johnson & Johnson, assumiu um posto de direção na Ivix, um braço da multinacional IBM. Foi então procurado pelo executivo e caçador de talentos Guilherme Dale, que depois o apresentou a Carlos Alberto Sicupira, um dos três sócios da GP Investimentos.

Demarco trocou a IBM pela GP em janeiro de 1997. Passou a trabalhar com outras nove pessoas nas mesmas tarefas: fazer valer a fortuna investida pelos fundos nas empresas e obter novos parceiros. Em junho de 1997, contudo, ficou contrariado com uma demissão que lhe pareceu injusta. A isso se somou uma simples casualidade que pôs Demarco no caminho de Daniel Dantas. Demarco namorava uma decoradora que trabalhava em um projeto para um apartamento nos Jardins de um casal bastante conhecido em Brasília: Pérsio Arida e Elena Landau. Os dois casais começaram a se falar, quando Demarco ouviu pela primeira vez o nome de Dantas.

Um dos objetivos de Demarco na GP era implantar o conceito de futebol-empresa. Demarco é fanático por futebol e pelo time do São Paulo. Arida convidou Demarco a trabalhar no Opportunity. Ele detalhou a proposta: bônus inicial de US$ 1 milhão mais a participação em 3,5% das cotas da empresa CVC Opportunity, criada para gerir os recursos do banco Citibank durante as privatizações no Brasil. (Os termos do convite, conforme aqui apresentados, foram depois várias vezes contestados pelo Opportunity, mas a Justiça das ilhas Cayman os reconheceu como autênticos.)

Arida sugeriu um drinque com Dantas. O trio se encontrou por volta de agosto de 1997 no apartamento de Arida, que falou das cifras altíssimas mantidas pelos fundos Opportunity e queria saber se Demarco "comprava a ideia" de trocar a GP pelo Opportunity.

OPERAÇÃO BANQUEIRO

Depois Demarco aceitou o convite, pelo qual passaria a receber cerca de US$ 300 mil anuais, além de um bônus inicial de US$ 1 milhão. Ele se tornou sócio do CVC ao lado de Dantas, Arida e Robert Wilson, o ex-funcionário do Citibank. Demarco acertou sua entrada no Opportunity e passou a trabalhar em outubro de 1997 no 7º andar do prédio espelhado na frente do *shopping* Iguatemi, a sede do banco em São Paulo.

Duas semanas depois, Demarco procurou Arida para dizer que ainda não havia recebido o bônus. Foi a primeira de uma série de desconfianças. Arida procurou a direção do Opportunity, que explicou querer um sinal de confiança de Demarco nos negócios, sugerindo que ele recebesse US$ 500 mil de imediato, mas investisse a outra metade em ações no Opportunity Fund. Demarco aceitou. Embora morasse no Brasil, ele passou a ser um cotista de um fundo sediado nas ilhas Cayman. Depois ele diria não saber àquela época que, pelas regras do BC, o Fund não poderia abrigar brasileiros residentes no Brasil.

Nos anos 1990, o Banco Central havia autorizado a entrada no Brasil de capitais mantidos em fundos estrangeiros para a compra das empresas estatais brasileiras, desde que os brasileiros detentores das cotas não residissem no Brasil. A intenção era dupla: evitar um desequilíbrio de condições nos leilões (os fundos em paraísos fiscais gozavam de menor carga tributária do que os fundos brasileiros) e estimular a vinda de capital estrangeiro para o Brasil.

Daniel Dantas sabia que o Fund estava impedido de abrigar esses brasileiros, conforme ele expressamente declarou, em 2005: "Existe uma disposição aqui no Brasil de que residentes no país não podem aplicar nos fundos que investem no Brasil. Nós cumprimos todas as regras nesse sentido, e existe no nosso prospecto uma vedação, e qualquer aplicador tem que declarar que ele não é residente no Brasil".[93]

Uma das tarefas de Demarco no Opportunity foi estimular a ideia do futebol-empresa. Outra função que lhe foi delegada: deveria se aproximar de Verônica Serra, a filha do então ministro do Planejamento,

---

[93] Depoimento prestado por Dantas à CPI dos Correios em 21/09/2005.

José Serra (PSDB-SP). O Opportunity queria saber se Verônica estava interessada em ser parceira de negócios com o banco na área de informática ou internet e pediu que Demarco, que tinha experiência no tema, fosse sondá-la. Durante um ano, Demarco se fez presente, telefonando e conversando com Verônica, que tinha uma sala de negócios na rua Tabapuã, no Itaim Bibi. Mas as conversas não prosperaram até a saída de Demarco do Opportunity, em fevereiro de 1999.

Em setembro de 2002, uma nota na revista *IstoÉ Dinheiro* anunciou que a filha de Serra, então candidato à Presidência, havia sido "sócia" da irmã de Dantas, Verônica, entre 2000 e maio de 2002. A revista dizia que elas "fundaram juntas" uma empresa de internet, a Decidir.com, com sede em Miami (EUA). Em 2008, a informação voltou a circular na imprensa. A filha de Serra, o qual à época era governador de São Paulo, soltou uma nota explicativa. Ela disse que a Decidir foi um investimento feito pelo Citibank, pelo Opportunity e pelo fundo IRR (International Real Returns), para o qual ela trabalhou entre 1998 e 2001. Afirmou que o IRR a indicou como seu representante no conselho diretor da Decidir, e não como sócia. Por sua vez, a irmã de Dantas foi indicada pelo Opportunity. As duas Verônicas dividiram o mesmo conselho, mas a filha de Serra disse que nunca conheceu a irmã de Dantas "nem pessoalmente, nem de vista, nem por telefone, nem por *e-mail*", conforme a nota que divulgou.

A Decidir atuava como uma espécie de "Serasa particular", ou seja, fornecia aos seus clientes dados sobre a saúde financeira de pessoas e empresas. Em janeiro de 2001, o então repórter da *Folha* Wladimir Gramacho localizou dezoito deputados federais com cheques sem fundos. Ele escreveu ter se baseado no *site* da Decidir.com, que permitia a consulta aos dados sobre os cheques, "o que é irregular, segundo as regras do BC". A empresa disse que houve "uma falha" e bloqueou o acesso no dia seguinte.

No Opportunity, Demarco só se encontrava com Dantas quando havia reuniões gerais no Rio, quase sempre às segundas-feiras. Às vezes, Dantas parava a reunião e passava a contemplar, da janela, a Baía da Guanabara. Demarco considerava aquilo um desrespeito. Mas foi só o aperitivo para o grande choque, em junho de 1998, que levou Demarco a sair do banco. Ao longo dos anos, muitas versões circularam sobre o motivo. Onze anos depois, na frente da juíza federal do caso Kroll, prestando depoimento na condição de alvo de espionagem, Demarco deu a sua versão sobre o episódio:

> A primeira desavença, e por que eu saí do Opportunity? Porque um dia um funcionário, que era meu colega em São Paulo [...] chega e diz que foi cobrado dele uma propina em uma privatização do governo do Paraná, na Sanepar [...] e ele, na frente lá do secretário, havia recebido essa requisição de pagamento de US$ 800 mil, que seria um terço do Opportunity, um terço de cada um dos outros dois componentes desse consórcio. E eu fiquei estarrecido com aquilo. Eu até declarei isso na minha ação trabalhista há oito anos [...] O Opportunity estava presente nessa ação trabalhista, portanto, não é uma ilação, porque eu realmente ouvi esse fato. E eu disse ao Dantas que queria sair porque não topava esse negócio de propina.[94]

A Sanepar, companhia de água e esgoto do Paraná, foi criada em 1963 e parcialmente vendida nos anos 1990 ao consórcio formado pelo Opportunity, Vivendi, Andrade Gutierrez e Copel. Em resposta a Demarco, o banqueiro disse que não sabia de nada daquilo, negou qualquer irregularidade e o encaminhou para resolver o assunto com Arida, num sinal de desprestígio de Demarco. O banco sempre negou qualquer irregularidade relacionada à Sanepar. Para Demarco, a "denúncia" teve "um efeito psicológico" adverso em Dantas.

Anos depois, Dantas também deu sua versão sobre a saída de Demarco: "[Demarco] foi desligado pelo então meu sócio Pérsio Arida por dúvidas em relação ao seu comportamento. Eu não conheço qual é a profissão do sr. Demarco. Depois que o sr. Demarco deixou de

---

[94] Depoimento gravado em vídeo na 5ª Vara Federal Criminal de SP, nos autos da OPC.

trabalhar conosco, eu não tenho tido mais contato e não sei a que atividade o sr. Demarco tem se dedicado".[95]

Arida, procurado para este livro, respondeu por *e-mail*: "Saí do Opportunity logo no início de 1999, há mais de dez anos [...] Não me sinto à vontade para conversar".

No final de 1998, Demarco recebeu em casa a cópia de um novo contrato social com alterações na direção do CVC Opportunity Equity, do qual era sócio e diretor desde dezembro de 1997. Elas representaram, na prática, a exclusão de Demarco da companhia. Ele procurou Arida para cobrar os 3,5% das ações a que teria direito. Arida fez uma teleconferência entre ele, Demarco e Dantas. A conversa resultou numa discussão exaltada.

Em fevereiro de 1999, o departamento pessoal do Opportunity comunicou a Demarco que "decidiu revogar seu contrato de trabalho", sem aviso prévio, citando amparo na lei trabalhista. Atrás, foi anotado: "sem justa causa".[96] Demarco trabalhou dezesseis meses no banco.

Em abril, Demarco tentou resgatar US$ 400 mil de suas ações no Opportunity Fund, mas não conseguiu. Em 28 de maio, tentou resgatar todo o meio milhão de dólares, novamente sem sucesso.[97] Demarco foi então informado pelo Opportunity de que parte do acordo que havia firmado em 30 de dezembro de 1997, incluindo o anexo que o havia tornado diretor do CVC Opportunity, não fora validada conforme as regras próprias. Em 18 de junho, os advogados de Demarco avisaram ao banco, por carta, que houve uma "quebra de confiança mútua" e que iriam iniciar uma demanda judicial, caso o cliente não recebesse os US$ 500 mil.

Antecipando-se a essa ação, em junho de 1999 o CVC Opportunity abriu um processo na Justiça das ilhas Cayman e conseguiu bloquear os ativos reclamados por Demarco. A ordem de bloqueio foi baseada num *affidavit*, um testemunho juramentado, assinado um dia antes

---

[95] Depoimento prestado por Dantas à CCJ do Senado Federal em 7 de junho de 2006.
[96] Documento transcrito na decisão do caso nº 48 da Corte de Apelação das Ilhas Grand Cayman, de 3 de outubro de 2006.
[97] Idem.

pela irmã de Dantas, Verônica. Ela afirmou que Demarco "nunca fora" o dono das ações e que tinha sido registrado como investidor por um mero "erro". Segundo ela, havia um plano inicial de que Demarco teria "uma conta virtual", mas isso acabou ultrapassado por acordos verbais que teriam ocorrido posteriormente entre Demarco, Dantas e Arida.

A atitude do Opportunity revelou-se um tiro no pé por vários motivos. O primeiro e mais imediato estourou nas páginas de *O Globo* de agosto de 2000. A reportagem informava que Demarco havia apresentado, nas ilhas Cayman, documentos que indicavam a existência de acionistas brasileiros no Opportunity Fund residentes no Brasil. O principal era ele próprio, Demarco, pois morava em São Paulo. O banqueiro estava de novo na berlinda.

Todo o processo nas ilhas Cayman, incluindo recursos, se arrastou por sete anos. O Opportunity alegou que os acordos para a contratação de Demarco foram verbais e que os ganhos futuros dele seriam pagos de acordo com uma fórmula matemática que envolvia o desempenho do fundo e do profissional. Demarco apresentou anotações que resumiam as conversas que teve com Arida.

Durante uma semana, Dantas e Demarco sentaram-se frente a frente na sala de audiências nas ilhas Cayman. O *Jornal do Brasil*, nas mãos do empresário Nelson Tanure, um aliado dos interesses da canadense TIW, entrou com tudo na cobertura sobre o caso. Contratou um fotógrafo *freelancer*, David Wolfe, que fotografou Dantas numa correria por cerca de duas quadras nas ilhas Cayman. O banqueiro aparece nas fotos cobrindo o rosto com uma pasta de documentos.

Em maio de 2002, o juiz das ilhas Cayman Kellock J. decidiu:

> Para mim, parece altamente improvável que um contrato tão complexo como o alegado pelo reclamante [Opportunity] possa ter sido feito oralmente. Ainda mais porque o reclamante é uma sofisticada firma de negócios que possui um departamento interno de assuntos jurídicos.

O juiz comparou os dados trazidos aos autos por Dantas, Verônica e Demarco e concluiu:

> Tanto o Opportunity quanto a CVC/Brasil pagaram a Demarco algum dinheiro por meio de dividendos ou bônus; nem Dantas nem sua irmã parecem se lembrar dos detalhes da fórmula como uma importante parte da história deles [...] A incapacidade de Dantas e de sua irmã de providenciar uma explicação coerente de como deveria funcionar a fórmula contribuiu para minha conclusão de que o contrato oral no qual o reclamante [Opportunity] se baseia nunca foi feito. Isso também me leva à conclusão de que as evidências fornecidas por Dantas e sua irmã foram fabricadas e falsas.

Um dos principais elementos analisados pelo juiz foi o depoimento de um funcionário da filial do banco ABN-Amro nas ilhas Cayman, cujo nome, Victor Vicioso, parece extraído de uma história em quadrinhos. O seu depoimento juramentado lançou luzes sobre a organização das subscrições das cotas do Fund, aos cuidados do ABN. A subscrição é uma espécie de direito de compra de ações. Desde que a briga nas ilhas Cayman apareceu nos jornais brasileiros, passou a circular uma suposta lista de investidores no Opportunity Fund. Eram brasileiros residentes no Brasil, e, caso a lista fosse verdadeira, seria mais uma evidência da irregularidade. Boa parte das supostas contas dessa lista tinha algo em comum: o número 368. No depoimento, Vicioso revelou que Verônica tinha autorização para assinar por cotistas identificados com esse número. O juiz Kellock indagou:

— Como você poderia saber disso?
— O controle 368, para mim, significa isso. Sua assinatura [de Verônica] não está apenas nesta conta. Eu quero dizer que ela é autorizada a assinar outras contas, especialmente as 368 que estão sob controle e administração dela, seja lá como você poderia chamar isso.[98]

---

[98] Interrogatório de Vicioso à Corte de Grand Cayman em 29/04/2002.

O advogado de Demarco indagou se isso não seria "irregular", Vicioso respondeu:

— Não para o Opportunity.
— Por que você disse que isso não era incomum para o Opportunity? — inquiriu o juiz.
— Porque há várias contas 368 sobre as quais Verônica está autorizada a assinar.
— As contas estão em nome de outros, que não Verônica e Opportunity? — insistiu o juiz.
— Exato.

Nas ilhas Cayman, o Opportunity procurou colocar em dúvida a idoneidade dos documentos apresentados por Demarco que poderiam comprovar que ele era dono das ações no Fund. Contratou peritos para desmentir os papéis. Mas, em sua decisão, Kellock usou palavras duras para descrever o que ele viu no processo.

Eu entendo que a declaração de Verônica Dantas no sentido de que ela colocou o nome de Demarco no formulário como subscritor com o objetivo de "separar o investimento" é simplesmente uma mentira [...] A meu juízo, Verônica e Daniel Dantas criaram falsos documentos pela modificação de formulários de investimento de modo a fazer parecer que a requisição de investimentos iniciada por Demarco foi uma instrução emanada pelo OAM [Opportunity Asset Management].

Kellock mandou o Opportunity pagar a parte de Demarco e os custos com os advogados. O Opportunity recorreu da decisão à Corte de Apelações das Ilhas Cayman, que decidiu, em março de 2004, anular a decisão do juiz e realizar um novo julgamento. O Opportunity basicamente colocou em xeque a isenção de Kellock — mesmo recurso que seria empregado no Brasil contra magistrados que deram decisões contrárias ao banco. A corte criticou o juiz pelo emprego das palavras "fabricadas e falsas", consideradas exageradas.

Demarco recorreu em Londres ao *Privy Council*, um tribunal de recursos de processos em trâmite nos países sob influência da Coroa britânica. Reunido em 2006, o conselho, formado por quatro lordes e uma baronesa, surpreendeu-se com o tamanho da briga: "O litígio tem sido fortemente contestado em todas as fases e envolveu denúncias (por e contra ambos os lados) de falsificação, roubo de documentos, má-fé e desrespeito ao tribunal". Os juízes, por fim, decidiram pela restauração da decisão original de Kellock. Foi a mais importante vitória judicial de Demarco contra Dantas.

Outra consequência da ação nas ilhas Cayman foi um acordo fechado entre o Citibank e Demarco em novembro de 2004. Segundo a revista *CartaCapital*, Demarco "aceitou alterar duas liminares que impediam o Citibank de negociar suas participações no CVC e de afastar o grupo de Dantas da gestão desse fundo [...] Especula-se, ao contrário das notícias veiculadas, que o Citi teria virado sócio do empresário, dono de uma pontocom".[99] Anos mais tarde, o Opportunity espalhou que a empresa de Demarco recebeu entre R$ 7 milhões e R$ 20 milhões pelo acordo com o Citibank — o empresário não revelou publicamente os valores do negócio.

Em 1999, o Opportunity havia aberto a causa nas ilhas Cayman com o alegado objetivo de "preservar" o CVC Opportunity, mas o resultado foi diametralmente oposto. O processo colocou em evidência as suspeitas sobre o Fund. A partir daí, não era mais uma simples "briga entre sócios", mas a origem de dúvidas sobre a legalidade das privatizações no Brasil.

A CVM iniciou uma apuração em 2001, mas com um objetivo tímido: apenas verificar se as ações do Fund foram ou não oferecidas a brasileiros residentes no Brasil. Ou seja, se elas foram ofertadas, não se existiam. Em 29 abril de 2003, o presidente da comissão de inquérito na CVM, Luis Mariano de Carvalho, o gerente/membro Raymundo Aleixo

---

[99] Revista *CartaCapital*, de 22/07/2008.

Filho, o inspetor/membro Anilton Soares e o procurador/membro José de Araújo Barbosa Júnior emitiram o relatório final, que apontou:

> A existência e disponibilidade de material de divulgação dos subfundos no escritório de São Paulo e a autorização tácita dada pela administração do Opportunity para que os funcionários do escritório prestassem informações acerca [do] valor das cotas e da *performance* dos fundos aos interessados, sem restrição mesmo à sua identificação, reforçam a inferência de que o banco Opportunity e seus funcionários atuaram nas fases de oferta e subscrição de cotas de subfundos, destinadas exclusivamente a não residentes no país, sem que a instituição tivesse autorização da CVM para fazê-lo.

O relatório da comissão de inquérito "atribuiu responsabilidades" ao banco ABN Amro Real, ao Opportunity, Dório Ferman e Verônica Dantas. Por outro lado, concluiu não haver "elementos suficientes" para qualquer responsabilização de Daniel Dantas, Pérsio Arida e o próprio Demarco.

A conclusão do inquérito veio em 2004, quando a CVM aplicou uma pena individual de multa de R$ 100 mil contra o Opportunity Asset Management, Verônica e Ferman, devido ao "esforço na colocação pública no Brasil de cotas de subfundos" do Fund vedados a residentes e domiciliados no Brasil.

Na contestação, o Opportunity pediu a nulidade e o arquivamento do inquérito. apresentou ainda um laudo encomendado pelos investigados no qual se questiona a lisura de planilhas de investimentos apresentadas no processo. Alegou montagem nos papéis. O advogado de Demarco disse que os papéis não foram apresentados por seu cliente, mas por funcionários do Opportunity, e que a mesma alegação já havia sido atacada na decisão anterior da CVM. Contudo, com base principalmente no argumento da perícia, o banco conseguiu uma decisão favorável no Conselho de Recursos do Sistema Financeiro Nacional do Ministério da Fazenda, o chamado "Conselhinho".

Entretanto, se ainda havia alguma dúvida sobre se Demarco foi ou não cotista do Fund, ela se dissipou em 2008, quando ocorreu a segunda fase da Operação Satiagraha. Ouvida pela PF, Rosângela Browne, que trabalhou no Opportunity entre 1996 e 1998, disse que Pérsio Arida lhe pediu, em outubro de 1997, que enviasse a Demarco "documentos relativos ao referido Fundo [Fund]", dentre os quais um acordo de subscrição. A polícia mostrou o documento que Demarco assinou, e ela o reconheceu como o mesmo que ajudara a redigir. Rosângela contou ainda que, no escritório do Opportunity em São Paulo, havia folhetos e prospectos do Fund, "os quais poderiam ser encaminhados aos clientes caso eles solicitassem". Uma ex-colega de trabalho de Rosângela, Terezinha Aparecida Marques Esteves, deu um depoimento ainda mais claro. Quando lhe indagaram se acompanhou os "investimentos de Demarco no Opportunity Fund", Terezinha disse que sim, que preparava as planilhas com valores das cotas. "Portanto, a depoente confirma que Demarco possuía cotas no Opportunity Fund."[100] Nessa fase da Satiagraha, a PF indiciou quarenta e dois brasileiros que mantinham contas no Fund. Em agosto de 2010, também indiciou Pérsio Arida.

Depois que a briga das ilhas Cayman foi parar na imprensa, Demarco foi apresentado ao ex-deputado federal Luiz Gushiken (SP), um dos principais nomes do PT. Ele esteve na casa de Demarco por volta de 2000 e ouviu toda a história. Gushiken levou Demarco a Sérgio Rosa, um diretor da Previ ligado ao PT que já estava às turras com o banqueiro. As supostas irregularidades nas ilhas Cayman poderiam ter efeitos negativos no consórcio e seriam usadas como argumento pelos fundos de pensão nas brigas com Dantas. Gushiken teria dito que a história deveria ir para os jornais.

O PT também se interessou pelos serviços oferecidos pelas empresas de Demarco. Quando o partido lançou uma loja virtual, para venda de camisetas e bugigangas do partido, utilizou um programa de computador fornecido pela empresa de Demarco. "Não tenho ligação com nenhum partido político, não possuo ONG nem 'Lojinha do PT'. Uma de minhas empresas é fornecedora de *software* de comércio eletrônico, utilizado por inúmeros clientes, avaliado em 2002 também pelo PSDB e pelo PFL", escreveu Demarco em artigo na internet em

---

[100] Relatório parcial do delegado Ricardo Saadi nos autos da OPS, pág. 72, em 5/11/2008.

2008. Esse serviço foi, depois, explorado pelo Opportunity como prova de uma "ligação" entre Demarco e o PT.

Demarco foi atacado em outra frente. Em abril de 2001, a muito lida coluna do jornalista Ricardo Boechat no jornal *O Globo* trouxe uma nota que, se verdadeira, seria devastadora para o desafeto do banqueiro. Sob o título "Caso de Polícia", a coluna afirmou que Demarco "tem um grande problema doméstico":

> Sua ex-mulher, a executiva Maria Regina Yazbek, entrou na Justiça de São Paulo pedindo a reintegração de posse do [carro] BMW Z3, que lhe foi tomado depois de uma separação litigiosa. O carro era um presente de aniversário. Demarco espancou a ex-mulher, que ficou internada seis dias no Hospital Albert Einstein.

Se os leitores ficaram perplexos com a nota, podem ter passado ao espanto com a de 6 de maio, sob o título "Baixo Nível". A segunda descredenciou a primeira.

> É pesado o jogo contra Luís Roberto Demarco, antigo sócio do banqueiro Daniel Dantas e hoje seu adversário em várias ações judiciais. Semana passada, vários jornais receberam notícias inexatas sobre o processo de divórcio do empresário, tentando atingi-lo moralmente. A manobra foi conduzida junto às redações por uma assessoria de imprensa a soldo do Banco Opportunity, do qual Dantas é proprietário.

A nota saiu porque Demarco foi reclamar com Boechat. O jornalista, então, tomou uma medida radical: abriu o *off* — quando o jornalista revela quem é a fonte que lhe passou uma informação sob compromisso de sigilo. Segundo Boechat, os dados "inexatos" haviam sido entregues ao jornal por gente do Opportunity. Demarco sempre negou ter agredido a ex-mulher.

A separação do casal teve outra consequência surpreendente. No auge da disputa com Dantas nas ilhas Cayman, Demarco desconfiou do comportamento de José Galego Jr., que era diretor de tecnologia de uma de suas empresas, a InternetCo, e prestou queixa à polícia. No dia 25 de maio de 2001, policiais civis encontraram nas gavetas de Galego Jr.

> diversas xerocópias de *e-mails* enviados e/ou recebidos por Demarco, envelopes em branco com o timbre da InternetCo, bem como um telefone celular pelo qual, depois de periciado, restou comprovado o envio de mensagem de texto em que Denys informa a José Galego a combinação da senha pessoal da vítima [Demarco].[101]

Denys Rodrigues era secretário de Galego. Após baixar um programa na internet, Rodrigues gastou alguns dias até obter a senha de *e-mail* para repassá-la a Galego, segundo a polícia. Galego copiou mensagens, enviou material a Regina Yazbek e guardou cópias nas suas gavetas. A Polícia Civil detectou um *e-mail* trocado em 27 de abril de 2001 entre Regina e uma funcionária do Opportunity.

Em maio de 2002, o promotor de Justiça Renato Eugênio de Freitas Peres reviu uma decisão anterior, na qual o Ministério Público apontara indícios de ilegalidade, e tomou um caminho desfavorável a Demarco. Ele considerou que "não há prova de furto" dos *e-mails* e que "não há prova documental de um suposto furto". O promotor escreveu ainda que a alegação de Demarco "pode ser capitulada como devassa, mas não como 'cortar o caminho da correspondência entre o remetente e o destinatário'".

Demarco recorreu. Em 2009, a promotora de Justiça Alexandra Milaré Toledo Santos apontou que Regina e mais duas pessoas "interceptaram comunicações de informática, sem qualquer autorização judicial e com objetivos não autorizados em lei".

"Movida por interesses pessoais e profissionais, Maria Regina, que mantinha laços de amizade com Daniel Valente Dantas, solicitou a José Galego Jr., diretor de tecnologia da empresa do ofendido [Demarco] [...] que interceptasse os *e-mails* enviados e recebidos por Luiz Roberto."[102]

---

[101] Denúncia protocolada em 30/03/2009 pela promotora Alexandra Milaré Toledo Santos, da 93ª Promotoria de Justiça de São Paulo.
[102] Idem.

Meses depois, contudo, a Justiça mandou arquivar o caso sem julgar o mérito da acusação. O juiz Luiz Raphael Valdez concluiu que a possível punibilidade dos réus estava prescrita. Haviam se passado nada menos que sete anos entre a queixa-crime à polícia e a denúncia do Ministério Público. Regina Yazbek sempre negou à Justiça qualquer participação nas irregularidades e nunca foi condenada por essa suspeita.

Em 2001, os advogados do Opportunity aproveitaram-se de pelo menos um documento oriundo da caixa de correio eletrônico de Demarco, a cópia de um acordo extraoficial pelo qual Demarco passava a utilizar, nas ilhas Cayman, os mesmos advogados da empresa canadense TIW, que havia entrado na Justiça contra o fundo CVC para pedir o bloqueio de US$ 390 milhões. Os advogados da TIW e de Demarco juntaram forças contra o inimigo comum. O Opportunity tratou essa aliança como algo espúrio que precisava ser denunciado à corte das ilhas Cayman. Dantas também anexou cópia desse acordo a uma queixa-crime que protocolou contra Demarco e Bruno Ducharme, executivo da TIW, na 6ª Promotoria de Investigações Penais do Ministério Público do Rio.

Demarco e a TIW reagiram, e a Justiça das ilhas Cayman concluiu que a defesa de Dantas não poderia usar o papel. Essa decisão levou Dantas a enviar, em 2002, uma retratação formal ao gabinete do então procurador-geral de Justiça, José Muiños Piñeiro, na qual reconhece que a cópia do acordo foi subtraída de Demarco. A palavra "furtada" foi usada pelo próprio Dantas, que, contudo, não apontou o autor do crime. Ele escreveu:

> Na ocasião em que protocolei a queixa-crime com o documento da TIW anexado, a Grande Corte das Ilhas Cayman havia proibido, por meio de ordem datada de 30 de outubro de 2001, a utilização do documento exceto para uso em caso específico na Cayman [...] A Grande Corte das Ilhas Cayman ordenou-me que escrevesse para os senhores para explicar que a Corte concluiu que o documento da TIW era um documento confidencial furtado do sr. Demarco, e que evidencia em seu conteúdo nada além do que um acordo para o compartilhamento dos serviços dos advogados para a representação das partes Demarco/TIW em processos perante a Grande Corte das Ilhas Cayman.

HISTÓRIA AGORA

DOC. 02

MINIST... PUC...-RJ
GER.DE COM...CAÇÃO E ARQUIVO

Ao: Ministério Público – Primeira Central de Inquéritos – RJ

14 MAR   006156

Atenção: Exmo. Procurador Geral de Justiça do Estado do Rio de Janeiro
Sr. José Muiños Piñeiro

Prezados Senhores,

Ref: Queixa-crime protocolada em trinta e um de outubro de 2001
Ref: MP Procuradoria Geral Ano 2001 Número 027352
6ª Promotoria de Investigações Penal

Escrevo a respeito da queixa-crime referente aos Senhores Bruno Ducharme e Luis Roberto Demarco Almeida ("Demarco") que protocolei junto aos senhores no dia trinta e um de outubro de 2001. Naquela queixa-crime, fiz referência a um documento entre a Telesystem International Wireless Inc. ("TIW") e Demarco, o qual anexei à queixa-crime ("o documento da TIW"). O Sr. Bruno Ducharme é o Presidente e Principal Diretor Executivo da TIW.

Na ocasião em que protocolei a queixa-crime com o documento da TIW anexado, a Grande Corte da Ilha Cayman havia proibido, através de Ordem datada de trinta de outubro de 2001, a utilização do documento exceto para uso em caso específico nas Ilhas Cayman. Por solicitação da TIW e Demarco, a Grande Corte nas Ilhas Cayman decidiu, através de Ordem posterior, datada de vinte e oito de fevereiro de 2002, que eu, pessoalmente, agira (ainda que sem conhecimento) em desacordo com a Ordem anterior daquela Corte quando protocolei a queixa-crime baseando-me no documento, e que sou obrigado a mitigar qualquer possível prejuízo resultante de tal infração.

Pelo mesmo motivo, a Grande Corte das Ilhas Cayman ordenou-me que escrevesse para os senhores para explicar que a Corte concluiu que o documento da TIW era um documento confidencial furtado do Sr. Demarco, e que evidencia em seu conteúdo nada além do que um acordo para o compartilhamento dos serviços dos advogados para a representação das partes Demarco/TIW em processos perante a Grande Corte das Ilhas Cayman.

Atenciosamente,

Daniel Dantas

Em carta enviada ao Ministério Público do Rio de Janeiro, Daniel Dantas assevera que a Grande Corte das Ilhas Cayman orientou que ele explicasse que o documento da canadense TIW, por ele usado para acusar seu ex-sócio Demarco, na verdade era "um documento confidencial furtado do sr. Demarco".

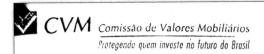

(continuação do depoimento do Sr. Daniel Valente Dantas)

mesma operação, respondeu que o formulário, de fls. 93, preenchido não representa uma subscrição efetiva. O depoente gostaria de ressaltar que o agente escriturador e controlador jamais recebeu cópia desse papel; **perguntado** se, à luz dos documentos de fls. 77/8, não se trata da confirmação de uma operação em nome do Sr. Demarco, realizada em 31.10.97, o depoente não respondeu. Gostaria de ressaltar que só pode responder se for dada a garantia pela CVM da estrita observância da determinação do juiz de Cayman. Esclarece o depoente que a razão de não responder a pergunta acima se deve ao necessário cumprimento de determinação judicial emanada da corte de Cayman. As respostas a essa pergunta somente poderia ser dada se e somente se a CVM assegurasse por escrito ao juiz de Cayman que o depoimento seria feito em um recinto fechado somente com as partes interessadas e notadamente com a ausência de qualquer órgão de imprensa ou da mídia e que o respectivo depoimento não seria divulgado para qualquer pessoa outra que as participantes deste inquérito e seria utilizado apenas para as razões de decidir da CVM. Perguntado se queria prestar esclarecimentos adicionais, respondeu que gostaria de anexar uma cópia parcial de uma notícia crime que foi encaminhada ao Procurador Geral de Justiça do Estado do Rio de Janeiro, em 31 de outubro de 2001, que pode ajudar na compreensão do porquê o Sr. Roberto Demarco se dispõe a alegar a própria torpeza na tentativa de nos acusar. E como nada mais disse, nem lhe foi perguntado, foi lavrado o presente termo assinado pelos presentes. O depoente foi acompanhado por seus advogados Sr. Leonardo Roslindo Pimenta, OAB/RJ nº 88.060, Sr. Francisco Antunes Maciel Müssnich, OAB/RJ nº 28.717, Luis Octavio Da Motta Veiga, OAB/RJ nº 26.121, Nelio Roberto Seidl Machado, OAB/RJ nº 23532 e Sra. Juliana Paiva Guimarães, bacharel em direito.

Daniel Valente Dantas
Depoente

Anilton Soares
Inspetor/Membro

No depoimento que prestou à CVM (Comissão de Valores Mobiliários), Dantas se recusa a responder se os documentos a eles exibidos confirmavam ou não uma operação financeira em nome do ex-sócio Demarco. Disse que agia assim por determinação "do juiz de Cayman".

Para fazer a denúncia contra Demarco e Ducharme no Ministério Público, o banqueiro se referiu a uma reunião ocorrida em 1º de maio de 2001 no hotel Sheraton, da qual participaram Dantas, Nelson Tanure, um controvertido executivo cuja principal especialidade era assumir empresas financeiramente quebradas, recuperá-las e, se possível, vendê-las — ele administrava à época o *Jornal do Brasil* e a *Gazeta Mercantil* — e Paulo Marinho, um consultor que havia trabalhado por um ano e meio com Dantas, mas passou a colaborar com Tanure. Na reunião, Tanure e Marinho falaram em nome dos interesses do grupo canadense TIW.

Dantas procurou o Ministério Público para dizer que o teor da conversa lhe pareceu ameaçador, como uma extorsão, pois fora orientado a fechar logo um acordo com a TIW. A promotora Ana Lúcia Mello abriu uma investigação preliminar, mas concluiu, meses depois, que não houve crime e pediu o arquivamento dos autos. Com isso, Marinho investiu contra Dantas, pedindo que ele fosse investigado por falsa denúncia. A Promotoria abriu um inquérito e denunciou o banqueiro pelo artigo 339 do Código Penal, que prevê a denunciação caluniosa:

"Tratava-se de reunião de negócios empresariais, a qual o denunciado [Dantas], em razão de seus inúmeros interesses negociais, transformou em fatos criminosos."

Em novembro de 2004, a 3ª Câmara Criminal do Tribunal de Justiça do Rio acolheu o pedido de Dantas para trancar a ação penal. Os desembargadores concluíram pela "falta de justa causa consubstanciada na atipicidade do fato narrado na denúncia".

Apenas um mês depois da reunião no hotel, Tanure e Marinho sofreram um duro golpe nas páginas da revista *Veja*. A revista trouxe o conteúdo de conversas gravadas em uma interceptação realizada no telefone de Marinho. Os diálogos demonstraram o esforço empreendido por Tanure e Marinho para bombardear as posições de Dantas.

— Eu atuei ao lado dele em seus piores momentos neste um ano e meio [...] Como ele é muito talentoso e preparado, Nelson, a gente não pode perder isso de vista. Ele pensa *pra caralho* [...] E não tem outro prazer a não ser trabalhar — disse Marinho.

— Mas estou convencido de que temos de levá-lo à loucura — refletiu Tanure. — Eu quero tentar produzir algo para darmos uma sucessão de feridas nele. E o seu papel é importante para dizer: "É só um começo, acabe com isso no começo, vai ser um erro, *Frank Sinatra*".

O grampo também atingiu o jornalista Ricardo Boechat. Pelo telefone, ele aparece combinando com Marinho o texto de uma nota publicada em sua coluna que depois foi utilizada pela TIW numa ação judicial contra o Opportunity. A revelação da conversa provocou a saída de Boechat das Organizações Globo.

Anos depois, Marinho contou ter sido procurado pela revista *Veja* antes da publicação da reportagem. Depois de falar com a jornalista, ele seguiu direto para a sede do Opportunity, no Rio, onde disse ter se encontrado com Dantas para obter explicações.

"Daniel Dantas esclareceu ter conhecimento da existência das fitas e do seu conteúdo, argumentando, entretanto, que havia contratado a empresa Kroll para investigar os italianos."[103]

Ou seja, Dantas teria dito que seu alvo era a Telecom Italia, não a TIW. Mas negou ter encomendado o grampo.

O pedido de interceptação no telefone de Marinho ocorreu em circunstâncias nebulosas num inquérito policial sem qualquer relação com ele. Uma equipe da Delegacia de Repressão a Entorpecentes da Polícia Civil de Duque de Caxias (RJ) investigava um grupo ligado ao narcotraficante Luiz Fernando da Costa, o Beira-Mar, e recebeu a dica de "uma denunciante" sobre um número de telefone. A Justiça autorizou o grampo. O chefe da investigação, Ricardo Dominguez Pereira, e o policial Luis Antonio Duarte chegaram a levantar a hipótese de que havia um segundo grampo, este ilegal, operando ao mesmo tempo que o oficial, mas não surgiu prova disso. Pereira afirmou várias vezes que Marinho nada

---

[103] Depoimento prestado por Marinho à Polícia Federal nos autos da OPC em 5/11/2004.

tinha a ver com a investigação nem era suspeito de nada. Resta o mistério de como as gravações chegaram ao conhecimento de Dantas, segundo Marinho, e da revista *Veja*.

Não bastasse tudo isso, o Opportunity começou a se preocupar com outro problema, um rumoroso e gigantesco caso de evasão de divisas.

O voo do macuco

"Foi o trabalho de uma equipe amotinada, feito sob surdina e na marra."
**Delegado José Castilho, em entrevista ao autor, sobre a equipe
da PF que investigou o banco Banestado e detectou remessas
para o Opportunity Fund, nas ilhas Cayman.**

As forças-tarefas da Polícia Federal e do Ministério Público Federal, que mais tarde seriam conhecidas como "operações", existiam no Brasil desde os anos 1980, inspiradas no modelo americano das *task forces* do FBI. Mas eram raras e mal estruturadas. Na prática, tratava-se de um amontoado de servidores deslocados de órgãos diversos, trabalhando pontualmente para consumar determinada investigação. Em Foz do Iguaçu (PR), uma força-tarefa entrou em funcionamento no primeiro trimestre de 1999, com pessoal do Ministério Público, da PF e da Receita Federal, sob a coordenação da Procuradoria da República de Cascavel (PR).

O objetivo era aprofundar as descobertas da CPI dos Precatórios, que funcionou no Congresso entre 1993 e 1994. Ao rastrear cheques emitidos por corretoras de valores que tiveram lucros em desacordo com a lei, os parlamentares descobriram que quase todo o dinheiro tinha como destino final as agências bancárias de Foz e contas de não residentes no Brasil. A conta desse tipo era conhecida como CC-5, por ter sido criada pela Carta Circular nº 5 do BC. Ela funcionava como uma conta normal, com a diferença de que só podia ser aberta por pessoa física ou jurídica residente no exterior.

HISTÓRIA AGORA

A CPI apontou que as contas CC-5 estavam sendo usadas para evasão de dinheiro. O esquema funcionava assim: um doleiro, brasileiro ou paraguaio, contratava um "laranja" para que abrisse a conta CC-5 no Brasil. Em seguida, o doleiro transferia o dinheiro para a conta bancária de uma casa de câmbio, no Paraguai, transferia novamente para outra conta no exterior e encerrava a primeira. Algumas contas registraram R$ 350 milhões num único mês. Estimou-se um total de US$ 30 bilhões entre 1996 e 2002, a maior evasão da história do país.

O procurador da República Celso Tres obteve em 1999 a quebra judicial de todas as contas CC-5, o que levou o Ministério Público a montar a força-tarefa.

Um ano depois, o caso ainda estava cercado de dúvidas: qual o destino de todo aquele dinheiro e quem, afinal, eram os donos?

A força-tarefa pediu ao INC (Instituto Nacional de Criminalística) da PF, em Brasília, a ajuda de um perito especializado em contabilidade. Renato Rodrigues Barbosa, de trinta anos de idade e apenas dois de PF, seguiu para Foz pouco antes do nascimento do seu filho — só veria o bebê meses depois.

Renato nunca tinha saído do Distrito Federal. Nascido em Sobradinho em setembro de 1969, Renato começou a trabalhar aos dezenove anos, como auxiliar administrativo de uma microempresa. À noite, estudava ciências contábeis no Ceub de Brasília, onde se formou em 1993. Passou a dar aulas de contabilidade em escolas públicas de ensino médio. Também atuava como consultor tributário e fiscal para a *IOB*, uma revista que prestava atendimento direto aos contadores. O assinante da revista ganhava a liberdade de telefonar para o *IOB* e pedir ajuda para tirar suas dúvidas. Entre 1994 e 1997, Renato passou várias tardes ao telefone, resolvendo os problemas contábeis mais improváveis de clientes mais díspares, de bancos a igrejas. O fato de ter lidado diariamente com problemas reais que precisavam ser resolvidos em curto espaço de tempo ajudaria muito no futuro de Renato.

Em 1996, Renato foi trabalhar na contabilidade de uma empreiteira, a TCO, que depois foi tragada pela crise na construção civil deflagrada pela quebra da empreiteira Encol. O aprendizado de Renato na empreiteira, contudo, foi inesquecível. A contabilidade de uma empreiteira é das mais problemáticas, pois precisa calcular tudo, de um prego na parede a um piso de azulejo. "É muita informação para trabalhar, do pequeno ao grande. Numa investigação policial, é a mesma coisa."

Em 1998, Renato passou no concurso para perito da PF. Estudou com cerca de 600 colegas na Academia Nacional de Polícia, mas o governo demorou dois anos e meio para convocá-los. A criminalística envolve catorze atividades diferentes, de engenharia a medicina, o que torna o perito uma espécie de clínico geral. Aprende a averiguar o local em que uma bomba foi detonada e a localizar o foco de um incêndio. Estuda documentos e grafias. Mas, ao pisar pela primeira vez no INC, no final de 1999, Renato já sabia o que gostaria de ser: um perito criminal contábil.

Renato desembarcou no aeroporto de Foz em fevereiro de 2000 e foi direto para a sede do Ministério Público, onde funcionava a força-tarefa, na esquina das avenidas Independência com Brasil. O prédio tinha rachaduras, e os policiais diziam que ele estava afundando. Ali Renato tinha a tarefa de render outro perito, Eurico Monteiro Montenegro, que mais tarde voltaria para desempenhar um papel relevante na investigação.

Em seu novo local de trabalho, uma sala apertada cujo calor intenso só era amenizado por um ventilador, Renato encontrou uma cena desoladora: quatro policiais digitando em computador dados extraídos de centenas de páginas de extratos bancários em cerca de 350 inquéritos empilhados, tomando cada centímetro das paredes. Só um dos inquéritos tinha 950 volumes.

E quase tudo se resumia a perseguir apenas doleiros e "laranjas". Mas quem, afinal, era o dono daquelas fortunas?

Ministério Público e PF batiam cabeça. Os procuradores queriam que o inquérito andasse "para a frente", ou seja, para as contas no exterior que haviam recebido os recursos remetidos do Brasil, enquanto os policiais trabalhavam "para trás", intimando e interrogando quem havia enviado o dinheiro para fora. Para trás a PF só iria achar "laranjas" e doleiros. A Receita multava "laranjas", a polícia indiciava "laranjas".

Quando Renato chegou, encontrou cem laudos sobre tais "laranjas". Ele começou a achar aquilo um desperdício terrível de tempo e dinheiro. Fez um, dois, três laudos nos mesmos moldes, até que se cansou. Passou a reunir e consolidar todos os dados num arquivo do programa Access, o que era uma novidade na época. Renato queria encontrar padrões de comportamento, identificar as principais contas e procurar quebrar o sigilo de pessoas ou empresas que tivessem algum relacionamento da conta do "laranja" para a frente, como queriam os procuradores.

Meses depois, a PF substituiu seu representante na força-tarefa, enviando a Foz um delegado igualmente novato, nascido em Salvador, na Bahia, e radicado no Rio de Janeiro, com o nome incomum de Protógenes, que logo foi chamado pelos colegas apenas pelo sobrenome, Queiroz.

Renato sugeriu que a PF pressionasse diretamente os bancos, para que informassem todas as contas abastecidas pelos "laranjas". Protógenes comprou a ideia. A PF passou a fazer pedidos cada vez mais detalhados, esticando a corda. Após algumas semanas, Protógenes entregou a Renato três cadernos que registravam a contabilidade do banco Araucária, cujos diretores eram ligados ao então senador Jorge Bornhausen, de Santa Catarina, um dos líderes do PFL. O irmão do ex-senador, Paulo, havia sido diretor do banco até 1996. Os Bornhausen, depois, alegaram ter deixado a sociedade antes das autorizações do BC para operar as contas CC-5. Protógenes insistiu com Renato: "Quem está por trás disso aqui é o Bornhausen. Quero fechar esse tamborete".

Com o caso mais robusto, a equipe resolveu batizá-lo de Operação Macuco, uma ave arisca encontrada na região, cuja captura requer certa perícia. Às vezes, o caçador fica horas à espreita, quase sempre camuflado numa plataforma montada nos galhos de uma árvore.

Renato morava em um quarto do hotel Savariz, no centro da cidade, alugado por R$ 600 mensais. Ali ficou por mais de oito meses sem voltar a Brasília. Num domingo, de folga, foi procurado em seu quarto pelo delegado federal Paulo Guedes, o Patolino, que trabalhava na área de inteligência da diretoria de entorpecentes de Brasília e tinha ganhado certa fama na instituição por ter prendido o ex-general paraguaio Lino Oviedo. Ele carregava uma mala de escuta telefônica e disse estar fazendo o monitoramento de um investigado. Contudo, um dos áudios captados, dos mais importantes, estava com problemas. Sendo Renato um perito, Patolino achou que ele podia ajudar. Minutos depois, Renato destravou o arquivo, mas nem quis ouvi-lo. Patolino vibrou.

Uma semana depois, Renato chegou para trabalhar na delegacia da PF em Foz e encontrou vários policiais algemados. Era o trabalho de Patolino que desencadeara a Operação Cobra, uma das investigações, até hoje, que mais atingiram a própria corporação. Vinte e sete policiais foram presos pela PF, o que representou quase dois terços de toda a delegacia de Foz. Policiais rodoviários também foram presos em massa — outro grupo chegou a cercar a delegacia da PF para tentar a soltura dos colegas.

Protógenes começou a indiciar vários gerentes e funcionários dos bancos, até que foi transferido para São Paulo, para a delegacia de crimes financeiros. De lá, telefonou para Renato para dizer que "tinha fechado mesmo o Araucária". O relatório de Renato apontou que o banco nunca teve capacidade para operar tanto dinheiro. Era, na prática, um mero retransmissor de fundos. "O Queiroz nunca parava, a gente nunca conseguia conversar direito. Os próprios policiais *queimavam* muito o Queiroz. O fato é que só foi depois do trabalho dele que o BC decretou a intervenção no Araucária", lembra o perito.

Com a notícia de que gerentes estavam sendo indiciados pela PF, o BC resolveu enviar dois servidores à região para saber o que estava acontecendo. Eles se reuniram com os peritos e um procurador da República. Decidiu-se que os peritos da PF poderiam ter acesso facilitado à sede do Araucária, em Curitiba. A liquidação do Araucária foi determinada pelo BC no dia 27 de março de 2001. Dois dias depois, Renato estava em frente à sede do banco, um prédio envidraçado em

Curitiba. Um homem barbudo, abatido, com olheiras e roupa toda amassada veio recebê-lo. Renato demorou um pouco a perceber que se tratava de Luiz Alberto Dalcanale, um dos principais executivos do Araucária. Até 1995, segundo os dados do Ministério Público, um dos acionistas controladores do banco era Paulo Bornhausen, irmão do senador Jorge Bornhausen, um dos principais líderes do PFL no país. Dalcanale era cunhado de Paulo. Do início ao fim do escândalo, Dalcanale disse que era uma vítima do Banco Central e que o Araucária não cometeu irregularidades. Renato se despediu de Dalcanale e entrou no banco.

Uma de suas primeiras atitudes no prédio foi procurar um funcionário do banco cuja função e identidade ainda não podem ser reveladas. O perito disse que o rapaz seria preso, pois havia "maquiado" as contas. A manobra detectada pelo perito consistia numa anotação, no campo destinado à conversão de moeda, da expressão "depósito da tesouraria", em vez de "contrato de câmbio". Assim, quem fez a anotação não queria revelar um dado que conectaria os registros às remessas de dinheiro para o exterior. Renato percebeu que era um momento único de estar frente a frente com uma testemunha importante, num banco sob intervenção e longe dos advogados que poderiam quebrar a iniciativa do bancário. Mesmo sem ter qualquer poder para isto, ele blefou, ao sugerir um acordo: se o funcionário dissesse para onde o dinheiro iria, o perito poderia ajudá-lo.

O bancário fez então a revelação que foi a chave de toda a investigação. Até então, o BC dizia à PF que o caminho do dinheiro acabava no Paraguai, e ponto-final. Não queria nem discutir numa segunda etapa da transação. O processo de camuflagem de capitais no exterior passa por várias etapas e contas bancárias, como as cascas de cebola, que precisam ser removidas até se chegar ao destino final do dinheiro. Há operações com nove, doze camadas. Até então, a polícia continuava na primeira camada. O perito queria chegar logo ao centro da cebola.

Após exigir confidencialidade, o bancário saiu da sala e retornou com um papel que tinha um número, 555-5, e um saldo, US$ 25 milhões.

Era a conta do banco Araucária na agência do banco Banestado em Nova Iorque (EUA). Os peritos nunca imaginaram que o dinheiro que saía para o Paraguai chegava a uma conta nos Estados Unidos (em breve, saberiam que a conta do Araucária era apenas uma, de 137, todas alimentadas após o mesmo trajeto).

Renato indagou à fonte como o dinheiro chegava a Nova Iorque. O bancário respondeu que havia um sistema de internet para isso, cuja senha era guardada por uma mulher da mesa de câmbio, e que toda operação de compra e venda era gravada pelo banco.

Com essa dica, os policiais encontraram centenas de horas de gravação na mesa de câmbio, que registravam todas as ordens de remessas para Nova Iorque de contas controladas por doleiros brasileiros. Os peritos ficaram por uma semana com acesso livre ao banco, revirando papéis e gravações.

Gente do BC então ligou para Renato para saber o que estava ocorrendo, já que o banco Itaú, o novo controlador do banco Banestado, manifestara preocupações sobre o Araucária. Meia hora depois, Renato estava ao telefone com um diretor da área internacional do Itaú. O bancário quis continuar a conversa pessoalmente. Saiu de São Paulo por volta do meio-dia e, quatro horas depois, estava a sós com Renato, em Curitiba. Renato começou logo pelo essencial, dizendo que "todo o dinheiro" seguia para a agência do Banestado de Nova Iorque.

O diretor do Itaú, que não demonstrou surpresa com essa informação, pediu apenas que o banco não fosse envolvido no escândalo, pois tinha adquirido o Banestado depois das irregularidades e não tinha nada a ver com aquilo. De fato, o Banestado, fundado e gerido pelo governo do Paraná, havia sido privatizado em outubro de 2000. O Itaú o comprou, em leilão, por R$ 1,6 bilhão. E as irregularidades no Banestado, de fato, haviam ocorrido entre 1996 e outubro de 2000. O Itaú estava livre daquilo tudo. Renato topou o acordo. Novamente ele agia à margem do delegado do caso, dando garantias que poderia não ter condições ou autoridade para cumprir no futuro. Mas ele entendia que as chances que se apresentavam deviam ser agarradas, pois podiam ser as últimas, antes que uma armada de advogados interviesse com seus infinitos e poderosos recursos judiciais.

Os peritos passaram a se dedicar à produção de um laudo que convencesse a Justiça a determinar a quebra do sigilo e a busca e apreensão de todos os documentos relacionados à conta nº 555 do Araucária, mantida na agência do Banestado dos EUA. A ordem foi assinada pelo juiz da 2ª Vara Federal Criminal de Foz, Fábio Hassen Ismael. Era datada de 19 de setembro de 2001, oito dias após os atentados suicidas do grupo terrorista Al Qaeda. Quando Renato, Eurico e Castilho desembarcaram em Nova Iorque em janeiro de 2002, ainda deram uma olhada nos escombros do World Trade Center.

A viagem aos EUA foi discutida pelos peritos, quatros juízes federais e dois procuradores da República, já com a colaboração de um delegado da PF que teve papel preponderante nos acontecimentos. Tratava-se de José Castilho Neto, cuja carreira na PF teve um destino que guarda semelhanças com o que iria ocorrer com Protógenes, sete anos mais tarde. Castilho fora deslocado de Araçatuba (SP) para Foz por indicação da corregedoria de São Paulo.

Aos dezesseis anos, Castilho passou sete meses em estudos na região de Michigan (EUA), onde aprimorou a língua e conheceu o modo de vida americano. Para convencer juízes e promotores de Nova Iorque a colaborarem ainda mais, Castilho havia orientado os peritos a produzirem um laudo específico sobre movimentações suspeitas de pessoas de origem islâmica do Brasil para o exterior. A base de trabalho dos policiais seria o consulado do Brasil em Nova Iorque.

Contudo, os policiais consideravam que o cônsul local era muito ligado ao PSDB. Decidiram agir com extrema discrição. Nesse meio-tempo, o Itaú havia designado um escritório de advocacia em Nova Iorque para acompanhar os policiais. Como a agência do Banestado, àquela altura, já havia sido desativada, o advogado levou os policiais à sala alugada pelo Itaú para abrigar os arquivos do banco.

Quando o advogado abriu a porta, Renato se disse perplexo: só então entendeu que a equipe teria acesso direto não apenas à conta do Araucária, mas às de todos os clientes da agência, incluindo os papéis de abertura das cotas e as transferências de e para outros bancos, conta por conta. Já na primeira olhada nos papéis, Renato compreendeu que doleiros brasileiros haviam aberto empresas *offshore* em paraísos fiscais para que pudessem abrir contas no Banestado nos EUA. Nada disso era conhecido no Brasil. A equipe separou 137 correntistas que detinham cerca de 90% da movimentação total dos mil correntistas da agência.

Os policiais trabalhavam até dez horas diárias, lendo os documentos e fazendo anotações. Em pouco tempo, a história ficou mais sólida. E o quadro que veio à tona era surpreendente. Doleiros das principais cidades brasileiras haviam construído uma engenhosa máquina de evasão de divisas conhecida como "dólar-cabo", cujo funcionamento era baseado na confiança. No Brasil, um político ou um empresário que recebia dinheiro de propina ou de "caixa dois", fora da contabilidade oficial, precisava "esquentar" a origem do dinheiro para, então, poder usá-lo legalmente. A mala com esse dinheiro era entregue no Brasil ao doleiro de confiança. Com um comando eletrônico, desde o Brasil, o doleiro mandava a agência do Banestado de Nova Iorque liberar o mesmo valor, descontada uma "taxa de administração" pela operação, de uma conta bancária sob seu controle na agência do Banestado para outro banco no exterior. E mais outro e outro, até o destino final, que seria uma conta finalmente sob o controle direto do político ou do empresário. Ao mesmo tempo, para tapar o buraco da conta nos EUA, o doleiro recebia o dinheiro por meio de contas bancárias abertas em nome dos "laranjas".

Os policiais trabalharam sem parar no que se tornaria um laudo já clássico na perícia criminalística brasileira, o nº 675, composto de 20 mil páginas. Pela primeira vez na história, um grupo de peritos devassava *in loco* uma agência bancária inteira no exterior.

De volta ao Brasil, a equipe continuou desbastando as 137 principais contas do Banestado. Os peritos as batizaram de "contas-ônibus", porque apenas "carregavam" dinheiro para outros.

"Nós vimos que o Banestado era uma conta de passagem. Vimos o dinheiro indo para Luxemburgo, Cayman, Estados Unidos. O dinheiro só passava na conta de Nova Iorque e ia embora, às vezes no mesmo dia." Para ordenar, desde o Brasil, as remessas para fora dos EUA, os doleiros enviavam mensagens cifradas à agência americana. Havia uma tabela que codificava e outra que decodificava os valores e números das contas. As ordens nunca tinham assinaturas, apenas números. A quebra do "código dos doleiros" rendeu um trabalho à parte.

A equipe então bateu os olhos no que acreditou ser o primeiro "peixe grande", o senador Jorge Bornhausen, que aparecia como destinatário de recursos enviados por doleiros ao exterior. No dia 1º de abril de 1996, uma conta aberta no Banco do Brasil de Nova Iorque com titularidade atribuída a Bornhausen apareceu recebendo US$ 16 mil de uma firma *offshore* de doleiros chamada Sunfox.[104] O nome do irmão de Bornhausen, Paulo Konder, também aparece em mais cinco transações, no valor total de US$ 42 mil. Os irmãos depois negaram quaisquer irregularidades e nunca chegaram a ser processados ou condenados pelos depósitos.

Os peritos combinaram que o assunto ficaria entre eles, por enquanto. Quando percebeu ter tocado em altas autoridades, Renato apressou seu trabalho. Ele queria acabar o laudo inteiro e, só então, enviá-lo ao delegado Castilho, e nada poderia vazar antes disso. Renato queria prender os doleiros e levá-los a uma confissão. Ele tinha uma bomba nas mãos e queria se livrar dela o mais rápido possível.

"Foi aí que a minha vida virou uma tragédia."

Numa tarde, um delegado da direção-geral da PF em Brasília telefonou para Renato para dizer que já estava sabendo que haviam "pegado o Bornhausen no exterior". Renato desconversou, não negou nem confirmou, disse que não estava por dentro de todos os achados da perícia. Ele decidira não dizer nada a ninguém enquanto não acabasse o laudo. O delegado pareceu acreditar na história. A rigor, Renato devia explicações ao seu chefe, no INC, e não à direção da PF. Uma semana depois, contudo, a informação de que a operação

---

[104] Anexo 406 do laudo 675/02-INC/DPF.

deparara com o nome do senador surgiu em notas na imprensa. Aquilo enfureceu a direção da PF. Um delegado foi a Foz para conversar com Renato. Naquele momento, todas as principais revistas semanais já traziam a mesma informação sobre o senador. O PFL, que estava brigando com o PSDB, considerou as notas uma retaliação da PF. A Operação Lunus, que havia apreendido dinheiro numa empresa da família do ex-presidente José Sarney e reduzido a pó a candidatura da pefelista Roseana Sarney à Presidência da República, havia ocorrido poucos meses antes. Em retaliação, Bornhausen e o PFL passaram a travar a pauta de votações no Congresso. Portanto, Renato estava agora metido numa grande briga pelo poder. Ele estava encurralado e pressionado pela própria PF, que devia estar sendo pressionada pelo governo. Alguém queria uma cabeça para saciar a sede de vingança dos aliados do governo.

Renato passou a ser severamente cobrado para que entregasse o laudo e, ao mesmo tempo, prestasse contas de inúmeras e detalhadas despesas de sua viagem a Nova Iorque, o que transformou sua vida num inferno de telefonemas, relatórios e ofícios.

A tábua de salvação de Renato não veio de sua polícia, aquela carreira que ele escolheu, mas do Ministério Público Federal. Nos anos 1990, Renato havia sido contemporâneo, na faculdade Ceub, do então líder estudantil Luiz Francisco de Souza, que havia liderado um pequeno motim na faculdade. Anos depois, Luiz Francisco se tornou procurador da República.

Ao saber do caso Banestado, um grupo de procuradores se mobilizou: Celso Tres, Luiz Francisco, Valquíria Quixadá, Guilherme Schelb e Alexandre Camanho. Mas a ação dos procuradores não impediu o pior. Numa tarde, Castilho foi acionado pelo telefone para comparecer a uma reunião com seu superior, em Brasília. Castilho foi animado, acreditando que a cúpula da PF daria sequência ao caso Banestado. Da sala do chefe, contudo, ele foi levado à presença do diretor-geral, de quem ouviu as piores notícias.

"Ele me disse: 'Castilho, você está há muito tempo nesse caso, já trabalhou demais nisso. É melhor dar um tempo e voltar para sua delegacia de origem'. Eu protestei, dizendo que estava apenas começando, mas nem quiseram saber. Esta foi a minha primeira queda."

A PF transferiu Castilho de volta para Araçatuba (SP) e o retirou do caso. O policial que havia comandado a maior investigação da história brasileira sobre lavagem de capitais em território estrangeiro passou a presidir inquéritos sobre uso de moeda falsa e crimes ambientais, a 522 quilômetros de São Paulo.

A equipe da Macuco quebrara várias barreiras. Nunca uma equipe de peritos havia feito diligência no exterior para investigar, em primeira mão, um crime financeiro internacional. Mas os peritos não seriam poupados. Um dia, Renato recebeu um telefonema para que comparecesse à sala do seu chefe no INC. Ali, ouviu que seria removido para a superintendência da PF no Distrito Federal. Só depois Renato soube que um amigo seu no INC havia gravado uma conversa sua, às escondidas, na qual o perito, em tom de desabafo, culpava os chefes do INC pela pasmaceira que tomara conta da investigação.

Assim, a direção-geral da PF operou uma intervenção branca na investigação — nos mesmos moldes do que mais tarde, já sob o governo petista, faria na Operação Satiagraha.

A Operação Macuco estava ferida de morte, fazendo jus ao próprio nome. Da família dos tinamídeos, o macuco se assemelha a uma codorna. Ele prefere o chão, e seus voos são sempre curtos.

Renato tomou um choque de realidade que abalou suas crenças na PF. Os contribuintes não lhe pagavam justamente para aquilo, ir atrás dos delitos? Ele não havia acusado Bornhausen de nada, pois o trabalho pericial não pode ser confundido com uma acusação. O investigador obtém e analisa as provas, cabe ao Ministério Público decidir se denuncia ou não os investigados, e cabe ao juiz decidir se eles merecem ou não ser condenados. O réu pode contestar tudo isso nas várias instâncias do Judiciário. É um sistema simples, cristalino, que o perito havia estudado inúmeras vezes na Academia de Polícia. Polícia investiga, procurador denuncia, juiz julga. Mas por que parar uma investigação no meio do caminho?

Para uma denúncia mais acurada e uma sentença mais justa, Renato obteve em Nova Iorque toneladas de documentos que precisavam ser mais bem mapeados. Em vez de uma promoção ou um elogio, em 2002 Renato foi transferido para a superintendência da PF no Distrito Federal para realizar um trabalho memorável. Vestido com um macacão azul sujo de graxa, sua nova tarefa consistia em deitar embaixo de um carro, ônibus ou caminhão parado no estacionamento dos fundos da superintendência, limpar e fotografar um número que ali deveria estar grafado em baixo-relevo. Por coincidência, o superintendente do DF à época era o delegado Euclides, o mesmo que havia obtido os primeiros resultados na investigação sobre as contas CC-5 em Foz. Ele recebeu Renato de braços abertos, preservando-lhe o cargo e o salário, mas não conseguiu fazer nada sobre o foco de seu trabalho. Após dedicar dois anos inteiros na apuração de crimes financeiros, o perito contábil Renato agora deveria conferir possíveis adulterações em chassis de veículos apreendidos pela polícia.

O laudo sobre as contas do Banestado de Nova Iorque acabou concluído por outro perito, que dois meses depois também seria transferido da função, e dois outros peritos "interventores". O inquérito foi assinado por um delegado do Rio Grande do Sul, já que Castilho havia sido transferido para São Paulo. Houve um período de desavenças entre os integrantes da antiga equipe, cada um culpando o outro pelos vazamentos que foram usados como justificativa para a PF implodir a investigação.

Renato ficou oito meses na "geladeira". Mas, então, decidiu que o caso Banestado não acabaria daquele jeito. Ele queria ir atrás das outras "cascas da cebola". Já sabia que o dinheiro saía do Brasil e chegava a Nova Iorque, tudo controlado por doleiros brasileiros. Mas a pergunta essencial, a que realmente importava, continuava em aberto: quem eram os donos verdadeiros daquela montanha de dinheiro?

> Eu achava, antes do afastamento do caso, que, naturalmente, dali iríamos para a Suíça e outros países e descobriríamos tudo. Se o

dinheiro fosse para a China, eu iria para a China. Era um boi que eu segurava pelo rabo. Mas não. Eu estava arruinado com aquilo e estava puto, porque tinha estado realmente resolvendo um grande caso de corrupção. Mas, em Foz, ninguém estava fazendo mais nada.

Renato pegou o telefone e ligou para o procurador Luiz Francisco. O perito havia lido alguma coisa na imprensa sobre livros de contabilidade apreendidos na sede do grupo OK, do senador Luiz Estevão (DF), e queria saber se podia ajudar. O procurador disse que sim, que estava tendo dificuldades.

O delegado Castilho também mexia seus pauzinhos. Era outro que não cederia tão facilmente, para desespero de seus superiores em Brasília. Ele também ligou para o procurador. Disse Castilho:

Eu sabia que o Luiz Francisco havia investigado o Daniel Dantas e o grupo Opportunity e lhe contei que tínhamos identificado transações para o Opportunity Fund que passavam pelo sistema clandestino dos doleiros. Aí eu perguntei ao Luiz Francisco: "Será que você não consegue me colocar de novo no caso? Ficou tudo pelo meio do caminho, está errado". Ele estava muito interessado no Opportunity.

Anos depois, Luiz Francisco confirmou essa estratégia:

Eu só entrei no caso Banestado porque queria chegar ao Daniel Dantas. Fiquei sabendo por um colega procurador que a polícia havia achado as remessas para Cayman. Liguei para o delegado Castilho e pedi que ele me enviasse os dados. Ele disse que não podia enviar, pois seria punido. Então, oficiei formalmente.[105]

Nos anos 1980, Luiz Francisco estudou num colégio de jesuítas e atuou numa CEB (Comunidade Eclesial de Base), da ala esquerda da Igreja Católica, em Cascavel (PR). Ele ia às casas das famílias pobres,

---

[105] Entrevista ao autor em 5/03/2010.

"pegava um texto bíblico, debatia os problemas". "O noviciado da gente era bem esquerda!"[106]

Em 1996, aos quarenta e um anos e lotado em Brasília, tornou-se o mais polêmico e ativo procurador da República do país. Ele dirigiu todas as suas energias para investigar irregularidades no governo FHC, em especial a privatização de estatais, recebida como a aplicação mais efetiva do neoliberalismo, a qual, portanto, devia ser duramente combatida como se fosse uma obra demoníaca.

> O [ex-senador] Luiz Estevão eu processei várias vezes [...] E depois processei uns vinte ministros, processei o Fernando Henrique, processei o filho do Fernando Henrique duas vezes, ajudei a descobrir umas coisas da filha do Fernando Henrique, que depois saíram na imprensa. Pedi uma auditoria fiscal também contra a filha do Fernando Henrique, e [por aí] vai. Processei o Ricardo Sérgio e uma porção de outros caras. Processei o [ex-ministro da Fazenda Pedro] Malan, processei os presidentes do Banco Central — foram várias vezes — e a diretoria do Banco do Brasil também umas doze vezes.[107]

Luiz Francisco combateu as privatizações do sistema Telebras desde o leilão. Chamou de "crime" a venda da mineradora Vale, da qual participou o Opportunity. Assim que os primeiros leilões foram anunciados, Luiz Francisco tentou impedi-los, mas nunca conseguiu, pois o TCU disse que todos os leilões haviam sido legais.

Luiz Francisco achava que o Opportunity havia feito depósitos para membros do governo FHC. Como o fundo nas ilhas Cayman era gerido pelas regras daquele país, um paraíso fiscal que protege os investidores ao extremo, os nomes dos cotistas não eram conhecidos da CVM do Brasil. Ele queria encontrar no caso Banestado alguma

---

[106] Depoimento prestado em 24/03/05 ao Projeto História Oral da Procuradoria-Geral da República.
[107] Idem.

remessa para o Opportunity Fund relacionada a um tucano. A partir disso, pretendia obter judicialmente a ilegalidade de todo o leilão das companhias telefônicas.

No final de 2002, a imprensa anunciou que o novo diretor-geral da PF seria o delegado aposentado Paulo Lacerda, então assessor de gabinete do senador Romeu Tuma (PFL). Lacerda era uma indicação do ministro Márcio Thomaz Bastos, que havia advogado no caso PC, um inquérito presidido por Lacerda.

Após a posse de Lacerda, o primeiro delegado que havia investigado o caso Banestado com Renato em Foz, Euclides Rodrigues da Silva Filho, chamou o perito à sua sala. Esse discreto delegado estendeu a mão para a investigação. Contou a Renato que Lacerda estava pedindo "o fato mais relevante em andamento" da PF em cada estado. Euclides queria retomar o caso Banestado e pediu que o perito se reunisse com Lacerda.

Às 8 horas do dia seguinte, Renato, em seu melhor terno, foi até o 9º andar do prédio da PF em Brasília, cujas vidraças escuras lhe renderam o apelido de "Máscara Negra". Na sala estavam Lacerda e um homem que Renato não reconheceu. Renato abriu seu *notebook* e exibiu alguns achados. Contou sobre os trabalhos interrompidos em Nova Iorque. Lacerda, um especialista em crimes financeiros, que na década de 1990 havia achado remessas para bancos de Foz em nome de contas de "fantasmas", achou que se tratava de um ótimo caso. Disse que iriam tocar o caso "por Brasília". Renato sorriu, aliviado, sentiu sair um peso de seus ombros. Até que o terceiro homem interveio. Ele acusou Renato de ser "indisciplinado" e afirmou que o caso estava sob os cuidados de um delegado do Rio Grande do Sul.

Renato se sentiu humilhado. Só depois soube que o assessor havia recebido uma gravação em que Renato reclamava de seus superiores. Renato concluiu que o assessor havia sido "envenenado" por um detrator seu no INC. O corporativismo da PF não aceitaria supostas indisciplinas nem mesmo no governo de um ex-líder grevista como Lula. Ao encerrar o encontro, Lacerda disse apenas que depois discutiria o caso. Mas nunca mais o diretor-geral esteve reunido com o principal perito do caso Banestado para discutir a gigantesca evasão de pelo menos US$ 30 bilhões.

Mas o Ministério Público reagiu. Luiz Francisco e dez procuradores encaminharam uma carta ao Ministério da Justiça exigindo o retorno de policiais a Nova Iorque. Lacerda cedeu e mandou avisar Renato. Viajariam o perito, Castilho, Eurico e outros policiais. A equipe teria, segundo as ordens atribuídas a Lacerda, catorze dias para resolver o caso. Luiz Francisco orientou: "Vocês tragam todas as contas do exterior. Nós vamos montar uma CPI aqui no Brasil. Avisem à família que vocês não vão voltar nos próximos dois meses. Nós vamos pegar o esquema das teles".

Pela primeira vez, Renato ouviu do próprio Luiz Francisco que seu interesse sobre o caso estava associado à privatização do sistema Telebras. A CPI do Banestado de fato foi instalada, após uma reportagem do jornalista Amaury Ribeiro Jr. na revista *IstoÉ* — autor, anos depois, de *Privataria Tucana* (Geração Editorial).

"O Luiz estava de olho no banco Opportunity. Ele já sabia do Opportunity e achava que os US$ 30 bilhões eram dinheiro das privatizações. Ele queria que nós fôssemos às ilhas Cayman, esse era o alvo. O Luiz queria reverter o processo das privatizações, me falou isso várias vezes depois", disse Renato.

Os policiais passaram dois períodos em Nova Iorque, remexendo as contas bancárias com apoio da Promotoria local. Mas o trabalho novamente passou a ter problemas no Brasil. Como Lacerda tinha dado o prazo máximo de catorze dias, a PF não engoliu que o trabalho houvesse se estendido por mais duas semanas.

Lacerda não recebeu mais a equipe em seu gabinete. Os federais resolveram entregar a Luiz Francisco duas malas enormes, cada uma com cerca de cinquenta quilos, com os principais documentos. Não havia mais nenhum clima na PF para a sequência da investigação. A operação acabou assim, de forma quase clandestina, e sem qualquer reconhecimento da cúpula da PF.

HISTÓRIA AGORA

Documentos obtidos em Nova York pela equipe de policiais federais que investigou o caso Banestado mostram inúmeros registros do banco MTB de repasses em dólares ao "Opportunity Fund" por meio de empresas abertas em nome de offshore *controladas por doleiros brasileiros. Indícios de que o Fund mantinha cotas de brasileiros residentes no Brasil, o que era ilegal.*

A saída era lutar por uma CPI no Congresso Nacional. Luiz Francisco e a imprensa fizeram carga. O procurador manteve reuniões com a senadora Ideli Salvatti, do PT de Santa Catarina. Foi o "caso" Bornhausen, um expressivo cacique político da oposição ao governo Lula no estado da senadora, que a aproximou do procurador. Mas Luiz Francisco ficou decepcionado com a conversa: a CPI sairia, mas não do jeito nem com a força que os investigadores imaginaram. A bancada do PT não estava tão empolgada com a investigação. Os peritos foram arrastados a depoimentos. Renato, desgastado na PF, encontrou uma guarida segura na Procuradoria da República do Distrito Federal, para a qual foi cedido como assessor a pedido dos procuradores que novamente atuaram em seu favor.

OPERAÇÃO BANQUEIRO

A CPI também acabou melancolicamente, sem relatório final, e com dois textos, um do PSDB e outro do PT. O dos tucanos, assinado pelo senador Antero Paes (MT), mencionava irregularidades de um empresário de Santo André (SP) muito ligado ao PT local, Ronan Maria Pinto, além de remessas em nome de Antonio Cipriani, cujo advogado era Roberto Teixeira, compadre do presidente Lula. Para quem soubesse ler, ali estavam as explicações para a falta de ação da bancada petista.

Em 2003, Renato, que não havia visto o filho nascer em fevereiro de 2000, pois fora deslocado às pressas para Foz, encerrou seu casamento, já desgastado pelas ausências e pressões que sofreu.

Os frutos do caso Banestado, contudo, continuaram rendendo centenas de processos. Alguns documentos foram apreciados com grande entusiasmo por Luiz Francisco. Eles confirmaram que pelo menos US$ 19 milhões saíram do Brasil por meio de "laranjas" e doleiros, passaram pelo Banestado e pelo banco MTB em Nova Iorque e, por fim, foram redirecionados para contas bancárias em nome de um fundo sediado nas ilhas Cayman. Era o Opportunity Fund, o alvo principal do procurador.

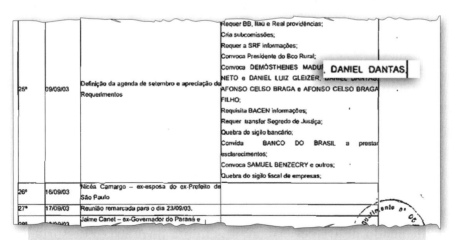

Documento da CPI do Banestado mostra que a convocação para depoimento de Daniel Dantas chegou a ser aprovada pelos parlamentares. Mas a sessão nunca foi marcada, e Dantas não foi ouvido pela comissão.

Luiz Francisco começou a cozinhar uma ação civil pública contra Daniel Dantas, sua irmã Verônica e o fundo. Procurava, entre os cotistas, tucanos que tinham trabalhado no leilão das companhias telefônicas. Os primeiros nomes já haviam sido divulgados pela imprensa, que se baseou numa lista apócrifa vazada na internet. Na lista havia uma cotista de nome autoexplicativo, a Elandau Trading. Ao lado do nome da empresa, havia anotada uma aplicação de US$ 85 mil.[108]

Os dados atribuídos à Elandau, contudo, não significavam corrupção, já que o casal Elena Landau e Pérsio Arida estava trabalhando ou havia trabalhado para o Opportunity, como todo o mercado já sabia, e era mais provável que aqueles valores fossem aplicações legais. Elena nunca foi acusada de manter os depósitos ilegalmente. Mas, para o procurador, naquele momento o indício bastava para encaminhar uma investigação maior.

O Opportunity sempre alegou que não tinha responsabilidade sobre o modo pelo qual seus clientes enviavam os recursos ao exterior, se com ajuda de doleiros ou pelo canal oficial do Banco Central.

Em setembro de 2004, o procurador Luiz Francisco fechou a ação sobre as remessas ao Fund. Ele queria dissolver o fundo e quebrar seu sigilo. Com o objetivo de divulgar a denúncia, o procurador enviou uma cópia do documento por *e-mail* a um jornalista de sua confiança, Claudio Julio Tognolli, do *site* Consultor Jurídico. Ao verificar as propriedades do arquivo, o jornalista percebeu que ele havia sido gerado num computador do advogado de Demarco, Marcelo Elias. O procurador negou ter usado texto oriundo de Elias, mas reconheceu ter recebido o advogado algumas vezes em seu gabinete. Isso bastou para se lançar dúvidas sobre a ação do procurador.

Parte da receita do site Consultor Jurídico vinha de escritórios de advocacia. Revelou-se depois que o dono do *site*, Márcio Chaer, chegou a enviar uma proposta de trabalho para Humberto Braz, importante aliado de Daniel Dantas, segundo a qual faria assessoria de imprensa e divulgaria no *site* matérias de interesse do setor telefônico.

---

[108] Laudo financeiro nº 1354/2008 ¨C INC/DPF.

Mas o negócio não foi fechado, segundo Chaer. Ele se defendeu na internet dizendo que era uma proposta padrão, enviada a inúmeros clientes, incluindo outros bancos, e citou o interesse público da notícia sobre as suspeitas em torno da origem da denúncia protocolada por Luiz Francisco.

De qualquer forma, os contatos entre Demarco e Luiz Francisco fizeram acender a luz vermelha no grupo Opportunity. Uma pedra no sapato que a Kroll Associates precisava extrair. A investigação privada contratada pela Brasil Telecom seguia a pleno vapor.

Tóquio e Chacal

"Nosso alvo é um cara muito estrategista. Extremamente estrategista."
Delegado federal Carlos Eduardo Pellegrini, sobre Daniel
Dantas, em fita gravada na sede da PF de São Paulo.

Entre 15 e 16 de dezembro de 2003, Carla Cico, a executiva da Brasil Telecom e pessoa de confiança de Daniel Dantas, reuniu-se com os investigadores contratados da Kroll no hotel Ipanema Tower, no Rio. O encontro apontou três eixos fundamentais nas investigações da Kroll: as negociações entre a TI e as Organizações Globo, as brigas judiciais nas ilhas Cayman com Demarco e a canadense TIW e, por fim, o caso da CRT gaúcha. A Globo havia feito um acordo milionário com os italianos, em torno de um portal na internet, e Carla queria obter evidência de alguma irregularidade. "Para onde o dinheiro foi e como eles o distribuíram durante a operação da Globo.com: quem era o 'padrinho' da operação?", indagou Carla em *e-mail*.

O trecho sobre as ilhas Cayman é especialmente revelador. O Opportunity havia amargado algumas decisões desfavoráveis proferidas pelo "juiz Kellog", ou Kellock. Na lista dos "próximos passos", Carla sugeriu à Kroll localizar um ex-executivo da TIW no Brasil. Um funcionário da Kroll, segundo escreveu Carla, recomendou a contratação de um "RP", ou relações-públicas, nas ilhas Cayman, cujo objetivo era desacreditar Kellock. Anos depois, outros dois juízes brasileiros que incomodaram o Opportunity também sofreram ataques públicos e judiciais, que buscaram desqualificá-los ou pichá-los como pouco isentos. Nas ilhas Cayman, Kellock foi o alvo. O banco dizia que o juiz tinha ligações com um advogado que defendia a TIW.

"Esse trabalho de RP será disseminar [a história de] como uma firma advocatícia do Canadá influenciou a Corte nas ilhas Cayman", escreveu Carla. Naquele momento, a defesa do Opportunity nas ilhas Cayman alegava que o juiz era "parcial". Em novembro, Carla explicou em *e-mail* à Kroll que um advogado do Opportunity nas ilhas passara a ser investigado por ter contratado um "detetive particular" para investigar o juiz.

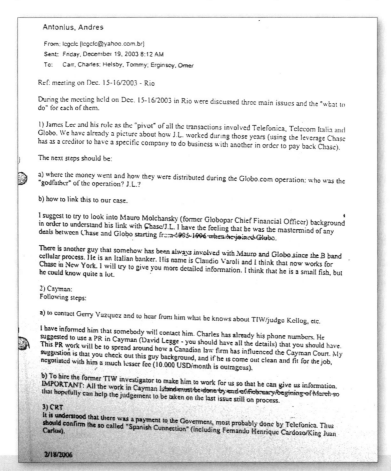

Em e-mail *enviado à Kroll em 19/12/2003 e copiado por um dirigente da empresa, Carla Cico, braço direito de Dantas na Brasil Telecom, informa que um "PR" contratado (um homem da área de relações públicas, em inglês) irá "espalhar" que uma firma canadense está "influenciando a Justiça de Cayman". A estratégia era desmoralizar o juiz Kellock, que havia dado decisão contrária aos interesses do Opportunity.*

Em março de 2004, o caso Cayman voltou à pauta, numa reunião realizada por telefone entre Carla, uma advogada do Opportunity, Danielle Silbergleid, e alguém identificado como CAC, possivelmente Charles Carr, da Kroll. Em *e-mail* que resumiu a conversa, Carla pontuou que a Kroll deveria produzir um relatório "focado em encontrar as conexões entre TI, TIW, Fundos de Pensão, Demarco, Tanuri [Tanure]". Mas não só isso, o grupo de comando do Projeto Tóquio queria ainda mais, queria destruir seus oponentes:

"Já existem algumas evidências dessas conexões, mas CAC [Charles Carr] com razão disse, e DS [Silbergleid] concordou, que essas evidências são apenas circunstanciais e que nós queremos encontrar alguma coisa 'pesada' ou, como colocou CAC, tentar fazer um 'assassinato de reputação'."

O objetivo era imprimir uma nódoa pública na vida dos adversários. No jogo pesado que marcou o submundo dessas empresas de telecomunicações entre 2002 e 2004, valia quase tudo.

Cinco meses depois da teleconferência, quando o juiz Kellock estava tendo que se explicar nos jornais e na Justiça das ilhas Cayman, o banco havia obtido uma vitória na corte local de apelação. Por *e-mail*, Carla mandou congratulações a Charles Carr, da Kroll, em nome de Dantas.

"Ilhas Cayman: Como eu já lhe disse, DD pediu que lhe encaminhasse seu agradecimento pelo trabalho feito até agora. Ele disse que seu envolvimento foi decisivo para o julgamento favorável que ele venceu na semana passada. Congratulações."

No tema da CRT, Carla informou que estava "compreendido que houve um pagamento para o governo, muito provavelmente feito pela Telefónica. Assim, é preciso confirmar a chamada 'Conexão Espanhola' (incluindo Fernando Henrique Cardoso/rei Juan Carlos)".

Carla indicou outro nome a ser verificado, um espanhol que morava no Brasil, "Gregorio Marin Presioto [Preciado], muito bem conectado à Iberdrola", empresa espanhola que havia participado de consórcios que adquiriram empresas estatais durante os leilões. Segundo Carla, "Presioto" "foi a pessoa que ajudou [José] Serra quando ele estava exilado no Chile". Espanhol naturalizado brasileiro, Preciado

OPERAÇÃO BANQUEIRO

Page 1 of

Antonius, Andres

From:	Carr, Charles
Sent:	Sunday, March 28, 2004 8:00 AM
To:	lcgcfc@yahoo.com.br
Subject:	FW: Tokyo to do list for next week
Importance:	Low

Dear C
Changed yours a little and sent to everyone!!
I am fine but I did hurt my ankle - cant walk very well!!! but great fun but I have a BIG hangover!!!!
Back in Milan
All the best and hope you are well
un abbraccio
C

From: Carr, Charles
Sent: 28 March 2004 14:57
To: Helsby, Tommy; Holder, Frank; Erginsoy, Omer
Subject: Tokyo to do list for next week
Importance: Low

Dear All.,

Here below is a brief report of the last week events and tasks to do this week:

a) NY meeting with the lawyers:

FH and CC met with 2 law firms. According to CC both appear to be be good but she expressed a better feeling on the second (Hector Torres)
CC will send documents to them on issues discussed and will follow up with contatc next week.
CC met another law firm (dont know name) she will follow up
All three said that the major problem will be jurisdiction, as expected, but not impossible
Conference call with CC on Monday to discuss it and to decide how to procede.

b) activities in Brasil:

BG met with DD (thanks to Bill for flying out again at short notice).
The issue is that DD received information relating to a corruption scheme in the Superior Tribunal of Rio-in which our friend Tanure is involved
Apparently TI is using Tanure and scheme to ontain a favourable judgement over the CADE issue
DD said that one year ago they asked Kroll Brasil to look into it with no results.
Bill has been asked to concentrate on this (Omer and Bill should liase with Eduardo about previous work)
Bill and team to target Pension Funds and link to TI corruption in Brazil – main subject is Cassio Casseb - Carmelo Furci - Nicola Verdicchio
Bill and team to target Tanure to prove collusion with TI and link to Demarco
Bill and team to concentrate on exposing TI wrongdoing in Brazil after MTP took over –focus on Tecnosistemi Brasil. Pirelli in Brazil?? Security Man?? Buggin scandal

All activities in Brazil will require reports and speed - please send all memos and sitreps to me to communicate to client on a constant basis - we are to supply summary memos and then full report at the end of the week

c) Cayman Islands:

3/1/2006

Três meses depois da operação com o "relações-públicas" em Cayman, Carla Cico afirma ao pessoal da Kroll que Daniel Dantas, identificado pelas iniciais "DD", considerou o trabalho decisivo "para o julgamento favorável" de uma apelação que havia feito contra a decisão do juiz de Cayman.

> CC and DD asked me to forward there thanks for the work done so far.
> DD said that our involvment was critical for the favourable judgment on the appear which was won last week
> So we are in process of reviewing case for retrial - mostly relating to Demarco and conspiracy etc.
> Bill - Julia - Fernando are working this angle
> Bill - Julia needs to get first hand brief from client (Dani the lawyer with CC) - I will arrange and join by conference call
>
> d) Press:
>
> Morgan and Omer met with Dow Jones? journalist.
> Next week Omer will meet again with her to go through all the documentation.
> Follow up on NYT needs to be made
> I will followup with Fred Kapner of FT here
>
> e) Valuation:
>
> The meeting will be on Wednesday - the man from Seattle has a problem with his VISA!!! so wont be there but I suggest we get the meeting to go ahead anyhow given Omer is there with Gomide.
> Maristela is the point person for client - I am trying to get someone from Opportunity to attend
> There is a new case number for this 18234-8 all valuation work to billed to this number
> After scoping we need to submit a proposal etc.
>
> f) New aspect:
>
> CC would like us to review all SEC filings for TI.
> FH is to put me in contact with Rashme in NY
> I will submit a proposal for this work to be completed to CC
>
> g) Call to SEC:
>
> FH mentioned to CC that he would followup with the SEC (minoirity shareholders etc)
> We have already received the letter with our release from BrT to talk to SEC.
> I will forward to FH
>
> h) DA office:
>
> TH confirmed that the DA will do something
> TH to follow up
> CC will follow up with TH
>
> i) Italy:
>
> CAC to meet Opportunity journalist in Rome
> CAC to meet Aloia in Rome
> CC with Livolsi followup
> CC will meet on Monday in Rio the Italian lawyer
> CC information on TI/Tecnosistemi relationshipDemarco trip to Italy - recently???
> CC - OE to target Hopa - one of the strongest partners in Olimpia -- Gnutti was convicted of insider trading in 2003...what is the pressure on MTP??
> CC - Colaninno indemnification by MTP -- intel suggests arranged by de Benedetti - can we get hard or strong information?
> CC - OE to approach TI institutional investors (holders of 'savings stocks') such as Liverpool Fund Managers..........need to identify....
>
> In sum,
> CC to handle lawyers (organise a conference call with TH and FH)
> Tommy and Frank for the DA and SEC respectively
> Omer for the press and for the evaluation
> CAC for Italy and Brazil update reports to be ready by Monday 5th for CC visit to London
>
> All the best
>
> 3/1/2006

era casado com Vicencia Talan Marin, prima-irmã, por parte de mãe, de José Serra, e ajudou em campanhas eleitorais do PSDB em São Paulo. Chegou a ser conselheiro do então banco estatal Banespa. Preciado já tinha sido alvo de reportagens dois anos antes. A *Folha* revelou que ele foi beneficiado num negócio acertado no Banco do Brasil por suposta influência do ex-diretor Ricardo Sérgio de Oliveira.

O leque de pessoas e empresas investigadas no Projeto Tóquio era tão amplo que se torna difícil entender como conseguiu ficar sob segredo por mais de um ano.

A Kroll então cometeu um erro brutal. No mínimo, subestimou a capacidade da PF e a visão negativa que suas atividades produziam na polícia. Só isso explica o que decidiu fazer no primeiro trimestre de 2004. Estava em andamento, na 5ª Vara Federal de São Paulo, um inquérito policial para apurar negócios da Parmalat, a empresa de compra e venda de leite fundada na Itália nos anos 1970. Ex-presidente da TIM, o braço de celulares da TI, o italiano Gianni Grisendi presidiu a Parmalat até 2000 e, ao sair, montou a Tecnosistemi, responsável pela instalação das antenas da TIM no Brasil. A tarefa da Kroll era identificar ligações entre a Tecnosistemi e a TI. Era uma tentativa inteligente de arrastar a companhia telefônica italiana para o centro do escândalo da Parmalat, um dos maiores da história recente da Itália. Seria um ótimo "assassinato de reputação".

Eduardo Sampaio, diretor da Kroll paulistana, procurou o delegado que presidia o inquérito do caso, Elpídio Nogueira, para conversar sobre a investigação. A Kroll marcou o encontro por meio de um funcionário, Thiago Carvalho Santos, que era filho da funcionária da PF paulistana Judite de Oliveira Dias, lotada no protocolo. Ela disse que a Kroll estava interessada em "traçar metas de colaboração" na investigação e, por isso, "não viu nenhum mal" em marcar a reunião.[109] O delegado Elpídio esteve no encontro, mas imediatamente comunicou a seus superiores o que se passava. A PF entrou em alerta e se preparou para documentar o próximo passo da Kroll.

Logo em seguida, um subcontratado da Kroll, o português Tiago Nuno Verdial, passou a procurar por telefone uma das principais testemunhas do caso brasileiro, Adelson Pugliese, motorista que trabalhou para a presidência da Parmalat no Brasil entre 1979 e 1993.

Assim, quando Verdial e Pugliese entraram no quarto nº 151 do Hotel Novotel, em São Paulo, às 13h45 do dia 6 de março de 2004, havia, perto do abajur, uma câmera de vídeo e um microfone instalados pela PF.

---

[109] Auto de qualificação e interrogatório de Judite de Oliveira Dias, autos da OPC.

Vestindo uma camisa polo, para fora da calça, com listras azuis e brancas, Verdial entrou no quarto e abriu a cortina, enquanto Pugliese, carregando uma maleta 007 e vestindo uma camisa de mangas compridas, se sentou à frente de uma pequena mesa. Pugliese mostrou a Verdial alguns documentos sobre a Parmalat, que o português passou a ler. Logo começaram a discutir as bases de uma parceria. Pugliese sabia do monitoramento em vídeo e havia aceitado colaborar com a polícia. Ele começou:

"Essa pessoa, esse Bill, da Inglaterra, não é isso? Que traz aí as informações que você está tentando juntar isso, para que ele tenha alguma coisa. Então, estou à disposição. Você pode contar para mim o que é, vou pesar, aí eu digo se é cabível ou não é cabível."

Bill era o apelido de William Peter Goodall, contratado do escritório da Kroll em Londres. Verdial se encorajou:

"O Bill e eu trabalhamos para um grande credor da Parmalat, e especificamente nossas pesquisas é [*sic*] muito em cima do Gianni Grisendi."

Verdial descreveu: "O Bill se chama Bill Goodall, é lá de Londres, ele meio que coordena essas ações que a gente tem aqui".

De repente, Verdial parou de falar e mexeu na mala de Pugliese: "Acho que você não está gravando nada aqui". Para mostrar que não, Pugliese abriu a pasta e retirou os papéis que carregava. A câmera, na verdade, estava localizada na bancada, a cerca de três ou quatro metros à esquerda de Verdial. O português quis saber se havia gravação porque iria dizer algo importante, como disse:

> Eu tenho capacidade, junto com o Bill, de ir a fundo nas pesquisas. Quando eu digo fundo é área fiscal, telefônica. Só não consigo o sigilo no digital. Não tenho a capacidade de um *hacker* de entrar num... Adoraria entrar no *e-mail* do GG [Grisendi]. Isso a gente ainda não consegue. A parte bancária, fiscal, telefônica, fixa ou móvel, a gente tem como pesquisar e a gente já está no meio dessas pesquisas. E no meio disso tudo surgiu AP [Pugliese]. "Nossa, pode ser a cereja no bolo."

A transcrição oficial da PF entendeu "a gente já está" como "enxertar", mas isso não alterou o sentido geral do que Verdial dizia: os limites da Kroll eram elásticos, só parando numa caixa de correio eletrônico. Verdial também mencionou a Pugliese algo sobre "colaboração, ou de ajuda financeira propriamente dita".

Verdial fez outra inconfidência. "A gente vai fazer uma reunião lá com o pessoal da Federal."

A informação assustou Pugliese: "Você está trabalhando com o pessoal da Federal?". Verdial dizia a uma testemunha-chave de um caso investigado pela PF conversava, ao mesmo tempo, com a própria PF. Verdial se deu conta do erro e logo procurou acalmar Pugliese.

"Não, eu não trabalho com a Federal. Eu vou fazer uma reunião com eles para pedir uma colaboração, pedir uma ajuda. Trocar figurinhas." Mais adiante, ele detalhou: "Eu vou lá pedir para eles jogarem o CPF e o CNPJ no computador e ver o que aparece". Os dados sobre os cidadãos estavam ao alcance de um investigador particular com interesse em grandes disputas comerciais. Ele contou que já tinha "o IR", ou seja, a declaração do imposto de renda, de um assessor de Grisendi, Atílio Ortolani.

Verdial continuou sondando Pugliese até chegar ao ponto fundamental da conversa: "Quando eu falei em colaboração, ou ajuda financeira propriamente dita, quer dizer, é uma coisa que, como eu já disse, pode ser feita, mas tem que ser feita com critério".

Conforme explicou Verdial, como as informações seriam levadas a um "litígio na Europa", numa corte judicial, elas "não podem ser simplesmente compradas ou adquiridas assim". A saída, disse o português, era simular os pagamentos.

> Então, o que a gente vai fazer: um contratinho, como se fosse uma prestação de serviços, esse tipo de coisa. A gente inventa alguma coisa. "O AP [Pugliese] prestou serviço na área de consultoria fiscal, tributária, ou empresarial ou automobilística ou alimentar", ou o que for, entendeu? Isso é uma coisa que a gente faz com calma.

A PF não precisava ouvir mais nada depois disso. A gravação no hotel determinou o nascimento da Operação Chacal. O delegado Elpídio continuou tocando o caso Parmalat, enquanto o delegado Élzio Vicente da Silva, lotado na DIP, foi presidir a nova operação. Passou-se à interceptação telefônica, com ordem judicial, das conversas de Verdial. O primeiro grampo data de março de 2004, e a voz de Bill Goodall apareceu dois dias depois. A dupla estava agora interessada em encontrar podres de Carmelo Furci, alto executivo da TI em assuntos internacionais. Nascido em 1953 em Dinami, Furci, ex-gerente de estratégia do Banco Mundial em Washington, foi o presidente da Telecom Italia no Brasil quando ocorreu o episódio da venda da CRT.

Desde 2001, Furci vinha sendo bombardeado pelos controladores da BrT. A empresa abriu uma ação ordinária de cobrança contra o italiano na 22ª Vara Cível do Rio. Em julho daquele ano, numa entrevista à revista *IstoÉ Dinheiro*, Carla Cico atacou:

> Logo depois que assumimos a companhia, a Telecom Italia mandou para cá uma força-tarefa de uns trinta e cinco homens, para conhecer a empresa por dentro. Nenhum deles sabia nada de telecomunicações. Quem encabeçava essa força-tarefa? Carmelo Furci, claro. Daquela equipe ninguém tinha qualificação para trabalhar aqui. Carmelo chegou a indicar um diretor de *marketing* que não tinha experiência na área. Eu e o próprio Carmelo, numa decisão conjunta, decidimos afastá-lo. Quem tem esqueletos no armário é ele, não eu.

Carla comparava biografias.

> Carmelo Furci é uma pessoa modesta demais para atrapalhar a minha vida. Ele não tem experiência como negociador, tampouco em telecomunicações. Eu já fechei negócios na China, na Índia e em outros países [...] O problema é que ele fez insinuações contra mim e agora eu quero saber como responde às questões que estou levantando.

Bill e Verdial aparentemente haviam se aproximado de uma ex-secretária do italiano, mas ela pouco ajudou, afora o desejo de vingança por ter sido demitida. Bill estava desapontado com os resultados alcançados. Ele falava em português atrapalhado:

Realmente estou *começando pensar* que, porra, não tem nada a ver com esse cara, *entendéu*? O *cliéntchi* está com raiva dele por causa do papel que ele serviu no processo de *valoramento*, de valorizar o CRT [...] Mas, então, ele levou o papel dele, *entendéu*, como pessoa de TIM, para foder *o* BrT. Mas isso não faz dele um *crime* não, um criminoso.

Verdial desabafou:

— Que filho da puta. É, esse cara não é um qualquer, não é um gerentezinho de merda. Provavelmente alguém está fazendo por ele, não põe a mão em lugar nenhum, tem quem faça por ele.

— Mas, veja bem, você tem razão se ele *tenha feito* alguma coisa, *entendéu*? Mas realmente não existe indicação [de] que ele fez alguma coisa de errado — ponderou Bill.

— Na CRT ele fez, sim, Bill.

— Na CRT, ele, como um funcionário da TI [Telecom Italia], fez o que foi mandado ele [fazer] pela TI, *entendéu*? Ele fodeu o DD. Isso não *disputa*. Mas, fora disso, de seu papel, de seu *carga*, naquele assunto de preço de CRT, que realmente é uma coisa comercial, não tem nenhuma indicação de que ele está, ou foi, envolvido em nenhum ato criminoso — disse Bill.

O inglês estava sendo coerente com as provas que pôde averiguar.

— A Polícia Federal não acredita em lavagem de dinheiro saindo de CRT, eles que têm a papelada, tudo. Eles têm muito mais informação do que a gente sobre isso. Os papéis que eles têm indicam que não houve, *entendéu*?

— É foda. Estou preocupado com o cliente, com o futuro do cliente — insistiu Verdial.

— Ela tem que entender que, se não existe, a gente não pode criar — disse o inglês.

O homem da Kroll estava dizendo que investigar os italianos pelo caso CRT era um tiro n'água, ainda que Carla insistisse em mantê-lo na mira.

"Mas eu falei com ela, na primeira vez que falei com ela. Veja bem, eu tenho confiança de que a gente vai poder provar se aconteceu ou se não aconteceu. Mas pode não ter acontecido."

O teor da conversa foi malcompreendido pela PF, que estava tendo acesso pela primeira vez àqueles nomes codificados e intrincados episódios. O analista da PF misturou as bolas e deixou passar o essencial. Não compreendeu, por exemplo, que o "DD" citado era ninguém menos que Daniel Dantas, o principal adversário dos italianos, o qual se dizia o principal prejudicado pela venda da CRT, a Companhia Rio-grandense de Telecomunicações. Como Bill falou em inglês, o analista entendeu que seria "GG", traduzido por "Gianni Grisendi" (a pronúncia de "DD", em inglês, é "di-di", enquanto "GG" é "dji-dji").

O policial descreveu o diálogo:

Pelas palavras de Bill e Tiago, parece haver duas ou mais linhas de investigação que serviriam a mais de um cliente, tendo em vista a referência de Bill a um "cliente final" (termo usado em outra conversa) que é chamado por ambos de "CF", e temos referências sobre "CC1" ou ainda "CC", não identificados. Carece de maiores elementos para definir quem é, ou quem são os clientes que estão pagando por este trabalho, mas já se pode ter uma boa mostra de como a Kroll, por meio de seus homens, vem agindo e como está montando uma verdadeira rede de colaboradores e informantes, corrompendo, comprando ou recrutando até mesmo funcionários públicos em posições estratégicas.

O "CF" citado não significava "cliente final", mas Carmelo Furci.

A Kroll desencadeou duas operações contra os adversários do Opportunity e da BrT. O Projeto Cumberland era focado na Parmalat, enquanto o Projeto Tóquio investigava a TIM e a TI, o ministro Luiz Gushiken, o então presidente do Banco do Brasil, Cassio Casseb, e os empresários Tanure e Demarco.

Omer Erginsoy era o responsável geral pelo caso Cumberland, como revelou o diretor da Kroll em São Paulo, Eduardo Gomide. "O caso Cumberland é bastante confidencial. Omer é o gerente geral do caso [...] Dada a sensibilidade do caso, e por solicitação de Omer, a [investigadora da Kroll] Júlia deverá pedir informações para alguns subcontratados. O caso exige mais rapidez."[110]

Em março de 2004, Bill e Verdial falaram ao telefone sobre as prioridades no caso Tóquio. É um dos diálogos mais reveladores da Chacal, pois liga o nome de Dantas diretamente à ação da Kroll. Bill telefonou para Verdial para checar se ele havia recebido, por *e-mail*, um relatório que descrevia a divisão dos "alvos" entre Verdial e a funcionária da Kroll Júlia Marinho Leitão da Cunha. Verdial respondeu:

"Só [fizemos] uma pequena alteração, Demarco com Júlia e não para mim [...] E eu fico com *funds overview*. Quer dizer, mas sempre ter um *overlaping* entre uma coisa e outra."

Mais adiante, Bill quis saber se eles estavam "felizes" com o trabalho e se tinham alguma dúvida.

"Eu tinha algumas dúvidas sobre as razões que levaram a essa fase 2 [Projeto Tóquio], mas, depois da nossa conversa de hoje de manhã, já estou mais tranquilo", disse Verdial.

Bill achou necessário ser bastante claro:

É o seguinte: é muito simples. É o mesmo assunto que o primeiro, no final das contas, parte disso tudo, no fundo, no fundo, fase 1, fase 2, *seja lá o que seja*, acaba numa coisa: a gente quer conseguir evidências de que a companhia T [Telecom Italia] está *ou*

---

[110] *E-mail* de 9/04/2004 interceptado na OPC.

esteja em atos *nefários* como corrupção, no Brasil. O assunto é esse. Essas pessoas foram escolhidas em *conjunction*, em conjunção com o *cliéntchi*, como pessoas que... Fica até um pouco de *desconcordo* entre nós, sobre quem é e quem não é significante, *entendéu*? Então ficaram *tudos* incluídos. Por exemplo, *o* CC [Carla Cico] não acha que NN [Naji Nahas] seja significante. Mas o DD [Daniel Dantas] acha. É coisa de opinião. Então, juntamos os dois. Tem outras pessoas que ela acha importante e que ele não acha. Colocamos *tudos* eles. *Tudos* aqueles nomes lá são nomes que *foi decidido* entre ele, ela, Omer e eu. E foi tudo assim. Temos que chegar *o* ponto, no futuro, de poder investigar qualquer ato, fato, assim, *behavior* [comportamento] *nefário* entre essas pessoas e nossa companhia T. Mas, antes disso, a gente tem que começar bem no começo, *no* base, *no* base. A gente tem que conseguir endereços, *CPR* [CPF], números de telefone, conseguir essas coisas para, depois, fazer coisas em cima disso. Tem que construir *o* base para depois provar em cima.

Bill alertou os investigadores sobre didatismo e clareza na hora de escrever os relatórios, pois os documentos iriam circular por várias pessoas em diferentes países.

Tem que assumir que todo mundo que está lendo ou é burro ou nunca ouviu falar nesse cara. Para colocar tudo que é básico. *Pô*, eu não sei quase nada sobre Demarco. Omer sabe um pouco mais, mas também nem tanto. O Charles não sabe nada [...] *Nessa* altura, é muito simples. O que vai ficar interessante é no depois. Eu quero chegar no depois mais rápido.

Bill disse que a própria Kroll no Brasil já tinha informações que "vão ser úteis". Um dos diretores da empresa no Brasil, Eduardo Gomide, iria mandar dados de "dez anos atrás" sobre o empresário Nelson Tanure. Em inglês, Verdial acrescentou: "Eles têm também informações sobre Demarco, mas, honestamente, não estou contando com isso". Bill disse que também não contava com o apoio da Kroll no Brasil. "No dia a dia a gente recebe [ajuda], mas, nos assuntos importantes, a ajuda ou não chega nunca ou chega muito atrasada."

Aparentemente a Kroll brasileira temia que os contatos feitos por Verdial e Bill expusessem a companhia. Quando Verdial tentou agendar uma reunião na sede da Kroll, em São Paulo, com João Murra, ex--contador da Tecnosistemi, a contrariedade foi expressa por Vander Giordano, outro diretor da Kroll no Brasil.

> Tiago, nossa política de segurança, e você conhece bem, até porque, no caso Souza, as reuniões sempre ocorreram fora da empresa, tem sido delineada no sentido de isentar nossa estrutura operacional deste tipo de situação. Como não temos contrato de confidencialidade ou qualquer outra situação mais ampla com este sub [Murra], não gostaria de nos expor demais.[111]

Outro alvo da Kroll era Rubens Glasberg, responsável pelo *site* especializado em telecomunicações "Teletime". Incomodado com reportagens críticas sobre seus negócios, o Opportunity abriu ações judiciais contra o jornalista. No primeiro processo, de maio de 1999, Opportunity e Elena Landau pediram indenização de R$ 3 milhões, quase todo o faturamento anual do *site*.

"Eles queriam me quebrar, mas nós ganhamos a ação em todas as instâncias."[112]

Enquanto o processo corria, Glasberg recebeu a visita de um homem de confiança de Dantas.

> O Carlos Rodenburg queria estabelecer um diálogo, queria que o *site* divulgasse notícias de interesse do Opportunity. Eu disse que nós divulgávamos notícias de todos os lados, desde que tivessem consistência, pois checávamos as informações. Eu também sugeri

---

[111] *E-mail* interceptado em 16/04/2004 nos autos da OPC.
[112] Entrevista ao autor em 21/11/2010.

que retirassem o processo sem pé nem cabeça. Ele disse que não poderia voltar atrás. Aí eu disse: "Mas não me venha aqui plantar notícias". O Rodenburg ficou espantado.[113]

Em outubro de 2003, Glasberg foi visitado por um americano que se identificou como "John Leonard" — o cartão de visitas foi depois entregue por Glasberg à PF —, um "consultor na área de telecomunicações" que queria obter informações sobre o setor. Ao final da conversa, quis fazer uma assinatura anual do serviço noticioso Teletime News. Em abril do ano seguinte, a assinatura foi transferida para o nome de Tiago Verdial. Só quando estourou a Chacal foi que Glasberg entendeu quem era "Leonard".[114]

A PF obteve ordem judicial para interceptar os *e-mails* dos principais investigadores que atuavam para a Kroll. Em maio, Carla enviou mensagem a Charles Carr, da Kroll de Londres. Ela repassou as conclusões de uma reunião mantida no dia anterior entre "B", ou Bill Goodall, e "DD", ou Dantas, iniciais em letras minúsculas.

> dd pediu a b. que se encontre com CF. Esse cara parece ter informações muito úteis, incluindo interessantes documentos, e dd acha que b. poderia estar apto a tentar extrair mais disso dele. Parece que o cara está muito assustado com a TI. TI usou a Tecnosistemi para passar dinheiro para políticos aqui no Brasil, incluindo alguns governos locais (Ribeirão Preto é um). Eu sugeri incluir Santoandre [Santo André] também. É o lugar onde um cara muito próximo do atual governo foi assassinado meses atrás. DD gostaria que essa informação fosse passada para a imprensa. Eu sugeri que isso fosse feito com a imprensa internacional, e a ideia é que você me ajude a concluir como fazer isso.

Mais adiante, Carla falou de outro foco das investigações, o Tribunal de Justiça do Rio de Janeiro, onde o Opportunity e a BrT estavam às voltas com processos judiciais contra a TI.

---

[113] Idem.
[114] Depoimento prestado por Glasberg à OPC em 11/11/2004.

OPERAÇÃO BANQUEIRO

Antonius, Andres

From: lcgcfc lcgcfc [lcgcfc@hotmail.com]
Sent: Thursday, May 06, 2004 6:47 AM
To: Carr, Charles
Subject: yesterday meeting (b. and dd)

Dear C.,
good morning!
Yesterday meeting between b. and dd. was focused on two issues:

1) dd. asked b. to meet with CF. This guy seems to have very usefull informations, including very intyeresting documents, and dd thinks that b. should be able to exthact from him more. It seems that the guy is very scared of TI. TI used Tecnosistemi to pass money to the politicians here in Brasil, including some local goverment(Riberao Preto is one). I suggested to loo into Santoandre too. this is the place were a guy very closed to the present giverment was killed fwe months ago.

DD would like then this information to be pass to the press. I suggested to do it with the international press and my idea is that you nad me decide how to procede. I think that our friend in Italy will be the most appropriate one. We will discusse it on the phone.

2) Rio Tribunal
dd would like b. to look more closely on how the system worked and who was involved. Considering that now this is a open scandal, b. should be facilitate to make approches.
the idea is to make the president of the tribunal knowing that we know (the same technique that was used in Cayman).

Then b. met with a lawyer, but I could not stay in the meeting because I had another one here in the company. I asked b. to write a report for you and I suggested to have a conferecne call the three of us today. I suggest 9:30 Brasilian time (14:30 Italian time). I will send you the number to call later. If you cannot do it at this time, please suggest another time.

It is important that you have b. to report you every thing dd asked him to do, or will ask, in order to avoid that things go out of control!
Ciao, talk you later,
C.

Em maio de 2004, a orientação de Carla Cico e Dantas era para constranger o presidente do Tribunal de Justiça do Rio de Janeiro, "a mesma técnica que foi usada em Cayman". A ideia era fazer com o que o magistrado "soubesse que nós sabemos".

dd gostaria que b. estivesse mais a par sobre como o sistema funciona e quem está envolvido. Considerando que isso agora é um escândalo público, b. poderia ser apropriado para fazer aproximações. A ideia é fazer que o presidente do tribunal saiba que nós sabemos (a mesma técnica que foi usada nas ilhas Cayman).

A "técnica" das ilhas Cayman fora aquela de enlamear a imagem do juiz Kellock.

As coisas caminhavam assim para a polícia, com grandes e detalhadas descobertas sobre os planos da Kroll, quando, em abril, a equipe que investigava a Parmalat viveu um estranho episódio. Um quarto do *flat* Poeta Drummond, na rua da Consolação, nos Jardins, usado pela PF como "base de inteligência" foi invadido por dez homens da própria PF. Eles alegaram ter ido checar a denúncia de que ali funcionava uma central telefônica do PCC, um grupo criminoso que comanda presídios e mata policiais nas ruas.

"Tentaram jogar polícia contra polícia, e só por sorte aquilo não terminou em tragédia", disse o ex-diretor-geral da PF Paulo Lacerda, anos mais tarde.[115]

A invasão representou o maior golpe ao andamento da Chacal. O dano foi detectado pelos investigadores dias depois, graças à outra escuta telefônica. Verdial ligou para a mãe:

> Bom, mãe, estou com a PF atrás de mim de novo [...] A Júlia me ligou de São Paulo, histérica, e falou: "Português, apaga tudo que tiver no seu *e-mail*, apaga tudo, não usa mais celular, não usa mais nada" [...] Eu fiquei preocupado, encontrei o Bill meia hora depois, ele estava no hotel dele e me explicou que a Júlia tem um contato na PF — ela não quis falar quem é, teima em não entregar a fonte dela.

---

[115] Depoimento prestado por Paulo Lacerda em 16/03/2009 ao delegado Amaro Vieira no IPL 2-4447/2008.

Segundo Verdial, a invasão ao *flat* quase acabou em tiroteio:

Chegou outra equipe dos "nossos amigos" e tiveram [sic] uma pancadaria entre eles, violentíssima. Só não saiu tiro porque *nêgo* resolveu resolver [sic] na mão mesmo e não ir para tiro. Deixaram as armas em cima da mesa e saíram literalmente na porrada, bem feia, entre os agentes [...] Teve uma pequena guerra lá dentro. Isso foi na sexta-feira. Na segunda-feira, esse contato da Júlia recebeu um ofício, um pedido, enviado para a Justiça, no qual os "nossos amigos" pediam para o juiz a quebra do sigilo digital de Tiago Verdial, o *e-mail*.

Verdial fez um panorama otimista do estágio das suas investigações. Disse que fechara "todos os *links* da Cumberland com Tóquio" e contou que estavam achando "muitos podres" do PT. Segundo ele, a Kroll havia até ajudado a divulgar uma notícia contra os italianos. A matéria havia saído na capa da revista *IstoÉ Dinheiro*. Assinada pelo jornalista Leonardo Attuch, revelava supostas irregularidades encontradas numa agenda atribuída a Stefano, filho de Calisto Tanzi, o fundador da Parmalat. A matéria, de quebra, também atacava Gianni Grisendi. Verdial ficou orgulhoso: "A gente já sabe que a Cumberland é acionista oculta do Tóquio. Isso saiu na *IstoÉ Dinheiro* desta semana, uma matéria todinha feita pela gente, não sei o quê, saiu na capa da *IstoÉ Dinheiro*, não sei se você viu, 'O Diário Secreto de Stefano Tanzi'".

No entanto, ele se disse muito preocupado e anunciou que não iria mais usar o telefone celular. Semanas depois, tomou uma atitude desconcertante: correu justamente para os braços dos italianos da TI, que não estavam, de modo algum, alheios aos movimentos da Kroll.

No primeiro trimestre de 2004, a segurança interna da TI foi advertida sobre atividades de investigações da Kroll a respeito de seus executivos. Um relatório que circulou no primeiro escalão da TI descreveu iniciativas de Dantas e de Carla Cico.

Dantas e Cico (que trabalhou para a TI) têm usado vários métodos não convencionais na disputa com a TI e seu presidente, Marco Tronchetti Provera. As atividades da Telecom Italia no Brasil têm sido afetadas por uma série de incidentes que — embora não possam ser diretamente atribuídos a Dantas e seu círculo — têm sido usados para prolongar um ambiente de desconfiança mútua. Isso incluiu: a *plantação*, em diversas ocasiões, de escutas e outros dispositivos do gênero nos escritórios da Telecom Italia na América Latina; a publicação de uma série de artigos difamatórios procurando traçar paralelos com a Parmalat, criticando Telecom Italia, e várias empresas locais; a vigilância de executivos da Telecom Italia. Acreditamos que a agência investigativa Kroll foi contratada em 2002 para averiguar a questão CRT e desde março deste ano [2004] o escritório da Kroll na Itália tem compilado uma série de dossiês sobre o grupo e a família do sr. Tronchetti Provera.[116]

Não há prova de que Dantas, Cico e o Opportunity tenham determinado a instalação de escutas nos italianos. Com exceção disso, o aviso interno da TI estava correto. A TI sabia do contrato da BrT com a Kroll desde, pelo menos, dezembro de 2002. Já existiam diversos pagamentos da BrT à Kroll, mas o Projeto Tóquio ganharia esse nome por volta de 20 de dezembro de 2002.[117] Essa informação de grande peso estratégico chegou à companhia italiana por fontes que ela mantinha na Sisde, braço do serviço de inteligência do governo italiano.

Na TI, a área responsável por impedir iniciativas como a desencadeada pela BrT era a diretoria de Segurança, dirigida por Giuliano Tavaroli, que foi o responsável pelo setor de Segurança da Pirelli entre 1999 e 2003 e, daí em diante, por setor semelhante na TI. Quando a

---

[116] Ofício do 1º semestre de 2004 que consta dos autos do processo aberto pela Procuradoria de Milão, Itália.

[117] Depoimento prestado por Antonius Gonzalez, diretor da Kroll para a América Latina, nos autos do processo italiano, em 7 de julho de 2007.

Pirelli assumiu o controle da TI, no final de 2001, boa parte dos quadros da indústria de pneus foi absorvida pela TI.

Com base na dica da fonte da Sisde, Tavaroli procurou um antigo contato na Kroll de Milão, Richard Bastin, então chefe do escritório local, aquele mesmo que havia acertado o Projeto Tóquio com Carla Cico, para fazer uma sondagem. Como quem não queria nada, Tavaroli lhe perguntou se não estava disposto a trabalhar numa investigação sobre a BrT. Imediatamente Bastin disse que não, pois haveria um conflito de interesses — assim, confirmou que a Kroll investigava a TI. Meses mais tarde, Bastin deixou a Kroll e foi contratado pela TI.[118]

A TI havia criado uma empresa específica para a América Latina, denominada Latam, que abrangia Chile, Peru, Argentina, a TIM no Brasil, Venezuela e Bolívia. O responsável pela segurança na Latam desde 2003 era Angelo Jannone, um tenente-coronel *carabinieri* aposentado que morava em Milão. Seu cargo era subordinado a Giuliano Tavaroli. Antes do caso Kroll, ele havia apurado denúncias de fraude telefônica e de roubo de computadores.

Em 3 de julho de 2004, quando Jannone chegou ao Brasil, por ordem de Paolo Dal Pino, então presidente da Latam, Tiago Verdial já estava em maus lençóis. Ele havia descoberto que seu *e-mail* fora interceptado pela PF. O português resolveu se encontrar com Jannone no hotel Caesar Park, no Rio. Aparentemente, sem que Verdial soubesse, Jannone gravou a conversa.

Verdial disse que estava cansado de trabalhar na Kroll e procurava outro emprego. Contou ter trabalhado para a Kroll em alguns casos entre outubro de 2000 e junho de 2002 e, nesse meio-tempo, gerenciou um projeto de seis meses para a Telemar, em 2001. Estudava economia em São Paulo e pretendia obter um emprego "de longo prazo". Jannone abriu uma possibilidade, mas antes quis saber mais detalhes sobre as

---

[118] Depoimento prestado por Giuliano Tavaroli à Procuradoria de Milão. Sobre a dica da fonte na Sisde, depoimento prestado por Fabio Ghioni no mesmo procedimento.

atividades de Verdial contra a TI. Verdial começou falando das ligações do Opportunity com a Kroll:

— Voltando ao caso Brasil Telecom: quando teve uma cobertura de um problema político [incompreensível] porque a Kroll do Brasil sempre trabalhou para o Opportunity. E neste caso específico DD contatou...[119]
— DD é Daniel Dantas? — quis saber Jannone.
— Sim. DD contatou com Londres pela primeira vez; todo o mundo sabe disso. Ele ouviu rumores de que em junho do ano passado, 2003... ele ouviu rumores, fofocas, [de] que a Kroll no Brasil teve uma reunião com o sr. Bonera e com o sr. Mario César Andrade — prosseguiu Verdial, fazendo referência a Marco Bonera, ex-diretor de segurança da TIM na América Latina.
— E DD ficou muito preocupado com isso. [...] Porque ele e a Kroll Brasil sempre trabalharam... [incompreensível] E essa foi a razão que o levou a contratar diretamente a Kroll no Reino Unido [...] Isso aconteceu em junho e desde outubro, novembro — disse Verdial.

Jannone procurou se mostrar como alguém confiável. Sugeriu levar Verdial a um depoimento formal na PF. Em troca, poderia dar proteção a ele junto "à alta cúpula da Polícia Federal". Após alguns rodeios, Jannone voltou ao papel de Dantas na investigação.

— DD e Carla Cico sabem que a Kroll gerencia [incompreensível] também? Eles sabem tudo? Sim ou não? — quis saber Jannone.
— Sim — respondeu Verdial.
— Você obteria listas, contas telefônicas... Você está apto também para grampear telefone, interceptar *e-mails*?

---

[119] "Transcrição de áudio do diálogo entre Angelo Jannone e Tiago Verdial, gravado por aquele [Jannone] e apreendido no PCD", autos da OPC.

— Não.

— Não? Então, a única atividade ilegal é obter contas telefônicas? Internas da TIM ou interna de outras operadoras? Você entendeu? — indagou Jannone.

— De todas as operadoras — explicou Verdial.

Depois do encontro, Jannone entregou à PF uma cópia da gravação. Desde então, várias teorias circularam sobre a real intenção de Verdial.[120] Parte dos observadores confia na versão que ele apresentou a Jannone — de que estava inseguro e queria um emprego na TI; outra diz que tudo era uma tentativa de infiltrá-lo na área de segurança da TI. Como é comum no submundo da "comunidade de informações", um agente se apresenta ao inimigo como alguém "arrependido", que quer colaborar, mas seu único propósito é obter mais dados confiáveis apenas para subsidiar seu cliente original. Outra teoria conspiratória diz que Verdial já estava com os italianos, infiltrado na Kroll, desde o começo do Projeto Cumberland. A última tese esbarra num problema de lógica: se Verdial era um agente duplo, por que teria sido gravado e "entregue" à PF pelos próprios italianos? Ao agir assim, os italianos corriam o risco de alimentar a exata suspeita de que ele era um infiltrado seu na Kroll desde o começo. Havia outras formas de Verdial dizer à PF tudo o que estava dizendo, sem nenhuma necessidade de dizê-lo justamente a um dos principais nomes da segurança da TI. Ao expor a conversa entre Verdial e Jannone, a TI estaria gerando muito mais problemas que o necessário, alimentando dúvidas sobre a legitimidade da Chacal. Foi exatamente o que ocorreu.

Em petição assinada por Dantas, Cico e BrT, seus advogados alegaram, na Itália, que a conversa foi "fantasiosa". O advogado de Dantas, Nélio Machado, acusou Jannone de ter se "gabado de ter controle sobre

---

[120] Procurado pelo autor para falar sobre as acusações da OPC, Verdial afirmou por *e-mail* em 4/02/2010: "Não perca seu tempo comigo, não temos nada para conversar".

as autoridades policiais no Brasil". Anos mais tarde, Dantas sugeriu que Verdial era contratado pelos italianos:

> Não, eu nunca tive ligações com o Tiago Verdial. Depois, tomei conhecimento de que ele teria sido *pago* pela Telecom Italia. Então, a sensação que eu tenho, o sentimento é de que, na verdade, produziram essa testemunha a soldo. Ao que consta, nos depoimentos na Procuradoria de Milão dizem que ele estava *pago* pela Telecom Italia. Eu não sei se não foi um fato plantado.[121]

Mesmo "não sabendo", Dantas plantava a dúvida, em estratégia característica de sugerir grandes conspirações sobre as quais não apresenta provas, desviando a atenção do interessado para tal ou qual investigação sigilosa em outro país onde, assim, existiriam tais evidências. Nunca se comprovou que os italianos tenham remunerado Verdial para "entregar" a Kroll à TI.

Além da gravação da conversa, Jannone encaminhou à PF, fingindo ter recebido de um suposto anônimo, um *CD* que lhe custaria muitas explicações. O *CD* trazia uma série de relatórios sobre os projetos Cumberland e Tóquio. O gesto revelou-se um tiro no pé. Obtido por meio de invasão aos computadores da Kroll, o *CD* seria usado como prova de irregularidades do grupo de segurança da TI.

O *CD* também foi muito atacado pela defesa de Dantas e por jornalistas como prova de uma "contaminação" do inquérito da Chacal por "interesses privados" — a mesma teoria apareceria depois, nos ataques à Satiagraha. Entretanto, o *CD* pouco acrescentou à montanha de evidências que a PF já havia obtido por meio judicial. A PF já havia interceptado, com ordem judicial, inúmeros relatórios semelhantes aos apresentados por Jannone. O delegado Élzio Vicente da Silva disse à Justiça que o *CD* era apenas um reforço à prova. "Embora desconhecida a origem, esse material guarda criteriosa

---

[121] Depoimento prestado à CPI dos Grampos em 13/08/2008.

correlação com relatórios produzidos pela organização criminosa e interceptados por determinação do juízo."

Na verdade, a PF já estava bem armada para dar o bote final. Em meados de 2004, a PF estava prestes a colocar na rua uma operação de grande envergadura, logo no momento em que os planos do grupo Opportunity incluíam obter um aliado na família do próprio presidente da República.

O processo italiano

"Dantas disse que nós precisamos continuar a exercer pressão jurídica sobre o mérito da investigação e, se possível, aumentar e esticar o máximo possível."

Notas de conferência telefônica realizada em 2 de outubro de 2005 entre Dantas e executivos da Kroll.

O Opportunity começou o ano de 2004 ainda mantendo todas as principais posições na cadeia de comando das companhias telefônicas BrT, Amazônia Celular e Telemig Celular. Mas as conversas entre Dantas e o governo Lula eram tensas e cercadas de desconfiança. No "mapa de guerra" do banco, a prioridade número um continuava a ser uma aproximação com o governo petista.

Dantas tomou diversas providências nesse sentido. Contratou, por meio da BrT, advogados que frequentavam o círculo dos dirigentes petistas, como Antônio Carlos de Almeida Castro, amigo de José Dirceu e defensor de figurões em Brasília, e Roberto Teixeira, compadre do presidente Lula. Quase todas as contratações tinham como motivo oficial o trabalho advocatício no caso Chacal-Kroll. Castro recebeu R$ 8,3 milhões. O escritório de Teixeira, R$ 1 milhão.

Outro passo foi bastante ousado, os planos de aquisição de parte da empresa de um filho do presidente Lula, Fábio Luis, o Lulinha, então denominada G4, que depois se chamaria Gamecorp. Na versão de Carla Cico, a iniciativa partiu em julho de 2004 da firma de consultoria Trevisan Associados, pertencente a um amigo de Lula, Antoninho

Marmo Trevisan, membro da Comissão de Ética Pública do Planalto.[122] A executiva pediu à BrT a elaboração de uma "carta de interesse", mas o negócio não foi fechado porque a companhia telefônica não julgou "interessante a oportunidade".

"Eu me lembro de ter falado o seguinte: 'Olha, não importa que o sócio da empresa possa ser também filho do presidente Lula, mas o fato é que, se a Brasil Telecom não tem interesse comercial, a Brasil Telecom não vai continuar as negociações'."

Em depoimento ao Congresso, Dantas confirmou as tratativas e citou uma viagem internacional.

> A Brasil Telecom, de fato, negociou com o filho do presidente Lula o assunto em relação à Gamecorp, e ontem fui informado pela Brasil Telecom de que teriam tido uma viagem ao Japão, mas essa viagem, quem pagou a passagem dos filhos [*sic*] do presidente Lula foi o próprio filho do presidente Lula, não foi a Brasil Telecom. Os administradores da Brasil Telecom me disseram que pagaram algumas refeições, que o convidaram para alguns almoços. Ou almoço ou jantares, não me lembro dos dois. Mas basicamente isso.[123]

O que Carla Cico e Dantas não informaram, e isso também não lhes perguntaram, consta de documento produzido pela auditoria realizada na BrT em 2005 pelos novos controladores da companhia, os fundos de pensão: houve diversos pagamentos da BrT para a empresa de Lulinha. A auditoria "confidencial" teve por objetivo "avaliar contratações das empresas dos filhos de Jacó Bittar e outras relações desse com a BT".[124]

Bittar, ex-presidente do sindicato dos petroleiros de Paulínia (SP) e cofundador do PT, é amigo e compadre de Lula, quem ele conhece desde 1978. Entre 1997 e 1999, Lulinha trabalhou em Campinas para

---

[122] Depoimento prestado por Carla Cico à CPI dos Correios em 16 de novembro de 2005.
[123] Depoimento prestado por Daniel Dantas à CPI dos Correios em 21 de setembro de 2005.
[124] "Relatório Interno ¨C Contratação Espaço Digital", da auditoria ICTS Global, de 23 de novembro de 2005.

uma empresa dos filhos de Bittar, a M7 Produções, de Fernando e Kalil, que atuou em campanhas eleitorais de candidatos do PT. Em 2003, com Lula na Presidência, Jacó foi escolhido representante da Petros, o fundo de pensão da Petrobras, no conselho de administração da empresa controladora da BrT, a Solpart.

Os dois filhos de Bittar e Lulinha firmaram uma sociedade, a G4 Entretenimento, que detinha a licença para divulgar os programas do G4, canal de games nos EUA. Ao mesmo tempo, outra empresa, a Espaço Digital, de Leonardo Badra Eid, passou a trabalhar com a BrT. Em 2004, a G4 e a Espaço Digital formaram uma *holding*, a BR4, que depois receberia o nome de Gamecorp.

A auditoria revelou que a BrT assinou três contratos com a Espaço Digital, em agosto de 2003 e março e agosto de 2004, num pagamento total de R$ 1,5 milhão. Dois dos contratos tinham por objetivo a aquisição do direito de transmissão do programa G4 TV na internet e "patrocínio deste programa na transmissão realizada pela rede Bandeirantes". Assinados em nome da "Espaço Digital", os contratos dizem respeito diretamente ao programa G4, o mesmo G4 referido por Carla Cico à CPI dos Correios como o nome então utilizado pela Gamecorp nas tratativas com a BrT.

A auditoria entrevistou Bruno Sena, diretor da empresa BrTurbo, um braço da BrT, e colheu dele informações reveladoras que não haviam se tornado públicas até aqui:

"Segundo Bruno Sena: a decisão da contratação veio 'de cima para baixo'. Yon Moreira da Silva Junior (antigo VP da BT) foi o responsável pela negociação. O fornecedor foi uma indicação decorrente de interesses políticos ('manter boas relações com o governo')."

Os auditores também ouviram de Sena explicações sobre a natureza pouco comum dos contratos. Eles concluíram que dois fatos "fogem das características" da BrT e "podem caracterizar favorecimento". O primeiro, "várias antecipações de pagamento". O segundo, uma viagem paga pela BrTurbo ao Japão para "três ou quatro sócios da Espaço Digital" junto com Yon Moreira e outro diretor da empresa em 2004. Nesse mesmo período, Carla aprovou a viagem de três funcionários para Tóquio. Por fim, Bruno disse que uma nota fiscal de R$ 125 mil se referia a "serviço que nunca foi feito", pois era "para a própria Espaço Digital pagar a viagem dos três ou quatro sócios".

A auditoria fez outra descoberta: "Jacó Bittar é conselheiro da Petros e amigo de Lula. De acordo com dados de viagens da BT, Jacó Bittar viajou para Cuba em setembro de 2003, custeado pela BT; o motivo descrito para a viagem é Etecsa (Empresa de Telefonia de Cuba)".

Apesar desses pagamentos e do relacionamento cada vez mais estreito entre Lulinha e a BrT, a Gamecorp acabou fechando o milionário negócio com outra companhia telefônica. Em janeiro de 2005, a Telemar pagou à Gamecorp R$ 2,5 milhões para a compra de 35% das ações da empresa, mais R$ 2,5 milhões a título de exclusividade do conteúdo produzido e outros R$ 200 mil pelos acervos da G4 e da Espaço Digital. Então, com vinte e nove anos e formado em biologia, Lulinha nunca havia exercido cargo de relevo em qualquer grande empresa conhecida. A G4 havia sido aberta com um capital social de meros R$ 100 mil. Embora a Telemar seja uma empresa privada, o negócio gerou uma discussão sobre conflito de interesses, pois a empresa de telefonia depende de uma concessão pública e tem como sócios fundos de pensão das estatais e o banco estatal BNDES. Além disso, é fiscalizada pela Anatel, agência federal. Um dos sócios da Telemar, a Andrade Gutierrez, havia despejado mais de R$ 6,5 milhões em doações à campanha presidencial de Lula. Quando indagaram sobre o negócio, Lula disse achá-lo "normal".

O fato é que a BrT perdeu a corrida. À época, a *Folha* revelou o valor da oferta da BrT aos sócios da Gamercop: R$ 6,5 milhões por 25,86% do capital da empresa.[125]

Há várias versões, nem sempre excludentes, sobre os motivos que levaram a BrT não ter fechado o negócio. Fala-se na demora em resolver dúvidas jurídicas e numa intervenção direta de Lula, alarmado com as implicações políticas do negócio. Luís Demarco também ficou sabendo da minuta que o Opportunity elaborava e procurou Trevisan

---

[125] "Gamecorp também foi alvo da Brasil Telecom", *Folha*, 17/07/2005.

para adverti-lo de que o negócio "poderia derrubar o presidente", pois seria um sinal de que Dantas queria se aproximar de Lula por meio do filho. Não se sabe se tal recado foi repassado a Lula.

Anos depois, Dantas deu sua versão sobre a fracassada tentativa. Ele reconheceu, ainda que de forma tortuosa, dizendo e desdizendo ao mesmo tempo, um vínculo entre as conversas com a Gamecorp e expectativas da BrT em relação ao governo Lula.

Os executivos da Brasil Telecom tinham uma visão ingênua de que nós éramos, assim, muito "americanos" e não saíamos para jantar com o pessoal, não fazíamos *hang around* [enturmar-se], e que tinha que ser um pouco mais suave [...] E cada um tentava tomar uma iniciativa que, na opinião dele, pudesse consertar o que estava sendo visto como problema. E que não era a minha opinião [...] O que me foi descrito depois é que esta empresa [Gamecorp] detinha contratos muito interessantes, com a Sony, não sei o quê [...] Pode até ser que tenha tido uma segunda intenção, porque o filho do presidente era sócio da empresa. Se por ventura tivesse segunda intenção, qual era? Esclarecer para o presidente que o que era dito a nosso respeito era falso. Aquilo que estava justificando a iniciativa do Estado contra nós não era verdadeiro. Essa tentativa houve. A BrT tinha o interesse, como estou dizendo [...] É uma tentativa de mostrar a verdade.[126]

Dantas alegou que apenas reagia a uma situação criada pelo governo, que o estaria "atrapalhando":

"Todo cidadão tem o direito de agir, limitado apenas pela lei. Se eu estou sendo perseguido, eliminar a perseguição não é crime. Tirar a desvantagem não é vantagem. A vantagem é da lei para cima, e não de baixo até a lei."

A história das tratativas entre Lulinha e uma "empresa de telefonia" havia sido referida em março de 2005 numa reportagem da revista

---

[126] Íntegra da entrevista concedida ao repórter Flávio Ferreira, da *Folha*, em 2009.

OPERAÇÃO BANQUEIRO

CartaCapital (a informação foi ampliada em julho daquele ano pela *Veja* e *O Globo*, agora revelando o nome da BrT). A revista do jornalista Mino Carta sempre esteve atrás de cada passo do banqueiro. Praticamente todos os principais lances da vida de Dantas após as privatizações foram retratadas pela *CartaCapital* com um alto grau de exatidão. A revista publicava reportagens amplas, frequentes e certeiras. Dantas se dizia um perseguido pela revista.

> [Fiz] um levantamento de quatro anos e aqui está o número de capas que a revista "*CartaCapital*" dedicou a cada pessoa. Ela dedicou seis capas ao presidente [George] Bush, cinco capas às Organizações Globo, três capas ao presidente Fernando Henrique Cardoso, três capas ao sr. Anthony Garotinho, três capas ao sr. [Henrique] Meirelles, duas capas ao prefeito Serra, duas capas ao [terrorista] Bin Laden e vinte e uma capas a mim.[127]

Em texto na internet, Carta reconheceu ter fechado, anos atrás, um acordo com o empresário Carlos Jereissati, da Telemar, e outras empresas para obter recursos a fim de lançar *CartaCapital*. Mas o relacionamento ruiu quando "ele [Jereissati] achou que o acordo lhe permitiria influenciar as posições da revista". Carta disse que a alegação de estar "a serviço" de Demarco, era "francamente risível. Não sou empregado de ninguém. Não fui de Jereissati, com quem me desentendi em definitivo".

Dantas dizia que grande parte de seus problemas estava na comunicação. Chamou um publicitário de São Paulo para uma conversa. Sempre em pé em sua sala, pediu ajuda para resolver "a questão da imprensa". O publicitário não fechou contrato.

Em 2004, um grupo próximo ao banqueiro trabalhava no tema: Carlos Rodenburg, Maria Amália Coutrim, Verônica, o publicitário Guilherme Sodré Martins, o Guiga, o cientista social Ney Figueiredo e, em São Paulo, a assessoria de imprensa.

---

[127] Depoimento prestado por Dantas à CPI dos Correios em 21/09/2005.

HISTÓRIA AGORA

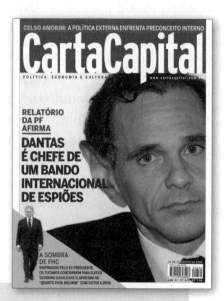

A revista CartaCapital cobriu os principais passos do banqueiro a partir das privatizações, em 1998. Dantas se dizia um perseguido pela revista, tendo recebido, pelas suas contas, mais capas do que o presidente norte-americano George Bush.

Figueiredo foi consultor das maiores entidades empresariais do país, como a Febraban, a Fiesp e a CNI. Entre 2000 e 2002, trabalhou como consultor informal do presidente FHC. Também foi o responsável, em julho de 2000, por uma operação palaciana que envolveu dois ministros para a coleta de assinaturas dos principais banqueiros e empresários do país no momento em que estouraram denúncias contra o então secretário-geral da Presidência da República, Eduardo Jorge. Intitulado "Manifesto à Nação", o texto foi publicado nos principais jornais do país e dizia que FHC merecia "a confiança e o respeito de todos".

Em 2004, ao receber o convite de Dantas para trabalhar em sua equipe, Ney quis saber a opinião de FHC. O ex-presidente teria dito que Dantas era "um grande economista", que "quase fora seu ministro", mas sabia que algumas pessoas enfrentavam problemas ao se relacionar com ele. Ney resolveu ter a conversa com Dantas mesmo assim. O consultor ficou surpreso: "Narrou-me uma história tão maluca quanto inverossímil que só poderia sair da cabeça de quem não sabe como funciona a imprensa. Para ele, havia um esquema, na minha opinião, impossível de ser montado, objetivando destruí-lo e tomar seus negócios. Teoria da conspiração em estado puro!".[128]

Mas Ney topou o desafio. Dantas permitiu que ele consultasse "seu fantástico banco de dados sobre a imprensa", alimentado por uma equipe que lia, separava e analisava as notícias sobre o Opportunity que saíam em todo canto do país e por qualquer meio. A preocupação de Dantas com a imprensa beirava a obsessão.

Os relatórios do banco diziam que a Telecom Italia havia conseguido "alinhar um time ao seu lado", que seria formado por Nelson Tanure, Naji Nahas, Paulo Marinho, o jornalista Ucho Haddad, que mantinha um *blog* na internet, Ricardo Boechat, Demarco, "dois parlamentares de conduta duvidosa e mais três ou quatro jornalistas atuando em diferentes veículos, mas facilmente identificáveis". Figueiredo registrou: "Dantas me orientou a resolver seus problemas de comunicação. Ele identificava as seguintes pessoas [contrárias]:

---

[128] *Diálogos com o poder*, de Ney Figueiredo (2004).

Nelson Tanure, Mino Carta, Paulo Henrique Amorim, Ricardo Boechat e Luís Roberto Demarco. Ele achava o Demarco 'um bosta, um zé-ninguém'. Mas o tempo mostrou a incorreção disso".

Os principais personagens mencionados haviam sido alvos da investigação privada da Kroll ou dos suspeitos grampos no Rio.

Outro problema que Ney teve de enfrentar foram as frequentes reclamações dos sócios da Rede Bandeirantes de Televisão sobre uma pendência com a BrT, acerca de uma parceria com o portal iG. Figueiredo disse que enfim a conta foi paga, por meio de uma carta de compromisso de US$ 2 milhões em publicidade — um problema a menos para ele resolver.

Figueiredo queria também que Dantas desse mais destaque aos gastos da BrT na área cultural. No setor de audiovisual, um dos principais apoios dados pela empresa à época em que era controlada pelo Opportunity teve como destino a empresa do documentarista João Moreira Salles, da família então proprietária do Unibanco. Quando publicou um perfil sobre Dantas, em 2007, a própria revista *piauí*, criada e dirigida por Salles, incluiu entre colchetes, no corpo da reportagem, num gesto de transparência: "Quando era gerida por Dantas, a Brasil Telecom apoiou projetos da VideoFilmes, empresa que pertence a um dos sócios da *piauí*".

Os registros da Cinemateca Brasileira, um projeto de memória do Ministério da Cultura, indicam que a BrT patrocinou *Entreatos* (2004), que documentou os bastidores da campanha de Lula em 2002, e *Nelson Freire* (2003). Os valores dos patrocínios não aparecem nos registros da Cinemateca, provavelmente porque ocorreram como repasse direto, sem passar pelas leis de incentivo à cultura. Dois balanços anuais de atividades da BrT também citam o financiamento a *Abril despedaçado* (2001), filme produzido pela VideoFilmes e dirigido pelo irmão de Salles, Walter. Pelas leis de apoio à produção cultural, que preveem o abatimento do patrocínio no imposto de renda, a VideoFilmes também recebeu da BrT, ao tempo em que a empresa de telefonia era controlada pelo Opportunity, um total de R$ 1,8 milhão para quatro projetos.

OPERAÇÃO BANQUEIRO

O Opportunity também investiu, por meio da BrT, no *site* No., que reuniu jornalistas, escritores e também colaboradores da confiança de Daniel Dantas, como um de seus advogados, Sérgio Bermudes, e Elena Landau. Um *banner* no *site* costumava anunciar "notas de esclarecimento" do Opportunity, e o endereço anunciado no *site* foi, por um tempo, o mesmo da sede do banco, no Rio. Dantas também tentou adquirir a revista *IstoÉ*, de Domingo Alzugaray. "O Opportunity [...] avaliou a compra da revista *IstoÉ*. A proposta do Opportunity não foi aceita e a compra não se concretizou."[129]

Mas Ney Figueiredo se sentiu derrotado na questão do destaque que o Opportunity deveria dar aos gastos com cultura. Também divergiu de Dantas a respeito do melhor caminho para uma tentativa de paz com o governo Lula. Ney queria que Dantas entrasse em contato com o ministro Gushiken, mas o banqueiro queria abrir caminho com José Dirceu.

Ney apresentou uma ideia à Verônica: seu irmão deveria sair da condução dos negócios, ficar à parte. No seu lugar, seria colocado um nome "acima de qualquer suspeita". Sugeriu o ex-ministro da Economia Maílson da Nóbrega. A proposta chegou aos ouvidos do banqueiro, que parece não ter gostado, pois Ney deixou o banco logo depois. E nunca mais foi procurado por Dantas.

Ney dedicou um capítulo de seu livro *Diálogos com o poder* à sua passagem pelo Opportunity. Ele descreveu Dantas como uma pessoa "muito forte, apesar do aspecto franzino", que cultivava opiniões definitivas sobre as pessoas e acontecimentos. Também notou um traço "excêntrico" na personalidade de Dantas, a ponto de compará-lo ao aviador e milionário americano Howard Hughes (1905-1976), que sofria de fobias.

Mas nunca foi comprovado problema de saúde em Dantas. Apenas a revista *piauí* relatou um suposto "aumento brusco de pressão" no banqueiro no dia do enterro do pai, em 2006. No hospital, prossegue o texto, "diagnosticou-se que 40% das artérias" do coração de Dantas

---

[129] Nota enviada ao autor pela assessoria do Opportunity.

"estavam entupidas". O Opportunity, entretanto, informou por escrito que essas informações são equivocadas e que Dantas nunca teve problemas cardíacos.

Figueiredo se afastou do banco depois do primeiro grande baque na vida de Dantas, a primeira vez que entrou para valer na mira da Polícia Federal. As aventuras da BrT com a Kroll cobraram um alto preço.

Em 22 de julho de 2004, a *Folha* fez uma das mais importantes reportagens do ano. Assinada pelo jornalista Marcio Aith, revelou a existência de uma grande operação de espionagem contra membros do governo Lula. Segundo o jornal, a Kroll havia seguido pessoas nas ruas, bisbilhotado gastos pessoais e tido acesso a *e-mails* do então ministro Gushiken (Secretaria de Comunicação e Gestão Estratégica) — depois ficou demonstrado que tais mensagens integravam o correio eletrônico de Demarco, que havia sido invadido anos antes.

Em julho de 2004, a Folha revelou atividades de espionagem da Kroll, paga pela Brasil Telecom. Dantas e o banco Opportunity tentaram descrever as revelações como um grande plano conspiratório.

O furo do jornal acelerou os planos da Polícia Federal. Dois dias depois, os policiais prenderam Tiago Verdial, que prestou depoimento e foi liberado. A Chacal propriamente dita foi desencadeada depois, em outubro, quando grupos de policiais do COT (Comando de Operações Táticas) da PF de Brasília entraram em vários endereços de São Paulo e Brasília. No bairro paulistano do Itaim Bibi, os policiais derrubaram a marretadas a porta da filial da Kroll.

No Rio, a equipe comandada pelo delegado Ângelo Gioia chegou à rua Presidente Wilson. Era a primeira vez que a PF pisava nos domínios de Dantas. A busca foi dificultada por uma porta de aço trancada. Gioia acionou o Corpo de Bombeiros, que usou um maçarico para derrubá-la. O perito encarregado de colher os dados armazenados no computador da sala de Dantas relatou ao delegado que havia vários arquivos de interesse da investigação armazenados no servidor geral do Opportunity. Assim, a PF buscou permissão judicial para apreender e copiar o disco rígido do banco, o que foi feito no mesmo dia.

Outra equipe da PF entrou no apartamento de Dantas em Copacabana, onde encontrou "um manual intitulado Preliminary Report Kroll The Risk Consulting Company". Tratava-se de "um relatório da Kroll, escrito em língua inglesa, classificado como de uso Confidencial, datado de outubro de 2001".[130] O documento nada mais é do que um dos relatórios do Projeto Tóquio. Anos mais tarde, Dantas assim explicou a presença do papel em sua casa: "Depois do problema da Kroll, nós recebemos uma cópia desse relatório pela imprensa".[131]

Após ter vasculhado a sede da Kroll e os escritórios do Opportunity, a PF voltou sua atenção para um novo personagem. Em abril de 2005, uma fonte informou ao delegado Élzio que o Opportunity e a BrT haviam contratado os serviços de outro escritório de investigação em São Paulo, a OnLine Security Sistemas de Segurança, pertencente ao

---

[130] Auto de apreensão na residência de Dantas, de 29/10/2004, autos da OPC.
[131] Depoimento prestado à CPI dos Grampos em 13/08/2008.

israelense Avner Shemesh. Ele chegou ao Brasil em 1986, como adido administrativo da embaixada de Israel em Brasília. Tenente do exército israelense, onde trabalhou por dez anos, Shemesh foi "comandante de uma companhia de blindados, instrutor na escola de oficiais e comandante de unidade antiterrorista".[132] Deixou o governo para trabalhar em assessoria de empresários em casos de sequestro.

A PF passou a vigiar o escritório. Com uma câmera escondida no carro, os policiais fizeram uma filmagem que renderia muita discussão. Segundo o relatório do delegado, o vídeo indicava que Carlos Rodenburg fez uma visita ao escritório de Shemesh. Com base nisso, a PF obteve uma ordem judicial de busca e apreensão na empresa. Encontrou folhas extraídas do sistema reservado Infoseg, um enorme banco de dados sobre os cidadãos brasileiros, mantido pelo Ministério da Justiça, e apreendeu cinco maletas que continham microcâmeras, monitores de vídeo e microfones "provavelmente utilizados para gravações ambientais".[133]

Na casa de Shemesh, a PF encontrou também uma série de documentos que comprovam uma ampla investigação desencadeada contra Demarco. Havia cópias de contas e cadastros de aparelhos fixos, a cópia de uma conta de um telefone celular da Vivo em nome de Demarco e o resultado de uma pesquisa, no Detran, sobre os carros que ele possuía. Também foi feita uma pesquisa no Infoseg. Um "relatório" descreveu que, em outubro de 2004, ele telefonou três vezes para a mãe, do telefone celular, e uma vez para a Inglaterra. Havia sete arquivos de fotografias. Os espiões clicaram a fachada da empresa de Demarco, o prédio onde ele mantinha um apartamento alugado, e a fachada de um *pet shop* que pertencia a uma irmã do empresário.[134] Em uma pasta denominada "Fotos LRDM", as iniciais de Demarco, a polícia encontrou vinte e uma fotografias do empresário, "inclusive dentro de veículo e sem camisa".

---

[132] Depoimento prestado por Shemesh à CPI dos Grampos em 27/08/2008.
[133] Auto de apreensão e análise de dados nos autos da OPS, em 9/04/2005.
[134] Auto de apreensão na residência de Shemesh nos autos da OPC, em 9/04/2005.

Outros relatórios apócrifos sugeriam que Demarco e sua empresa sofreram um tipo de investigação que conseguia saber com quem ele e seus funcionários falavam ao telefone. Em um *CD*, a polícia encontrou três pastas denominadas "Fitas", com três documentos em formato Word com os nomes "Casa" e "Escritório" e os dias de 1º a 21 de dezembro de 2004 e 2 de fevereiro de 2005. As datas são notáveis por um motivo: isso tudo ocorreu depois que a Chacal foi desencadeada. Quem investigava Demarco não se importou com a ação da PF e todo o barulho provocado na mídia pelo caso Kroll.

Outro papel diz que Demarco "recebeu uma ligação telefônica" do Canadá, duas de Nova Iorque e uma de Miami. Um relatório diz:

> Demarco não é dado a estar em evidência. É reservado, fugindo aos padrões dos jovens empresários brasileiros. Não gosta de ter sua vida profissional e pessoal exposta. Gosta de automóveis de luxo e de restaurantes finos. Não pratica um horário rígido de trabalho, mas no período vespertino pode ser encontrado no Grupo Nexxy InternetCo.

Um papel semelhante descreve a rotina do jornalista Paulo Henrique Amorim e cita um "diálogo (fone)" que Amorim teria mantido com o consultor de empresas Antoninho Marmo Trevisan. O jornalista trabalhou na revista *Veja*, *Jornal do Brasil*, Rede Globo, TV Bandeirantes, TV Cultura e UOL, do Grupo *Folha*. Depois, foi trabalhar na Rede Record e fundou um *blog*, descrito por ele em 2007 como "um exercício de pancadaria verbal, de pancadaria ideológica", onde passou a atacar especialmente órgãos de imprensa, inúmeros jornalistas, José Serra, FHC e todos os que, de uma forma ou de outra, apoiam as posições do Opportunity. Amorim se tornou um ácido crítico de Dantas, um incômodo público para o banqueiro.

Em 2008, Shemesh foi depor no Congresso. Ele disse que não conhecia Dantas, Rodenburg e que nunca foi contratado pelo Opportunity, BrT ou Kroll. Negou ter feito interceptações telefônicas ilegais. Afirmou que a PF encontrou em seu escritório apenas microfones direcionais que conseguem captar conversas num ambiente fechado, para "investigação interna, dentro das empresas, quando há fraudes, quando há roubo".

Dantas, o Opportunity e a BrT sempre negaram qualquer contrato com o israelense.

Em 2008, depois de quatro longos anos, Shemesh conseguiu se livrar do processo na Justiça Federal, pois o TRF da 3ª Região entendeu que o caso deveria tramitar pela Justiça estadual. A decisão tornou nula uma denúncia feita contra Shemesh, e o processo começou da estaca zero na Justiça comum. Em 2009, o Ministério Público denunciou Shemesh por supostos crimes de porte de acessório de arma de fogo de uso exclusivo das Forças Armadas (um silenciador) e receptação e divulgação de informações sigilosas, mas não conseguiu enquadrá-lo pelo suposto grampo ilegal. A 31ª Vara Criminal da Capital, entretanto, negou a abertura de processo contra Shemesh.

Quando estourou a Chacal, o Opportunity fez de tudo para se distanciar dos eventos e atribuir a ação da Kroll a uma ação legal e justificada da BrT. Era também imprescindível colocar em dúvida os relatórios da Kroll que chegaram à imprensa. A estratégia foi dizer que esses papéis haviam sido "manipulados" ou "falsificados" pela TI ou pela PF.

Carla deixou registrada a mesma estratégia por escrito, num de seus *e-mails* ao pessoal da Kroll. Ela orientou:

> Com o objetivo de desmoralizar qualquer iminente ou futuro uso pela imprensa, ou qualquer trecho "factual" do relatório, eu sugiro que A. [Antonius, da Kroll] em São Paulo prepare e libere uma nota à imprensa (como a que você fez ontem sobre a questão jurídica) ressaltando que qualquer documento que esteja sendo atribuído à Kroll foi furtado e manipulado e, além do mais, não reflete nenhuma verdade.

> Antonius, Andres
>
> From: lcgcfc lcgcfc [lcgcfc@hotmail.com]
> Sent: Wednesday, July 28, 2004 1:55 PM
> To: Holder, Frank
> Subject: Note
> Importance: High
>
> Dear F,
>
> in order to demoralize any imminent or future use on the press or any "factual" part of the report, I suggest that A. in São Paulo prepare and send out a note for the press (like the one you did yesterday on the lawyer issue) underlying that any document that are out attribute to Kroll have been stolen and manipulated and therefore does not reflect any true.
>
> Ciao,
>
> C

Por e-mail enviado à Kroll e copiado por um dirigente da empresa, Carla Cico, que assina apenas como C., diz que a notícia sobre o vazamento da operação de espionagem feito pela Kroll deveria ser "desmoralizada" na imprensa, sob alegação de que os documentos foram "roubados e manipulados".

Mas, a partir de 2006, quando alguns dos principais relatórios feitos pela Kroll foram entregues à Justiça americana, foi possível ao autor compará-los com o que havia sido apreendido pela PF: eles são, nos alvos e no conteúdo, idênticos a muitos dos documentos coletados durante a Chacal.

Parte dos problemas da Kroll se deveu à própria ineficácia de suas descobertas. Se houvesse apontado uma irregularidade específica e grave sobre os inimigos de Dantas, talvez o rumo dos acontecimentos teria sido outro. Os relatórios da Kroll, embora extensos (só um deles tem 195 páginas), não conseguiram fornecer uma prova inequívoca do pagamento de propina a membros do governo ou do Congresso. Não apareceu a pistola fumegante. São afirmações "circunstanciais", como notou uma advogada do próprio Opportunity no final de 2003. Se houve pagamento de propina na venda da CRT, nunca foi demonstrado — assim como a incrível "Conexão Espanha", que envolveria

FHC e o rei Juan Carlos. A montanha pariu um rato, e o custo político para Dantas foi imenso.

O banqueiro procurou ficar longe do escândalo Kroll. Dizia que a investigação fora contratada pela BrT e que ele apareceu, no máximo, como uma espécie de informante qualificado da Kroll. No dia 13 de abril de 2005, Dantas sentou-se na frente do delegado Élzio Vicente para prestar depoimento. Ele reconheceu ter recebido em seu escritório, no Rio, "no final do ano de 2003, início de 2004", o funcionário da Kroll Frank Holder, de Miami, e outras pessoas que teriam ido entrevistá-lo "a respeito da venda da companhia CRT". Também admitiu ter participado, em Nova Iorque, de "uma apresentação" da Kroll para executivos do Citibank. Contudo, negou ter determinado qualquer investigação.

Mas surgiram diversas evidências de que Dantas, no mínimo, dava opiniões e era alimentado pelas descobertas da investigação. Grande parte desses sinais está nos *e-mails* de Carla Cico, entregues à Justiça dos EUA pela própria Kroll. Em maio de 2004, Carla comentou com dois homens da agência, Holder e Carr, que haveria uma reunião com Dantas no que ela chamou de "as horas da fofoca". Há outras mensagens em que ela discrimina o que "DD" achava dessa ou daquela linha de investigação.

Numa carta endereçada ao investidor Naji Nahas em 18 de agosto de 2003, mais de um ano antes da deflagração da Chacal, Dantas revelou: "Lisboa. Fui informado pela Brasil Telecom de reunião em Lisboa que se realizou no Hotel Ritz, na tarde de 27 de maio de 2003 [...] Tudo envolto em rumores de articulação entre Telecom Italia e Telemar, para montar operação hostil".[135]

Dantas mencionava um trabalho de vigilância feito pelos agentes da Kroll num hotel em Lisboa. Eles filmaram Cassio Casseb, presidente do BB.

---

[135] "Correspondências trocadas entre Daniel Dantas e Naji Nahas", distribuídas a jornalistas pelo Opportunity em 2009.

A ata de uma teleconferência realizada entre Dantas, Cico, o futuro ministro do governo Lula, Roberto Mangabeira Unger, então um contratado da BrT, executivos da Kroll e Jules Kroll demonstra o papel relevante de Dantas. A conversa ocorreu meses depois da Chacal. O banqueiro afirmou que "a batida policial foi feita diretamente pela PF, porém, sem o conhecimento e o apoio do governo".[136]

Dantas disse que a "questão decisiva era a Polícia Federal", embora defendesse a continuidade de "diálogos" com os ministros Thomaz Bastos e Antonio Palocci. Mangabeira associava as denúncias às brigas com os sócios italianos e americanos e afirmava que um acordo de paz poderia gerar "um efeito cascata", a ser sentido até na PF. Ou seja, um acordo acabaria minando o inquérito policial.

"Dantas disse que nós precisamos continuar a exercer pressão jurídica sobre o mérito da investigação e, se possível, aumentar e esticar o máximo possível", diz a ata da conversa.

Mangabeira ficou de revisar uma carta para Palocci, a ser escrita por Jules Kroll. Na cabeça de Dantas e de seus assessores, a Chacal era só mais um lance da disputa societária. Dantas disse que tinha o apoio do então ministro da Casa Civil, José Dirceu.

"Ele [Dantas] afirmou especificamente ter recebido confirmação direta de uma fonte muito próxima do ministro chefe da Casa Civil, José Dirceu, no sentido de que, já que, Dirceu não havia sido investigado [pela Kroll], não havia qualquer problema nisso para ele, e que ele apoiava Dantas."

Ao longo dos anos, Dantas foi sofisticando sua versão de que a Chacal não passou de uma armação. Em 2008, no Congresso, afirmou: "Na minha opinião, essa operação da Kroll [Chacal] foi montada, articulada e encomendada para sustar a investigação da Kroll. Porque, concomitante a isso, depois, saiu na investigação da Itália que a Telecom Italia havia distribuído 25 milhões de euros de propina no Brasil".

---

[136] Conf. tradução dos autos da petição nº 3.849, STF.

> 5 Data: 10-02-05
>
> Interlocutores: Jules Kroll ("JK"), Daniel Dantas, Carla Cico, Frank Holder, Prof. Mangabeira, Andres Antonius + CAC

> que há um grupo relativamente pequeno porém muito agressivo trabalhando contra nós.
>
> – Dantas disse que precisamos continuar a exercer pressão jurídica sobre o mérito da investigação e se possível, aumentar e esticar o máximo possível.
>
> – Prof. Mangabeira afirmou que é importante fechar um acordo com o Citicorp no nível mais alto. Se isto for alcançado, então o "efeito

Após o escândalo do caso Kroll, Daniel Dantas mantém conferência telefônica para acertar os ponteiros. Ele orienta a continuar a "pressão jurídica sobre o mérito da investigação" desencadeada pela Polícia Federal, a Operação Chacal.

Os parlamentares ficaram tão perdidos com a alusão, que o relator da comissão, deputado Nelson Pellegrino (PT), trocou as bolas: "A Operação Satiagraha?", quis saber. Eram tantos nomes, apelidos e operações que os deputados não conseguiam entender onde acabava uma história e começava outra.

Segundo a linha de defesa jurídica formulada pelo banco, o Projeto Tóquio, as contratações antigas da Kroll, a perseguição a Armínio Fraga no Rio, o vídeo em Lisboa, as inúmeras gravações de conversas telefônicas entre Bill Goodall e Tiago Verdial, os *e-mails* de Carla que falam de Dantas, o material arrecadado com a interceptação dos *e-mails*, os relatórios sobre a vida de desafetos do Opportunity apreendidos na casa de Shemesh, tudo era apenas fruto de uma operação maquiavélica dos italianos contra o Opportunity, auxiliada por servidores brasileiros corruptos.

Manobrando tais argumentos, os advogados do Opportunity e da BrT transformaram a Chacal numa extensa guerra judicial que se arrastou por quase oito anos.

Na mídia e na Justiça, uma importante peça de defesa do Opportunity foi uma investigação realizada entre 2005 e 2007 pela Procuradoria de Milão contra altos executivos da TI (Telecom Italia). Era uma forma bem bolada de prender uma coisa à outra para criar uma onda de suspeitas, como se o caso brasileiro dependesse necessariamente do esclarecimento do caso italiano. A tática teve certo efeito. A pedido da defesa, que se baseou numa reportagem da jornalista Janaína Leite, então na *Folha*, a desembargadora do TRF da 3ª Região, Cecília Mello, mandou trazer ao Brasil cópia do inquérito italiano. A reportagem dizia que na Itália havia provas de corrupção de brasileiros. Colunistas na imprensa passaram a falar em "listas" de autoridades que teriam sido compradas. Tudo isso gerou certo alvoroço nas redações.

Os trechos mais relevantes para a defesa do banco, aproximadamente 6 mil páginas, acabaram vazando a veículos de comunicação ao longo dos anos. A leitura dos documentos leva a pelo menos duas conclusões. A primeira é que a TI desencadeou, provavelmente de 2003 a 2005, uma ampla operação de investigação privada destinada a interceptar comunicações da Kroll, de executivos da BrT e do Opportunity, fundos de pensão e jornalistas italianos. Os documentos são prova assustadora do funcionamento de uma máquina de investigação privada que perseguiu cidadãos, interceptou e roubou arquivos de computadores e seguiu e filmou pessoas nas ruas. A segunda conclusão é que o Opportunity enfrenta sérios problemas no sentido de localizar uma prova objetiva de que alguém na PF ou no governo Lula tenha recebido dinheiro para desencadear a Operação Chacal.

O escândalo italiano começou em 2005, quando o Ministério Público e a polícia invadiram os escritórios da empresa de investigação

PDI, gerida em Florença pelo empresário e detetive Emanuele Cipriani. Os investigadores concluíram que Cipriani tinha fortes laços com Tavaroli, o chefe da segurança na TI. Empresas ligadas a Cipriani haviam recebido do grupo TI aproximadamente 20 milhões de euros de 1997 a 2004.

A Procuradoria chegou ao nome de Marco Bernardini, ex-agente do Sisde, o serviço secreto doméstico italiano. Ele criou a empresa GS, ou Global Security Services, que começou como terceirizada da PDI, mas que passou a receber encomendas do grupo Pirelli-Telecom. Numa pasta da GS, a Procuradoria puxou o fio da meada da maior operação desencadeada entre 2003 e 2004 pelo grupo: a investida anti-Kroll, denominada "Operação Kappa" ou "K". Numa pasta, estavam centenas de *e-mails* e arquivos relacionados à BrT, ao Opportunity e a seus parceiros na Itália.

Em dezembro de 2002, foi Bernardini, após ser avisado por uma fonte da Sisde, quem alertou Tavaroli sobre a Kroll estar investigando altos executivos da TI como parte de um contrato com a brasileira BrT. A informação batia com um fato ocorrido em 2002 que gerara suspeitas entre os italianos. De alguma forma, Dantas ficou sabendo que três altos executivos da TI haviam se encontrado em Lisboa, "secretamente",[137] com "representantes dos fundos de pensão brasileiros".

Tavaroli elaborou uma ação anti-Kroll. Ele determinou que fossem feitos pagamentos a Cipriani, que terceirizou a empreitada para uma empresa denominada Domina. Os russos, segundo Tavaroli, conseguiram as informações entre "2003 e maio de 2004". Em uma reunião com sua equipe, Tavaroli pediu mais empenho. Teria dito que a companhia pagaria "um mês de férias na Polinésia", caso resolvessem "o problema da Kroll".

A data exata desse encontro foi depois fixada por Emanuele Cipriani, após consulta à sua agenda, como o dia 27 de abril de 2004. A "Operação K" já existia formalmente — há documentos com esse nome desde novembro de 2003 —, mas, desde então, ganhou força

---

[137] Interrogatório de Giuliano Tavaroli nos autos do processo italiano, em 13/04/2007.

redobrada. No encontro, Tavaroli disse que sua intenção era fazer uma operação "memorável".[138]

Quando Fabio Ghioni, um contratado da TI, soube que Carla Cico viajaria a Milão, acionou uma empresa de "gerência de risco" para acompanhá-la e filmá-la.[139] Dantas disse a Carla que recebeu informações de que ela e Nahas foram alvo de "espreita" na Itália.[140]

Em junho de 2004, executivos da TI participaram de uma convenção no Sofitel, no Rio. A Operação Kappa viveu ali seu grande momento. Os interesses da maior agência de investigação privada do mundo e de uma das maiores companhias telefônicas da Europa se cruzaram num hotel cinco estrelas de Copacabana.

A TI também havia hospedado no hotel parte do seu time de jovens especialistas em informática. Terceirizados das empresas Domina e PIT Consulting, eles formavam um grupo apelidado de *Tiger Team*. Sediada em Milão, a PIT recebeu, entre 2004 e 2006, 4,25 milhões de euros do grupo Pirelli-Telecom. A maioria das faturas falava em "atividade *Tiger Team* Latam".

A TI descobriu que no mesmo hotel estava hospedado Omer Erginsoy, um dos principais atores da investigação contra os italianos, chefe da divisão de Inteligência e Investigações Financeiras da Kroll em Londres e responsável pelo Projeto Cumberland. Tavaroli estava no Rio e pediu tudo que fosse possível obter sobre Omer. Um dos *hackers*, Matteo Mariani, conectou-se à rede do hotel e utilizou o *software* Cain, um *sniffer*, farejador de senhas, para localizar os dados de Omer.

Outro *hacker* a serviço dos italianos, Andrea Pompilli, usou um *software* que permitia ler os *e-mails* de Omer. Agregou-se à ação Alfredo Melloni, que se apresentava na internet com o apelido de G00dB0y. Um *hacker* contou que Melloni usou a senha de Omer para se conectar ao servidor da Kroll e copiar os arquivos reservados de

---

[138] Interrogatório de Marco Bernardini em 12/12/2006.
[139] Interrogatório de Fabio Ghioni nos autos do processo italiano, em 19/02/2007.
[140] Depoimento prestado por Carla Cico nos autos do processo italiano em 2/08/2007.

Omer e da Kroll. Colocou-os em cinco *DVDs* e os entregou a Fabio Ghioni,[141] que os transferiu para um *pen drive* e entregou a Tavaroli. Toda a atividade durou dois ou três dias.

A TI teve acesso a inúmeros relatórios feitos pela Kroll. O Projeto Tóquio vazou: alvos, métodos e conclusões preliminares. Havia cerca de 670 arquivos relacionados aos projetos Cumberland e Tóquio. O feito merecia ser recompensado. Ghioni usou sua própria conta-corrente para pagar cerca de 20 mil euros para cada *hacker*.

Angelo Jannone, que estava em outro hotel, foi inteirado dos fatos e recebeu um *CD* com os relatórios da Kroll — a cópia foi entregue depois à PF brasileira.

A Procuradoria italiana encontrou com Ghioni um arquivo denominado *animaletto.txt*, com a lista de trinta e três pessoas e endereços de *e-mails* que deveriam ser atacados pelos *hackers*. Aparecem os nomes de Dantas, Carla, Amália Coutrim, a advogada Danielle Silbergleid, assessora do banco, e vários nomes da Kroll. A Procuradoria desencadeou operações de busca e apreensão e prisões que atingiram pelo menos vinte e cinco pessoas ligadas à TI, incluindo Tavaroli, que foi preso, Jannone e Ghioni.

As invasões cibernéticas nos computadores de pessoas ligadas ao Opportunity, à BrT e à Kroll foram uma ação de larga envergadura, audaciosa e criminosa que se estendeu por meses a fio. Em 2013, a espionagem levou à condenação, na Itália, do então presidente da TI, Marco Tronchetti Provera.

Quanto à suposta corrupção relativa à Operação Chacal, os indícios mais citados pelo Opportunity são os depoimentos dos ex-funcionários e terceirizados da TI, como o de Ghioni. Ele afirmou que "se oferecera ou [ele, agente público] tinha sido contratado, *pago*, para prender Dantas ou fazer que prendessem Dantas". Depois disse que "obteve o fato de incriminá-lo", mas não prendê-lo. As afirmações, imprecisas, deixaram o procurador italiano em dúvida. Ele quis saber se esse funcionário supostamente corrupto havia trabalhado ou feito investigações

---

[141] Interrogatório de Rocco Lucia, prestado nos autos do processo italiano em 24/01/2007.

que teriam levado à prisão de Dantas. Ghioni respondeu que sim, mas o procurador insistiu em saber se quem tinha ordenado a prisão de Dantas era um "chefe do serviço secreto". Ghioni respondeu então que, "daquilo que entendeu de Jannone", o misterioso brasileiro havia criado as condições para a prisão.

Em suma, Ghioni não havia presenciado ato de propina, mas apenas ouvido de Jannone o relato de que algo nesse sentido teria ocorrido. Jannone, contudo, sempre negou ter feito tais afirmações. Ainda que as tenha feito, nada fica claro: quem era o corrupto, quando e onde havia recebido dinheiro? O procurador mandou consignar formalmente as afirmações de Ghioni com o cuidado de ressaltar que "não sei [Ghioni]" se o tal funcionário integrava "o livro de pagamentos apenas de Jannone ou se Jannone o tinha recebido de Bonera [antecessor de Jannone]".

O "chefe do serviço secreto" citado por Ghioni é o delegado da polícia Civil de São Paulo, Mauro Marcelo, especialista na investigação de crimes cibernéticos, que, no segundo ano do governo Lula, foi nomeado diretor da Abin, o serviço secreto do Palácio do Planalto. Seu nome foi citado em conversas entre executivos da TI e o detetive particular Eloy de Lacerda Ferreira, que trabalhou com a Pirelli na América do Sul. Ele conhecia Marcelo e o convidou, a pedido de Tavaroli e Jannone, a dar palestras ao grupo Pirelli-TI. Segundo Eloy, pelas palestras a Pirelli pagou R$ 10 mil a uma empresa sua, que repassou o dinheiro a Marcelo. Contudo, as palestras ocorreram em fevereiro de 2004, e Marcelo só foi anunciado para o cargo na Abin em maio daquele ano. Ou seja, o pagamento da TI foi anterior à posse na Abin. Em 2008, Eloy foi preso pela PF em Belo Horizonte por dois dias, acusado de interceptação ilegal, no curso da Operação Ferreiro, sem relação com o Opportunity. Eloy se apresenta na internet como um "especialista em contraespionagem".[142] Eloy nunca acusou Marcelo de corrupção.

---

[142] *Site* de Lacerda na internet: http://eloylacerda.com.br/portugues/home.html.

Tavaroli e outros executivos da TI também negaram, em depoimentos à Procuradoria da Itália, terem corrompido Marcelo. Tavaroli o descreveu como um apoiador "institucional", embora não tenha explicado o que isso significa. Ele disse que Marcelo lhe contou certa vez que "Dantas era um inimigo do presidente Lula". Mas Tavaroli frisou que a relação com Marcelo ocorreu de "forma absolutamente correta".[143] Marcelo sempre negou quaisquer irregularidades e nunca foi acusado pela Procuradora de Milão de crime na Itália ou no Brasil.

O inquérito italiano traz elementos um pouco mais objetivos, mas, ainda assim, inconclusivos, sobre o papel do investidor Naji Nahas. Ele nasceu no Líbano em 1945, viveu no Egito e estudou em Oxford, na Inglaterra. Chegou há mais de quarenta anos ao Brasil, onde construiu uma rica e polêmica carreira no mercado de capitais. Em 1989, foi acusado de ter efetuado operações que levaram à "quebra" da Bolsa de Valores do Rio. A CVM lhe aplicou uma multa, até então histórica, de R$ 10 milhões em valores da época. Economistas saíram em defesa de Nahas, alegando que ele agia de acordo com as normas e que havia razões de mercado para a oscilação dos papéis. Em 2004, por fim, a imprensa informou que Nahas acabou absolvido de todas as acusações.

Em 2001, Nahas foi o escolhido pela TI para a tarefa de interlocutor dos italianos junto ao Opportunity. Tavaroli contou ter ouvido de um funcionário da TI que a direção da empresa havia encarregado Nahas e um italiano das relações institucionais da TI na América Latina de "levar uma mala com dinheiro vivo". Tavaroli, contudo, não soube dizer a quem o dinheiro foi entregue. Apenas contou ter ouvido que o dinheiro serviu, em parte, para pagar uma "comissão parlamentar".[144]

A Procuradoria de Milão confirmou a entrega de uma altíssima soma a Nahas pela TI a título de "consultoria": 25,4 milhões de euros entre 2002 e 2006. Mas o destino da mala e o motivo pelo qual os

---

[143] Interrogatório de Giuliano Tavaroli nos autos do processo italiano em 9 de maio de 2007.
[144] Interrogatório de Tavaroli em 19/04/2007.

recursos teriam que ser em espécie ainda são pontos sem explicação. O fato é que também não veio à tona prova de que Nahas repassou o dinheiro a alguma autoridade brasileira.

Documentos localizados pelo autor deste livro em meio ao material apreendido pela PF em 2008 na Operação Satiagraha indicam que Nahas operou fortemente junto a governo e autoridades no Brasil. São três cartas, escritas em francês, redigidas por Nahas e dirigidas ao então presidente da TI, Marco Provera. Ao fazer um balanço dos serviços prestados à TI, Nahas afirmou que atuou na Anatel, a agência estatal de telecomunicações: "Eu tive que intervir para que a Anatel o aprovasse, o que não era evidente. Mesmo assim, o acordo foi aprovado".

Na mesma carta, Nahas mencionou problema enfrentado pela TI em relação a uma marca de *smartphone.*

> Algumas semanas depois, você pediu minha intervenção no assunto Qualcomm 1900, pedindo que eu parasse a manobra do ministro e me dizendo que seria um desastre se o mesmo passasse pelo Congresso, por isso, você me deu carta branca. Apesar de ter sido avisado quase em cima da hora, eu mobilizei o Congresso e o governo e [isso] te fez ganhar uma batalha que já estava perdida. Não pedi nada para mim, embora fosse legítimo que eu recebesse uma remuneração por isso.

Ainda que indicativas do pesado jogo de influências exercido por Nahas, as cartas também não são conclusivas sobre corrupção.

Outra linha de defesa levantada pelo Opportunity no caso Kroll recorre ao mandado de prisão italiano contra Jannone, emitido em 2007, para demonstrar possíveis provas fabricadas na Chacal. O documento, levado ao conhecimento de vários jornalistas brasileiros, diz que Jannone já demonstrou capacidade de "desviar as investigações", citando uma "falsa denúncia" que Jannone teria apresentado no Brasil com base nos documentos retirados da Kroll. A afirmação é dúbia: se a denúncia foi baseada em documentos subtraídos da

Kroll, por que seria falsa? Maior sentido haveria em se afirmar que Jannone agiu falsamente, ou de forma dissimulada, ao apresentar os dados da Kroll à PF sem revelar que eles haviam sido subtraídos. Jannone não contou tudo à PF, mas isso não significa que os arquivos tenham sido fraudados.

O dado fundamental é que a PF brasileira já detinha o grosso dos documentos apresentados por Jannone. O delegado Élzio, como vimos, descartou o *CD* como prova relevante na Chacal. A conclusão é que a Kroll foi, ironicamente, "grampeada" duas vezes, pela PF e pela TI.

Mais uma linha de defesa usada pelo Opportunity diz respeito a uma suposta participação de Demarco na Chacal. De acordo com essa tese, o empresário teria obtido recursos dos italianos e os repassado a agentes públicos para fazerem uma perseguição a Dantas.

Segundo as provas levantadas na Itália, a TI fez pagamentos ao advogado de Demarco, Marcelo de Oliveira Elias. Depois do escândalo Kroll e de um acordo feito entre TI e Opportunity, foi feita uma auditoria na TI que localizou um contrato com empresa ligada a Elias, a Gillaz Empreendimentos. O contrato vigorou de agosto de 2004 a dezembro de 2005 — depois, portanto, do escândalo Kroll (caso revelado pela *Folha* em 22 de julho). A TI detectou pagamento total de US$ 495 mil. Marco Bonera, da TI, disse aos auditores que os serviços estavam relacionados a informações "estratégicas para o *business*, fornecidas por Demarco (atividade de inteligência)". Um "relatório de horas trabalhadas" de Elias mostra que o advogado estava reunindo elementos para subsidiar a TI a se defender das investigações da Kroll e, ao mesmo tempo, abrir um processo contra a Kroll nos EUA.

Mas não há prova de que Elias e Demarco tenham carreado esses recursos para servidores públicos no Brasil ou na Itália — ambos nunca foram denunciados no processo italiano. Há mesmo o desmentido categórico de Tavaroli. Ele disse que, até onde sabia, "não houve nenhuma atividade de corrupção, em relação aos órgãos institucionais" brasileiros, desenvolvida por "fornecedores da TI". Disse estar "absolutamente seguro disso" em relação a Marcelo Elias, a Demarco e aos consultores argentinos.[145] Disse ainda que as ações judiciais movidas por Demarco e Elias eram vistas como "instrumento adequado de pressão" sobre Dantas e o Opportunity.

Outra indagação é se Demarco teria "influenciado" os rumos da Chacal. A tese precisa considerar que a PF, o Ministério Público e o Judiciário podem ser manipulados por uma única pessoa e também entender que "influenciar" seja ato que configure crime. Para falar de "contaminação privada", o Opportunity exibe um *e-mail* despachado por Elias a Jannone, que diz: "Demarco está em contato com o delegado da Polícia Federal, dr. Élzio, encarregado de investigar os crimes da Kroll/Opportunity. Demarco enviou o *e-mail* em atachado para esse delegado hoje, e também falou com ele por telefone a fim de chamar sua atenção para artigos publicados".

Mas o contato é posterior à deflagração da Chacal. A mensagem é datada de 21 de dezembro de 2004, enquanto a investigação da Kroll foi revelada pela *Folha* meses antes, em julho, e a operação da PF, que estava em andamento desde 2003, prendeu Tiago Verdial no final de julho e foi desencadeada de vez em outubro. Portanto, quando Elias enviou o *e-mail*, já era pública a existência do escândalo Kroll.

Na Chacal, Demarco foi apontado como vítima de investigação privada. A conclusão da PF é esta:

> Um dos alvos da organização criminosa, Luís Roberto Demarco, notório rival de Daniel Dantas em disputas judiciais, foi objeto de várias "investigações". O material arrecadado em poder de Tiago Verdial demonstrou que a quadrilha teve acesso aos dados cadastrais dos telefones utilizados por Demarco, bem como ao histórico de chamadas.

Mensagens atribuídas na Itália a Elias e Demarco demonstram mais propriamente uma junção de esforços entre eles e os italianos

---

[145] Interrogatório de Tavaroli em 9/05/2007.

para enfrentar eventuais reações do Opportunity. Nesse sentido, *e-mails* apresentados por Jannone à Justiça italiana são reveladores dos termos e do alcance desse apoio mútuo. Em fevereiro de 2005, Elias enviou uma mensagem ao italiano: "Hoje viajo para Londres para dar os primeiros passos efetivos contra Kroll e Opportunity. É muito importante que nesse momento façamos algo, um ataque em todos os *fronts*".

Outros textos indicam que Jannone e Demarco estavam tendo sérios desentendimentos nos esforços contra Dantas. Demarco nega a autoria das mensagens. Em 2005, Demarco (ou o assim descrito) expressou-se como alguém empenhado até o pescoço numa feroz batalha. Ele defendeu a legalidade do apoio mútuo: "Não há nada de errado nisso, não há conluio, nada que temer. Os fundos de pensão usam meus advogados e não há conluio, o Citi agora é nosso amigo e não há conluio".

Em outra mensagem, Demarco faz referência a uma dívida de "200 k" da TI para com seu advogado. Outros *e-mails* trocados entre os italianos dizem que Demarco cobrava, em favor de seu advogado, US$ 250 mil relativos a atraso pelo pagamento de trabalhos advocatícios e de consultoria prestados por Elias. A auditoria da TI indicou que Demarco fez a cobrança diretamente ao novo presidente da TI para América Latina, Giorgio Della Seta. O presidente disse à auditoria que o valor "reclamado pelo sr. Demarco" saiu do caixa da TI na América Latina.

Em abril de 2005, a TI publicou na imprensa anúncio sobre o acordo entre a BrT e a TIM, a operadora celular da TI, que respondia às exigências da Anatel para a questão da sobreposição das licenças móveis e de longa distância das empresas. Isso permitiu que a TI voltasse a exercer seus direitos, que estavam suspensos desde agosto de 2002, no grupo de controle da BrT. O Opportunity recebeu da TI cerca de US$ 65 milhões, "a título de ressarcimento parcial pelos danos causados ao gestor brasileiro", conforme afirmou o banco, em mensagem ao autor, e mais 291 milhões de euros para aquisição das participações do Opportunity.

Logo após o acordo, os brasileiros adversários do Opportunity, e ex-aliados dos italianos, também entraram na mira do *Tiger Team*. Um mandado de prisão expedido em 2007 pelo juiz Giuseppe Gennari, do Tribunal Civil e Criminal de Milão, diz que Jannone também passou a "entrar ilegalmente" nos "sistemas informatizados" de "integrantes dos fundos de pensão que contestavam os acordos entre Daniel Dantas e TI". Em depoimento prestado ao procurador Nicola Piacente em Milão, Ghioni contou ter recebido uma ordem de Jannone por volta de julho de 2005, quatro meses após o acordo TI-BrT. Ghioni disse que Jannone "suspeitava que Demarco estava passando algumas informações sobre a TI". Ele disse que "foi feita a atividade", ou seja, a "invasão informática".

Demarco nunca perdoou os italianos pelo acordo com o Opportunity. Em outro *e-mail* a ele atribuído, reclamou: "Três meses atrás, a Telecom Italia era um inimigo mortal do Opportunity e, subitamente (na minha humilde opinião, inexplicavelmente), mudou de posição, fazendo um acordo com o inimigo (suspenso pela Justiça do Brasil e dos Estados Unidos)".

Numa dessas incríveis reviravoltas que marcam a história do Opportunity, os italianos começaram vigiados pela Kroll a mando da BrT, passaram a investigar a agência e depois fizeram um acordo com o banqueiro e voltaram sua espionagem para os desafetos do brasileiro, que eram os fundos de pensão e Demarco — que, por sua vez, já haviam sido espionados pela mesma Kroll. Esse resumo de apenas um par de anos dá ideia da série de eventos incomuns que se desenvolveu no entorno de Dantas.

A história do Opportunity, entretanto, é tão pródiga em suspeitas e acusações que, um ano depois de conhecido, o caso Kroll já era um episódio esquecido na imprensa, ultrapassado por fatos novíssimos. Em 2005, o nome de Dantas foi vinculado a outra suspeita de vulto, agora envolvendo o Partido dos Trabalhadores. No maior escândalo do governo Lula e um dos maiores da história do país, lá estava o nome de Dantas de novo.

STRICTLY PRIVATE AND CONFIDENTIAL

Memorandum

Date: September 9, 2004

To: Bob Druskin

From: Win Bischoff
Michael Klein
Bill Mills
Renato Ruggiero
Panfilo Tarantelli

Re: Telecom Italia / CVC Opportunity update

Purpose of this memo is to recommend that we reconsider our approach to Telecom Italia Group ("TI") in relation to the resolution of the current dispute with Brasil Telecom ("BT") and Daniel Dantas

The above-signed had a meeting yesterday to review the current situation, assess its potential impact on our Italian franchise in the context of the Parmalat and the MTS situations, and consider ways to mitigate the potential risks posed to Citigroup.

Background

In Appendix A you will find a more detailed summary of the origin and evolution over time of this complex dispute.

1. *Our Stance on Dantas Has Substantially Changed.* The way Citigroup has dealt with this crisis over the last three years has changed significantly. Initially, we fully backed Dantas, to the extent that when prompted by TI to conduct an internal investigation on him, we did so and reverted to Carlo Buora, the CEO of TI, with an "all clear" (Eduardo Mestre flew to Rome to meet with Buora to personally deliver our findings). Consistently with this, we also acted as advisor to Dantas and Brasil Telecom in dealing with TI during the summer of 2004 (see background on dispute in Appendix A).

Since Michael Carpenter took over the alternative investment division, CVC's attitude towards Dantas has progressively changed. Michael recognized that Dantas is not someone whom he would have selected as partner if he could chose and he has been working hard to exit BT and other investments carried out in partnership with Dantas because of the potential reputational risks associated with him.

2. *The Kroll Report* Amongst the many controversial actions, the investigation carried out against TI by Kroll is the singularly most damaging action.

Kroll was initially instructed by BT to gather evidence on TI in connection with the acquisition of CRT which occurred prior to Tronchetti's acquiring control of TI (details of this is in the appendix). The Kroll investigation was subsequently extended to include the

Citigroup Global Markets Inc.

CONFIDENTIAL

Então parceiro do Opportunity, o Citibank informa seu corpo de diretores de que Daniel Dantas está operando junto a políticos da Itália para proceder uma investigação contra a Telecom Italia no contexto de uma briga entre parceiros comerciais.

citigroup

TI perceived this as a very hostile move by BT/Opportunity and the tensions between the two camps escalated significantly. All the parties involved in the dispute started putting in place a series of very aggressive, sometimes even underhanded, tactics.

For example, in addition to the Kroll investigation described above, starting from September 2003, an intense campaign in the Brazilian press denounced the alleged wrongdoing by TI in the acquisition of CRT (as described above). In September 2003, BT officially notified TI of their intention to seek compensation for damages caused by TI in relation to this transaction.

This campaign culminated in October 2003 with the request to set up a Parliamentary commission in Italy to investigate the matter. We understand that Forza Italia (the ruling political party in Italy founded by Berlusconi, current Italian Prime Minister), allegedly prompted by Dantas, submitted bills to the Italian Parliament requesting the establishment of an investigation commission on this matter.

This has caused major disruption to TI and significant damage to its image. The reason why this is high profile is because last year, Forza Italia promoted a similar parliamentary enquiry on another controversial transaction executed by TI in the past: the acquisition of Telekom Serbija. The purpose of that enquiry was to exploit allegations of bribes paid to Italian politicians (including Romano Prodi) in connection with the transaction and tarnish the reputation of Prodi, former Italian Prime Minister, current President of the European Commission and expected main opponent to Berlusconi in the next Italian general elections.

A caixinha vermelha

"O sr. Daniel Dantas administrava os recursos dos fundos de pensão sob forte suspeita, confirmada à medida que o tempo passava, de havê-los conseguido de forma espúria, pelas graças governamentais. Além disso, as provas de abuso da posição de administrador, tirando vantagens em proveito próprio, iam se avolumando de forma acelerada. Tal situação precária, então, deveria ser acompanhada minuto a minuto, governo a governo, necessitando de uma alta dosagem de influência política para se sustentar, bem como uma verdadeira 'armada de guerra' de advogados contratados a peso de ouro e um time de investigadores para violar direitos e a vida de quem ousava atravessar o seu caminho."

Relatório final da CPMI dos Correios, agosto de 2006.

Em seu esforço para estreitar laços com o governo e o PT, o Opportunity manteve contatos com um personagem anônimo, porém extremamente diligente no submundo da política, o publicitário mineiro Marcos Valério Fernandes de Souza, sócio das agências de publicidade DNA e SMPB. Ele detinha as contas de duas companhias telefônicas controladas pelo grupo Opportunity, a Telemig Celular e a Amazônia Celular. Para todos os efeitos, tocava sua vida como qualquer publicitário de médio porte, batalhando por contratos em órgãos públicos e empresas privadas. Isso iria mudar no dia 6 de junho de 2005, quando a *Folha* publicou a histórica entrevista sobre o mensalão concedida pelo deputado Roberto Jefferson (PTB-RJ) à editora do Painel, Renata Lo Prete.

O desdobramento da crise do mensalão revelou que Marcos Valério também operou politicamente para o Opportunity. A ponta do novelo estava na agenda da ex-secretária de Valério, Fernanda Karina Somaggio, onde constava uma reunião entre Valério, Delúbio Soares, tesoureiro nacional do PT e da campanha de Lula, e Carlos Rodenburg, homem de confiança de Dantas, no hotel Blue Tree, em Brasília, às 16h30 de 23 de julho de 2003.

O Opportunity disse que procurava corrigir o que considerou uma grave falha de comunicação entre o banco e os petistas. Na campanha eleitoral que elegeu Lula, em 2002, o PT adotou uma estratégia incomum, executada por Delúbio, de arrecadação de recursos. Distribuiu caixinhas vermelhas com uma estrela prateada e dados da conta bancária do PT para os principais empresários do país. Era um recado, um jeito supostamente mais elegante de pedir dinheiro. O doador não devia colocar dinheiro nela, apenas fazer a transferência bancária para a conta indicada. A equipe de Delúbio enviou pelos Correios ou entregou pessoalmente 4.181 caixinhas desse tipo.

"Com base em um cadastro *top* das empresas do país, optou-se pelo envio de um *kit* apoiado por um *call center* ativo com visitas aos maiores doadores potenciais. Nas visitas e reuniões, também se colheu impressões e sugestões do plano de governo."[146]

Em oitenta dias, o time de Delúbio disparou 16.500 ligações telefônicas e realizou 500 visitas. Das empresas procuradas, 244 fizeram algum tipo de doação.

A caixinha também chegou à sede do Opportunity, no Rio, entregue por Ivan Gonçalves Ribeiro Guimarães, que no governo Lula se tornaria o presidente do Banco Popular, vinculado ao BB. Ainda que Dantas estivesse em briga com os petistas dos fundos de pensão, o PT não teve pudor em pedir dinheiro ao banqueiro. Entretanto, afirmou Dantas, dias depois a caixinha foi devolvida ao PT, supostamente por um engano de Rodenburg. E pior ainda, vazia.

> Ele não havia entendido, devolveu. O governo havia começado, e nós sentimos uma série de hostilidades que começou desde o dia primeiro [...] e várias interpretações chegaram aos nossos ouvidos de

---

[146] Relatório de atividade da Comissão de Finanças do Comitê Lula Presidente.

por que aquilo estava acontecendo. Uma delas é que foi considerada arrogante a devolução dessa caixinha.[147]

Rodenburg foi à reunião com o tesoureiro do PT. O encontro foi "muito amistoso e cordial", segundo Dantas. Mas o assunto era pesado. Passada a alegria da eleição de Lula, o PT tinha uma conta salgada a ser paga. O PT havia se comprometido a quitar despesas de diversos partidos e políticos da base aliada, quase tudo em caixa dois.

"O sr. Delúbio manifestou para ele [Rodenburg] que havia uma dificuldade financeira no partido, a ordem de US$ 50 milhões, e que se era possível que nós conseguíssemos resolver esse problema."[148]

Dantas afirmou que Delúbio teria dito o que poderia ocorrer caso o dinheiro chegasse ao PT: "Durante essa conversa que o sr. Delúbio Soares teve com o Carlos Rodenburg, ele teria mencionado que poderia ajudar a resolver as dificuldades que nos eram criadas".

Delúbio teve uma memória muito mais vaga da conversa. "Neste encontro Carlos Rotenburgo [sic] apenas solicitou uma aproximação com o PT para melhorar a imagem do grupo Opportunity junto ao partido. Rotenburgo não fez qualquer pedido ou solicitação."[149]

O terceiro participante do encontro, Marcos Valério, também minimizou a reunião. Tanto ele quanto Delúbio nada falaram sobre os US$ 50 milhões referidos por Dantas. Valério afirmou que Rodenburg "queria fazer uma explicação" para o PT "do que era o grupo Opportunity e do que era o investimento deles em telefonia".[150]

O operador do mensalão, contudo, contradisse Delúbio num ponto importante. O ex-tesoureiro havia dito que Rodenburg nada havia lhe pedido, mas Valério corrigiu: "No encontro, Rodenburg pediu a Delúbio que ele tentasse 'aparar as arestas' que o grupo Opportunity mantinha com o governo do PT".[151]

---

[147] Depoimento de Daniel Dantas prestado ao Senado em 7/07/2006.
[148] Idem.
[149] Termo de declarações feitas por Delúbio à Polícia Federal em 8 de julho de 2005.
[150] Depoimento de Marcos Valério à CPI dos Correios em 6 de julho de 2005.
[151] Termo de declarações prestadas por Marcos Valério à Polícia Federal em 29 de junho de 2005.

Outro dado chamava a atenção dos investigadores do mensalão. As companhias telefônicas controladas por Dantas, incluindo a Telemig Celular, eram alguns dos principais clientes de Marcos Valério. Seria Dantas outra fonte do "valerioduto" mineiro, que também irrigou o PSDB de Minas? Essa pista foi seguida principalmente por parlamentares do PT, como a senadora Ideli Salvatti (SC). Ao colar no Opportunity a pecha de financiador de Valério, o PT fazia a ligação de Dantas com o PSDB e com os episódios nebulosos das privatizações que marcaram o mandato de FHC. Era uma forma esperta do PT de distribuir culpa, mas não era inverídica a relevância dos recursos do grupo de Dantas para as contas de Valério. A Telemig Celular e a Amazônia Celular despejaram R$ 152,4 milhões nas empresas de Valério a partir do ano 2000.

A PF abriu inquérito para investigar o mensalão, e Dantas teve que prestar depoimento. A impressão do delegado encarregado do caso, Luís Flávio Zampronha de Oliveira, foi das piores:

> De um modo geral, verifica-se que o depoimento de Daniel Dantas está repleto de respostas evasivas e esquecimentos de datas e detalhes dos fatos, indicando todo seu incômodo em relatar toda a verdade dos acontecimentos. O banqueiro não soube esclarecer, por exemplo, como e onde Carlos Rodenburg teria conhecido Marcos Valério, limitando-se a afirmar que teria sido em um "negócio de cavalos".[152]

A PF aprofundou a informação de que a BrT havia assinado, poucos dias antes do início do escândalo, dois contratos de R$ 50 milhões com as empresas de Valério. Quando o mensalão estourou, os contratos foram suspensos e o dinheiro não foi pago. Mas a PF conseguiu a confirmação dos funcionários da BrT de que houve uma "ordem de cima" para a assinatura dos contratos. Luciano José Porto Fernandes, diretor de materiais e serviços da BrT, disse que eles "foram celebrados por determinação de Carla Cico". E apenas três dias depois de uma "solicitação para a contratação sem concorrência", porque houve "um pedido de urgência por parte

---
[152] Relatório da PF de 18/02/2011 no inquérito 2474/STF.

da presidência da empresa". Em sua defesa, Carla disse à PF que a responsabilidade pelas contratações foi das áreas de publicidade e comercial.

Tanto a CPI quanto a PF encontraram pagamentos datados de 2004. A BrT e a Telemig Celular depositaram R$ 3,5 milhões nas contas da SMPB para supostamente custear pesquisas e planejamento de *marketing* para as companhias telefônicas. A PF e a CPI rastrearam os valores. No mesmo dia do depósito, as agências de publicidade de Valério transferiram o dinheiro para outras duas empresas, a Athenas Trading (R$ 1,9 milhão) e a By Brasil Trading (R$ 976 mil), cujos responsáveis disseram à PF que os valores foram redistribuídos a duas corretoras de câmbio. Em seguida, as corretoras celebraram contratos de câmbio com empresas no exterior para suposta importação de salmão e resinas. A PF concluiu que os recursos "foram submetidos a um complexo processo de lavagem de dinheiro, com a consequente eliminação do *paper trail* (trilha do dinheiro) para impedir a identificação dos verdadeiros beneficiários".

Desde que as suspeitas de envolvimento do Opportunity com o mensalão vieram à tona, o banco tem dito que aresta nenhuma foi aparada por Delúbio e que não teve sucesso com o governo petista. A afirmação é fragilizada pelo ato de fusão da BrT com a Oi (ex-Telemar), em abril de 2008. Para fechar a venda, o Opportunity assinou um extenso e proveitoso acordo com os fundos de pensão controlados pelo PT, como se verá adiante. Mas o Opportunity tem razão quando fala de perdas durante os primeiros anos do governo Lula. Depois de ter sido destituído do comando do Fundo Nacional, o banco buscava manter o controle sobre a BrT.

O escândalo do mensalão chegou na pior hora para Dantas. Ele acabara de enfrentar a tenacidade de uma anônima juíza do Rio de Janeiro.

Márcia Cunha Silva Araújo de Carvalho é juíza em causas cíveis no Rio desde 1992. No final de 2004, foi transferida para a 2ª Vara Empresarial do Rio. Ela ainda tomava pé da situação dos processos quando seu marido, o advogado e procurador de Justiça aposentado Sérgio Antônio de Carvalho, recebeu um convite suspeito.

O empresário e estudante de direito Eduardo Raschkovsky, quem Carvalho havia conhecido durante um almoço no Clube dos Magistrados, em Petrópolis (Raschkovsky aparecia com frequência no Tribunal de Justiça do Rio e participava de almoços com juízes), propôs uma parceria profissional. Carvalho receberia um pagamento fixo mensal de R$ 100 mil mais um bônus pelas ações que ganhasse, tendo que atuar em cerca de vinte processos. Em todos, uma das partes era o Opportunity. Carvalho percebeu que um dos processos tramitava na vara de sua mulher. Ele indagou a Raschkovsky sobre isso.

"Ele me disse, 'olha, esses casos não são importantes. Pense bem, vem um contato muito bom para o escritório, escritório recém-aberto'."[153]

Carvalho avisou sua mulher, a qual foi verificar o processo. Logo o casal concluiu que o caso não era nada desimportante, na verdade, era o mais significativo e urgente para as pretensões do Opportunity. E o processo justamente naquele momento aguardava uma decisão da juíza. Nesse contexto, o convite de Raschkovsky foi recebido pela juíza como um tapa na cara.

Era uma causa que envolvia imensos interesses de lado a lado, com repercussões sobre a gestão de um patrimônio de bilhões de reais. Em outubro de 2003, em assembleia dos cotistas, os fundos de pensão ligados às estatais haviam destituído o Opportunity do cargo de administrador do chamado Fundo Nacional, sob suspeita de quebra de dever fiduciário. Contudo, uma semana depois, quando tentaram retomar a administração, os fundos foram surpreendidos com um anúncio de "fato relevante" publicado no jornal *Monitor Mercantil*. O Opportunity anunciava a existência de um aditivo ao acordo de acionistas entre os fundos Nacional e Estrangeiro, ambos administrados por executivos do Opportunity — que assinaram por ambas as partes. Tal acordo, conhecido como *umbrella* (guarda-chuva), teria sido "firmado em 3 de julho de 2002, alterado e consolidado em 8 de agosto de 2003 e posteriormente aditado em 12 de setembro de 2003". Na prática, era um acordo do Opportunity com o Opportunity, anunciado apenas num momento decisivo das brigas societárias.

A juíza considerou o acordo um absurdo.

"Era tão óbvio, que ele havia feito um contrato consigo mesmo que, se um pai contasse a história para uma criança, ela entenderia."[154]

Em maio de 2005, Márcia deferiu uma "antecipação de tutela" aos fundos de pensão para garantir a suspensão do acordo *umbrella*. Na

---

[153] Depoimento de Carvalho à CPI da Venda de Sentença da Alerj, no Rio, 20/04/2010.
[154] Entrevista ao autor em 22/02/2010.

prática, confirmava a saída do Opportunity do controle das empresas. Em sua decisão, a juíza atacou a jogada do Opportunity.

> O Opportunity aproveitou-se do fato de ser mandatário dos demais acionistas participantes do acordo para estabelecer disposição altamente lesiva e contrária aos interesses dos mandantes, o que beneficia extrema e exclusivamente a ele, Opportunity, que passa a deter todo o poder político sobre as companhias investidas, em que pese sua participação acionária com direito a voto ser muitíssimo menor que as dos dois outros fundos.

A juíza avançou sobre os motivos que levaram à criação do *umbrella*:

> Há fortes indicativos de que o Opportunity tenha realizado o acordo e aditivos para neutralizar os efeitos sobre si do legítimo exercício dos fundos de destituí-lo do cargo de administrador [...] O Opportunity manteve-se na gestão e com poder político sobre as companhias, mesmo depois de destituído do mandato que lhe fora conferido. Tal agir demonstra dolo direcionado a fraude à lei.

A decisão da juíza é amparada por um parecer emitido dias antes pela Procuradoria Federal Especializada da CVM, que tem como tarefa justamente averiguar a legalidade dos acordos entre acionistas de empresas ligadas a fundos de investimento. O parecer de trinta e três páginas da procuradora federal Marilisa Azevedo Wernesbach teve dois "de acordo" de dois superiores. Produzido por pessoas com alto grau de especialização na matéria, o parecer concluiu pela anulação do acordo *umbrella* e disse que o documento "configura a realização de contrato consigo mesmo, ao arrepio da lei".

"O conflito de interesses é evidente."

O parecer abordou ainda a demora na divulgação do acordo:

> O aditivo celebrado em 12/09/2003 era de manifesto interesse dos cotistas do [sic] Investidores Institucionais FIA [fundos de pensão], de modo que deveria sido [sic] tempestivamente revelado, vale

dizer, a publicação tardia do respectivo Fato Relevante traduziu-se na quebra dos deveres de diligência e fidúcia a que estava obrigado o banco Opportunity em relação aos Autores.

Após a decisão, começaram os problemas para a juíza. Márcia teve que enfrentar kafkianas suspeitas levantadas pelo banco. A mais incrível dizia que ela não havia escrito a própria decisão. O banco sugeria que alguém — possivelmente, é claro, os fundos de pensão — havia redigido e preparado o texto para a assinatura final da juíza.

Os advogados do Opportunity contrataram quatro peritos, dentre os quais o escritor Antonio Olinto (1919-2009), membro da ABL (Academia Brasileira de Letras). Eles compararam oito decisões anteriores de Márcia e disseram que ela não foi a autora da decisão questionada. Duas peritas afirmaram que, no corpo de sua decisão, a juíza adotou "o mesmo tom argumentativo empregado pelos advogados [dos fundos de pensão] em seus textos". Disseram ainda que a juíza usava dois dos mesmos autores de estudos jurídicos citados pelos advogados dos fundos de pensão. Levantaram grave suspeita sobre o fato de a decisão de Márcia, no local da assinatura, ter registrado apenas "Rio", em vez do "Rio de Janeiro", presente nas outras oito decisões. Por fim, questionaram não a presença de erros gramaticais na decisão, mas a ausência. O parecer de Olinto diz que a juíza não cometeu "um só deslize linguístico" nem deixou passar "qualquer incorreção gramatical", situação diversa das anteriores.

Como num conto surrealista, a juíza era "acusada" de, ainda que às vezes, escrever muito bem.

Em socorro a Márcia, a Associação dos Magistrados do Estado do Rio contratou o perito Ricardo Molina, da Universidade de Campinas. Ele apontou que o número de oito sentenças para a "amostra padrão" analisada pelos peritos era pequeno para ser usado em tão graves conclusões. Sobre a repetição de argumentos, Molina observou que, antes de tomarem sua decisão, é comum os juízes reproduzirem as argumentações de todas as partes da ação. Mas as peritas se concentraram apenas num trecho da decisão, enquanto a juíza também falou da posição do banco. Sobre a citação repetida de autores, Molina descobriu que eles também foram citados pelo próprio banco na ação e salientou que a repetição de clássicos do direito é uma banalidade.

Molina desmontou o argumento sobre o "Rio", ao apresentar duas outras decisões da juíza assinadas da mesma forma. A respeito da ausência de erros gramaticais, o trabalho de Molina consistiu em apontar trinta e seis deslizes no texto de Márcia, quase sempre a falta ou o abuso de vírgulas. Ou seja, o perito teve de explicar que ela "continuou errando" no texto atacado pelo banco.

> LABORATÓRIO DE PERÍCIAS
> Prof. Dr. Ricardo Molina de Figueiredo
>
> Andrade & Fichtner é semelhante à proporção de conectores que a peça questionada partilha com o corpus-padrão formado pelos textos da Dr.a Márcia Carvalho. Além disso, todos os conectores usados na peça questionada, com uma única exceção, podem ser encontrados no corpus-padrão (quanto à exceção, trata-se de "como se infere", cuja forma correlata "conforme se infere" pode ser, contudo, encontrada entre os padrões). Do ponto de vista quantitativo, ficou também demonstrado que o uso de conectores na peça questionada é estatisticamente compatível com o corpus-padrão.

> DA PRESENÇA DE ERROS NA PEÇA QUESTIONADA:
> Argumento: os textos do corpus-padrão apresentariam erros e desvios gramaticais, inexistentes na peça questionada.
> Comentário. Duplamente falso. Em primeiro lugar, os "erros" apontados não são oriundos do desconhecimento dos mecanismos da linguagem. A Juíza Márcia Carvalho tem domínio da norma culta, em todos os níveis (uso de preposições, concordância, sintaxe etc.). É estranho que os Peritos anteriores não tenham verificado que os tais erros, por sua natureza, são óbvia conseqüência de falhas de revisão ou de correção automática do editor de texto. Em segundo lugar, bem ao contrário do que afirmam os Peritos anteriores, a peça questionada não está isenta de erros. Com efeito, destacamos diversos em nosso Parecer. O percentual de erros, entretanto, é ínfimo em relação aos acertos, tanto na peça questionada quanto no

Perícia contratada por associação de juízes pela qual a juíza Márcia Cunha teve de provar, como num conto surrealista, ser a autora da própria decisão. O Opportunity a "acusou" de escrever bem.

O Opportunity representou contra a juíza no Órgão Especial do Tribunal de Justiça por suposta "falsidade ideológica". A juíza perdeu precioso tempo na inócua discussão. Em outubro de 2006, os desembargadores do TJ mandaram arquivar as alegações: "Chega-se à conclusão de que não há elementos capazes de levar à conclusão de que a representada [Márcia] não foi quem elaborou a decisão judicial que ela subscreveu no processo em curso na Vara Empresarial, sobre a qual ela assumiu a autoria e inteira responsabilidade".[155]

A forçada polêmica sobre a autoria da decisão foi apenas uma das várias dificuldades enfrentadas pela juíza. Ao todo, ela enfrentou cerca de vinte procedimentos simultâneos, movidos por diferentes empresas ligadas ao Opportunity. O banco, por exemplo, apontou que a filha da juíza, uma aluna de direito, seria advogada do escritório que representava os interesses dos fundos de pensão na causa. A filha, na verdade, era uma estagiária que ganhava pouco mais de um salário mínimo mensal e havia deixado o escritório em março, antes da decisão da juíza. Mas, por isso, a juíza passou a sofrer um pedido de "exceção de suspeição", para que deixasse o processo, e foi também alvo da corregedoria.

Muito mais aconteceu. Em setembro, a chefia da segurança do TJ recebeu a informação de que dois homens filmaram o apartamento da juíza e fizeram perguntas à vizinhança. Uma semana depois, um motoqueiro mostrou um revólver à juíza, na rua, e disse que ela e sua filha "já eram". O caso foi relatado à polícia, que o arquivou por falta de provas. Nos corredores do TJ, a juíza também se viu obrigada a debelar falsos boatos de que detinha uma conta com US$ 2 milhões nas ilhas Cayman.

Em outubro de 2005, a jornalista da *Folha* Janaína Leite desembarcou no Rio para checar informações sobre Márcia. Depois de perguntar sobre a autoria da sentença e se a juíza havia de fato lido "todo o processo", a jornalista indagou: "A senhora comprou um apartamento de quatro quartos em Ipanema pouco depois de dar a sentença?".

---

[155] Acórdão constante das Peças de Informação 07/2006, do TJ-RJ.

A juíza reagiu: "Meu Deus, que absurdo! Eu moro de aluguel" — o ponto de exclamação consta da reportagem. "Aluguei de um casal de velhinhos."

As suspeitas contra Márcia Cunha foram todas arquivadas. Depois que a onda de denúncias cessou, Márcia ajuizou uma ação de indenização por danos morais contra o Opportunity. A filha de Márcia desistiu do direito e hoje trabalha com moda.

"Eles, na verdade, não miraram minha pessoa, mas o juiz que estava sentado naquela cadeira. Fosse quem fosse, passaria pelo mesmo", disse a juíza.

Em 2009, Eduardo Raschkovsky voltou ao noticiário. Reportagens de Chico Otavio, de *O Globo*, revelaram que havia mais de dez anos ele "agia à sombra do Judiciário fluminense, oferecendo sentenças e outras facilidades em troca de vantagens financeiras", e que, com o advento da lei que veta candidatura de políticos com fichas sujas na Justiça, Raschkovsky "atuou intensamente nos bastidores para oferecer blindagem aos políticos mais problemáticos".

A Assembleia Legislativa do Rio abriu uma CPI para investigar o assunto. Raschkovsky negou tudo: "Isso é impossível. O escritório nunca atuou dentro do Tribunal Regional Eleitoral. Segundo ponto: se alguém, algum dia, colocar que possa fazer algum tipo de blindagem, essa pessoa, desculpe os termos que eu vou usar, ou é louca ou é mentirosa".[156]

O deputado Luiz Paulo, membro da CPI do TCE, revelou que vários políticos haviam confirmado investidas de Raschkovsky: "Ele mentiu, sucessivamente. Eu tenho o depoimento sigiloso de três parlamentares de que foram procurados pelo 'seu' Raschkovsky".

Na conclusão, a CPI pediu à Polícia Federal a abertura de inúmeras investigações sobre Raschkovsky, considerando ser, "no mínimo, obscura" sua relação com membros do Judiciário.

Enquanto o Opportunity brigava com a juíza Márcia Cunha, e corria em Brasília a CPI dos Correios, a revista *Veja* divulgou uma reportagem

---

[156] Depoimento prestado à CPI da Venda de Sentença da Alerj.

que à primeira vista parecia ser benéfica para os interesses do banqueiro, mas que acabou se tornando uma enorme dor de cabeça para ele. Intitulada "A Guerra nos Porões", a reportagem anunciava: "O banqueiro Daniel Dantas tem uma lista com contas em paraísos fiscais que seriam do presidente Lula e do resto da cúpula do PT".

Os papéis entregues à *Veja* teriam sido produzidos pelo americano Frank Holder, "ex-oficial de inteligência da Força Aérea dos EUA" e ex-diretor da Kroll. Haveria "contas secretas" em nome do presidente Lula, de José Dirceu, Antonio Palocci, Luiz Gushiken, Márcio Thomaz Bastos, Paulo Lacerda e do senador Romeu Tuma (DEM-SP).

A reportagem narrou ter obtido os papéis de Holder "com conhecimento de Dantas" em setembro de 2005. Segundo a reportagem, Dantas organizou o "arsenal" para "defender-se das pressões que garante ter sofrido do PT nos últimos três anos e meio". O jornalista da revista *Veja* Marcio Aith reuniu-se com Holder na Suíça e desenvolveu um "exaustivo trabalho de apuração". Ele encontrou inconsistências no material. Mas a revista *Veja* decidiu pela publicação por considerar que "levaria grandes nomes" a explicar os depósitos e, de quebra, "impediria que o banqueiro do Opportunity viesse a utilizar os dados como instrumento de chantagem".

Nos dias seguintes, Dantas negou que fora a fonte da revista e que o material tenha sido alguma vez "oferecido ao Opportunity". Quando indagaram se teve contato com a revista *Veja* sobre o assunto, Dantas respondeu que sim, que o "consultaram", mas teria dito que "essa história não era verossímil". Mas a edição seguinte da revista *Veja* reafirmou que Dantas era a fonte. A revista publicou uma cronologia dos diversos contatos mantidos com o banqueiro, dois deles presenciados por outros jornalistas da revista *Veja*.

O que não se sabia é que a PF recebeu uma gravação da entrevista de Aith com Holder, feita à época da apuração da matéria. Como uma prova de que as fontes eram Holder e Dantas. Pela primeira vez aqui revelada, a transcrição feita pela PF indica que Aith tratou com os dois sobre esses papéis e que o jornalista exigiu mais provas:

"O que me chama a atenção é que normalmente eles, políticos, abrem contas em nome de empresas. Não em nome de pessoal", disse Aith, segundo a transcrição da PF. Ele apertou Holder:

— Qual o grau de segurança que você tem de que essas contas existem, com esses números nas contas nos nomes dessas pessoas? É total? 100% de segurança?

— Vamos falar que você nunca tem 100% até ir verificar no banco pessoalmente e realizar uma transferência, *né?* Mas, fora de ter feito isso, a segurança é muito alta, acima de 90.

> MARCIO: A movimentação de uma delas? Ou, ou, ou, ou vc...
> FRANK: Não. Não. A gente não tem feito esse trabalho com respeito às outras. Porque de novo, isso não era o objetivo do trabalho.
> MARCIO: Não. Entendi. Entendi.
> FRANK: Era periférico. O trabalho era para companhias mesmo que estão fazendo besteira. A gente chegou a outras coisas quase por...
> MARCIO: O, o número...o DANIEL tinha me falado que o número, o número, um dos números ali, um ou dois, tinha, tinha coisa com o banco americano.
> FRANK: Ah, pode ser dentro de, das outras pessoas que não, que não...isso se é verdade.
> MARCIO: E que aí, com relação a essa, essa outra instituição, vcs têm um grau de detalhamento melhor, né?
> FRANK: É, é. Eu acho que temos, mas isso, eu teria que olhar, eu não tenho nas minhas...(inaudível).
> MARCIO: E o seguinte: e vc, nosso amigo pediu pra vc não enviar ou foi decisão sua de não enviar o número um e o número dois?
> FRANK: Não. É. A decisão do amigo foi de não enviar nada.
> MARCIO: Foi de não enviar nada, né? Eu achei que ele tinha pedido...
> FRANK: Ou seja enviar tudo sobre o...
> MARCIO: ...sobre o outro assunto, né? O outro assunto?
> FRANK: Mas, sobre esse, esse outro de...
> MARCIO: Entendi.
> FRANK: ...de, ou seja, não falou: ah, não mande nada. Mas falou de maneira geral, não, não, ele não gostaria que esse tipo de coisa nesses momentos que tiver...
> MARCIO: Entendi. Entendi.
> FRANK: Então, o que eu (inaudível).
> MARCIO: (inaudível). Já os dois assessores dele, são um pouquinho, a opinião deles deles é diferente, né? Eles têm, têm gente ali trabalhando pra ele que acha que tem que sair. Eu tô tentando...
> FRANK: Eu não tenho...
> MARCIO: Eu tô tentando convencê-lo.
> FRANK: Eu não tenho dúvida, porque tem, pelo menos, duas ou três pessoas que eu conheço que acham o mesmo. Primeiro, porque é de muito interesse geral, de público e, e, e jornalística. E segundo, pela conjuntura da política no momento. Mas isso, digamos, tudo essa informação não é necessariamente... Nada dessa informação, informação é minha pra, pra distribuir.
> MARCIO: Não. Claro. Claro. Agora, me espantou também o fato da idéia, a idéia, a hipótese do número um ter uma conta no nome próprio. É muito infantil.
> FRANK: É, porque...
> MARCIO: É muito infantil.
> FRANK: Vou, vou te falar. Eu acho sim. É o seguinte: vc tem, é, um contraste muito grande entre o governo anterior que tinha corrupção, tá? Todo governo brasileiro, todo governo do mundo, mas no Brasil a corrupção é endêmica, né? Então, o governo

Transcrição feita pela Polícia Federal de conversa gravada entre o então jornalista da revista Veja *Márcio Aith e Frank Holder, vinculado à Kroll, confirma a fonte da reportagem que denunciou supostas contas bancárias no exterior, jamais comprovadas.*

Aith contou ter conversado com Dantas sobre o assunto:

"O Daniel havia me falado que o número, o número, um dos números ali [da lista], um ou dois, tinha coisa com o banco americano."

O inquérito aberto pela PF concluiu, em dezembro de 2007, que os papéis eram uma "armação" e indiciou Dantas e Holder por suposta calúnia (atribuir falsamente crime a alguém). Não houve decisão judicial final até o encerramento deste livro.

Quando a revista *Veja* revelou sua fonte, Dantas procurou dizer que não era próximo de Holder. Mas as relações do americano com a Kroll e os interesses do Opportunity e da BrT são inequívocas. Uma empresa de Holder recebeu, em 2005, US$ 838 mil da BrT. Um documento de fevereiro de 2005 narra uma reunião em Nova Iorque entre Holder, Jules Kroll,

Charles Carr e Carla Cico, todos engajados no Projeto Tóquio. Holder "apresentou um panorama de inteligência coletado em viagens recentes ao Brasil". Disse ter estado com o embaixador dos EUA no Brasil, John Danilovich, com o conselheiro econômico John Harris e com o "chefe das operações da CIA no Brasil", não identificado. Esses três americanos haviam mantido reuniões com Lula e os ministros Palocci e Dirceu, o presidente do BNDES e "outros elementos dentro ou próximo da Polícia Federal" e relataram a Holder como o governo encarava a Kroll e a Chacal.

Segundo Holder, Lula teria dito que havia "uma disputa empresarial" entre BrT, Telecom Italia e Opportunity e que a Kroll não teria cometido ilegalidades. José Dirceu seria "geralmente apoiador de BrT/Opp/Kroll" e entendia que a "verdadeira motivação" foi um movimento feito por Gushiken e Thomaz Bastos contra "outros elementos predominantes no PT".

Na reunião, Jules Kroll também narrou encontros que manteve com Palocci durante o Fórum Econômico Mundial de Davos, na Suíça. Teria dito ao ministro, na presença de outras pessoas, que as acusações e prisões do pessoal da Kroll eram "intoleráveis". Palocci teria dito que iria discutir o assunto com Thomaz Bastos. Num segundo encontro, a sós, Palocci teria dito: "Considere-me seu amigo, eu vou ajudar você". Kroll e o ministro continuaram em contato. O encontro privado foi negado depois pelo advogado de Palocci, José Roberto Batochio.

A cronologia é fundamental. Na reunião em Nova Iorque, ficou decidido que "Daniel Dantas precisa trabalhar sobre as relações com o governo brasileiro". E o papel de Holder seria "trabalhar uma estratégia para lidar com a aparente contínua ameaça de Tuma/Polícia Federal do Brasil". O encontro ocorreu em fevereiro de 2005. Os papéis das falsas contas secretas de Tuma e Lacerda foram entregues à revista *Veja* sete meses depois.

Em abril de 2006, a CPI dos Correios indiciou Dantas por suposto tráfico de influência, corrupção ativa e sonegação fiscal. A CPI concluiu que não ficou comprovada boa parte dos serviços que justificariam os depósitos de R$ 152 milhões feitos nas contas das empresas de Marcos Valério pelas empresas de telefonia Telemig Celular e Amazônia Celular.

> Indagado a respeito pelas CPMIs sobre faturas emitidas pela DNA Propaganda e SMP&B Publicidade contra as empresas de telefonia celular citadas — muitas delas encontradas queimadas nos municípios de Contagem e Brumadinho, em Minas Gerais —, o sr. Daniel Dantas disse que elas não correspondiam a serviços prestados. Não produziu contraprovas de glosas devidamente justificadas da inexatidão das faturas. Prometeu enviá-las a esta Comissão, o que não acorreu.[157]

A CPI encontrou uma "relação simbiótica" entre Dantas e Valério, configurada numa "troca de recursos por influência, visando à sobrevivência de todos".

Entre 2003 e 2004, Valério encontrou-se "duas ou três vezes" no Brasil e "duas ou três vezes" em Portugal com o então presidente da comissão executiva do Grupo Portugal Telecom, Miguel António Igrejas Horta e Costa. À época, a imprensa informava que estavam ocorrendo tratativas entre os portugueses e o Opportunity com vistas à venda da Telemig Celular. Entretanto, Costa disse que a intenção de Valério era manter sua conta na Telemig, caso ela fosse vendida. Uma vez, Costa levou Valério a um encontro com o então ministro das Obras Públicas, Transportes e Comunicações Antonio Luis Guerra Nunes Mexia. A percepção que o ex-ministro teve do papel de Valério foi diferente da de Costa. Ele disse que Valério lhe foi apresentado como alguém que conhecia a Telemig, "no contexto de alguém que poderia contribuir, para se perceber, via racional ou não, na junção das companhias".[158]

---

[157] Relatório Final da CPMI dos Correios, aprovado por 17 votos a 4.
[158] Degravação de depoimento anexada ao processo do mensalão no STF em 19/02/2010.

Dantas negou ter autorizado ou contratado Valério para falar sobre a venda da empresa mineira, mas a CPI concluiu: "Marcos Valério, que já era contratado do sr. Dantas e das empresas que controlava, atuou como verdadeiro corretor de negócios do sr. Dantas e seu grupo Opportunity".

O relatório final da CPI dos Correios concluiu:

O sr. Daniel Dantas administrava os recursos dos fundos de pensão sob forte suspeita, confirmada à medida que o tempo passava, de havê-los conseguido de forma espúria, pelas graças governamentais. Além disso, as provas de abuso da posição de administrador, tirando vantagens em proveito próprio, iam se avolumando de forma acelerada. Tal situação precária, então, deveria ser acompanhada minuto a minuto, governo a governo, necessitando de uma alta dosagem de influência política para se sustentar, bem como uma verdadeira "armada de guerra" de advogados contratados a peso de ouro e um time de investigadores para violar direitos e a vida de quem ousava atravessar o seu caminho.

A CPI dos Correios acabou em abril de 2006. Um mês depois, o processo do mensalão que corria no STF teve um desdobramento pouco comentado na imprensa. O então procurador-geral da República Antonio Fernando Barros e Silva de Souza pediu ao ministro Joaquim Barbosa autorização para enviar às seções do Ministério Público Federal, nos estados, documentos que, em tese, indicavam crimes praticados por pessoas sem foro privilegiado no STF. Na condição dos "sem foro", incluíam-se empresários, operadores de bolsa de valores e outras companhias de seus estados e do Distrito Federal que houvessem depositado dinheiro, em circunstâncias suspeitas, nas contas de Valério.

O envelope relativo a São Paulo foi encaminhado à então procuradora-chefe da Procuradoria no Estado, Adriana Zawada Melo. Os documentos versavam, entre outros, sobre duas corretoras de valores e uma empresa do publicitário Duda Mendonça.

Por distribuição automática, o caso foi parar na 2ª Vara Federal Criminal da capital paulista, na alameda Ministro Rocha Azevedo, onde ganhou número próprio e ficou sob a responsabilidade da juíza Silvia Maria Rocha. Pelo Ministério Público, atuava ali a procuradora da República Ana Carolina Alves Araújo Roman.

Um mês depois, a procuradora lembrou que a Operação Chacal apreendeu "o HD do servidor de rede" do Opportunity — aquele ao qual o delegado Gioia teve acesso após arrombar uma porta —, cuja cópia estaria na PF de Brasília. Como as empresas controladas pelo Opportunity estavam "entre as maiores depositantes nas contas de Marcos Valério", como indicou o relatório final da CPI, Ana Carolina pretendia ter acesso ao *HD* para estabelecer possível conexão entre os depósitos e os saques. Pediu que fosse feita uma cópia do *HD* e, em seguida, uma perícia na cópia. Em termos técnicos, seria um compartilhamento de provas, ato bastante comum em processos judiciais, mas que, no caso do Opportunity, com sua "armada de advogados", não seria nada banal.

O lance de Ana Carolina foi ousado também porque em agosto o procurador-geral da República teve insucesso com o mesmo assunto. Antes, a então presidente do STF, Ellen Gracie, havia determinado que o *HD* ficasse guardado na PF até o julgamento final de um mandado de segurança. O *HD* também estava lacrado por ordem do juiz federal Luiz Renato Pacheco Chaves de Oliveira, que aguardava julgamento de recurso formulado pelo Opportunity. Em linhas gerais, o banco dizia que a apreensão havia sido ilícita, pois o mandado de busca e apreensão dizia respeito a Dantas, e não ao Opportunity. O Ministério Público afirmou que "o escritório do sr. Daniel Dantas localiza-se no mesmo edifício onde está sediado o banco Opportunity".

O ministro Joaquim Barbosa negou o pedido de Antonio Fernando Barros. Mas com a juíza Silvia Maria Rocha seria diferente. Numa decisão singularmente lacônica, de apenas uma palavra, "defiro", a juíza deu espaço para que a PF começasse a dissecar um dos grandes segredos do Opportunity. Visto em retrospecto, o gesto da juíza de 3 de julho de 2006 foi um dos mais surpreendentes e corajosos de todo o caso Satiagraha. Dois anos depois, quando flagrada em escuta telefônica com ordem judicial, a assessora jurídica do Opportunity, Danielle Silbergleid, manifestou à Verônica Dantas, irmã de Daniel, todo o seu espanto: "Eu vou *te* falar uma coisa que você vai ficar chocada. Sabe quando foi aberto o *HD*? Em 2006. Esse negócio está aberto desde 2006 e a gente não sabia. É um negócio de louco".

Por uma grande ironia, o fato de o *HD* não ter sido aberto ainda em 2004 é que garantiu o acesso em 2006. Como o *HD* não havia sido investigado, o pedido da Procuradoria ganhou coerência. Em nova medida, a juíza Silvia determinou à PF o rompimento do lacre e a cópia da cópia do *HD*. A primeira cópia havia sido feita em 2004, pois o original foi devolvido ao Opportunity em outubro do mesmo ano. Em julho de 2006, Ana Carolina estava na sede do INC, em Brasília, no momento em que o delegado Emmanuel Henrique Balduíno de Oliveira abriu o malote que continha as cópias dos *HDs* (descobriu-se, então, que eram cinco, e não um) apreendidos na Chacal.

Foram feitas duas cópias pelo Serviço de Perícia em Informática do INC. Vinte e três arquivos, num total de 84,9 gigabytes, foram salvos num disco rígido e entregues à procuradora.

Ana Carolina pediu imediatamente uma perícia. A primeira olhada indicou que muitos arquivos estavam criptografados. Para preservar o conteúdo dos *HDs*, foram criados autos em separado, sob sigilo, distribuídos em dependência ao processo original. As folhas que tratavam das cópias e das autorizações judiciais foram extraídas dos autos principais.

As coisas ficaram por aí até fevereiro de 2007, quando o delegado da PF Élzio Vicente da Silva, o mesmo que havia presidido a Chacal, enviou à 2ª Vara Federal um ofício com informações reveladoras. O INC já havia obtido os primeiros resultados da perícia nos *HDs*. Segundo Élzio, os dados apontavam para "prática de crime de evasão de divisas, caracterizada pela aplicação de recursos de pessoas residentes no Brasil em subfundos geridos pelo banco Opportunity". Tratava-se da mesma questão levantada tantos anos atrás, desde 1999, pela imprensa e por Demarco e nunca devidamente investigada a fundo. O "conselhinho" do Ministério da Fazenda havia até livrado os gestores do Opportunity de uma pequena multa aplicada pela CVM.

Agora, contudo, a PF tinha condições de citar à Justiça três casos de pessoas que "notoriamente eram residentes no Brasil" ao tempo da apreensão do *HD*, em outubro de 2004.

"Em relação à quase totalidade dos aplicadores ligados aos subfundos do Opportunity Fund, há expressa referência às cidades (brasileiras) ligadas a cada investidor, bem como endereços de correio eletrônico indicativos de vínculos com o Brasil", narrou o delegado. Ele calculou que os subfundos detinham em torno de R$ 1,5 bilhão.

Com as novas informações, a juíza Silvia decidiu que os autos fossem redistribuídos a uma das duas varas especializadas no combate aos crimes de lavagem de dinheiro e contra o sistema financeiro nacional na cidade de São Paulo.

No dia seguinte, os documentos chegaram à 6ª Vara Federal Criminal e ali ganharam um novo número, aos cuidados do juiz substituto Márcio Rached Millani, já que o titular, Fausto Martin De Sanctis, estava de férias.

A pedido da Procuradoria, Millani autorizou a quebra dos sigilos bancário e fiscal do grupo Opportunity. No mesmo dia, o juiz enviou ofícios às "diretorias da área de Inteligência" do Banco Central e da Receita Federal, pedindo o compartilhamento dos documentos sigilosos. Datados de 8 de fevereiro de 2007, os documentos são a certidão de nascimento de uma criança que depois ganharia um nome esquisito: Operação Satiagraha.

Nem Paulo Lacerda nem Protógenes Queiroz nem Fausto De Sanctis criaram a operação — nomes que depois a defesa do Opportunity procurou envolver num mesmo "consórcio" ou "armação" —, a Satiagraha na verdade nasceu de uma ordem do STF que encontrou o empenho de uma procuradora pouco conhecida, aliada à persistência de um delegado, às descobertas de três policiais anônimos e às convicções de uma juíza titular e de um juiz substituto, num ato corriqueiro do aparato judicial: havendo indícios de crimes, eles devem ser investigados. E, quando a máquina investigativa do Estado começava a rodar, no ano de 2007, dificilmente seria interrompida. A roda costumava girar até o fim, com consequências imprevisíveis.

Tigres de papel

"Sou sua mãe, seu pai, seu juiz e, se necessário, serei seu carrasco. Vocês foram escolhidos para integrar a Primeira Brigada Móvel [...] Não há casos arquivados na Primeira Brigada Móvel. Só há casos resolvidos. Os 'móveis' adoram o sucesso. O fiasco é incompatível com o trabalho dos 'móveis'. Tenho pena deles, ladrões, rufiões, anarquistas e ralé de toda espécie porque vocês vão pegá-los e vão metê-los no lugar deles. Na prisão."

Discurso do chefe policial francês Faivre, personagem do filme *Brigadas do tigre* (2006). Protógenes mandou distribuir cópias do filme para os policiais e procuradores que atuavam na Satiagraha.

O delegado Élzio obteve uma vitória sem precedentes, ao conseguir do juiz Millani autorização para interceptar o *IP* (do inglês "internet protocol") do Opportunity, uma convenção que permite a comunicação entre dois sistemas computacionais. Assim, a PF passou a ter acesso a mensagens de *e-mail,* diálogos por *voip* (do inglês "voice over internet protocol"), *chats,* navegação na *web* e arquivos baixados. Ao tomar essa medida "não ortodoxa", como mais tarde o juiz De Sanctis a descreveu, o delegado lembrou as turbulências experimentadas antes, durante e depois da Operação Chacal. Ele ficou incomodado com "a divulgação de dados falsos pelos meios de comunicação para desacreditar seus desafetos". Élzio se referia às notícias espalhadas pelo Opportunity sobre "contaminação", "cooptação" ou "pagamento" de agentes federais pela Telecom Italia, à época da Chacal. O delegado citou a reportagem sobre falsas contas bancárias no exterior na revista *Veja* e outras matérias publicadas na revista italiana *Panorama.* Segundo Élzio, as publicações na Itália "sugeriam que a Chacal teria sido apenas um instrumento utilizado pelo governo para prejudicar Dantas e seus asseclas na disputa com os italianos". Para o delegado, o Opportunity buscava "desacreditar" a "apuração dos fatos". E previu coisa pior:

"É de se imaginar os recursos que serão utilizados quando tomarem ciência da ocorrência do maior temor da quadrilha até então: a abertura de um *HD* do Opportunity e a descoberta dos elementos probatórios indicadores da atividade de evasão de divisas."

A interceptação do *IP* era tão incomum, que a PF teve de adquirir um equipamento próprio para a ação, instalado na sede da Intelig, em São Paulo, com acompanhamento da empresa. Dias depois, porém, Élzio trouxe más notícias. Embora tenha captado um enorme volume de dados — apenas em março de 2007, a PF copiou 10.114 *e-mails*, 4,3 milhões de páginas de internet, 357 arquivos transferidos e 6.019 canais de *chat*—, a medida teve baixa eficácia, pois poucas mensagens guardavam alguma relação com o objeto da investigação. Além disso, os arquivos que continham as conversas via *voip* estavam criptografados.

Élzio pediu a suspensão do monitoramento, no que foi acompanhado pela procuradora Ana Carolina. O pedido estava sendo analisado pelo juiz De Sanctis, que voltara de férias, quando o delegado trouxe uma nova notícia. A investigação passaria a ser comandada, a partir dali, por um delegado de quarenta e oito anos, na PF desde 1999. E a primeira medida do novo delegado foi discordar da interrupção do grampo no *IP*. Pelo contrário, insistiu e obteve a prorrogação judicial.

Protógenes Pinheiro de Queiroz nasceu na mesma Salvador de Dantas, em maio de 1959, filho de Rita Francisca de Paula, descendente de escravos, e de Felippe Pinheiro de Queiroz, nascido em 1898. Depois de deixar a Marinha, onde serviu como terceiro-sargento e instrutor de aviação naval, Felippe foi delegado de polícia no interior da Bahia. Era um antiamericano convicto. Em casa não entrava Coca-Cola, um produto ianque inventado para viciar a juventude do Terceiro Mundo, e os filhos não podiam ler histórias em quadrinhos, para se protegerem das "ideias burguesas". Felippe batizou seu segundo filho com Rita em homenagem ao amigo almirante Protógenes Pereira Guimarães (1876-1938), um dos líderes da revolta tenentista de 1922.

Da Bahia, a família seguiu para o Rio, onde Felippe e Rita tiveram um tumultuado divórcio. Protógenes ficou com a mãe, que trabalhou para sustentar os filhos. Em dezembro de 1984, Protógenes formou-se em direito e, cinco anos depois, fez a pós-graduação na UFF (Universidade Federal Fluminense). Ele recebeu, com três anos de atraso, a notícia de que o pai havia falecido em São Paulo, em 1986. O delegado chegou a procurar, mas nunca encontrou a sepultura do pai. Após catorze anos de advocacia, Protógenes foi aprovado em 1998 no concurso para delegado da PF. À sua sócia disse que iria "prender corruptos".[159]

Protógenes foi designado para o Acre, onde conheceu o procurador Luiz Francisco de Souza e participou da primeira fase das investigações sobre o deputado Hildebrando Pascoal, acusado de mandar matar desafetos. Depois, foi enviado ao Paraná para substituir o delegado que cuidava do caso Banestado. O desempenho lhe rendeu a fama, na PF, de conhecedor de crimes financeiros. Quando o delegado Paulo Lacerda assumiu a direção-geral da PF, em 2003, Protógenes caiu nas suas graças, pois Lacerda era especialista na matéria. Antes de ser policial, Lacerda havia trabalhado na contabilidade do banco Nacional. Na PF, rastreou as contas do caso PC-Collor. O diretor-geral convidou Protógenes para um cargo em Brasília, na poderosa Diretoria de Inteligência Policial.

Lacerda depositou muita confiança em Protógenes. Designou-o para uma investigação sobre o então deputado federal Paulo Maluf (PP-SP) e depois para operações sucessivas que investigaram o acusado de contrabando Law Kin Chong.

Certo dia, Protógenes ouviu de Lacerda que, finalmente, a PF tinha pistas precisas sobre os tentáculos da Kroll no serviço público. Eram os resultados da Chacal.

"A gente sempre ouviu que a Kroll cooptava funcionários da Polícia Federal, da Receita. Sabíamos que eles tinham montado uma rede de espionagem, funcionava como uma sucursal da CIA no Brasil."[160]

---

[159] Entrevista ao autor em 6/03/2009.
[160] Entrevista ao autor em 1º de outubro de 2009.

Mas Protógenes ainda não entrou no caso, seguiu com suas próprias investigações. Em março de 2005, jornalistas da revista *Veja* começaram a investigar um esquema de venda de resultados em jogos de futebol. Um dos envolvidos era o árbitro Edilson Pereira de Carvalho. O jornalista André Rizek esteve com os promotores do Gaeco, um grupo de combate ao crime organizado, e lhes passou as informações que apurou.[161] Os promotores deram início a uma investigação, mas os jornalistas, ao perceberem a pouca estrutura disponível no Gaeco para interceptações telefônicas, procuraram também a PF. Paulo Lacerda decidiu colocar policiais federais à disposição do Gaeco e destacou Protógenes para liderar a investigação na PF. Em setembro, contudo, Rizek foi avisado "por uma fonte" de que Protógenes planejava acelerar o caso para prender o árbitro da seguinte forma: "Descer de helicóptero no gramado, durante o intervalo de um jogo apitado por Edilson, para prendê-lo em rede nacional: um *show* de pirotecnia". Sentindo-se "traídos", os jornalistas decidiram publicar a reportagem na primeira oportunidade, dando origem ao escândalo batizado de Máfia do Apito.

Protógenes deu outra versão sobre o episódio. Ele disse que soube, por intermédio de Lacerda, que a revista *Veja* iria publicar a reportagem antes do que o delegado considerava ser "o momento ideal". "O dr. Paulo me informou: 'Porra, vai estragar a operação'. Vou e converso com ela [uma jornalista da revista *Veja*], falo da gravidade do prejuízo que ia dar para a investigação."

Segundo o delegado, a jornalista não aceitou o acordo e avisou o que iria fazer. O material foi publicado, um furo da revista. A PF prendeu Edilson no dia seguinte.

No final de 2006, Lacerda chamou Protógenes para investigar o Opportunity.

O doutor Lacerda me disse que a operação era da Presidência da República, que a Presidência tinha interesse em acabar com o esquema do Dantas. Lula chamava o Dantas de "escroque". Diziam que "eles

---

[161] *11 gols de placas* (Abraji, Ed. Record, 2010).

estão chantageando, e agora ficou pior, agora conseguiu chegar ao filho de Lula, na história da Gamecorp, e está insuportável"; que a Kroll tinha conseguido fazer uma sucursal da CIA no Brasil. Consideravam que havia um forte indício de que queriam desestabilizar o governo Lula. Era isso o que me diziam. Entendi que a missão veio como um problema de Estado — de o Brasil e o governo não serem submetidos a chantagens.[162]

Embora apoiado pela direção da PF, Protógenes não era um consenso dentro da polícia. Membros de uma estrutura marcada pela rígida hierarquia, os policiais federais de olho na carreira não gostavam de colegas que "corriam por fora", os "independentes". A projeção de Protógenes nos meios de comunicação ampliou a rejeição interna e a carga de ciúmes. Por outro lado — e disso ninguém podia discordar, mesmo os que sussurravam desqualificações nos corredores —, Protógenes levava suas missões até o fim, a qualquer preço. Law foi preso, Maluf foi preso, o juiz da Máfia do Apito foi preso. Protógenes era alguém que os chefes suportavam, pois trazia resultados. Até que os chefes começaram a mudar.

Thomaz Bastos, o principal apoiador de Paulo Lacerda, pediu exoneração do Ministério da Justiça em março de 2007. Lacerda continuou na direção da PF até que, no dia 4 de junho, uma equipe de policiais federais fez um movimento muito arriscado do ponto de vista político. Com ordem judicial, eles invadiram a casa de um irmão do presidente em São Bernardo do Campo (SP). A notícia provocou ondas de choque no meio político. "Genival Inácio da Silva, o Vavá, está sendo covardemente linchado porque é irmão do presidente da República", protestou o jornalista Elio Gaspari, em sua coluna na *Folha* e *O Globo*. Vavá e seu filho mantinham "uma amizade antiga", como a família contou à imprensa à época, com o empresário Dario Morelli Filho, por sua vez ligado a um empresário de caça-níqueis de Campo Grande (MS), Nilton Servo. A PF interceptou conversas telefônicas entre Vavá e

---

[162] Entrevista concedida ao autor por Protógenes em 1/10/2009.

Dario. Numa delas, Vavá pedia R$ 2 mil para Servo. Ele também apareceu prometendo resolver isso ou aquilo em favor do empresário. Foi indiciado pela PF por suposto tráfico de influência no Executivo e exploração de prestígio no Judiciário.

Ao final da apuração, a Procuradoria da República em Mato Grosso do Sul apresentou denúncia contra trinta e nove investigados na Operação Xeque-Mate, mas excluiu o irmão de Lula. A parte que tratava dele foi remetida para a delegacia da PF em São Bernardo do Campo, para que fosse aprofundada — não se sabe o destino desse inquérito, sigiloso.

Por falta de provas ou de sintonia com os procuradores da República, o fato é que a polícia ficou sozinha. A lógica que comandou os policiais do caso foi a de que ninguém está acima da lei. Se Vavá era irmão do presidente, paciência, seria tratado como qualquer investigado. A PF havia invadido a casa de centenas de pessoas até aquela data, então, uma a mais ou uma a menos não fazia diferença. Busca e apreensão não significam culpa, apenas a necessidade de se recolher eventuais provas. Mas logo ficou óbvio que Vavá não era um suspeito qualquer. A barra pesou dentro da polícia, com acusações de excesso e vários pedidos de explicação feitos pelo Ministério da Justiça.

Anos mais tarde, Lula confirmou toda sua contrariedade com o caso. E revelou que agiu, embora não tenha explicado de que forma.

"Sei de abusos que houve. Tomei cuidado para que não houvesse outros abusos. Você não entra na casa das pessoas sem mais, sem menos, achando que a pessoa é [um] ladrão."[163]

Apenas noventa dias depois da ação na casa de Vavá, Paulo Lacerda estava no Rio Grande do Sul, participando de um seminário organizado por entidades empresariais, quando recebeu, por volta das 14 horas, uma ligação do Palácio do Planalto para regressar imediatamente a Brasília. Lacerda pegou carona num avião da FAB e, do aeroporto, seguiu direto para o Planalto. Saiu de lá já fora do cargo. A imprensa repercutiu as informações oficiais de que Lacerda já pensava em deixar

---

[163] Entrevista concedida a blogueiros, no Planalto, em 24/11/2010.

o cargo desde a saída de Thomaz Bastos, mas a convocação dele às pressas a Brasília contradiz essa explicação.

Lacerda foi designado para a chefia da Abin, vinculada ao Palácio do Planalto. Pouco antes de assumir o cargo, ele deu uma declaração singular, registrada no final de uma reportagem da *Agência Estado*, cuja verdadeira dimensão só seria compreendida um ano depois, após a deflagração da Satiagraha. Segundo Lacerda, uma de suas principais metas na Abin era aproximá-la da PF, "pondo fim a uma falta de sintonia inexplicável entre órgãos de inteligência do governo". Ninguém pode acusá-lo de não ter avisado.

A saída de Lacerda da PF teve reflexos profundos nos rumos da Satiagraha, que àquela época contava com apenas sete meses de vida e ainda muito chão pela frente. Uma consequência foi acionar, na cabeça de Protógenes, todos os sinais de advertência. Ele passou a se perguntar se o caso sofreria entraves na PF e se ele podia confiar em seus novos chefes. Protógenes também passou a dizer que a direção da PF não estava se importando muito com sua missão.

Os tempos eram outros, ele não tinha uma avaliação pessoal do diretor-geral e não era mais chamado à sala para despachos que tratavam de "assuntos de Estado". Protógenes era considerado um bom policial, mas seus chefes achavam que ele devia estar sob vigilância contínua. E agora ele teria de se entender com um chefe completamente diferente.

O novo diretor-geral, Luiz Fernando Corrêa, foi agente por quinze anos e delegado desde 1995, sempre na área de combate a entorpecentes. Ele e sua equipe deram início ao programa Guardião, o fantástico banco de dados da PF que armazena e organiza interceptações telefônicas realizadas em todo o país por ordem judicial. No governo Lula, Corrêa foi chamado por Thomaz Bastos para ocupar a Secretaria Nacional de Segurança Pública, onde executava as diretrizes do Plano Nacional de Segurança Pública, principalmente a criação de gabinetes de gestão em conjunto com as secretarias estaduais de segurança pública.

Portanto, quando voltou à PF para assumir o seu comando central, em 2007, Corrêa estava quatro anos afastado do dia a dia da polícia.

Sua atividade no Ministério era estratégica, muito diferente de orientar e acompanhar um inquérito policial de alto poder de combustão.

Além disso, Corrêa foi orientado por Genro a "evitar a espetacularização" das ações da PF. Isso Corrêa deixou claro bem no dia de sua posse, num duro discurso proferido ao lado de Lacerda. Ele também exonerou todos os principais indicados por Lacerda nos estados e na sede da PF. A transição traria graves problemas para Protógenes.

A Satiagraha foi a primeira — e última — operação coordenada por Protógenes na gestão Corrêa. Como não contava mais com Lacerda na PF, passou a dizer que estava isolado. Assim, foi quase natural a decisão de pedir ajuda ao seu protetor. Lacerda já havia confidenciado a jornalistas que deplorava Dantas e que não descansaria enquanto não o colocasse na cadeia. Dantas estava na origem da reportagem sobre a falsa conta bancária a ele atribuída no exterior. Em "novembro ou dezembro de 2007", Lacerda encontrou-se com Protógenes na sede da Abin, em Brasília. Meses depois, Lacerda revelou: "O dr. Queiroz reclamou que o efetivo estava diminuído e que ele estava com dificuldades".[164]

Lacerda indagou se o colega queria que a reclamação fosse encaminhada a Corrêa. Protógenes "achou ótima" a ideia.

Lacerda marcou uma audiência com o novo diretor-geral e fez os pedidos de Protógenes.

"O dr. Luiz Fernando agradeceu e disse que já estava dando condições de trabalho ao dr. Queiroz, mas que iria verificar junto à DIP [diretoria de inteligência] para atendê-lo no que fosse preciso."

A reunião foi confirmada por Corrêa em depoimento que prestou à PF. Diferentemente da versão de Lacerda, contudo, Corrêa não referiu qualquer crítica que Protógenes tenha feito. Mas, de fato, o encontro foi "específico" para tratar da Satiagraha, disse Corrêa:

O dr. Paulo reportou um panorama geral da investigação destacando que Daniel Dantas tinha atribuído falsamente a ele e ao

---

[164] Depoimento de março de 2009 no inquérito policial 2-4447/2008. O episódio foi omitido por Lacerda no depoimento que prestou à CPI dos Grampos, em agosto de 2008. Ele disse que Protógenes nunca havia reclamado com ele sobre a Satiagraha.

presidente da República a titularidade de contas no exterior [...] Reportou, ainda, que contra Dantas existia uma investigação que estava a cargo do delegado Protógenes, tendo solicitado que o depoente [Corrêa] mantivesse a equipe e desse todo o apoio necessário.[165]

Ao tomar posse, Corrêa mandou transferir casos que tramitavam na DIP para outras diretorias da PF que tivessem a "atribuição natural" de apurar os crimes de determinado inquérito. Por essa lógica, o inquérito da Satiagraha deveria sair da DIP para a DCOR, que combate o crime organizado, mais especificamente para a subordinada DFIN, divisão de crimes financeiros, uma seção da DCOR. Contudo, disse Corrêa, tendo em vista o pedido de Lacerda, ele "decidiu manter [a Satiagraha] na DIP, para que não houvesse qualquer interrupção nos trabalhos". Isso não duraria muito.

A direção da polícia tinha a expectativa de que o caso Satiagraha fosse encerrado até março de 2008, data limite para a operação sair às ruas. Protógenes teria de se entender com o diretor da DIP, Daniel Lorenz de Azevedo. Ele começou na PF em 1981 como agente, tornou-se delegado em 1996 e assumiu a DIP em 2007, uma semana após a posse de Corrêa. Lorenz recebeu a orientação de Corrêa de que a DIP só atuaria, a partir dali, "em condições excepcionais, focando sua atuação na análise estratégica e nas atividades de contrainteligência e contraterrorismo". Só a Satiagraha ficou sob as asas da DIP, numa cortesia a Lacerda.

A desidratação da DIP era diametralmente oposta à gestão de Lacerda, que concentrou na DIP as operações mais sensíveis e de maior repercussão política, como a Anaconda, que prendeu um juiz em São Paulo; a Navalha, que apontou fraudes em licitações de obras, e a própria Chacal. A DIP teria agora "uma atividade de assessoria ao nosso dirigente maior, aos escalões superiores, ao sr. ministro da Justiça e, eventualmente, até ao presidente da República, com documentos de inteligência". Entretanto, Lorenz reconheceu, depois, que duas operações

---

[165] Depoimento de setembro de 2008 no inquérito policial 2-4447/2008.

foram organizadas pela DIP no mesmo ano de 2008, uma para apurar o furto de computadores da Petrobras, no Rio, e outra "conduzida de maneira muito discreta sobre possível extorsão mediante sequestro de familiares do sr. presidente da República."[166]

Lorenz informou a Protógenes que deveria se reportar diretamente a ele, e não mais a Corrêa.

Tanto Lorenz quanto Corrêa confirmaram uma reunião feita com Protógenes, a pedido dele, na qual o delegado também pleiteou "a manutenção da estrutura que vinha utilizando". Lorenz pediu a Protógenes um relatório completo sobre a situação da Satiagraha. Aí se deu o primeiro atrito entre chefe e subordinado. Em outubro de 2007, Protógenes entregou-lhe um documento de cinco parágrafos que trazia apenas informações genéricas. Lorenz, por achá-lo irrelevante, não queria nem receber o papel e só o fez por insistência de Protógenes.[167] O delegado pediu que Lorenz assinasse um "recibo" de recebimento do papel. Aquilo também incomodou muito Lorenz.

Lorenz considerou que Protógenes "não gostou da nova sistemática que fora adotada, na qual ele já não podia reportar os assuntos da operação diretamente ao diretor-geral". Protógenes lhe deu informações "de maneira verbal [...] de forma vaga, sem revelar o que exatamente estava acontecendo".

Mas Lorenz reconheceu que Protógenes enviou seguidos ofícios para pedir determinados apoios da DIP. Após a Satiagraha, Protógenes denunciou que os recursos escassearam e não houve pessoal suficiente para dar conta da montanha de informações acumuladas sobre o Opportunity. Lorenz respondeu: "Foram recebidos diversos memorandos, sendo eles atendidos em quase sua totalidade, uma vez que o atendimento a alguns pedidos não dependia apenas da DIP".[168]

A sistemática da indicação dos policiais para a equipe da Satiagraha também mudou. Até setembro de 2007, a equipe de Protógenes, que

---

[166] Depoimento prestado à CPI dos Grampos em 15/10/2008.
[167] Depoimento prestado em agosto de 2008 no inquérito policial 2-4447/2008.
[168] Idem.

se autodenominava "Alpha", podia apresentar os nomes diretamente a Lacerda. Isso dava celeridade à investigação. Foi assim que a equipe conseguiu o apoio de um perito especializado em criptografia para trabalhar em Brasília sobre o *HD* do Opportunity. Com a chegada da nova direção na PF, contudo, a equipe não podia mais indicar nomes. Eles passaram a ser decididos na cúpula da PF. Cada novo policial que chegava constrangia a equipe "Alpha", como relatou um dos investigadores: "Isso significava simplesmente que a pessoa indicada pela DIP estaria ali apenas para bisbilhotar o que estávamos fazendo e até onde havíamos chegado nas investigações".

A PF passou a atrasar o pagamento de fornecedores ligados à Satiagraha, como o administrador do hotel São Paulo Inn, no centro. O hotel deu à equipe um quarto duplo, depois transformado numa grande sala, e mandou instalar uma grade de ferro na entrada do aposento. A partir de setembro de 2007, o hotel registrou atrasos nos aluguéis. Mesmo assim, o administrador manteve a polícia nos quartos. Dizia aos policiais que, por terem prendido "gente importante" como Maluf, estava "orgulhoso" de vê-los trabalhando no hotel.

A Satiagraha tinha quatro carros à disposição, um em Brasília, um no Rio e dois em São Paulo. Com idade média de oito anos, os veículos passavam por manutenção cara e constante, a cargo de um empresário dono de três mecânicas e uma funilaria no litoral paulista. Os pagamentos ao mecânico atrasaram até trinta dias, o que desmoralizava a equipe (o mecânico manteve os serviços mesmo assim e, por isso, mais tarde, recebeu um cartão de congratulações de "amigo da Polícia Federal"). Os policiais disseram que, entre novembro de 2007 e março de 2008, a PF distribuiu viaturas novas para várias equipes, mas a Satiagraha ficou de fora. Uma das principais operações em andamento na PF brasileira também se queixava da falta de instrumentos prosaicos, como um gravador digital, uma câmera fotográfica, uma filmadora digital e binóculos.

No final de 2007, "Alpha" teve mais problemas. "Houve um rodízio no período de férias, e os policiais que estavam conosco não tinham suas ordens de missão renovadas. O DG [diretor-geral] não recebia o coordenador [Protógenes] para se atualizar da investigação, pois a operação estava ligada à DIP, hierarquicamente vinculada ao DG."[169]

Depois, Protógenes também falou sobre a falta de pessoal. No primeiro depoimento à CPI dos Grampos, em agosto de 2008, ele pegou leve. "Dentro dessa reestruturação que ocorreu em termos de recursos humanos, houve aí uma dificuldade até pelo recrutamento de pessoas para virem trabalhar nas missões, enfim, toda uma reavaliação do que seria [necessário] [...] Então, é critério da própria administração."

Em outro depoimento, prestado quando ele já havia sofrido uma devassa em sua vida determinada pela Corregedoria da PF, o delegado foi mais incisivo:

> Até ter uma adaptação, evidentemente, tem uma dificuldade, mas o que causou estranheza foi a perpetuação dessa dificuldade [...] De início, eu entendia que seria uma questão burocrática, mas, com a execução da operação, fatos me revelaram que *teriam que ter* [sic]uma investigação melhor da Polícia Federal mesmo, e também do Ministério Público Federal, a respeito das tentativas de obstrução na operação.

O clima de desconfiança piorou no final de 2007, após a divulgação de uma entrevista concedida por Corrêa a um jornal da Capital Federal, o *Caderno Brasília*. A reportagem da jornalista Rafania Almeida ressaltava a troca de inúmeros delegados da "velha guarda" na PF e trazia uma entrevista na qual Corrêa não deixava dúvidas: "Cada geração tem um papel a cumprir. Cumpriu, *sai fora*".

Então com quarenta e nove anos, Corrêa atacou os delegados mais antigos e expôs uma divisão no órgão, num raro e explícito atestado das complicadas relações de poder dentro da PF: "Foi prolongada a permanência de uma geração que já deveria ter saído. Houve acomodação. Faltam dois anos para eu me aposentar, e inclusive o Lacerda também passou do tempo de se aposentar. A geração que se protelou é que se represou. Não foi a minha que chegou e excluiu".

---

[169] Entrevista ao autor, por escrito, com policial da OPS.

Mas, para os investigadores da Satiagraha, o pior estava no final da entrevista, na última pergunta. A jornalista indagou: "Existe uma operação da PF, denominada Gutenberg, que apura, justamente, irregularidades na mídia, vinculada inclusive com o banqueiro Daniel Dantas. Ela foi suspensa ou ainda será realizada?".

A resposta de Corrêa desabou sobre a cabeça da então secretíssima operação:

> Existe uma guerra de interesses entre as partes envolvidas. Estamos investigando os fatos. Ela não foi suspensa, mas é muito complexa e tem uma ramificação muito densa e está sendo processada. Haverá uma reunião nos próximos dias para analisarmos e determinarmos os focos para desmembrá-la e agilizar o processo. Vai se arrastar por um bom tempo, mas vai acontecer.[170]

Corrêa falou em "desdobramento" e em um processo "que vai acontecer", ou seja, afirmou que uma operação seria desencadeada. Para bom entendedor, meias palavras mais do que bastaram: Daniel Dantas estava, de novo, sob a mira da PF.

Dois anos depois, Corrêa disse não perceber nas suas palavras nenhum vazamento de informação, ainda que involuntário.

> As revistas daquela semana estavam naquela guerra, uma de um lado, outra de outro, e isso foi o que fomentou a pergunta dela. E eu acho que a minha saída foi uma saída habilidosa, porque eu sabia que tinha a investigação, lógico que eu sabia, mas, ao mesmo tempo, eu estava dizendo que ela [...] A mídia está também muito enfronhada naquilo ali, pelo papel, até, que o grupo dele [Dantas] tem em alguns veículos. Isso é público e notório. Então, a mensagem que eu ia dar era: "a investigação ao seu tempo" [...] Foi uma pergunta de momento e *tu* está trazendo [a dúvida], nunca vi com uma relevância, não.[171]

---
[170] *Caderno Brasília*, edição nº 556, de 30/12/2007 a 5/01/2010.
[171] Entrevista concedida ao autor em março de 2010.

A Justiça Federal cobrou respostas sobre a Satiagraha. A pedido de Protógenes, Lorenz o acompanhou em uma reunião no gabinete do juiz substituto da 6ª Vara, Márcio Millani. O juiz pediu a Protógenes que apresentasse "de maneira clara e conclusiva os resultados de suas investigações".[172] No carro até o aeroporto, Lorenz disse achar que o juiz "não estava muito convicto". Protógenes respondeu que iria apresentar os dados necessários em tempo hábil. A cena dos dois delegados conversando sobre a qualidade das provas da Satiagraha contradiz a ideia disseminada posteriormente pela cúpula da PF de que Protógenes fechou para si todo o trabalho.

Contra a Satiagraha também corria o tempo. Corrêa e Lorenz ainda aguardavam que a operação fosse deflagrada até março de 2008. Quase todos os dias Lorenz e Protógenes se cruzavam nos corredores da sede da PF, e o chefe indagava sobre o andamento do caso. Deve ser estranho para o leitor saber que uma investigação policial de tal amplitude tivesse um prazo para acabar, como se fosse uma conta matemática. Mas foi isso o que ocorreu no caso Satiagraha. Como tinha começado formalmente em fevereiro de 2007, o prazo fornecido pela direção da PF foi de doze, no máximo treze meses.

Protógenes estava determinado a levar adiante o que chamava de "missão presidencial". Ele foi novamente buscar apoio em Paulo Lacerda, na Abin. Os dois se encontraram uma vez no dia 25 de fevereiro e duas vezes no dia 4 de março.[173] Os encontros duraram cerca de duas horas cada um. Lacerda imediatamente aprovou a ideia de uma "parceria".

"Eu achei que era muito bom, fiquei muito feliz até. Ora, havia, algum tempo atrás, umas alusões a que a Abin não participava, não tinha uma maior atuação no âmbito das atividades que ela tem capacidade e tem legalidade para atuar."[174]

---

[172] Depoimento prestado por Lorenz em agosto de 2008 no inquérito policial 2-4447/2008.
[173] "Informação de acesso" à sede da Abin, confidencial, no IPL 2-4447/2008.
[174] Depoimento prestado por Lacerda à CPI das Interceptações Telefônicas em 20/08/2008.

OPERAÇÃO BANQUEIRO

Lacerda mandou colocar à disposição de Protógenes

Consulta à base de dados cadastrais sobre pessoas físicas e jurídicas; pesquisa em fontes abertas, ou seja, internet e mídia impressa, sobre nomes fornecidos pela Polícia Federal; análise do material pesquisado, com a elaboração de resumos; confirmação de endereços residenciais e de trabalho de algumas pessoas investigadas, que inclusive exigiram levantamentos externos pontuais.

Em março, a Abin designou um oficial graduado, o coordenador-geral de Operações de Inteligência, José Ribamar Reis Guimarães, para os contatos com Protógenes. Eles se reuniram pela primeira vez em 5 de março, na sala do diretor-adjunto da Abin, José Milton Campana. Dias depois, Guimarães enviou cinco agentes para São Paulo. Em seguida enviou mais dois e, no dia 17, o oitavo. Todos se apresentaram a Protógenes e passaram a frequentar, em dias alternados, a "sede" da Satiagraha, no hotel de São Paulo. Uma equipe de agentes também foi acionada pela regional da Abin no Rio. Mais quatro analistas de informação passaram a atuar em Brasília. Protógenes pediu também uma equipe em Salvador, mas não conseguiu. Com o passar dos dias, agentes foram entrando e saindo no caso, alguns em substituição aos primeiros, outros em pequenas tarefas de apenas poucas horas de duração. O número total de agentes da Abin envolvidos na ação chegou a setenta e cinco. Alguns foram transferidos do Paraná, de Minas Gerais, do Rio Grande do Sul, do Ceará, do Pará, da Bahia, do Maranhão, do Rio de Janeiro, de Goiás e de Mato Grosso do Sul. A agência gastou ao todo cerca de R$ 337 mil com diárias e passagens aéreas e R$ 42 mil com alimentação e aluguel de veículos.[175]

Revelado depois da operação, o número total de agentes gerou certo alarde na imprensa. A explicação de Guimarães, contudo, terminou escondida no emaranhado de críticas: "A Abin trabalha com uma escala. Então, ela acaba demandando mais gente. Num trabalho que

---

[175] Para os números, depoimento de José Ribamar à CPI das Interceptações Telefônicas em 3/12/2008.

durar quarenta dias e for necessário dez agentes por turno, no mínimo vinte agentes trabalharão. Porque, de vinte em vinte dias, a gente troca. Dificilmente passa de vinte dias".[176]

A participação da Abin na Satiagraha durou quatro meses, de 10 de março a 18 de julho. Basta calcular a troca do agente a cada vinte dias, por imposição da escala, e eis que temos o número aparentemente espetacular de arapongas envolvidos com a Satiagraha. Na prática, contudo, o número de agentes em atividade não passava de uma dezena.

Quando a parceria decolou, em março, não houve dúvidas na Abin sobre a legalidade do ato. Havia uma ordem direta de Lacerda, e a Abin já havia participado de outras ações da PF, como a que retirou garimpeiros da área ianomâmi, em Roraima, e a investigação sobre o furto de computadores da Petrobras. Tendo dirigido a PF por cinco anos, Lacerda também sabia que a parceria da polícia com outras áreas de inteligência do governo Lula era um fato banal. Praticamente toda grande operação desencadeada pela PF teve a participação de servidores da área de "inteligência" de outros órgãos, como a Receita Federal, o Banco Central, o Coaf (unidade de inteligência financeira do governo), o Ibama e a CGU (Controladoria Geral da União).

Pelos lados da nova gestão da PF, contudo, a situação não era tão clara assim. Protógenes não havia informado oficialmente a Lorenz sobre a entrada dos arapongas no caso. Segundo ele, o silêncio se deveu ao problema da desconfiança mútua.

Em março de 2008, quando chegou a informação sigilosa de que a Abin iria entrar na Satiagraha, a sensação no comando da operação foi de vitória. Protógenes enfim conseguia fazer decolar a "sua" operação. E ele foi além. Chamou para a equipe Francisco Ambrósio do Nascimento, quem acabara de conhecer por intermédio do terceiro-sargento do Cisa, o centro de inteligência da Aeronáutica, Idalberto Matias de Araújo, o Dadá. Protógenes queria contratar um analista de dados e pediu uma indicação. Ambrósio passou a receber R$ 1,5 mil, às vezes mensais, às vezes quinzenais, para analisar e separar *e-mails* apreendidos em 2004

---

[176] Depoimento à CPI das Interceptações Telefônicas em 3/12/2008.

pela Operação Chacal. Trabalhou das 8 horas às 18 horas numa sala do 5º andar da sede da PF. Para entrar no prédio, durante três dias utilizou o crachá emprestado de uma servidora da PF. Depois, foi cadastrado com fotografia e dados pessoais e passou a usar normalmente seu próprio nome. Ambrósio dividia a mesma sala com mais dois servidores da Abin. A sala ficava em frente ao escritório de Lorenz, de modo que Ambrósio entendeu que era tudo de conhecimento oficial da corporação.

Os arapongas ajudavam Protógenes havia, pelo menos, um mês quando Lorenz viu, no corredor da PF, Márcio Seltz, um oficial de inteligência da Abin. Lorenz conhecera Seltz durante um seminário sobre contraterrorismo, anos atrás. Seltz havia se apresentado a Protógenes por ordem de seu chefe na Abin e passado também a frequentar o 5º andar do "Máscara Negra". Seu trabalho consistiu em analisar e separar centenas de *e-mails*, descartando o que fosse desinteressante para a Satiagraha. Os agentes da Abin também analisavam relatórios feitos com base em escutas telefônicas, "em salas dos blocos 1 e 2 no setor de Operações da Abin, em Brasília [...] Seltz analisava cerca de 400 a 600 *e-mails* por dia [...] e frequentemente despachava com o diretor-geral, Paulo Lacerda".[177]

Lorenz ficou bastante contrariado com a presença de Seltz no prédio. Ele o chamou à sua sala, descobriu o que se passava e o liberou. Então, chamou Protógenes, exigiu explicações e ordenou ao delegado que não mais deixasse Seltz entrar na PF. Lorenz alegou, depois, inúmeras vezes, que somente nesse dia soube que a Abin ajudava a Satiagraha.

Mas sua versão sobre os fatos contém um lado curioso. Após ter tomado conhecimento da presença da Abin, Lorenz não procurou investigar a fundo a extensão do papel da agência na Satiagraha. Ele simplesmente tratou de Seltz, falou com Protógenes e mergulhou em silêncio. Não procurou Lacerda nem ninguém da Abin. Sobre esse comportamento, ele alegou que se deu por satisfeito com as alegações de Protógenes, de que Abin prestava "meros auxílios".[178]

---

[177] Depoimento de Nery Kluwe prestado ao IPL 964/08, da PF, em 4 de novembro de 2008.
[178] Depoimento à CPI das Interceptações Telefônicas em 15/10/2008.

Indiferente a tudo isso, o pessoal da Abin foi a campo. No dia 30 de abril, José Maurício Michelone, lotado em Goiânia (GO), um servidor concursado do Banco Central que trabalhava para o SNI-Abin desde os anos 1970, foi orientado a se apresentar no Rio a Vicente Ernani Filho, chefe de operações da superintendência estadual da Abin, como parte de uma operação secreta à qual a agência dera o nome de Quero-Quero. Michelone ficou no Rio exclusivamente dedicado ao Opportunity entre 30 de abril e 23 de maio. Ele e seus colegas receberam da PF treze radiocomunicadores Nextel, com os quais também falavam com o escrivão da PF Walter Guerra, em São Paulo. Eles faziam o "recom", um reconhecimento de endereços residenciais e comerciais por onde transitavam Dantas, sua irmã Verônica e outros executivos do banco. Tiraram fotografias e filmaram a sede do banco, na avenida Presidente Wilson. Uma sequência dessas fotos mostra Dantas, de terno azul, deixando um carro guiado por motorista. Caminha na calçada em direção ao banco com a cabeça baixa, carregando uma mochila. Outro vídeo feito por Michelone mostra o ex-deputado federal Luiz Eduardo Greenhalgh sendo recepcionado por Humberto Braz no aeroporto Santos Dumont. Greenhalgh trabalhava para o Opportunity.

A Abin criou três equipes, Alfa, Bravo e Charlie. Elas se revezavam para acompanhar Dantas de sua casa para o trabalho, e vice-versa. No fim do dia, as equipes faziam relatório de missão, o "Relami", apócrifo, que era enviado do Rio "para seus superiores".

Os agentes da PF faziam atividades semelhantes. Em junho de 2007, passaram um bom tempo vigiando Carlos Rodenburg, principal executivo da Agropecuária Santa Bárbara, no Pará, um novo investimento vinculado a Dantas. Fotografaram Rodenburg entrando no avião turboélice do então senador Heráclito Fortes (DEM-PI), um ferrenho defensor do Opportunity no Senado e amigo de Rodenburg.

Com ou sem apoio institucional, Protógenes havia montado sua própria equipe, a sua "Brigada de Tigres", como costumava dizer. Ele extraiu essa expressão de um filme francês de 2006 cuja trama se passa na Paris de 1907. O delegado distribuiu cópias do filme para a equipe.

Sequência de três fotografias feitas por agentes da Abin mostra Daniel Dantas chegando para trabalhar na sede do Banco Opportunity, no Rio de Janeiro. Um dos trabalhos dos arapongas era acompanhar e fazer imagens dos investigados, mas jamais ficou comprovado que fizeram interceptação de telefones ou conduziram o inquérito policial, o que seria ilegal.

O filme é uma ficção inspirada no grupo de policiais criado pelo ministro do interior Georges Clemenceau, "O Tigre". Um dos alvos da equipe é o banqueiro Casemir Cagne. O comissário Valentin está obcecado em prender Cagne, suspeito de fraude financeira. O policial é procurado por Constance, princesa russa ligada a um grupo anarquista, que havia roubado uma agenda de couro de uma companhia financeira. Na agenda estavam, em código, os nomes de políticos envolvidos numa fraude com títulos públicos da Rússia. Constance quer ajudar

Valentin, mas não pode lhe entregar a agenda, pois a origem é ilegal. Ela sugere que a prova seja "plantada" na casa do banqueiro, para uma posterior apreensão. O investigador concorda, usa uma prostituta para colocar a caderneta na casa, consegue uma ordem judicial e invade a casa. A repercussão é imensa. O chefe de Valentin, Faivre, reclama: "O juiz não para de ligar. Meia república está no pé dele". O livro era criptografado, e a perita diz que precisará de anos para decifrá-lo.

Os policiais coagem Cagne, enquanto outra parte da polícia se move para soltá-lo, com apoio do chefe da polícia de Paris, pois "todos os bancos estão fazendo o mesmo" que Cagne. O banqueiro é solto. Os policiais brigam entre si. O chefe Faivre reage: "A Brigada não pode mais acobertar seus excessos". Com a ajuda dos anarquistas, que torturam e matam Cagne, Valentin consegue decifrar os códigos da caderneta. O chefe da polícia acusa Valentin de "ameaçar a segurança do Estado, prisão arbitrária, violência". Depois de outras peripécias, Valentin se encontra com Constance, então na prisão, que lhe diz: "Você quer mudar o mundo? Não entendeu que é impossível?".

Um banqueiro que é preso e solto em questão de dias, provas criptografadas, um policial perseguido pela própria polícia, um investigador que extrapola a lei e "meia república" perturbada. Tudo parecia uma ficção de má qualidade.

Caçada ao Japu

"O Daniel Dantas tem relações sociais, apoios no Congresso, na classe empresarial, na imprensa. Digamos que ele 'se vira'."

Luiz Eduardo Greenhalgh, advogado e ex-deputado federal, ao portal de internet Terra, em 2008, sobre como é defender Dantas nos tribunais.

Em março de 2007, quando Protógenes assumiu a Satiagraha, ela ainda não tinha esse nome. A investigação existia na forma de três procedimentos separados, mas tramitando por dependência na mesma 6ª Vara. Protógenes batizou o caso com a expressão que achou numa biografia do líder pacifista Mahatma Gandhi (1869--1948). Com o objetivo de encontrar uma designação única para o conjunto de suas ideias de resistência pacífica, Gandhi lançou uma enquete no jornal *Indian Opinion*. Um leitor chamado Maganlal Gandhi sugeriu "sadagraha", junção de "sat" (verdade) com "agraha" (firmeza). Gandhi modificou para "satyagraha", "que desde então se tornou corrente em [língua] gujarate como designação de luta".[179]

Protógenes não tinha um ponto fixo de trabalho. Vivia se mexendo entre a base no hotel São Paulo Inn, um *flat* na rua Batatais, nos Jardins, um apartamento no hotel Shelton, no centro, um quarto no hotel Guanabara, no Rio, uma sala no Setor Policial Sul, em Brasília, ao lado da Superintendência da PF no DF, e a sala do 5º andar da sede da PF,

---

[179] Sobre as explicações para o nome, *Autobiografia*, de Mohandas K. Gandhi (2009, Palas Athena Editora).

onde funcionava a DIP. O delegado dizia ser uma forma de confundir colegas da PF que poderiam vazar dados da investigação.

Protógenes atuou na Divisão de Contrainteligência da DIP. Um dos truques ali aprendidos é enviar sinais externos contraditórios para desorientar o alvo da investigação. O delegado acreditava que, se dormisse no Rio, viajasse pela manhã a Brasília e, no outro dia, almoçasse em São Paulo, poucos seriam capazes de dizer em que inquérito ele estava, de fato, trabalhando. Protógenes dizia praticar a desinformação: "Consiste em manipular os conhecimentos e/ou dados sigilosos que são objeto, real ou potencial, de uma ação de espionagem, com o propósito de iludir ou confundir o agente adverso".[180]

Já os críticos do delegado viam nas viagens apenas um esbanjamento. Entre janeiro de 2008 e 7 de julho, Protógenes viajou vinte e uma vezes entre Rio, São Paulo e Brasília.[181]

Protógenes criou apelidos para os investigados. Nos pedidos de interceptação e prorrogação enviados ao Judiciário, era o que aparecia, ao lado do número telefônico. Os policiais de fora da Satiagraha e os funcionários das companhias telefônicas que lessem esses nomes não conseguiriam relacioná-los a Dantas. O banqueiro foi apelidado de Japu, ave também conhecida como rei-congo e fura-banana. A irmã do banqueiro, Verônica, era a Jaguatirica, um felino, enquanto o investidor Naji Nahas foi chamado de Jararaca, uma serpente peçonhenta. Um dos principais assessores de Dantas, Humberto Braz, que logo exerceria papel capital na história, era chamado de Jacutinga 2, uma ave, enquanto Luiz Greenhalgh era o Jacu 2, outra ave.

Até a chegada de Protógenes, a investigação havia obtido dois avanços: a ruptura do lacre e consequente análise do *HD* do Opportunity e a interceptação de toda a comunicação pela internet. Foram reunidos 101 gigabytes de informação. Em 26 de julho, Protógenes também conseguiu do juiz Millani a autorização para fazer os grampos telefônicos. Portanto, a interceptação dos telefones dos executivos do

---

[180] Manual de Inteligência Policial da Diretoria de Inteligência Policial.
[181] Relatório de passagens aéreas emitidas, inquérito 2-4447/2008.

Opportunity durou pouco menos de um ano, um período longe de representar anormalidade, em 2008.

Protógenes também pediu autorização para obter senhas das operadoras de telefonia que permitissem a ele e quatro policiais federais um acesso irrestrito aos cadastros dos assinantes e histórico das chamadas. Isso daria celeridade ao trabalho da polícia. O juiz De Sanctis e seu substituto autorizaram, e as operadoras de telefonia cumpriram a determinação sem apresentar dúvida. Só em novembro, cinco meses depois, a Vivo apontou, em ofício, que a senha dava margem a abusos, com "a possibilidade de uma devassa na comunicação do usuário". De Sanctis entendeu que não havia provas de que alguma invasão ilegal fora cometida pelos policiais.

O assunto voltou após a deflagração da Satiagraha. Com base em reportagem da *Folha*, o deputado Raul Jungmann (PMDB-PE) representou contra De Sanctis no CNJ (Conselho Nacional de Justiça). O corregedor Gilson Dipp mandou arquivar a representação, pois não encontrou nenhuma falta disciplinar do juiz. O fato de a senha possibilitar a quebra indiscriminada de sigilo não significa que isso foi praticado. A senha é uma arma, mas o seu mero não significa um assassinato.

Em dezembro, a Satiagraha passou às mãos da procuradora da República Adriana Scordamaglia. Ela manifestou muitas dúvidas sobre o caso e questionou duramente o desempenho de Protógenes.

> Requer o MPF que a autoridade policial indique, *pormenorizadamente*, quais são as provas, até então coletadas, que demonstram, *concretamente*, indícios da prática de crime pelas pessoas em investigação, já que da análise do contido no procedimento não vislumbro fato palpável que mereça/imponha a continuidade da diligência investigativa.

Após uma rápida descrição sobre o Opportunity e a Chacal, Protógenes escreveu um parágrafo de difícil compreensão. "O presente trabalho difere do trabalho comum de investigação, em que os dados são coletados normalmente sem uma situação excepcional que justifique, que não é o caso aqui presente."

Protógenes seria muito criticado pela falta de clareza nos relatórios. Naquele parágrafo, o delegado pareceu pretender dizer que, diferentemente das investigações "normais", a Satiagraha não tinha um fato específico na origem, era produto de um conjunto de evidências coletadas pela PF desde, pelo menos, 2004. Uma afirmação, de qualquer forma, polêmica.

A procuradora Adriana ficou contrariada. "Infelizmente, ainda que as pessoas em investigação nesses autos sejam conhecidas por seu passado criminoso, até agora, não existe nada, ainda que indiciariamente, que demonstre necessidade da continuidade da investigação e, sobretudo, a viabilidade da futura acusação."

Após novas explicações de Protógenes, a procuradora concordou em prorrogar as interceptações telefônicas.

Tal choque entre Protógenes e a procuradora está longe do quadro pintado posteriormente — de que PF e procuradores formaram, durante a Satiagraha, um "consórcio", no qual tudo o que um dizia, o outro chancelava. O processo demonstra que a relação, pelo contrário, teve momentos de grande conflito. Além do atrito com Adriana, Protógenes também teve de ir a São Paulo dar explicações pessoais ao juiz Millani.

O relacionamento entre delegado e Ministério Público melhorou com a chegada ao caso de um jovem, porém experimentado procurador, que já havia trabalhado com o delegado em casos anteriores. Rodrigo de Grandis considerava Protógenes "um bom delegado", que respondia satisfatoriamente às dúvidas do Ministério Público. Eles começaram a colocar a Satiagraha em pé.

Nascido em São Paulo em 1976, numa família de classe média, De Grandis se tornou promotor de Justiça em 2003, cargo em que participou de mais de uma dezena de tribunais do júri. Foi aprendendo a dinâmica de um inquérito, vendo os erros e acertos. Em 2004, foi aprovado no concurso para procurador da República e designado para atuar nas varas criminais de São Paulo. Seu primeiro caso de repercussão resultou na prisão do ex-governador paulista Paulo Maluf, cumprida por Protógenes. A dupla também investigou o magnata russo Boris Berezovsky sobre suposta lavagem de dinheiro na parceria entre a empresa MSI e o Corinthians. Aproveitando uma passagem rápida do russo pelo Brasil, e avisado por De Grandis, Protógenes o conduziu "coercitivamente" até a sede do MP, onde prestou depoimento. Berezovsky, que vivia em Londres, teve de ser liberado, pois não havia ordem internacional de captura. O processo estava aos cuidados de De Sanctis. O governo de Vladimir Putin, um inimigo do magnata, ficou tão feliz com a história que convidou Protógenes para uma viagem de algumas semanas ao país. O delegado viajou bastante por toda a Rússia. O mesmo convite foi feito a De Sanctis, que, contudo, preferiu não aceitar.

É hoje notável perceber que os dois polêmicos personagens das ondas privatizantes que varreram a Rússia e o Brasil na década de 1990, Dantas e Berezovsky, estiveram sob a mira do mesmo trio Protógenes, De Sanctis e De Grandis.

Após assumir a Satiagraha, De Grandis passou a conversar mais com Protógenes.

> Na minha percepção, era alguém que dialogava com os colegas e comigo, que trabalhava em equipe. Ele me disse que tinha sido perseguido e também falou sobre a falta de recursos, mas eu pedi mais elementos para investigar isso. Os elementos não foram entregues. De resto, era um trabalho profissional, normal, não tinha nada que chamasse a minha atenção.

No início de 2008, vieram ao inquérito os primeiros frutos das conversas em *voip* interceptadas no *IP* do Opportunity. A maior parte dos diálogos ocorreu quando Dantas estava em Nova Iorque participando de audiências na Justiça americana vinculadas a uma disputa judicial com o Citibank. Os americanos queriam ser indenizados em virtude de problemas na relação com o Opportunity; quebra de dever fiduciário era o principal.

Os telefonemas trouxeram à tona, pela primeira vez, a questão do *alter ego*, ponto que seria relevante na conclusão da Satiagraha. Segundo a PF, o banco criava inúmeras empresas em nome de diversos funcionários, mas todas estavam relacionadas, em última instância, às decisões do próprio Dantas. Para a PF, esse tipo de gestão em que o verdadeiro dirigente se esconde sob um subordinado e que decide sem assinar os papéis que marcam as decisões seria uma ameaça ao sistema financeiro nacional. Nos meses seguintes, a imprensa ficaria surpresa com a correta informação, ressaltada pela jornalista Miriam Leitão, de que Dantas oficialmente não era dono de banco algum. Segundo os registros do Banco Central, o dono do Opportunity era Dório Ferman. Dantas, portanto, era um banqueiro sem banco.

Em 15 de novembro de 2007, Dantas telefonou por *voip* para sua irmã Verônica e comentou que uma incômoda linha de raciocínio estava sendo levantada pelo Citibank no processo nos EUA.

"O problema é o seguinte: eles estão desenvolvendo uma tese de que o banco Opportunity, o Opportunity Fund, tudo isso, é um *alter ego*. Tem uma explicação jurídica aqui [nos EUA] sobre o que é o *alter ego*. O banco claramente não se caracteriza pelo *alter ego*."[182]

Verônica disse que, no exterior, Ferman foi o "diretor do Fund o tempo inteiro", enquanto que, na parte brasileira, a empresa gestora teve a participação de Ferman "por muito pouco tempo", saiu da empresa em 1997, restando ela e o irmão.

"É importante o Opportunity Fund não ser *alter ego*", frisou Dantas.

Verônica quis saber: "*Alter ego* é o quê, do ponto de vista legal?".

"Como a gente opera aí, com esses *Opportunities* todos, um é *alter ego* do outro. Um pega dinheiro do outro, não tem uma relação muito estruturada, alguém manda sem ser diretor."

Verônica indagou qual o problema de o Fund "ser *alter ego*", e o banco não.

"O Fund ser, acho que é porque vulnerabiliza a *joint venture*. Tem um prob... Mas o Fund, *alter ego* de Dório, não tem problema, não, o problema é ser *alter ego* meu."

"Então *tá*. Então é melhor botar *alter ego* de Dório ali", replicou Verônica.

A história do Opportunity é marcada por tantas desavenças, personagens, disputas jurídicas, acusações e suspeitas, que o desconhecimento

---

[182] Gravação em *voip* de 15/11/ 2007, arquivo sonoro nº 4435.

das autoridades sobre esse cipoal passou a ser explorado por Dantas nos processos judiciais. Em outro telefonema, ele contou que o juiz do caso em Nova Iorque enfrentava problemas para saber quem era quem na história.

"Onde eu sei, ele [juiz] não sabe. Onde ele sabe, eu não sei. Eu vou tentar me manter nessa proa."[183]

Dantas contou que iria abordar no seu depoimento a suposta associação da Telecom Italia, tão explorada no caso Chacal, com corrupção no Brasil. Ele imaginou como seria a conversa: "Acho que ele vai voltar em [tema da] corrupção, tomara. Eu estou com uma programada aqui, ótima. Ele diz: 'Ah, quem *te* informou?' Eu digo: 'Nicola Piacente'. [Aí ele diz] '*Who is* [quem é] Nicola Piacente?' Aí pronto!"

Dantas riu bastante, assim como os que o ouviam no Brasil pelo viva-voz. Piacente era o procurador italiano que cuidava do processo de Milão.

Explicou Dantas:

Se eu botar essa minhoca no anzol, ele não vai deixar de morder [...] Se você botar informação nova, ele tem que trazer para dentro [do processo]. Não tem jeito. E aí, com o cabedal de personagens enormes, cada nome que bota ali, ele [...] Ele não sabe o que é. Então eu acho que a estratégia que a gente pensou aí está bem direitinha. Está funcionando.

O banqueiro revelou outra estratégia para embaraçar o juiz:

— Eu agora vou dizer para ele que está interrompendo minhas respostas e, se ele quiser, eu paro [...] Eu dou um *long answer* [resposta comprida], daqui a pouco ele *encheu* o saco e aquele assunto já não interessa. Porque força *ele* a interromper o resto do *answer*. Fica o cheque em branco na mão, entendeu?

— E fica bom, porque quanto mais você está dando informação, ele não sabe quanto mais a gente tem — concordou uma advogada.

---

[183] Diálogo em *voip* interceptado em 15/11/ 2007, arquivo sonoro nº 5728.

— Ele está sempre na encrenca. Porque tem sempre pedaço que não veio [...] Então está infernizando a vida dele porque tem uma porção de gente com pedaço de coisa a que ele não tem acesso, entendeu? Então ele não consegue o [quadro] completo. Porque obviamente isso está fora do esquadro de experiência — completou Dantas.

Dantas tornava um juiz americano um completo idiota, perdido no meio da história. Posteriormente, quando decretou uma das prisões do banqueiro, o juiz De Sanctis citou esse diálogo como evidência das estratégias de Dantas.

A técnica de citar inúmeros personagens, explorar a ignorância do interlocutor e dar longas e evasivas respostas o banqueiro adotou inúmeras vezes no Brasil, como quando prestou depoimentos às CPIs dos Correios e dos Grampos. Os poucos parlamentares interessados em destrinchar as acusações simplesmente ficavam sem saber o que perguntar. De fato, é uma história intrincada. Jornalistas boiavam completamente, perplexos com alusões a tramas, pactos, malas de dinheiro, um escândalo na Itália.

A PF corria o mesmo risco, e a saída era aprofundar o conhecimento sobre as atividades do Opportunity. Nesse sentido, grandes avanços estavam no *HD* do banco. Os peritos localizaram um arquivo que trazia a descrição pormenorizada de todos os contratos de mútuo assinados entre 31 de dezembro de 1994 e 27 de outubro de 2004 pelas empresas do grupo Opportunity, num total de R$ 465 milhões. A PF disse ser uma violação à Lei 7.492/86, que veda à instituição financeira "tomar ou receber [...] empréstimo ou adiantamento" de seus próprios controladores, administradores, membros de conselhos estatutários e seus cônjuges, dentre outros.

Um documento encontrado pela PF nos computadores do banco indicava uma operação orquestrada pela defesa jurídica do Opportunity. Uma tabela descrevia como cada cliente do banco estava reagindo às dúvidas da CVM sobre o Fund nas ilhas Cayman e qual a orientação, como a testemunha deveria se comportar quando fosse depor na CVM. "[O cliente] falou que o Opp transferiu seu dinheiro para o exterior. Já corrigi. Entendeu o assunto. Está tranquilo", diz um trecho. No pé do documento, há listas dos "advogados do Opportunity" e dos "advogados para os clientes", o que demonstra uma ligação entre as duas áreas. Entre os advogados "para os clientes" estavam um escritório de São Paulo e a seguinte anotação: "(do ministro Márcio Thomaz Bastos)". Ele deixou oficialmente o escritório ao tomar posse no ministério, em 2003. Os depoimentos prestados por alguns clientes à CVM são, de fato, extremamente parecidos, até mesmo em vírgulas e pontos.

Outra medida da PF na Satiagraha foi pedir esclarecimentos técnicos do Banco Central. Essa resposta demorou e demorou. A ordem expedida pelo juiz Millani em fevereiro de 2007 só produziu resultado em junho de 2008 — cerca de dezesseis meses depois. Quando os documentos chegaram à Satiagraha, forneceram um quadro devastador sobre o Opportunity, o que os colocou entre as principais evidências coletadas durante a investigação. O BC havia levantado inúmeras suspeitas ao longo de cinco anos.

Os relatórios das auditorias somam 120 páginas. O primeiro, de 2002, começa por considerar "adequadas" as políticas de treinamento de pessoal, de "conheça o seu cliente" e "conheça o seu funcionário". Mas os problemas surgiram nas movimentações financeiras. Das duas contas bancárias em nome de Dantas — descrito como "virtual controlador do Opportunity, embora seu nome não conste no contrato social da instituição" —, uma registrava saldo de R$ 425,4 milhões, muito embora os extratos indicassem R$ 111,5 milhões. A ficha cadastral do banqueiro "não dá maiores indicações da origem de seus recursos, omitindo-se os dados de patrimônio e renda". Nas contas das pessoas jurídicas, mais problemas. "As deficiências que nos pareceram mais graves são as ausências de dados de faturamento (84% da amostra) e de balanços (apenas 16%)."

Embora o BC tenha detectado essas irregularidades, estranhamente "não foi expedida carta final ao Opportunity", sob a alegação de que havia "a necessidade de análise mais profunda do possível envolvimento da instituição com as suspeitas manifestadas pela imprensa de movimentações irregulares de aplicadores de fundos do Opportunity".

Em 2004, a conclusão da fiscalização do BC foi expressiva:

Percebe-se, em resumo, que o controle do sr. Daniel Dantas sobre as empresas do grupo Opportunity se exerce de forma indireta, por meio de empresas de participações ou por interpostas pessoas, como a sra. Verônica, sua irmã, e o sr. Dório Ferman, atuando como sócio oculto nesta típica sociedade em conta de participação. Os negócios desenvolvidos pelo grupo Opportunity seguem essa mesma lógica, associando-se, com reduzida participação acionária e elevado poder de decisão, a investidores estrangeiros como o Citigroup ou institucionais (fundos de pensão) na privatização das empresas de telefonia ou no metrô carioca.

Dório, "sócio oculto" e *alter ego*. O documento também ataca o caso dos brasileiros nas ilhas Cayman: "Conclui-se, com base nas informações coletadas, que o banco Opportunity participou ativamente no descumprimento de obrigações previstas na legislação de competência da CVM, que podem ter ensejado transferências irregulares de recursos de residentes para o exterior".

Em 2006, o BC voltou a apontar que "certas políticas adotadas pela instituição são irregulares perante a legislação, como o não monitoramento das contas de depósitos e a possibilidade de abertura de contas de depósitos sem a documentação completa".

Os auditores fizeram um pente-fino nos correntistas e encontraram, dentre outros casos, o de um militar aposentado, com renda mensal de R$ 9 mil e patrimônio de R$ 335 mil, que possuía uma aplicação de R$ 9 milhões; um físico, com renda de R$ 10 mil e patrimônio de R$ 642 mil, detinha uma aplicação de R$ 17 milhões, "incompatível com o patrimônio e renda declarados".

O BC descobriu que um funcionário do Opportunity era o procurador de várias contas e também "sócio de várias empresas" do banco. Ao mesmo tempo, era o homem registrado no BC para fazer aplicar a circular que obrigava os bancos a verificar a compatibilidade entre a movimentação bancária e a capacidade financeira da pessoa ou empresa. O caso do bancário representava um evidente "conflito de interesses", disse a auditoria.

Após o trabalho de 2006, o BC chamou os "representantes legais" do Opportunity à sede da Gerência Técnica do Departamento de Combate a Ilícitos Financeiros e Supervisão de Câmbio e Capitais Internacionais do BC no Rio. O "termo de comparecimento" diz:

> Em relação aos procedimentos e ferramentas de detecção, seleção, análise e comunicação de situações suspeitas, o banco Opportunity nunca implementou controles e tampouco efetuou registros internos de forma a detectar operações de contas de depósitos de seus clientes que caracterizem indício de ocorrência de crimes previstos na Lei 9.613/98.

O documento foi assinado por dois gerentes do Opportunity em julho de 2007 e levado, seis dias depois, ao conhecimento da diretoria e do comitê de auditoria do banco. No mês seguinte, o banco respondeu ao BC que estava "adotando projetos de melhoria e plano de ações", alegou estar "preocupado em regularizar e promover o aperfeiçoamento de nossos controles, tendo por base as deficiências apresentadas no referido termo de comparecimento e cientes dos riscos inerentes a eles". Isso tudo ocorreu apenas um ano antes da deflagração da Satiagraha.

Os documentos animaram a equipe da PF. A investigação estava avançando, infelizmente num momento-chave para Dantas.

Em abril de 2008, o banqueiro, os fundos de pensão e o Citibank estavam prestes a fechar um dos maiores negócios da história do país, a venda da BrT para a Oi (ex-Telemar), o que criaria uma "supertele" logo apelidada pela imprensa de BrOi, um negócio avaliado em R$ 13 bilhões. Após anos de litígios judiciais e brigas abertas, Dantas e os fundos de pensão tentavam chegar a um acordo que permitisse a saída do Opportunity da companhia e, ao mesmo tempo, a venda das ações do banqueiro e dos americanos para a Telemar de Carlos Jereissati e Sérgio Andrade. No final de 2007, os fundos de pensão já haviam adquirido as ações da Telecom Italia.

Mas o fechamento do negócio dependia de uma série de acordos laterais entre as partes que poriam fim às disputas judiciais. Só nas varas empresariais do Rio, havia dezoito reclamações abertas pela BrT, em protesto contra supostas irregularidades administrativas cometidas pela antiga gestão da BrT, e seis ações indenizatórias. Na CVM, três representações. Havia também, no sentido contrário, diversas reclamações do Opportunity contra os fundos.

O Opportunity, portanto, tinha problemas tão sérios com os fundos de pensão, que só um acordo amplo e irrevogável poderia lhe dar tranquilidade. Dantas, então, contratou o ex-deputado Luiz Greenhalgh (PT-SP), advogado de petistas desde a época em que o PT não passava de uma promessa, nos anos 1980. Naquele tempo das vacas magras, qualquer ajuda de um advogado era muito bem-vinda. Ele defendeu sindicalistas, ativistas de direitos humanos e o próprio Lula. Nesse sentido, a cúpula do PT era uma espécie de devedora moral de Greenhalgh. Após perder a reeleição a deputado, em 2006, Greenhalgh voltou à advocacia e foi contratado por Dantas em abril de 2007.

Oficialmente, Greenhalgh foi remunerado com "uma parcela única" de R$ 300 mil, por "serviços de assessoria jurídica na área do direito penal, com ênfase para os interesses do contratante [Opportunity] naquilo que se convencionou chamar 'Caso Kroll'".[184]

Mas o trabalho de Greenhalgh foi muito além disso. O advogado reconheceu que

> se inteirou do assunto relativo às disputas societárias envolvendo o Opportunity, o Citibank e a Previ e posteriormente participou da construção de uma proposta de acordo entre as partes mencionadas [...] Também participou da confecção das minutas de acordo, os quais envolviam termos de desistência de ações judiciais.[185]

---

[184] Contrato reproduzido no relatório final da OPS, de 30/04/2009.
[185] Depoimento prestado por Greenhalgh nos autos da OPS.

Ao prestar depoimento no Congresso, Dantas associou a contratação de Greenhalgh não à Chacal, como dizia o contrato, mas à nova "supertele". O publicitário Guilherme Sodré, Guiga, indicou o advogado, dizendo que "poderia ser útil numa negociação com os fundos de pensão". Dantas contou:

> Nós tínhamos uma relação muito distendida com a Previ, ele tinha uma relação boa e tentou fazer uma negociação para tentar acabar o conflito societário existente entre nós e a Previ com a possível compra da Previ, da nossa participação [...] Eu já tinha feito um acordo com a Telecom Italia, nós já tínhamos percebido que era melhor jogar a toalha e sair do setor.[186]

"[...] Ele foi contratado como negociador com os fundos de pensão", explicou Dantas. "Nosso relacionamento tinha acabado, não tínhamos nenhum relacionamento, não tínhamos comunicação com os fundos de pensão [...] Então, ele atuou meio como um negociador e meio como um mediador."

Na fase da negociação, Dantas produziu o esboço de uma proposta de negócio e entregou-o a Greenhalgh, que teve a tarefa de distribuí-la e discuti-la com várias autoridades do governo Lula. O banqueiro depois detalhou: "Eu não me lembro dessas autoridades, mas me lembro de que a [então ministra] Dilma Rousseff estava incluída entre uma delas. Tinha uma lista de autoridades: presidente da Anatel, presidente do BNDES, presidente do Banco do Brasil".

Para ajudar Greenhalgh, surgiu um misterioso personagem. Dantas e Guiga chamavam-no pelo codinome de Arquiteto. Essa figura participou de encontros e jantares com Guiga e Greenhalgh. E, de fato, depois que o Arquiteto entrou em cena, o entendimento com os fundos deslanchou, e a BrOi tomou forma — talvez daí o codinome.

---

[186] Depoimento prestado por Dantas à CPI dos Grampos em 16/04/2009.

Em abril, perto do fechamento do acordo, a tensão tomou conta da cúpula do Opportunity. Na manhã do dia 23, Dantas telefonou para Guiga, que estava em Brasília:

> Eu queria só fazer um refinamento naquele assunto do Arquiteto [...] Você lembra que tem *duas fases*? Eu queria botar um periodozinho de três meses para a primeira fase, entendeu, e um *ano pro todo*, entendeu? [...] Porque, senão, o que acontece: fica deixando para depois, deixando para depois, e eu não tomo outra providência. Então, podia combinar três meses para acontecer o primeiro pedaço e um ano para acontecer o segundo...

O conteúdo da conversa levanta sérias dúvidas: o que seria realizado em duas fases — um "primeiro pedaço" dali a noventa dias e o segundo após um ano? Os prazos certamente não eram sobre a criação da BrOi, que foi concretizada apenas dois dias depois daquela conversa. Era algum compromisso posterior a ela, que não ficou esclarecido.

Na noite do mesmo dia, Guiga ligou para avisar Dantas: "É o seguinte, o Arquiteto preferiu não levar ninguém porque ele acha que qualquer outra pessoa tira o clima. Mas entendeu perfeitamente [...] Ele também acha que as coisas podem ser resolvidas, *tá* certo, essa é a avaliação que ele faz. Achou o prazo bastante razoável".

A PF já estava bastante a par da importância do Arquiteto. No dia 17, os federais haviam interceptado ligações que tratavam de um jantar com as presenças de Greenhalgh, chamado de Gomes nas conversas, de Guiga e do Arquiteto. Juntando as peças, um analista de inteligência da PF chegou a uma conclusão surpreendente: o Arquiteto seria o bancário João Vaccari Neto, ex-presidente da Bancoop, cooperativa de habitação popular do sindicato dos bancários investigada em São Paulo por suposto desvio de recursos para campanhas eleitorais do PT em São Paulo. Em 2010, Vaccari foi escolhido tesoureiro do diretório nacional do PT, mesmo cargo exercido anos antes por Delúbio Soares.

OPERAÇÃO BANQUEIRO

```
TELEFONE           NOME DO ALVO
1199812916         JACU 2 - SATIAGRAHA

INTERLOCUTORES/COMENTÁRIO
JACU2 X HNI

DATA/HORA INICIAL  DATA/HORA FINAL   DURAÇÃO
22/4/2008 15:06:28 22/4/2008 15:07:54 00:01:26

ALVO               INTERLOCUTOR      ORIGEM DA LIGAÇÃO  TIPO
                                                        A

DIÁLOGO
Em 22/04/08, às 15:06:28hs, JACU2 conversa com HNI e diz que, conforme sua orientação naquele jantar de 5ª feira (VACCARI?), está marcado para às 24:00hs de hoje, pois houve um esforço concentrando e que, aquele cidadão que jantou junto na 5ª feira (JACUTINGA2) acabou de informá-lo que vai fechar hoje. JACU2 diz que vai dar um beijo na sua "careca" depois. ( Deve-se ressaltar que no jantar no RESTAURANTE FOGO DE CHÃO, ocorrido na 5ª feira, a principal pessoa que era esperada para a conversa era JOÃO VACCARI NETO, e que após tal encontro as reuniões no RIO foram se sucedendo com muita frequência para marcarem a data de hoje com vistas a fechar o negócio. (Assim, é do entender desse analista que VACCARI é o "arquiteto", assim denominado em vários diálogos, principalmente envolvendo JAPU3, o qual sempre condicionava algumas decisões às consultas ao tal "arquiteto", salvo no caso da participação de outras pessoas naquele jantar e que sejam desconhecidas)
```

```
TELEFONE           NOME DO ALVO
1199812916         JACU 2 - SATIAGRAHA

INTERLOCUTORES/COMENTÁRIO
JACU2 X JOÃO VACCARI NETO (SENADOR)

DATA/HORA INICIAL  DATA/HORA FINAL   DURAÇÃO
25/4/2008 18:27:20 25/4/2008 18:30:53 00:03:33

ALVO               INTERLOCUTOR      ORIGEM DA LIGAÇÃO  TIPO
                                                        A

DIÁLOGO
Em 25/04/08, às 18:27:20hs, JACU2 liga para JOÃO VACCARI NETO e ambos se parabenizam pela transação. JACU2 diz que ser-lhe-á fiel para sempre e agradece a atenção e confiança depositada e que de agora em diante vai cuidar de si e de sua própria vida.. JACU3 menciona que 121 contratos assinados e setenta pessoas intervém em cada contrato, daí o longo tempo para as assinaturas todas.
```

Relatório de inteligência da Polícia Federal feito às vésperas do grande acordo que permitiu a criação da gigante companhia telefônica BrOi aponta que, para a PF, o Arquiteto, codinome usado por Dantas e o advogado Luiz Eduardo Greenhalgh, era o bancário João Vaccari Neto, petista histórico e depois tesoureiro nacional do PT.

Deve-se ressaltar que no jantar no restaurante Fogo de Chão, ocorrido na quinta-feira, a principal pessoa que era esperada para a conversa era João Vaccari Neto, e que depois de tal encontro as reuniões no Rio [sobre a fusão da BrOi] foram se sucedendo com muita frequência, para marcarem a data de hoje [22] com vistas a fechar o negócio. (Assim, é do entender desse (*sic*) analista que Vaccari é o Arquiteto, assim denominado em vários diálogos, principalmente envolvendo Japu3 [Greenhalgh], o qual sempre condicionava algumas decisões às consultas ao tal Arquiteto, salvo no caso da participação de outras pessoas naquele jantar e que sejam desconhecidas.)[187]

---

[187] Comentários do analista de inteligência da PF sobre interceptação telefônica, nos autos da OPS.

O jantar fora, de fato, importante, pois, no dia seguinte, 18, Greenhalgh telefonou para Guiga e comemorou:

Eu *tô te* telefonando para dar um beijo na tua testa. Um dia eu vou *te* dar um beijo na testa e o acordo vai ser fechado [...] Ontem, ficamos até meia-noite, checando as coisas, entendeu? E, independentemente do que aconteceu em Brasília, parece que marcaram definitivamente quinta-feira para assinar, viu?

Em seguida, o advogado ligou para Humberto Braz e lhe passou uma informação reveladora: "Senhor, preste atenção. A ordem da *Capital* é 'meter o pau nesse assunto'. Sábado, domingo, segunda, e assinar na terça-feira".
Greenhalgh estava dizendo ao Opportunity que havia uma determinação de Brasília para a conclusão do negócio. As negociações no Rio então ganharam corpo. Os principais representantes, advogados e executivos das partes envolvidas — fundos de pensão, BrT, Telemar, Opportunity e Citibank — se reuniram a portas fechadas no Rio por mais de quarenta e oito horas entre os dias 23 e 25. Às 17 horas do dia 25, o acordo foi enfim fechado. Num telefonema, Greenhalgh contou que foram necessárias assinaturas de setenta pessoas em 121 contratos.
Mas ainda havia um grande empecilho para o fechamento do negócio. A lei em vigor desde 1998 impedia que uma mesma empresa detivesse duas companhias telefônicas em sequência territorial. A barreira foi superada de forma espetacular em novembro de 2008. O presidente Lula baixou um decreto, depois aprovado pela Anatel, o qual alterou a lei. O governo também financiou o negócio por meio de empréstimos liberados pelo BNDES e pelo BB. Estava assim criado um novo monopólio, agora privado, que englobava quase todos os estados da Federação. Uma megaempresa com receita estimada, pelos números de 2007, em R$ 29 bilhões. A Oi pagou R$ 5,8 bilhões pela BrT, segundo a imprensa.
Meses depois, Dantas alegou que "nada ganhou" com a venda da BrT, mas a imprensa informou um valor próximo de R$ 1 bilhão pago ao Opportunity. Além disso, o banco assinou com os fundos de pensão um acordo extraordinário. O documento, registrado em cartório do

OPERAÇÃO BANQUEIRO

Rio, levou ao arquivamento ou à retirada de todas as contendas entre Opportunity e fundos de pensão. Foi como passar uma grande borracha no passado conturbado da BrT. A Oi e a Telemar também concordaram em pagar R$ 315 milhões para a BrT e o Opportunity "para que levantassem as ações judiciais de um contra o outro".[188]

Com um acordo tão vantajoso, o futuro discurso do Opportunity sobre ter sido "prejudicado" pelo governo Lula e pelo PT precisa ser verificado com outros olhos.

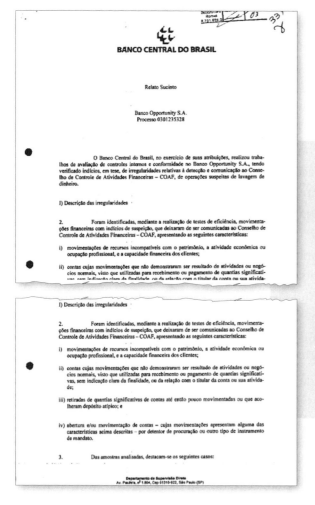

Um dos relatórios do Banco Central aponta inúmeras irregularidades na condução do banco Opportunity, como o descumprimento de medidas eficazes contra a lavagem de dinheiro. Os relatórios do BC são algumas das peças mais importantes na investigação.

---
[188] *O Estado de S. Paulo*, em 27/04/2008.

Às 18h27 do dia 25 de abril, Greenhalgh telefonou, eufórico, para uma pessoa que a PF também identificou como sendo Vaccari. O advogado fez uma brincadeira, chamando-o de "senador". Ele reconheceu o papel fundamental do interlocutor para a criação da "supertele".

Essa vitória que [você] em muito contribuiu, uma simplicidade de você. Eu queria depois chamar você para jantar, mas eu queria falar antes do jantar. Dizer que você arrumou, na minha pessoa, um amigo para a vida inteira [...] Toda vez que eu precisei de você, você veio, você me ajudou, você cooperou, você acreditou em mim, você achou que eu não estava fazendo sacanagem.

O advogado contou que "o cidadão", muito provavelmente, Dantas, estava aliviado com a venda.

Eu acabei de falar com o *cidadão* lá, e o *cidadão tá* lá que [inaudível] na vida. "Porra, graças a Deus, agora vou seguir o meu caminho e vou legal, e vou precisar de você de novo porque eu quero me recuperar, tenho que passar um tempo me recuperando porque eu me desgastei muito com essa história. Eu não sou o filho da puta que todo mundo imagina..." O cara falando para mim, isso é legal. Deu um gesto de humildade, também. Porque ele era muito arrogante [...] Mas foi tudo legal, viu, João, muito obrigado por tudo.

"João", disse Greenhalgh. Mais um dado apontou para a identidade de Vaccari. No dia 27, a secretária eletrônica do telefone celular de Greenhalgh registrou uma chamada vinda do telefone usado por João Vaccari.
No mesmo dia, às 11h40, um recado foi postado por Dantas no celular de Greenhalgh. A gravação atesta o reconhecimento da importância do papel de Greenhalgh na negociação: "Aqui é o Daniel, estou *te* ligando para agradecer por tudo. Se não fosse aí, acho, por essa ajuda aí, acho que não tinha conseguido era nada".
Procurado ao longo de meses entre 2010 e 2011 para este livro, Vaccari não quis atender ao autor nem respondeu a uma série de

perguntas enviadas por escrito. A um interlocutor, contudo, ele negou ser o Arquiteto.

Após a Satiagraha, Greenhalgh soltou uma nota pública para defender a legalidade de seus atos:

> Jamais, no trabalho profissional prestado ao grupo Opportunity, se discutiu propina, porcentagem, recursos para campanha eleitoral de quem quer que seja. Isto é uma calúnia que vou repelir, custe o que custar. Meu trabalho consistiu em analisar processos em curso envolvendo o banco Opportunity, nas esferas civil e criminal. Advoguei. Ajudei a conformar as propostas que foram exaustivamente debatidas entre as partes até chegar ao acordo final.[189]

Em meio às tensas negociações para criação da BrOi, Dantas encontrou pela frente um grande problema. A jornalista Andréa Michael, então na sucursal da *Folha* em Brasília, havia obtido informações sobre a existência de uma operação em curso na PF sobre o banco. Ela começou a checar as informações e procurou o delegado Daniel Lorenz, o chefe da DIP. Em conversa na sede da PF, acompanhada pelo assessor de comunicação da PF José Gomes Monteiro Neto, a jornalista pediu um contato com o delegado responsável do inquérito sobre o banco, sem citar o nome de Protógenes. Lorenz respondeu que iria consultar o subordinado. Andréa cobrou a resposta dias depois. Lorenz avisou que o delegado havia concordado em recebê-la. No dia combinado, Andréa encontrou-se na sede da PF com Lorenz, a assessora da PF Flávia Mendes Diniz e Protógenes. Flávia contou que Andréa sinalizou uma proposta de acordo, "o que é bem comum entre os jornalistas, no sentido de que ela não publicaria as informações que já tinha, desde que Protógenes a avisasse, no dia da operação, para que ela viesse com a matéria, no mesmo dia da operação, antecedendo, dando um furo de reportagem".[190] Outras pessoas presentes ao encontro dizem que a

---
[189] Nota divulgada por Greenhalgh em 25 de julho de 2008 e postada no *site* do PT.
[190] Depoimento de Flávia Mendes Diniz no inquérito 2-4447/2008.

sugestão não partiu de Andréa, mas de Lorenz. De qualquer forma, Protógenes não concordou. Ele respondia com evasivas, não confirmava nem desmentia os dados de Andréa.

Mais tarde, Flávia soube que Protógenes "disse que a jornalista estava perdida, não tinha informações que comprometessem a investigação, e que estava tranquilo com a conversa".[191] Após a deflagração da Satiagraha, Protógenes reclamou muito do encontro com a jornalista, ao qual teria sido "obrigado" a comparecer. Ele considerou que Lorenz, ao chamá-lo para a reunião, expôs a operação, pois deu a confirmação de que ele realmente estava no comando da investigação. Por outro lado, Protógenes fez um juízo equivocado sobre a precisão da apuração jornalística de Andréa. Ela não estava nada perdida.

As gravações telefônicas feitas pela PF demonstram que não apenas Protógenes, mas também Dantas ficaram contrariados com o trabalho da jornalista. Ele e Guiga atacaram a jornalista e o trabalho da *Folha*. Em 25 de abril, um dia antes da publicação da matéria, Dantas disse a Guiga que o jornalista Hudson Corrêa, então na sucursal do jornal em Brasília, havia procurado a assessoria de imprensa do banco para obter o tradicional "outro lado" da apuração, ou seja, ouvir as explicações do banco. Guiga também telefonou para Rodenburg: "Isso é aquele filho da puta do Demarco". O assessor de Dantas atribuía a apuração da *Folha* ao desafeto do banqueiro.

Guiga fez diversas ligações para tentar obter mais informações sobre a matéria e chegou a algumas conclusões: "Esse jornalista [Hudson] trabalha em parceria com o tal de Leonardo [Souza] e a Andréa Michael, que estão, há quarenta e cinco dias, atrás de uma matéria contra você. Já entrevistaram Greenhalgh, ele não falou. Eles estariam querendo saber quem foi que amoleceu o governo para Daniel Dantas, essa é a tônica".

O incômodo de Guiga e Dantas e a expressão "matéria contra você" foram desconsiderados por Protógenes no pedido de prisão contra Andréa — negada por De Sanctis. O delegado, depois, seria criticado

---

[191] Idem.

por ter pedido a prisão em desacordo com dados colhidos por sua própria investigação.

A reportagem foi publicada no dia 26 de abril de 2008, sob o título: "Dantas é alvo de outra investigação da PF". Depois disso, o Opportunity colocou em campo seu pessoal dos bastidores da política e do Judiciário. Por exemplo, Greenhalgh, que se revelava um homem polivalente: trabalhava na fusão da BrOi, resolvia questões criminais dos executivos do banco e também checava uma reportagem. Dias depois, foi novamente acionado para apurar uma perseguição, nas ruas do Rio, ao alto assessor de Dantas, Humberto Braz. O Opportunity lavrou um boletim de ocorrência e foi informado pela polícia de que um dos perseguidores dizia trabalhar para a Abin, no Palácio do Planalto. Greenhalgh ligou para seu amigo Gilberto Carvalho, então chefe do gabinete do presidente Lula, um dos homens mais poderosos do Palácio do Planalto. Carvalho havia sido secretário de governo e homem forte do então prefeito de Santo André (SP) Celso Daniel (PT), morto em 2001. Após o assassinato do prefeito, Greenhalgh auxiliou Carvalho e outros petistas da cidade.

Greenhalgh procurava Carvalho para pedir um favor, queria saber se, de fato, a Abin havia seguido Braz. Deu o nome de uma pessoa e a placa de um carro. Carvalho foi apurar e ligou de volta para dizer que havia conversado com o chefe do GSI, o Gabinete de Segurança Institucional, general Jorge Félix, e prometeu também procurar o diretor-geral da PF, Luiz Fernando Corrêa. Carvalho informou:

> O general me deu o retorno agora, e é o seguinte: não há nenhuma pessoa na Presidência, na Abin, designada, com esse nome. A placa do carro não existe, é fria, *tá*? Eles aqui acham que a única alternativa seja um caso de falsificar um documento. Eles não consideram possível que seja da Abin [...] Eu pedi, insisti, disse que visse com o máximo cuidado, tal.[192]

---

[192] Interceptação telefônica nº 364109 com ordem judicial nos autos da OPS.

Greenhalgh aproveitou para jogar lama no coordenador da Satiagraha.

— *Tá* bom. Tem um delegado chamado Protógenes Queiroz, que parece que é um cara meio descontrolado, viu?
— Ah, é? Ele está onde, o Protógenes? — quis saber Carvalho.
— Está aí, aí em Brasília. É o que saiu na *Folha*, na matéria de Andréa Michael. Mas eu estou indo amanhã [a Brasília] na reunião do diretório [do PT].
— *Te* vejo lá, eu vou lá também — combinou Carvalho.
Eram velhos companheiros de partido.

O recado foi dado: alguém na cúpula do governo precisava "controlar" o delegado.

Protógenes também queria a todo custo saber a origem do furo dado pela *Folha* e começou a suspeitar de seu chefe, Lorenz. Alegou ter passado a ele, propositalmente, dados equivocados, como o número de mandados de prisão e a hipótese de uma busca e apreensão no Pará. Os mesmos dados surgiram na reportagem de Andréa na *Folha*. Mas isso não era uma prova cabal, pois as mesmas informações poderiam ter circulado entre outros colegas dentro ou fora da PF e chegado à repórter.

Até que, numa conversa com Lorenz no gabinete do diretor, Protógenes não se conteve. Disse que "tem coisas chegando à imprensa que só você e eu sabemos". Ao ouvir aquilo, Lorenz explodiu. De dedo em riste, gritou para Protógenes imediatamente deixar o gabinete e a DIP. Naquele mesmo dia, a Satiagraha foi transferida para a DCOR, por ofício, passando à supervisão do delegado Roberto Troncon, o diretor da divisão. Nunca houve uma reunião de transição entre Protógenes, Lorenz e Troncon. A transferência da mais importante operação da PF foi feita por uma simples página de papel.

Lorenz e a cúpula da PF combinaram que Troncon deveria "apertar o cerco" para que Protógenes finalmente colocasse a operação na rua. A cúpula da PF estava bastante ansiosa para se livrar do assunto. As razões para essa pressa nunca ficaram suficientemente claras, mas, com certeza, o fato de a Satiagraha ter a marca de Paulo Lacerda, ter nascido em sua gestão e sob a sua proteção em seu gabinete, era uma lembrança que incomodava os novos diretores da PF.

Depois da transferência para a DCOR, Protógenes deu uma "missão" ao seu amigo do Cisa, Idalberto Araújo, o Dadá, o mesmo que havia indicado Ambrósio para a Satiagraha. O delegado queria que ele descobrisse a origem do furo da *Folha*. Dadá conhecia Andréa e foi conversar. Sorrateiramente, ligou uma câmera digital. Depois Dadá alegou que o vídeo era apenas um "dado de inteligência", que não deveria ter vindo a público — a jurisprudência no STF permite que uma pessoa grave suas próprias conversas. A gravação só foi conhecida meses depois, quando a PF apreendeu um *pen drive* em poder de Protógenes.

O segredo do vídeo era desnecessário, pois a gravação não traz a origem do vazamento nem indício de qualquer ato irregular praticado tanto por Andréa quanto por Dadá. A jornalista explica a Dadá que a cúpula da PF, incluindo Lorenz, queria que Protógenes "fechasse logo" a operação, pois isso era cobrado por Luiz Fernando Corrêa.

Um efeito da gravação foi o acirramento da briga interna na PF. Protógenes usou aquela citação a Lorenz para voltar a insinuar que ele estava por trás do vazamento. Esses comentários chegaram a Troncon, que não gostou da história.

Quatro dias após a reportagem da *Folha*, o Opportunity convocou uma teleconferência urgente. A conversa foi interceptada pela PF. De São Paulo, o advogado Nélio Machado informou que iria pedir um salvo-conduto para Dantas no STJ e que a operação "tinha um prazo para sair, mas foi adiada". Nélio contou que "o número um", provavelmente o diretor-geral da PF, tinha uma postura "de não impedir" a deflagração da Satiagraha.

— E a informação também é que... aí não sei se procede ou não, é que o Lacerda e o Japonês não estariam na linha de frente, não.

[O advogado se referia ao ex-diretor da PF Paulo Lacerda e o ex-ministro Luiz Gushiken.] Não estariam na linha de frente. Isso é uma coisa que nasce de uma investigação no passado e que, aparecendo o que teria aparecido, ficaram excitados, entendeu?

— Vê se eu entendi também: uma investigação que surge do passado e, com a quebra do HD, teria arrumado base, é isso? — indagou uma advogada.

— É. Alguma coisa relacionada às movimentações financeiras dentro do próprio grupo.

O diálogo é notável por documentar um advogado do próprio Opportunity eximindo Lacerda e Gushiken de alguma "armação" contra o banco. Esse entendimento seria inteiramente esquecido nos meses seguintes, com o banco interessado em montar a tese de uma larga conspiração petista.

O Opportunity se mexeu rápido para obter cópia do inquérito. Nélio disse que havia obtido de Andréa o número de um processo e, assim, foi bater às portas da Justiça Federal paulista. O banco entendeu que o novo caso tramitava na 2ª Vara Federal Criminal, mas podia também ser na 5ª, responsável pela Chacal (na verdade, estava na 6ª). Era um jogo de adivinhação. Assim, Nélio peticionou à desembargadora do Tribunal Regional Federal Cecília Mello para exigir que as informações fossem solicitadas às "varas especializadas em matéria penal, de tal sorte que fique devidamente explicitada a natureza do constrangimento".

O advogado queria, na prática, um pente-fino no Judiciário. Na 6ª Vara, onde despachava De Sanctis, havia 2.139 feitos em andamento, dentre os quais, 491 ações penais, segundo dados de fevereiro de 2008.[193] Na 2ª Vara, 2.066 feitos. No dia seguinte, a desembargadora ordenou que todas as varas da área penal prestassem em caráter de urgência "informações acerca da existência do procedimento noticiado, resguardando-se o devido sigilo".

---

[193] Para os números, *Combate à lavagem de dinheiro: teoria e prática* (Millennium Editora, 2008), de Fausto Martin De Sanctis.

OPERAÇÃO BANQUEIRO

PODER JUDICIÁRIO
TRIBUNAL REGIONAL FEDERAL DA 3ª REGIÃO

```
PROC.    : 2008.03.00.015482-6    HC   32074
IMPTE    : NELIO ROBERTO SEIDL MACHADO
IMPTE    : ILANA MULLER
PACTE    : DANIEL VALENTE DANTAS
PACTE    : VERONICA VALENTE DANTAS
ADV      : ILANA MULLER
IMPDO    : JUIZO FEDERAL DA 2 VARA DE SAO PAULO>1ª SSJ>SP
RELATOR  : DES.FED. CECILIA MELLO / SEGUNDA TURMA
```

Considerando a gravidade dos fatos noticiados pela imprensa (documento de fls. 15) que, no mínimo, colocam em risco a credibilidade do Poder Judiciário e da Polícia Federal, solicito sejam requisitadas, com urgência, as necessárias informações, não apenas aos MMs. Juízes Federais das 2ª e 5ª Varas Criminais de São Paulo, bem como às demais Varas de São Paulo/Capital especializadas em matéria penal.

No que pertine às últimas, deverão ser prestadas informações acerca da existência do procedimento noticiado, resguardando-se o devido sigilo.

Determino, outrossim, o envio de cópias do documento de fls. 15, para que integre o pedido de informações, o mesmo ocorrendo com a presente decisão.

Decreto sigilo nos presentes autos.

Comunique-se.

São Paulo, 30 de abril de 2008.

CECILIA MELLO
DESEMBARGADORA FEDERAL RELATORA

DATA
Em,
3 0 ABR 2008
recebi estes autos com o(a) r.
despacho/decisão) retro/supra.

Acolhendo um pedido dos advogados do Opportunity, a desembargadora Cecília Mello pediu uma devassa inédita nas varas judiciais de São Paulo para localizar os autos da até então judicialmente secreta Operação Satiagraha. Alertada depois pelo juiz De Sanctis, ela voltou atrás e revogou sua decisão. O juiz se recusou a confirmar ou desmentir a informação.

Era uma cobrança muito rara. Para responder a ela, em um dos tantos fatos insólitos ocorridos ao longo da Satiagraha, oito magistrados se reuniram numa sala do fórum criminal. Eles buscavam um consenso que também preservasse a independência da primeira instância. Os juízes viviam uma situação com a qual não sabiam lidar, pois o tribunal jamais havia pedido confirmação sobre um inquérito policial sigiloso em andamento.

De Sanctis acompanhava o quadro com apreensão. Ele estava de olho no precedente a ser criado. Dali em diante, bastaria a um investigado vazar uma informação para a imprensa para, em seguida, exigir acesso à investigação e, dessa forma, exterminar a eficácia dos futuros mandados de busca e apreensão. De Sanctis disse aos colegas que não confirmaria nem desmentiria ao TRF a existência da investigação.

"Caso o inquérito fosse enviado ao tribunal, os investigados rapidamente conseguiriam uma liminar no STF, teriam acesso a tudo, gravações, laudos, o que acabaria com a investigação. Fiquei entre a cruz e a espada. Eu optei pela preservação do sigilo."[194]

De Sanctis enviou à desembargadora um ofício sigiloso de cinco páginas. Citou um processo de 2006 em que um advogado tomou conhecimento de um inquérito contra seu cliente e tentou arrancar a confirmação na 6ª Vara. O juiz negou as informações, e a reclamação foi depois julgada extinta pela relatora, desembargadora Vesna Kolmar. O juiz escreveu que adotaria o mesmo entendimento: "O presente *writ* parece mais uma tentativa de tomada de conhecimento prévio de feitos eventualmente sigilosos, causando certa perplexidade diante da imposição legal do segredo".

O juiz considerou a ação do Opportunity "uma tentativa transversa de obtenção de informações de procedimentos sob sigilo". Ele não confirmou nem desmentiu a existência do inquérito. Atitude semelhante adotou o juiz Hélio Egydio de Matos Nogueira. Cinco dias depois, a desembargadora informou que pôde "refletir melhor sobre

---

[194] Entrevista ao autor em fevereiro de 2010.

a matéria, revendo, assim, minha decisão anterior". A nova posição da desembargadora representou uma vitória importante dos juízes.

Na crucial reunião dos juízes, emergiu a figura de De Sanctis na história da Satiagraha. Ele demonstrou até onde seria capaz de ir para encerrar a investigação. Essa decisão e outras que tomou no mesmo sentido iriam lhe custar muito caro, com acusações de insubordinação e rebeldia, ameaças de processos e sindicâncias e uma série de notícias negativas na imprensa. Mas foi a intransigência de De Sanctis que, de fato, garantiu a sobrevivência da Satiagraha. As coisas andavam tão estranhas naquele caso, que um juiz precisava correr riscos para garantir apenas o seu direito de julgar.

O dilema do juiz

"Lembrava, com frequência, do jurista alemão Karl Mittermaier que dizia: 'um delito sem punição dá origem a dez outros'. E isso o fazia trabalhar mais e mais."

Xeque-Mate, romance do juiz Fausto De Sanctis que conta a história fictícia de um juiz de direito.

Fausto Martin De Sanctis nasceu em fevereiro de 1964, único filho homem numa família de quatro crianças geradas em intervalos de dois anos. Seu pai era fiscal de tributos municipais da Prefeitura de São Paulo, e a mãe, ex-servidora da Aeronáutica. Embora vivesse sem grandes privações, a família tinha apenas uma perua Veraneio e uma casa — onde a mãe de Fausto seguia morando até 2012, por mais de quarenta anos. Fausto passou a infância e a primeira fase da juventude em escolas públicas. Após perder o pai, de câncer, teve de começar a trabalhar aos dezessete anos para ajudar no sustento da casa. O primeiro emprego foi no setor de vendas de uma fábrica de tubos e conexões.

Em 1982, De Sanctis foi cursar direito na FMU, as Faculdades Metropolitanas Unidas, no bairro da Liberdade. Estudava à noite e trabalhava de dia. Até que se cansou da vida de vendedor, pediu demissão e mergulhou nos estudos. Queria ser juiz trabalhista. Estudava em casa e só saía para a FMU. Isso durou um ano e meio. "Você precisa viver", dizia a mãe. "Só quando passar no concurso", retrucava o filho.

Na faculdade, De Sanctis era um "caxias", sentava-se na primeira fileira e anotava tudo. Uma das coisas que gostou de ouvir à época foi que "um juiz tem que dar satisfação ao povo". Até por isso foi ver o comício das Diretas Já, na Praça da Sé. Em 1989, entrou para a Procuradoria do Estado, onde atuou na Assistência Judiciária, na defesa de réus sem dinheiro para contratar um advogado. Defendeu acusados de homicídio e um de promover abortos.

Foi aprovado em 1990 no concurso de juiz estadual. Atuou em Rancharia e Iepê, no interior paulista. Nessas pequenas cidades onde todos se conhecem, o juiz ficou impressionado com a linha tênue que separava o público do privado. Por uma ou duas vezes, foi convidado para uma festa na qual encontrou réus que respondiam a processos que corriam na sua vara. Decidido a não mais manter essa proximidade, passou a viajar para São Paulo nos fins de semana. Em 1991, após novo concurso, foi chamado para uma vaga de juiz federal substituto criminal na cidade de São Paulo. Em outubro, pisou pela primeira vez no prédio da Justiça Federal, então na praça da República, no centro. Ele ficaria nesse trabalho por dezenove anos.

O novo juiz não gostou do que encontrou. Os processos se arrastavam, e muitas penas prescreviam. Com exceção do diretor, nenhum dos dez servidores da vara era formado em direito. Nas audiências com advogados, um servidor da vara sempre falava no plural, "nós decidimos" ou "nós concluímos". O juiz ouvia aquilo estupefato e concluiu que seu nome estava sendo usado indevidamente. Ao voltar de férias, descobriu que o funcionário havia liberado o passaporte de um réu, que em seguida viajou para o exterior. O juiz fez uma denúncia à administração da Justiça. O funcionário foi transferido, mas não chegou a ser demitido.

De Sanctis também presenciava situações constrangedoras nos lados da PF. O governo dos EUA passou a premiar os policiais brasileiros por cada apreensão de dólares falsificados. Em pouco tempo, começaram a aparecer dois, três flagrantes do crime num mesmo dia. E as "testemunhas" eram sempre os mesmos policiais.

O trabalho da PF também era visto com muitas reservas pelo Ministério Público. Filho de um promotor de Justiça, o engenheiro mecânico de formação e ex-professor do Senai Sílvio Martins Oliveira tomou posse na Procuradoria da República em 1996. Ele também desconfiava da PF. Em um caso, para evitar vazamentos, informou endereços falsos às equipes da PF que iriam cumprir mandados de busca e apreensão. Os endereços corretos só foram passados na última hora, quando todos já estavam nas ruas. Para Oliveira, a situação começou a mudar só em 2003.

"A grande transformação não foi no Judiciário, foi na PF. Até 2003, a PF era um lixo, com raras exceções, muito ruim, corrupta e desinteressada. Não dava para confiar em algumas áreas. Havia informações esparsas de que a dos crimes financeiros, por exemplo, tinha virado um balcãozinho de negócios."[195]

Para De Sanctis, o trabalho na 6ª Vara era frustrante. Foram mais de dez anos de "pequenos casos", quase sempre fraudes de pouca monta contra o seguro social, as quais demandavam pouca especialização. Isso contrariava o juiz, que nunca parou de estudar ou de dar aulas. Em 1996, frequentou em Paris um curso da Escola Nacional de Magistratura da França. Ele já havia feito cinco cursos de língua francesa e passado duas temporadas naquele país. Por doze anos, entre 1994 e 2006, foi professor universitário no Brasil.

De Sanctis achava que os procuradores da República deveriam ir "atrás dos grandes casos, das grandes questões". Ao mesmo tempo, um movimento importante ocorria na gestão administrativa do Judiciário. Em 2001, até como reflexo do escândalo do Banestado, surgiram as primeiras varas especializadas em lavagem de dinheiro e crimes contra o sistema financeiro. Em março de 2003, o Conselho da Justiça Federal determinou aos tribunais regionais federais a criação das varas especializadas, uma experiência "considerada única no mundo".[196] O maior entusiasta da ideia era o ministro Gilson Dipp, do STJ.

Os resultados foram visíveis. Em 2001, havia apenas 260 inquéritos policiais do gênero em andamento no país. Dois anos depois, o balanço já indicava 133 ações penais ajuizadas e outros 399 inquéritos em andamento.[197] O país já tinha varas especializadas em sete estados, mas

---

[195] Entrevista ao autor em março de 2010.
[196] Anúncio *on-line* do Superior Tribunal de Justiça, em 31/10/2003.
[197] Idem.

nenhuma em São Paulo. De Sanctis foi convidado pela presidente do TRF da 3ª Região, Anna Maria Pimentel, para fazer os estudos com vistas à criação das varas paulistanas. A cidade ganhou duas varas especializadas, a 2ª e a 6ª, esta dirigida por De Sanctis, que passou a receber todo tipo de processo sobre crimes contra o sistema financeiro, chegando a uma lista impressionante. O juiz atuou nos casos dos bancos Banespa, América do Sul, Noroeste, Santos, Crefisul, Credit Suisse e BNP-Paribas. Em 2006, a 6ª Vara, que naquele ano condenou o banqueiro Edemar Cid Ferreira a vinte e um anos de cadeia — "a maior sentença que um banqueiro já recebeu no Brasil" —, tinha recebido a fama de "câmara de gás".

"Quem cai lá se dana [...] Quando crimes financeiros começam a ser julgados com rigor, algo de bom está acontecendo."[198]

Em abril de 2008, De Sanctis sofreu o primeiro grande revés em um caso sob sua responsabilidade e também o primeiro atrito conhecido com o STF. O ministro Celso de Mello acolheu um pedido do advogado de Boris Berezovsky, Alberto Toron, e mandou trancar o processo até o julgamento final do *habeas corpus*. Dias depois, os advogados disseram ao STF que De Sanctis seguiu tocando a cooperação internacional para repatriação de dinheiro, levada a cabo pelo Ministério da Justiça. Celso de Mello ordenou de novo a paralisação. De Sanctis negou ter descumprido a ordem do STF e disse que não tinha acesso às exatas medidas administrativas tomadas pelo Ministério, mas suas explicações foram desconsideradas.

Aquilo seria pouco perto do que ocorreria na Satiagraha. Confrontado com o vazamento da operação, ele decidiu não confirmar nem negar sua existência ao TRF. O Opportunity foi ao STF em busca de uma ordem que obrigasse o juiz a falar. Nesse meio-tempo, contudo, o banco havia feito outro movimento, subterrâneo, bastante arriscado e com profundas repercussões no processo.

---

[198] Revista *Veja*, coluna de André Petry, de 20 de dezembro de 2006.

As conversações

Três dias após a reportagem na *Folha* de abril de 2008 que revelou a existência da Satiagraha, a PF captou um diálogo que, embora codificado e com frases incompletas, escancarou o interesse direto de Dantas sobre Protógenes. O banqueiro telefonou para Humberto José Rocha Braz, homem de sua confiança. Nascido em 1965 e formado em Comunicação Social em Belo Horizonte (MG), Braz foi, entre 2002 e 2005, o diretor-presidente da BrT Participações, indicado por Dantas. Depois, passou a auxiliar o Opportunity "com a missão de solucionar a questão societária nas empresas de telecomunicações nas quais o grupo detinha participação".[199]

Na BrT, era um funcionário com altos rendimentos. Em 2005, recebeu entre R$ 62 mil e R$ 68 mil mensais.[200] Em 2004, recebeu, em valores brutos, R$ 1,91 milhão em vencimentos salariais da BrT, incluindo férias e 13º salário.[201]

A agenda de Braz do ano de 2004 demonstra intensos contatos com jornalistas, parlamentares e advogados. Naquele ano, ele se reuniu com o deputado Delfim Netto, os publicitários Duda Mendonça e Marcos Valério, os advogados Antonio Carlos de Almeida Castro, Roberto Teixeira, que é compadre de Lula, o empresário Paulo Saad, sócio da

---

[199] Sentença condenatória que refere depoimento prestado por Braz às fls. 1.311/1.320.
[200] Declarações prestadas pelo gerente de Relacionamento de RH da Brasil Telecom em auditoria interna da BrT.
[201] Documento que integra a auditoria interna da BrT feito pela ICTS Global em 2005.

OPERAÇÃO BANQUEIRO

TV Bandeirantes, colunistas de jornais e revistas, os consultores Eduardo Raschkovsky, Mauro Salles e Roberto Amaral, e Ivan Guimarães, presidente do Banco Popular. Braz manteve, no mesmo período, treze compromissos pessoais com Dantas, mais de um por mês.

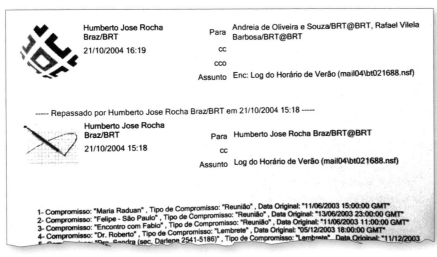

Agenda de Humberto Braz revela os intensos contatos de um importante aliado de Daniel Dantas. Longe de ser um personagem sem importância no entorno do banqueiro, Braz teve papel capital nas conversas com os delegados da Operação Satiagraha que envolveram pagamento em espécie. Tudo estava sendo acompanhado por ordem judicial de Fausto Martin De Sanctis.

Na intrincada cadeia de controle da BrT, a BrT Participações era a sua controladora. Na presidência da empresa, Braz não raro decidia sobre altos pagamentos. Como demonstra um *e-mail* de julho de 2005:

Apenas para manter um registro escrito, os honorários ajustados entre o escritório e a Brasil Telecom para o patrocínio da suspensão de segurança perante o STF (na linha do acertado entre Luís Roberto e Humberto em Brasília, no dia 23/6, no escritório do *Kakay*, dia do ajuizamento da própria suspensão) são os seguintes: honorários a título de pró-labore: R$ 750 mil, a serem pagos de imediato; e honorários a título de êxito: US$ 1 milhão.

Portanto, quando Dantas pegou o telefone para falar com Braz, estava longe de se dirigir a um subalterno sem projeção. Pela importância que terá na sequência dos eventos, o diálogo merece ser conhecido em detalhes. Dantas começou:

— O Chico vai até *te* ligar, que ele esteve com o Helinho... E o Hélio disse uma coisa até um pouquinho diferente do que disse para você. Acho até que ele disse para você certo, sabe? Mas não mencionou esse assunto de que houve aquela discussão. Meio que colocou que o objetivo continua sendo o original e esse... e quem *tá* responsável é esse Protógenes mesmo — disse Dantas.[202]

— Sei. É o que eu acho também. Aliás, não tenho dúvida nenhuma, até porque, senão, teria... — concordou Braz.

Ao ouvir isso, Dantas fez uma indagação:

— [inaudível] não tinha dito que tinha recebido do Otávio uma orientação na direção oposta?

— Não, ele não recebeu, ele tem... — Dantas corrigiu o que acabara de dizer. — Não, ele soube que foi recebido.

Braz concordou:

— Soube, e eu não tenho dúvida nenhuma de que recebeu, pelos detalhes que ele deu. Nenhuma.

---

[202] Áudio de interceptação telefônica nos autos da OPS.

O banqueiro então sugeriu:

— Agora, já que identificou quem é...

Braz o interrompeu:

— O problema é que ele tem um contato ali que ele quer proteger até o fim da vida, ele não vai nem confirmar isso aí, não.

Mas Dantas insistiu:

— Eu sei, mas a minha pergunta é se... dado que a gente já sabe quem é o endereço, se não podia entrar em contato.

— Mas o problema é que já entrou, *né*, e disse que não.

— Não entrou diretamente, não — reparou Dantas.

— Entrou, entrou... Não, tudo bem [entrou] através de pessoas. Se entrar diretamente, também vai dizer que não. Nós estamos bolando um caminho, aqui. Um caminho jurídico bem desenhado.

O diálogo confirma que Dantas mantinha atenção sobre o coordenador da Satiagraha e queria alguma providência. Essa conversa, para a PF, ligou diretamente Dantas a Braz numa tentativa de aproximação com Protógenes, um preâmbulo para os importantes passos que Braz tomaria a seguir. Compreendendo a relevância do diálogo, o Opportunity passou a apresentar a versão de que, a partir da palavra "Otávio", Dantas na verdade passou a falar de assunto completamente diferente, a fusão da Brasil Telecom com a Oi, pois "Otávio" seria Otávio Azevedo, do grupo Oi-Telemar, e os assuntos simplesmente se misturaram na mesma conversa.[203]

É necessária extrema boa vontade para endossar a alegação do banco. A expressão de Dantas "já que identificou quem é", posterior à palavra "Otávio", guarda total coerência com a informação sobre já ter sido confirmado que o responsável "é esse Protógenes mesmo", anterior à palavra "Otávio". Tudo a indicar que se tratava de um mesmo assunto, um mesmo fluxo de ideias.

Mas podemos conceder por um instante, a título de exercício reflexivo, que a defesa do banco esteja correta. Permanece claro que Dantas

---

[203] Versão difundida na reportagem "Protógenes e Eu", da *piauí*, e no livro *Os escândalos de Daniel Dantas* (Manifesto Editora, 2010), ambos de autoria de Raimundo Rodrigues Pereira, que se declarou publicamente amigo de Luiz Greenhalgh, advogado do Opportunity.

tinha interesse em Protógenes, a quem citou nominalmente no diálogo. Como reforço a esse entendimento, é preciso verificar que uma pessoa ligada a Braz de fato estava, insistentemente, atrás de Protógenes e que realmente Braz se reuniu com um delegado da Satiagraha, semanas depois.

Para convencerem Humberto Braz e Hugo Chicaroni de que realmente Daniel Dantas estava sob investigação, os delegados das Satiagraha fizeram pequenas fichas que nada diziam, como esta de Dantas, e as apresentaram durante as negociações no restaurante El Tranvía.

No dia 29, mesmo dia da conversa Dantas-Braz, houve quarenta e duas chamadas de Chicaroni para o delegado. Mais tarde, Chicaroni explicou que esses contatos foram pedidos pelo advogado do Opportunity Wilson Mirza Abraham, numa reunião da qual teria participado Pedro Rotta, desembargador aposentado do TRF. A versão de Braz é diferente. Disse que Rotta sugeriu que ele procurasse Chicaroni, "que poderia ajudá-los a entender o que a Abin fazia naquela perseguição", ocorrida em maio, no Rio. Seja como for, restou estabelecido o elo entre Braz, Chicaroni e o Opportunity: os homens ligados ao banco queriam manter conversas extraoficiais com Protógenes, na mesma linha do que foi sugerido por Dantas a Braz no diálogo gravado.

No início de junho, Chicaroni ligou para o delegado federal Marcos Lino Ribeiro, no aeroporto de Guarulhos (SP), pedindo um telefone de Protógenes. Ribeiro alertou o colega. Em 18 de junho, Chicaroni, Protógenes e seu colega na Satiagraha, Victor Hugo, se reuniram no restaurante El Tranvía. De lá, seguiram para a casa de Chicaroni, que entregou R$ 50 mil aos policiais. Tudo era gravado por Victor Hugo por ordem judicial expedida pelo juiz De Sanctis. Ele voltaria a trabalhar no dia seguinte.

Antes de sair do El Tranvía no dia 18, Victor Hugo havia passado pela recepção e reservado uma mesa para a reunião do dia seguinte com Chicaroni e Braz. O local escolhido, contudo, foi um erro. Como se veria na gravação do dia 19, houve muito barulho nas mesas próximas, o que afetou a qualidade do áudio. Além disso, nos trechos mais críticos, Braz falava baixo e apenas gesticulava ou fazia anotações.

"Em alguns trechos, sobretudo quando tratou de valores, Humberto evitou falar, receando estar sendo gravado, e fez anotações à caneta num guardanapo, exibindo-as a mim. Na medida do possível, confirmei os valores verbalmente, a fim de que fossem registrados em áudio."[204]

Há dificuldade de se ouvir aproximadamente um terço das quatro horas e catorze minutos de gravação do dia 19, que integram um único arquivo *wave*. Os primeiros cinquenta e um minutos permitem melhor compreensão porque a conversa ocorreu no bar do restaurante. Ali, Victor Hugo e Chicaroni ficaram conversando até a chegada de Braz. Chicaroni comentou:

— A grande preocupação deles é que amanhã sai um mandado de prisão [...] Se a gente *estivermos* assim posicionando o pessoal, "olha, fiquem tranquilos". O que vier lá para a frente, estão pouco se lixando.

— Lá para a frente, você diz?... — indagou Victor Hugo.

— O STJ, o STF. Está pouco se lixando. Porque, na verdade, o que acontece, a gente trabalha aqui e fica com cara de idiota. E

---

[204] "Relatório sobre reunião com dois investigados ligados a Daniel Dantas", de Victor Hugo, em 23 de junho de 2008.

tomam na testa igual tomou o Castilho, colegas da Abin que investigaram o próprio governo [...] Estão se fodendo. No final das contas, é essa merdeira que vira lá na frente. Porque o que manda é a grana [...] Esses caras não têm a menor preocupação.

Chicaroni citara a queda do delegado José Castilho do comando da Operação Macuco, que investigou o Banestado. Victor Hugo especulou com Chicaroni se fora o próprio Opportunity o responsável pelo vazamento que redundara na matéria divulgada pela *Folha*. Chicaroni negou diversas vezes essa hipótese. Chicaroni aproveitou a deixa para culpar o empresário Demarco, o eterno desafeto do banqueiro.

A conversa voltou ao tema da propina.

— Questões de número e o caramba, eu falo com ele [Braz] — disse Chicaroni.

— Aquele número que você tinha falado, que o valor de alçada dele, quanto você tinha mencionado mesmo? — indagou Victor Hugo.

— Quinhentos mil dólares — confirmou Chicaroni.

— Mais do que isso, tem que ter autorização do Daniel? — quis saber o delegado.

— Eu creio que sim. Mas eu falo com ele.

Braz chegou ao restaurante. O delegado agora estava frente a frente com um dos principais nomes do grupo de Dantas. O som de um piano e um saxofone começou a atrapalhar a gravação. Victor Hugo sugeriu então que fossem para a mesa e pediu um matambre de entrada.

Minutos depois, dois novos clientes entraram no El Tranvía. Os jornalistas Robinson Braoios Cerântula, de cinquenta anos, e William José dos Santos, trinta e cinco, são dois dos mais ativos e relevantes produtores da Rede Globo de Televisão. Suas reportagens são exibidas no *Jornal Nacional*, no *Jornal da Globo*, no jornal local *SPTV* e no *Fantástico*, programas vistos por milhões de telespectadores. Contudo, eles pertencem a uma espécie diferente de jornalistas. Não aparecem no vídeo, mas atuam nos bastidores, produzindo reportagens que são apresentadas por outros jornalistas conhecidos, como César Tralli e Valmir Salaro. Ao entrarem como clientes comuns no El Tranvía, Cerântula e William tornaram-se mais um ramo da parreira falsa que decorava o teto da sala principal do restaurante. Na verdade, estavam ali a trabalho, para documentar um ato de corrupção.

O paulistano Cerântula, filho de um funileiro e uma vendedora de roupas, decidiu ser jornalista após acompanhar pela tevê o incêndio no edifício Andrauss, em 1972. Àquela época, trabalhava como *office boy* das 7 horas às 18 horas e, à noite, estudava num colégio público no bairro de Santana. No final dos anos 1970, era membro da CEB da paróquia de Santana e panfletou *A Voz da Unidade*, jornal do clandestino Partido Comunista Brasileiro. Já aluno de jornalismo, estreou como radioescuta no SBT, passou pela TV Manchete e foi cobrir férias no *Fantástico*, da TV Globo, no início dos anos 1990. Ali conheceu toda uma geração de renomados repórteres, como Caco Barcellos, Marcelo Rezende, Roberto Cabrini e Salaro.

A produção televisiva viveu, à época, um salto tecnológico. Equipamentos de gravação ágeis e pequenos invadiram as redações. Cerântula logo se interessou pelas "câmeras ocultas", microcâmeras que os produtores escondiam em roupas ou pastas. No final dos anos 1990, ele foi trabalhar no novo núcleo criado pela Globo em São Paulo, ligado à direção do *Jornal Nacional*, com a missão de produzir reportagens investigativas. Movimento semelhante ocorreu no Rio, com ousados jornalistas que marcaram época, como Eduardo Faustini. Um dos mais notáveis, Tim Lopes, foi assassinado numa favela do Rio depois que narcotraficantes descobriram que ele usava uma câmera oculta.

Todas as grandes operações realizadas pela PF em São Paulo desde 2003, como a Anaconda, a prisão de Law Kin Chong, a prisão do banqueiro Edemar Cid Ferreira, a prisão do ex-prefeito Paulo Maluf e o caso da compra do dossiê na campanha eleitoral de 2006 foram cobertas por Cerântula. Ele passa o dia circulando entre delegacias.

De modo que, quando Cerântula recebeu, em junho de 2008, a informação sobre uma operação de grande vulto em andamento na

PF, era só mais uma. Era a rotina. Cerântula havia lido a matéria da *Folha*, de abril, que relatara a investigação liderada por Protógenes sobre Dantas, mas não entendia exatamente de que forma o encontro no restaurante se encaixava na história.

"Eu não sabia quem estava no restaurante. Tudo o que eu sabia é que aquele encontro era uma tentativa de corrupção e que poderia dar em cadeia", contou Robinson.[205]

No El Tranvía, Cerântula e William passaram despercebidos. Circularam até achar uma mesa a cerca de cinco metros de outra ocupada por três homens que falavam muito baixo. Quando o garçom se afastou, Cerântula comentou com William: "O de preto é o delegado, o careca é o nosso alvo, mas tem que encostar os três juntos".[206]

"Encostar" é incluir todos na mesma imagem. Cerântula pediu ao garçom uma água sem gás, um suco de laranja, uma fraldinha ao ponto e uma salada mista.

"O cara fica olhando tudo, o cara fica olhando. É ligeiro, eu vi. Na hora que a gente chegou. Ligeiraço."

Escondida na camisa de Cerântula, uma câmera registrava o encontro entre o delegado Victor Hugo, Braz e Chicaroni. Por um monitor da Sony escondido numa pochete, Robinson checava as imagens. Mas os dois produtores nada entendiam do que se falava na mesa. Como comprova o material apreendido meses depois pela PF, nenhuma fala foi registrada pela equipe da Globo, com exceção da própria conversa dos produtores da tevê. Eles gravaram apenas as imagens do trio na mesa.

— O outro é tira? — perguntou William.
— Só um é tira. Os dois são alvos.
— Ele está sendo perseguido? — indagou William aparentemente se referindo a Protógenes.

---

[205] Entrevista ao autor em 22/04/2009.
[206] Para os diálogos, transcrição de vídeo apreendido e armazenado em *pen drive* do delegado Protógenes Queiroz.

— É porque ele *tá* mexendo com um cara de dentro do governo. Esse Greenhalgh é do PT. O alvo dele era um primeiro-ministro. Não *tá* muito fácil isso, não — respondeu Cerântula.

— E ele *tá* se sentindo seguido. Como é? — quis saber William.

— Não, está sendo perseguido dentro da instituição. Eles tiraram todos os agentes dele, reduziram *ele*, sabe, quase que assim, bem pequeno. Ele que *tá* tocando a história. Sozinho. *Tá* com oito caras, e a quantidade de grampos é muito grande, muito grande.

A conversa derivou para outros assuntos, e a gravação terminou após trinta e um minutos. Cansados de esperar por um desfecho, Cerântula e William pagaram a conta e foram embora.

"Eu achei que ia rolar uma *cana* ali, eu estava preparado para documentar uma prisão. Mas não sabia quem era quem. Vi que não ia dar em nada, aí fui embora", disse Cerântula um ano depois.

No curso da investigação aberta pela direção-geral da PF para punir Protógenes, Victor Hugo explicou ter ouvido sobre a existência de uma gravação em vídeo: "O delegado Queiroz disse que iria providenciar uma equipe para realizar uma filmagem do mesmo. Eu gravei o áudio dos três encontros e sei que imagens foram gravadas apenas do segundo encontro. Não sei dizer quem é que fez as gravações [de imagens] do segundo encontro".[207]

O escrivão Ranieri Bellomusto, um dos principais auxiliares de Protógenes, prestou dois depoimentos na investigação. No primeiro, nada falou sobre o encontro no El Tranvía. No segundo, apresentou a versão de que também estava no restaurante e disse que ele é quem teria apontado para Cerântula qual a mesa exata da reunião. Disse que os produtores foram acionados para documentar o encontro porque a PF e a Abin não tinham equipamento adequado para o trabalho. Afirmou que depois ele recebeu de Cerântula um cartão de memória, cujas imagens ele editou, na PF, para retirar as cenas em que apareciam os jornalistas. Em seguida, entregou as imagens a Protógenes. De fato,

---

[207] Termo de depoimento prestado por Victor Hugo à PF em 18 de agosto de 2008.

a PF apreendeu as imagens num *pen drive* do delegado. Ranieri, contudo, não aparece nas imagens. Os produtores negaram a presença do escrivão no local e negaram ter entregado o cartão a Protógenes. De qualquer forma, caso a versão de Ranieri seja verdadeira, ela não altera em nada a essência do episódio: as gravações das conversas propriamente ditas nunca foram feitas pela Rede Globo.

O vídeo gerou inúmeros questionamentos dos advogados do Opportunity, que passaram a dizer que Protógenes havia "terceirizado" para a tevê o registro do ato de suborno. Entretanto, como sempre foi de conhecimento da Justiça e como pode ser facilmente verificado, as conversas foram todas captadas por equipamento próprio em poder do delegado Victor Hugo. São esses os arquivos analisados e transcritos por peritos criminais no processo que condenou Dantas por suborno.

Na sentença condenatória, assinada por De Sanctis, a referência à gravação em vídeo, de tão inexpressiva que é no conjunto das provas, não passou de uma nota de rodapé. As imagens apenas corroboraram a existência do encontro, mas nada acrescentaram ao material gravado em áudio pela PF. Quando a Satiagraha foi deflagrada, a Rede Globo apenas juntou essas imagens ao áudio oficial do oferecimento de suborno e levou o material ao ar, no *Jornal Nacional*.

O trabalho de Cerântula e William configurou, tão somente, um grande furo jornalístico.

A conversa na mesa do El Tranvía continuou após a anônima saída dos jornalistas. No dia anterior, a equipe da Satiagraha havia confeccionado um organograma com informações que não prejudicavam a operação. Também montaram fichas pessoais de Dantas e de sua irmã. Victor Hugo mostrou os papéis a Braz, como "prova" de que estava por dentro da investigação. Ao perceber que a gravação estava sendo prejudicada pelo som vindo de mesas vizinhas, o delegado pediu a Braz que se sentasse ao seu lado, para ver os papéis. A partir daí, melhorou um pouco a qualidade do áudio.

"Pode ver com calma porque eu não posso deixar com vocês esses documentos", disse Victor Hugo. Chicaroni aproveitou para novamente atacar Demarco.

— Agora, aquela segunda etapa, sem querer mudar o caminho do assunto, nem é para agora, aquela segunda etapa que é o ponto de honra, já conversei com o Victor, conversei com outro amigo nosso, é montar um *dossiezinho*, e a gente busca *ele*. Aí é outra história.
— Mas vamos resolver essa, primeiro — disse Victor Hugo.
— Vamos matar esse índio primeiro — brincou Braz.
— Pelo que você falou do Demarco, ele merece — provocou o delegado.

A "segunda etapa" consistia em usar a PF para atingir o desafeto do banqueiro.

Diferentemente de Chicaroni, Braz não era falastrão nem queria exibir seus contatos com poderosos. Ele falava baixo. Victor Hugo teve de ser paciente para ir extraindo de Braz a confirmação das coisas que Chicaroni havia dito anteriormente. O delegado procurou confirmar com Braz qual seria o valor da propina. Chicaroni mencionou de novo meio milhão de reais. Braz, contudo, apenas gesticulou. Para deixar registrado o gesto, o delegado insistiu.

"É que você gesticulou como se fosse um...", disse o delegado.

"É que é um milhão de reais", disse quem a PF identificou como sendo Braz. O áudio desses trechos é ruim. Depois a defesa do Opportunity anexou ao processo três laudos, por ela encomendados, para afirmar que não há certeza sobre a voz de Braz. Mas o problema do áudio não muda a essência: que discutiam valores de um suborno e que dois delegados já haviam recebido R$ 50 mil e iriam receber mais uma parcela.

"Ah, de reais. Entendi", disse Victor Hugo.

Os três pediram o jantar. Na meia hora final da conversa, Chicaroni e Braz falam do risco de pessoas se apresentarem como intermediários para obter dinheiro a propósito da investigação. Victor Hugo falou:

— Tudo o que eu *te* mostrei aqui hoje, só eu tenho [...] Aí é que é a diferença. Isso é achaque. Eu não fiz achaque. Você conhece o Queiroz, eu *te* conheço. Se der para tirar ou um ou dois ou três [nomes]... Eu não falei "olha, vem cá, tenho isso". Você que veio para mim e falou, "ó, tem como, não sei o quê?". Aí que é a diferença entre extorsão.

— É muito diferente — concordou Chicaroni.

Após três horas de conversa, o trio deixou o restaurante.

No dia seguinte, Victor Hugo encaminhou novo relatório confidencial a De Sanctis e a De Grandis. Ele explicou trechos da conversa:

Braz perguntou se o milhão de dólares poderia ser pago em duas parcelas de 500 mil dólares, uma antes da operação policial e outra depois que ela fosse deflagrada, quando a quadrilha poderia confirmar que Dantas efetivamente foi excluído da investigação. Disse eu então que não haveria problemas. Humberto ainda propôs que a primeira parcela de 500 mil dólares fosse paga em várias parcelas menores, alegando que teria dificuldades em conseguir moeda estrangeira neste montante de um dia para o outro. Com receio de comprometer as investigações, insisti que o pagamento da primeira parcela se desse de uma vez só, preferencialmente nesta semana. Por fim, ficou combinado de a primeira parcela de 500 mil dólares ser paga entre esta semana e a próxima.

No dia 25, Victor Hugo partiu sozinho para o terceiro encontro com Chicaroni, sendo acompanhado, a distância, pelo escrivão Ranieri. Dessa vez, marcaram um jantar em Moema. Após meia hora de amenidades, Chicaroni falou de uma nova entrega de dinheiro, um novo sinal. Chicaroni queria entregar no dia seguinte, mas o delegado tinha pressa.

Enquanto ocorria aquela conversa, a equipe da Satiagraha elaborava, em sigilo, os mandados de busca e apreensão e os pedidos de prisão, incluindo o de Chicaroni, que seriam apresentados ao juiz De Sanctis. A meta da equipe da Satiagraha era apanhar aqueles US$ 500 mil prometidos por Chicaroni, que, àquela altura, já deveriam estar na casa do professor.

Victor Hugo, assim, sugeriu: "Faz o seguinte: podemos pegar essa parte agora, já que já está aqui mesmo, e assim que tiver o restante você me liga. [...] O que você acha?".

"*Tá* bom. Uma responsabilidade do cacete... Não vou ficar guardando isso aqui, não."

O delegado acabara de ouvir que o dinheiro estava estocado na casa do professor.

Chicaroni aproveitou para lembrar:

"O ponto de honra do Daniel é pegar esse Demarco."[208]

Duas horas depois, a dupla pagou a conta, deixou o restaurante e foi caminhando até o apartamento de Chicaroni. O professor entrou, apanhou uma sacola de dinheiro e entregou ao delegado.

"Tem oitenta mil reais aqui?", indagou o delegado.

"É, oitenta", respondeu Chicaroni.

Eles se despediram. Na rua, Victor Hugo encontrou-se com Ranieri. Seguiram direto para a superintendência da PF em São Paulo, onde fizeram a apreensão do dinheiro. Ao contar as cédulas, concluíram que havia R$ 79.050, e não o valor dito por Chicaroni. Os dezesseis pacotes estavam empilhados numa caixa de sapatos Timberland.[209] No dia seguinte, o delegado mandou ofício para De Sanctis e De Grandis:

"Da próxima vez que o dinheiro for entregue, além de abordar esse fato com Hugo ou com Humberto, faremos todo o possível para conferir o montante na presença de quem o entregar."

Não haveria próxima vez. Aquela foi a última conversa entre Victor Hugo e Chicaroni. A propina paga a policiais federais para que retirassem

---

[208] A PF transcreveu esse trecho erroneamente como "o ponto de honra do Daniel é entregar essa semana". A sequência do diálogo também demonstra que Chicaroni falava do desafeto de Dantas.

[209] Auto de apreensão de 25 de junho de 2008.

nomes da Satiagraha e investigassem um desafeto do banqueiro já estava fartamente documentada. Do primeiro retorno dado por Protógenes aos telefonemas de Chicaroni até a entrega da segunda parcela da propina, haviam se passado quinze dias de tensas conversações. Restava apreender o dinheiro que deveria estar na casa de Chicaroni. Não havia mais como retardar a deflagração da Operação Satiagraha.

"Perguntaram quem era o réu"

"É preciso que nós esqueçamos o caso concreto. Porque esta corte é juíza, sim, do caso concreto, mas, quando ela decide, faz uma pedagogia dos direitos fundamentais."

Ministro Gilmar Mendes, então presidente do Supremo Tribunal Federal, em 6 de novembro de 2008, na sessão que julgou os *habeas corpus* a favor de Daniel Dantas.

No primeiro fim de semana de julho de 2008, Daniel Dantas se reuniu no apartamento de sua irmã Verônica, na avenida Vieira Souto, no Rio, com Braz e Greenhalgh. A coluna do jornalista Ricardo Boechat na revista *IstoÉ* havia publicado uma nota incômoda. Intitulada "Peixe gordo", dizia que o banqueiro "estava com medo de ser preso", entrara com três pedidos de *habeas corpus*, mas já perdera no STJ e no TRF, restando apenas o STF.

Braz parece ter saído otimista da reunião, pois, no dia seguinte, ligou cedo para Greenhalgh para dizer que havia sido "extraordinária".[210] Ao meio-dia, recebeu uma ligação de uma executiva do Opportunity, que havia lido a nota e não parecia tão confiante.

"Mostrei para Verônica e ela falou, 'vamos perguntar pro Humberto.'"

Braz era o homem que sabia das coisas. Afinal de contas, duas semanas antes ele havia se reunido no El Tranvía com o delegado do caso. Como "sinal", Chicaroni havia entregado R$ 129 mil a Victor Hugo e Protógenes. As coisas, portanto, estavam andando bem, e uma nota na imprensa não causaria maiores estragos. Braz "veio para arrumar a

---

[210] Para este diálogo e seguintes, interceptações telefônicas judiciais arquivadas nos autos da OPS.

casa", como dizia Chicaroni. Dessa forma, ninguém mexeu no dinheiro empilhado no apartamento de Chicaroni, R$ 1,18 milhão pronto para ser entregue, como propina, a dois delegados federais.

Na manhã do dia 8 de julho, uma terça-feira, o celular de Dantas tocou bem cedo, às 6h33, mas ninguém atendeu. Às 8h02, Dantas finalmente acolheu a chamada de Guiga. O publicitário informou ter acabado de sofrer uma "busca e apreensão" em sua casa naquela manhã, em Brasília. A notícia não surpreendeu Dantas, que estava em seu apartamento, no Rio: "Eu também estou tendo".

Após meses de percalços, brigas, queixas sobre a falta de recursos, acusações de perseguição e vazamentos na PF, a Operação Satiagraha finalmente estava na rua.

Um grupo de 164 delegados, agentes e escrivães, distribuídos em quarenta e dois carros, cumpriram mandados de busca e apreensão e de prisões em trinta e cinco endereços diferentes em São Paulo, Rio e Brasília.

Dantas estava sob custódia na sala de seu apartamento, por força do mandado expedido por De Sanctis quatro dias antes. A ordem foi cumprida pelo delegado da PF Carlos Eduardo Pellegrini, enquanto os policiais federais reviravam cômodos e móveis. Pellegrini fez uma apreensão importante na sala:

> O nosso alvo é um cara muito estrategista. Extremamente estrategista. Por exemplo, quando eu entrei na sala, ele não me franqueou acesso ao elevador. Eu pedi. Eu tive que arrombar a porta do elevador — arrombei, mas só a fechadura, não teve estrago nenhum ali, só dei uma entortadinha — e entrei. No que entrei, estava, numa sacolinha azul, o *note* [*notebook*] pessoal dele e dentro os manuscritos que ele tinha escondido de forma rápida, do lado. A primeira coisa foi pegar aquela bolsa. No que pegou, estavam os manuscritos. Na PF "vai uma pessoa tal falar com tal", no Poder Judiciário "vai tal pessoa". No jornalista, "a gente contrata o Mangabeira para chegar *nesses* meios de comunicação", estava todo o organograma dele lá.[211]

---

[211] Transcrição da reunião realizada na superintendência da PF de São Paulo no dia 14 de julho de 2008.

Pelo telefone, Guiga contou a Dantas que Greenhalgh já estava acompanhando o caso. Uma hora mais tarde, voltou a telefonar, agora mais preocupado.

— Vem cá, você foi preso, Daniel?
— Não. Por enquanto.
— Ah, porque a imprensa diz que foi.
— Ah, *tá*. Então deve ser — aquiesceu Dantas.

A notícia já circulava, desde cedo, por *sites* na internet. Se Dantas confirmasse sua prisão, Guiga, que mantinha contatos com jornalistas, poderia torná-la oficial. Até num momento-chave como aquele Dantas guardava suas cartas.

Em novo telefonema, Dantas deu uma orientação em código: "Vê se consegue ajuda aí, naquela coisa [inaudível] que o Arquiteto ia trabalhar, acho que ali é o caminho mais... mais... fácil, entendeu? Porque os outros são mais difíceis. Do Arquiteto e do..."

Não se sabe se esse Arquiteto é o mesmo referido pela PF como João Vaccari Neto. Minutos mais tarde, Dantas voltou a ligar para Guiga, que já estava na frente do advogado Luiz Greenhalgh.

— Eu *tô* no escritório com meu advogado aqui, conversando, tomando umas orientações, e ele me perguntou, porque a imprensa diz que, de fato, você está preso. Você já foi preso, Daniel?
— Não, eu vou ser, acho.
— Você vai ser preso, você acha que vai ser?
— Eu não tenho a menor dúvida, porque está preso todo mundo. Eu *tô* aqui porque não terminaram ainda o trabalho. E dizem nada, se sim ou se não.
— Estão só fazendo o trabalho, não é?
— *Tô* até pronto aqui — disse Dantas sem esclarecer o que seria isso.
— Então *tá*. Você quer que faça alguma coisa?
— Não, eu só acho ali que o trabalho tem que ser feito a nível...

Guiga rapidamente cortou o raciocínio do banqueiro:

— *Tá, tá*. Mas eu não consigo falar, Daniel, já tentei. *Tô* indo para Brasília.

Só então Dantas percebeu que Guiga estava em São Paulo, e não em Brasília.

— Agora, eu acho aquele advogado, aquele advogado, amigo do Luigi, amigo do Arquiteto, é que pode, é quem... Porque o resto não tem, não. Tá bom?

Com o "*ok*" de Guiga, acabou a última conversa de Dantas pelo celular antes de o banqueiro entrar num avião e parar numa cela da carceragem da Superintendência da PF de São Paulo, no bairro do Limão. O Japu estava preso.

Outros investigados trocavam ao telefone palavras de revolta e choque. Às 5h55, de sua mansão no Jardim América, em São Paulo, o investidor Naji Nahas sussurrou ao telefone para seu advogado:

— Tem a Polícia Federal aqui querendo me prender. Querendo arrombar a porta para me prender. O que eu faço?

— O que você vai fazer, porra...

— Você acha que eu me escondo lá em cima?

— Não tem o que fazer, *né*.

— Puta que pariu.

— Não tem onde se esconder, não tem aonde você ir.

Um dos filhos de Nahas telefonou em seguida. Parte do diálogo foi em francês.

— Tem aqui também.

— Na sua casa, também? Polícia Federal? — assustou-se Naji.

— É. Também — respondeu o filho.

O diálogo, interceptado pelos agentes da Satiagraha, provocou críticas internas, pois a resposta passada naquela manhã pela equipe responsável pelas buscas na casa do filho do investidor foi a de que ele não havia sido encontrado em casa, e o telefonema revelava o contrário.

Deve-se ressaltar que a equipe designada para dar cumprimento ao MBA [mandado de busca e apreensão] e MPT [mandado de prisão temporária] na residência de Juriti2 não adotou as providências necessárias com vistas à localização e prisão do alvo, pois depreende-se do diálogo mantido com seu genitor que se encontrava no interior de sua residência e não foi encontrado, o que conduz ao raciocínio lógico de que há, naquele local, cômodo secreto ou situação similar.[212]

Nahas ficou cerca de quinze minutos sem abrir a porta da casa, mesmo tendo visto o mandado de prisão na mão de um policial. Depois disse à PF que temia tratar-se de um assalto, muito embora, no telefonema das 5h55, não tivesse manifestado nenhuma dúvida. Cansados de esperar, os policiais pularam o muro da casa e prenderam Nahas na guarita de vigilância.

Dantas não resistiu, Nahas pensou em se esconder, mas outro investigado, Marco Matalon, o Velho, de setenta e nove anos, tido como um dos principais doleiros de São Paulo, encontrou uma saída inventiva. Enquanto a PF vasculhava sua casa, ele conseguiu telefonar para um médico amigo:

— *Tô* com um problema. Veio ordem de prisão contra mim e não sei, querem me *guardar* cinco dias na cadeia. Não sei por quê, não sei o que aconteceu. Então, estou *te* avisando que talvez eu vá precisar que *você fala* que eu estava doente e tenho todos os exames aqui.

O médico teve uma ideia:

— E se a gente internar você, dizer que você teve uma press...

A proposta era tão boa, que Matalon interrompeu a conversa e passou o celular para um agente federal que estava ao seu lado:

— Fala com o meu médico. Ele quer me internar.

O policial viu uma saída para contornar "a situação da prisão decretada contra o *seu* Marco":

---

[212] "Análise de diálogo" interceptado na OPS.

— Eu não tenho como providenciar, de minha própria vontade, uma internação dele ou que ele fique em prisão domiciliar. [É preciso] requerer isso para o juiz. Então eu precisaria aí que o senhor me aparelhasse da melhor forma possível, documentalmente [...] Precisaria de um atestado médico do senhor.

O médico queria pedir logo ao juiz uma internação:

— Justificativa é uma coisa, internar é outra. Ele vai ser internado. Eu preciso falar uma *mentirinha*, que ele *tá* numa emergência.

— *Tá*. Perfeito — disse o policial.

Não só apoiou a proposta, como também foi ao consultório do médico apanhar os documentos. Matalon não chegou a ir para a carceragem da polícia.

Outros quatro policiais federais entraram, às 6 horas, na casa da advogada Danielle Silbergleid, no Rio. A assessora da diretoria do Opportunity formada em direito pela PUC do Rio em 1998 chorou ao telefone quando disse ao colega João Mendes, advogado do banco, que estava sendo presa.

Danielle trabalhou rápido ao telefone, mobilizou advogados e deu orientações. Trocou informações com o advogado Alberto Pavie Ribeiro, de Brasília. Eles decidiram não procurar De Sanctis ou o TRF. O caminho estava traçado: Supremo Tribunal Federal. Como os ministros estavam em férias, pedidos urgentes passavam a ser analisados por Gilmar Mendes.

"O HC agora vai para o presidente, não é?", indagou Danielle.

Por volta das 14 horas, os telefones celulares dos investigados foram recolhidos. Os presos seguiram para São Paulo, num avião da polícia. A imprensa fotografou, a distância, a entrada de Dantas algemado no prédio da PF paulistana, com os pulsos ocultos pelas mangas do paletó.

Depois Protógenes disse ter ouvido, durante a noite, Dantas dizer em voz alta para Naji Nahas, que ocupava outra cela na mesma ala: "Naji, isso é culpa do PT!". A fala, contudo, não foi gravada, e o banqueiro depois negou tê-la pronunciado.

Os jornais do dia 9 trouxeram os detalhes da operação, incluindo menções ao ex-deputado Greenhalgh. O advogado recebeu um apoio

OPERAÇÃO BANQUEIRO

Jornais de 9 de julho de 2008, um dia depois da deflagração da Operação Satiagraha, trazem a notícia bombástica sobre a prisão de Dantas e outros. Mas ele logo deixou a cadeia, com duas decisões consecutivas do Supremo Tribunal Federal.

explícito da direção do PT. Às 10 horas, o deputado Ricardo Berzoini (SP), presidente nacional do partido, telefonou:

— *Tô te* ligando para *te* dizer da minha solidariedade total e irrestrita e me colocar à disposição para qualquer coisa.
— Isso é uma coisa política — adiantou o advogado.
Berzoini aproveitou para criticar a PF:
— Eu sei... E a maneira, o *modus operandi* dos homens é muito complicado.

No final da noite de 9 de julho, um dia após as prisões, o ministro Gilmar Mendes concedeu a primeira ordem de liberação dos presos. Por volta da meia-noite, a notícia chegou à carceragem da PF por meio de um rádio que estava com um preso de outra ala. Dantas soube da notícia e passou-a à Danielle.[213]

O HC havia sido impetrado pelos advogados do Opportunity originalmente no STF no dia 11 de junho, em favor de Dantas e de Verônica. Eles haviam recorrido de uma decisão tomada em maio pelo STJ sobre outro HC.

Após a reportagem da *Folha* do dia 26 de abril, o advogado Nélio Machado procurou o TRF da 3ª Região com dois objetivos: garantir o salvo-conduto dos irmãos Dantas e ter acesso ao inquérito. Derrotado em São Paulo, recorreu ao STJ. A primeira decisão do ministro Arnaldo Esteves de Lima, em 29 de maio, foi uma ducha de água fria.

"Em princípio, não há fundamento para liminar e nem mesmo para o processamento deste *writ*. De qualquer forma, ouça-se o Ministério Público Federal."

Os advogados não queriam que o caso fosse para o Ministério Público e peticionaram para que o ministro expedisse logo um alvará de salvo-conduto. Em nova decisão, de 6 de junho, o ministro explicou que

---

[213] Interceptação telefônica no dia 10/07 na OPS.

era direito dos advogados o acesso à investigação. Mas para o salvo-conduto era necessário provar que a liberdade do banqueiro estava ameaçada. E fez uma observação que seria o ponto nevrálgico das discussões do futuro HC concedido pelo STF: "Em regra, é incabível *habeas corpus* contra decisão pela qual o relator indefere liminar — Súmula 691/STF. Excepcionalmente, quando evidente o abuso ou ilegalidade, a atingir, direta ou potencialmente, a liberdade, mitiga-se tal princípio, conforme cediça jurisprudência".

O ministro pediu informações à desembargadora do TRF Ramza Tartuce, que também já havia negado o HC. Por fim, novamente mandou remeter o processo ao Ministério Público Federal. Nesse ínterim, os advogados recorreram ao STF contra a primeira decisão do STJ.

Em 12 de junho, o processo no STF foi distribuído ao gabinete do ministro Eros Grau. Ele pediu informações a De Sanctis e um parecer do Ministério Público. O processo foi remetido à PGR (Procuradoria-Geral da República), aos cuidados do subprocurador Wagner Gonçalves, um experiente membro do MPF que já foi cotado para o cargo de procurador-geral. Seu parecer, de nove páginas, foi concluído em 7 de julho, um dia antes da deflagração da Satiagraha.

Portanto, quando Gilmar Mendes decidiu sobre a soltura de Dantas, em 9 de julho, ele já sabia da posição da PGR. O subprocurador era inteiramente contrário ao HC. Apontou que o Opportunity procurava "saltar instâncias". Gonçalves notou que o mérito dos HCs impetrados pelo banco no TRF e no STJ não havia sido sequer julgado, mas o banco já batia às portas do STF. O subprocurador apontou que esse pulo não era possível:

"[A apreciação] macula a ordem dos processos nos tribunais superiores; haveria julgamento *per saltum*, o que é inadmissível."[214]

O que impedia a apreciação, segundo Gonçalves, era a Súmula nº 691, de setembro de 2003, aprovada em plenária do STF. É um texto simples e objetivo: "Não compete ao Supremo Tribunal Federal

---
[214] Parecer 5.903 do subprocurador-geral da República Wagner Gonçalves, de 7 de julho de 2008.

conhecer de *habeas corpus* impetrado contra decisão do relator que, em *habeas corpus* requerido a Tribunal Superior, indefere a liminar".

Era o exato caso em análise. A liminar foi indeferida em duas ocasiões, no TRF e no STJ, e o Opportunity recorreu ao STF.

Contudo, com o passar dos anos, ministros do STF começaram a dizer que iriam relativizar essa súmula. Nos caminhos surpreendentes da corte suprema brasileira, o que parecia claro nem sempre o era. Os ministros passaram a dizer que casos de "flagrante ilegalidade ou abuso de poder" poderiam levar à não aplicação da súmula.

O efeito nocivo da "flexibilização" já havia sido notado por integrantes do próprio STF. Durante um debate acerca de um HC impetrado pelo empresário Roberto Justus, que pretendia trancar uma ação penal aberta sobre créditos tributários que ainda estavam em fase de discussão administrativa, o então ministro Sepúlveda Pertence levantou o problema de forma bastante enfática: "Estamos, decidida e declaradamente, a propor uma restrição à Súmula. Na verdade um cancelamento [...] Homenageio os advogados do meu país. Nenhum deles deixará de falar que a sua 'ilegalidade' é flagrante".

O HC de Justus foi mandado ao plenário. Lá, Cezar Peluso propôs o cancelamento da 691 e a edição de uma nova súmula que mantivesse o texto da primeira, mas com a observação: "Exceto nos casos em que o Supremo entende que compete conhecer".

O ministro Joaquim Barbosa apoiou Pertence e fez uma advertência:

Há outro problema que também me preocupa. Trata-se de certa fragilidade, certa instrumentalização deste tribunal por certos setores. Não raro, utiliza-se a corte como balão de ensaio. Explico. Essa questão foi objeto de um artigo recente do ilustre advogado, propondo exatamente a revogação da súmula.

O advogado citado era Alberto Zacharias Toron, um dos defensores de Dantas na Operação Chacal. Ao final da votação, o pleito de Justus venceu. Pertence então decretou o "fim" da súmula: "Para mim, eu a considero *moralmente* cancelada, embora não se tenha deliberado formalmente a respeito".

O novo entendimento levantava uma pergunta: os ministros do STJ e desembargadores do TRF não conseguem enxergar uma "ilegalidade flagrante" que só os ministros do STF são capazes de ver?

De Sanctis emitiu as ordens de prisão contra Dantas, sua irmã e os funcionários do Opportunity no dia 4 de julho. Elas foram cumpridas pela PF no dia 8. No mesmo dia, os advogados Nélio e Pavie pediram ao STF uma decisão urgente sobre o HC de junho. A petição foi subscrita por quatro advogados: Pedro Gordilho, Fernando Neves da Silva, Luiz Carlos Lopes Madeira e Henrique Neves da Silva. É um grupo de grande prestígio nas cortes de Brasília. Advogado em Brasília desde 1961, Gordilho é amigo do ministro Peluso. Quando o ministro tomou posse na presidência do STF, em 2010, Gordilho foi autorizado a fazer um discurso em sua homenagem. Fernando Neves da Silva e Madeira foram ministros do TSE (Tribunal Superior Eleitoral).

Gilmar Mendes tomou duas decisões no dia 9. A primeira tratou da questão do acesso aos documentos, pela defesa. O ministro reconheceu que, "em princípio", a jurisprudência do STF "é no sentido da inadmissibilidade" da impetração de um HC como aquele. Citou cinco decisões anteriores do STF, sendo três por unanimidade e duas por maioria, nas turmas. Contudo, afirmou que "o rigor na aplicação da Súmula 691/STF tem sido abrandado por julgados desta Corte em hipóteses excepcionais", como a que evita "flagrante constrangimento ilegal". Mendes citou uma decisão unânime do STF, na 1ª Turma, outra unânime, no plenário, outra por maioria, na 1ª Turma, e duas decisões monocráticas, uma de sua própria autoria.

Dos HCs citados, apenas um tratou de uma decisão sobre réu preso, com afastamento da Súmula 691, após liminar não concedida pelo TRF ou pelo STJ. Era o HC julgado em julho de 2005 pelo ministro Marco Aurélio de Mello em favor de um juiz acusado de mandar matar um colega no Espírito Santo. Ao analisar o HC derrotado no STJ,

Marco Aurélio disse que os indícios contra o juiz eram insuficientes. Mandou afastar a Súmula 691 e libertá-lo.

Os outros casos citados por Mendes trataram de trancamento de ações penais, como o de abril de 2005. O juiz federal Ali Mazloum — que mais tarde julgaria o processo que tratou de supostos crimes praticados por Protógenes na Satiagraha — havia pedido o adiamento de um depoimento que deveria prestar naquele mês no Órgão Especial do TRF e, ao mesmo tempo, o julgamento do pedido de trancamento da ação penal. Mendes ordenou que o STJ suspendesse o depoimento.

No HC de Dantas, após citar a jurisprudência, Mendes autorizou o acesso aos autos e pediu informações, em caráter de urgência, a De Sanctis.

O 9 de Julho é feriado em São Paulo. Assim, o ofício de Mendes foi recebido pelo juiz federal do plantão, Luiz Renato Pacheco Chaves de Oliveira, que imediatamente telefonou para De Sanctis. Oliveira enviou ao STF cópia da decisão de De Sanctis e informou que seu colega havia autorizado, desde o dia anterior, o repasse do documento a todos os advogados dos investigados. Ainda no feriado, De Sanctis também remeteu diretamente ao STF nova cópia da sua decisão e outros documentos de três processos relacionados à Satiagraha.

A decisão de De Sanctis tinha 124 páginas. Na parte final, que tratou da decretação das prisões temporárias, citou a Lei 7.960/89. Ela diz que a prisão deve ser "imprescindível para as investigações do inquérito policial" sobre treze tipos de crimes, dentre os crimes contra o sistema financeiro, previstos na Lei 7.492/86. De Sanctis listou três motivos: evitar a troca de informações entre os investigados, permitir a audiência imediata dos investigados "para que seja possível confrontar com a prova já produzida e a ser obtida com a medida de busca e apreensão" e evitar que eles destruíssem documentos e arquivos virtuais.

Sobre Dantas, o juiz afirmou que ele, "com a absoluta certeza de sua impunidade", "diligentemente exerceria seu poder de mando sobre os demais investigados sem adoção de ações visíveis, porquanto seu nome não consta de muitas das empresas investigadas". Mencionou o diálogo gravado com "sua articulação para confundir autoridade judiciária da Corte de Nova Iorque na ocasião em que prestara depoimento em processo movido pelo Citibank".

No STF, Mendes tomou sua segunda decisão. Ele afirmou que "a fundamentação utilizada pelo decreto de prisão temporária — indubitavelmente a espécie mais agressiva de prisão cautelar — não é suficiente para justificar a restrição à liberdade dos pacientes". O ministro disse que De Sanctis cometeu "uma patente violação a direitos individuais dos pacientes". E considerou "desatualizado" o parecer do subprocurador Gonçalves.

De uma só vez, a decisão do ministro fez vigorar três importantes condições. Primeiro, considerou válido o afastamento da Súmula 691 — ou seja, julgou matéria sobre a qual o TRF e o STJ já haviam negado liminares. Depois, "converteu a natureza" do pedido de salvo-conduto de preventiva para "liberatória". Por fim, considerou não existir fundamentação legal para a decretação das prisões temporárias.

Às 23h30 do dia 9, Mendes mandou soltar os irmãos Dantas e os funcionários do Opportunity. Às 5h30 da manhã do dia 10, o banqueiro deixou o prédio da PF. Vestindo um terno escuro, sem gravata, ele caminhou rápido até o carro que o esperava no estacionamento, enquanto os *flashes* dos fotógrafos disparavam ao longe.

O carro de Dantas foi seguido discretamente por uma Blazer verde-escura, conduzida pelo escrivão Ranieri Bellomusto. Sua missão era não perder Dantas de vista. Os policiais estavam escaldados. Numa operação anterior, uma equipe de Protógenes havia perdido a pista da mulher do acusado de contrabando Law Kin Chong. Quando uma ordem de prisão foi expedida contra ela, a polícia demorou sessenta dias para localizá-la.

Os principais investigados da Satiagraha que moravam no Rio decidiram ficar em São Paulo para atender a um pedido da PF para que prestassem depoimento no final do mesmo dia 10. O grupo de Dantas ficou hospedado em um hotel no Itaim Bibi. Danielle voltou a acionar seu celular e contou ao marido que as condições na cela da PF eram execráveis: não havia descarga nas privadas, que exalavam mau cheiro o dia todo, a PF não forneceu comida, e os presos tiveram de fazer faxina. No avião até São Paulo, todos tiveram de ficar algemados a um cinto. O militar da FAB responsável pelo voo teria "berrado" com os presos. Na saída do avião, foram novamente algemados e colocados num camburão da PF, e um policial tirou fotos de todos.

"Fomos tratados como criminosos. Sabe o que tem contra mim na denúncia? Que eu sou 'pessoa íntima' [de Daniel e Verônica]. Coisa do Demarco. Não tem nada, entendeu? É uma humilhação desnecessária."

A explicação de que poderes extraordinários de Demarco estavam "por trás de tudo" — do furo que a *Folha* deu, em abril, à própria existência de uma apuração judicial de larga escala, passando por todas as matérias jornalísticas contrárias ao banco e até as brigas com os fundos de pensão — é um mantra no Opportunity.

No *lobby* do hotel, em rápida entrevista à *Folha*, Dantas se declarou inocente e classificou de "superficiais" as evidências do caso. Atribuiu sua prisão às "revelações" que fez à Procuradoria de Milão, no bombástico "processo italiano".

O Opportunity decidiu que o advogado Nélio iria receber a imprensa em entrevista coletiva na filial do banco, em São Paulo, antes dos depoimentos na PF. Enquanto isso, Dantas e Danielle deixaram o hotel e seguiram para o escritório de Nélio, na avenida 9 de Julho, para uma conversa com outros advogados. Toda essa movimentação era acompanhada pela Blazer da PF.

Por volta das 14 horas, Protógenes, Pellegrini e Ranieri estacionaram o carro na garagem do prédio, foram à recepção e pediram para falar com Nélio. Apresentaram-se como empresários à procura de uma consulta jurídica. O porteiro ligou para o escritório, no 9º andar, e foi informado de que Nélio estava numa reunião com um cliente, "um empresário", e que toda sua agenda para o dia fora cancelada. Era tudo o que os policiais precisavam ouvir. Eles então se identificaram como policiais e disseram que iriam subir de qualquer forma. Pellegrini foi para o elevador, Protógenes ficou no *lobby* e Ranieri, na garagem. Um advogado que trabalha para Nélio desceu para receber Pellegrini. Após uma conversa dura, ambos voltaram à recepção do hotel. Protógenes informou ao advogado que tinha um mandado de prisão preventiva para ser cumprido e que o advogado não poderia obstruir o caminho da polícia. Os três acabaram subindo no elevador.

Quando os policiais entraram no escritório, Dantas estava sentado num sofá de couro, com a cabeça baixa, apoiada nas mãos, e os cotovelos enterrados nas pernas. Havia cerca de vinte pessoas na sala. Protógenes anunciou que trazia a ordem de prisão. Um advogado gritou que "não era possível" e que a polícia não podia invadir um escritório de advocacia.

Protógenes entendeu que Dantas demorava a se decidir. Ele ameaçou telefonar para a PF, disse que "vão chegar aqui cem policiais que vão cercar e invadir este prédio. E eu vou chamar a imprensa para acompanhar".[215]

Após encerrar, às pressas, a entrevista coletiva que concedia no Opportunity, Nélio voltou ao seu escritório. Ele pediu que Dantas pelo menos não fosse algemado. O banqueiro seguiu sem algemas até o carro da polícia no estacionamento. Foi colocado no banco de trás, ao lado de Pellegrini, enquanto Protógenes ficou ao lado do motorista, Ranieri. No caminho, Dantas perguntou aos policiais quais os motivos exatos daquela prisão. Eles explicaram em linhas gerais, e Dantas retrucou que não era caso de prisão. Protógenes aproveitou para comentar que Dantas tinha "hábitos simples". O delegado tinha ouvido dos agentes que o apartamento de Dantas era pouco mobiliado e sem obras de arte. Dantas teria respondido que "gostava de ser assim".[216]

Dantas foi filmado e fotografado pela imprensa ao entrar algemado na PF, pela porta da frente, ao lado de Pellegrini. Protógenes disse ter ficado no carro para "não ser acusado de estrelismo". A entrada escolhida foi proposital. "Aquela entrada pela frente foi para quebrar o

---

[215] Entrevista de Protógenes ao autor em 19/02/2010.
[216] Idem.

poder dele, mesmo. Mostrar que ele não tinha condições de interferir no processo", reconheceu o delegado, meses depois.

Assim que Dantas foi levado, Danielle telefonou para o advogado Alberto Pavie, em Brasília, para combinar a estratégia que deveria ser usada a fim de jogar Gilmar Mendes contra os delegados. Eles deveriam ser tachados de rebeldes.

> O que eu acho que a gente precisa mostrar para o Gilmar: "Aqui, amigo, a manobra que estão fazendo em relação a você. Pediram a temporária, você deu temporária, eles tinham a informação desde meia-noite e meia, seguraram o cara lá, obrigaram a gente a assinar um papelzinho dizendo que a gente iria comparecer amanhã, forçando a gente a ficar em São Paulo, e aí transformaram uma manobra, pedindo a preventiva".

Pavie ficou preocupado com a informação de que o juiz teria ouvido novas testemunhas, pois achava que "não teria havido produção de prova nenhuma" entre a primeira e a segunda ordem de prisão. O ponto era, de fato, essencial. A prisão preventiva, para ser decretada logo após a suspensão de uma prisão temporária por ordem do STF, só poderia estar acompanhada de novos indícios.

De Sanctis realmente seria um suicida se não tivesse levado em conta novas evidências. E elas de fato haviam sido encontradas no dia 8 de julho. Os dados não constavam da primeira decisão por uma razão simples: as primeiras ordens de prisão são de 4 de julho (só cumpridas pela PF no dia 8), portanto quatro dias antes de os policiais terem entrado nas casas de Dantas e Chicaroni. Assim, De Sanctis não poderia ter levado em conta evidências que nem sequer existiam.

No apartamento do banqueiro, os policiais apreenderam, fotografaram e etiquetaram vários papéis que estavam numa mochila azul em cima da sala de jantar. São quatro anotações manuscritas e cinco folhas de computador impressas. Nomes e valores constam de tabelas intituladas "Contribuições ao Clube" e "Contribuições ao Partido". As colunas são divididas por "valor", "data", "interlocutor", "motivo/utilização" e "forma". Está escrito que 1,5 milhão (não se sabe se reais ou dólares) foi pago em *cash*, em espécie, por "Pedro", no ano de 2004, a título de "Contribuição para que um dos companheiros não fosse indiciado criminalmente".

O papel intitulado "Contribuições ao Partido" registra que 3 milhões foram pagos por intermédio de "Rubens" em outubro de 2002 para a "Campanha de Fernando à Presidência". No ano de 2004, 20 milhões foram pagos pelo trio "Pedro/Eduardo/Dudu" como "despesas de campanha de Letícia". Aqui se fala em uma divisão: "13 milhões em pagamento de faturas e 7 milhões depositados".

O valor total tratado em cada tabela oscilou de 30,4 milhões a 36 milhões. Outra tabela no mesmo estilo traz referências diretas a assuntos de interesse do Opportunity. As colunas são divididas em "objeto", "resultado", "Pagamento escritório" e "Pagamento escritório associado". Sobre o "HC denunciação caluniosa", que teve um resultado "*ok* 2x1", houve um pagamento escritório de "300". Após a listagem de cinco inquéritos, há o "Assunto Kroll", cujo resultado estava "em andamento", e para o qual o "Pagamento escritório" foi de "500".

Nas anotações à mão, há nomes de policiais, de membros do Ministério Público, do Judiciário e de executivos da Telecom Italia. O delegado Zulmar Pimentel, por exemplo, um dos principais responsáveis pelas grandes operações da PF, incluindo a Chacal, que investigou o Opportunity, é xingado de 'filho da pauta, [o] segundo [cargo abaixo do de] Paulo Lacerda, ódio do mundo'. Há um "xis" à frente dos nomes de Protógenes e de De Sanctis. Uma anotação diz "US$ 3 mil para corromper a polícia". Outra anotação é mais genérica, "Corromper a polícia".

Um papel rabiscado em um bloco de anotações com a marca do luxuoso hotel Waldorf Astoria, em Nova Iorque, traz frases em inglês sobre "assuntos importantes" e "Conselho da Magistratura". Logo abaixo, alguém escreveu: "Usar o assunto da polícia para produzir notícia e influir na Justiça". Não há data da anotação.

Outra evidência — estrondosa — foi encontrada no apartamento de Hugo Chicaroni. Pilhas de dinheiro, num total de R$ 1,18 milhão, valor que seria usado para corromper Protógenes e Victor Hugo. Em seguida à apreensão, Chicaroni prestou um depoimento esclarecedor. Ele confirmou ter procurado os dois delegados a mando do grupo Opportunity e ter feito pagamentos a ambos. Explicou que, por intermédio de um amigo, o ex-desembargador Pedro Rotta, conheceu no Rio o advogado Wilson Mirza, que teria mostrado a Chicaroni a reportagem da *Folha* que tratava da investigação e pedido que entrasse em contato com o delegado. Vinte dias depois, prosseguiu Chicaroni, ele procurou Protógenes. O delegado lhe teria dito que "não estava mais no caso" e indicou como novo responsável o delegado Victor Hugo.

Chicaroni disse ter estado com Victor Hugo e pedido "que fossem passadas informações" ao Opportunity sobre o inquérito. Diz o depoimento: "Nesse momento, [Chicaroni] entregou ao delegado Victor Hugo R$ 50 mil a título de 'primeiro encontro' e também pela promessa de pequenas informações". Chicaroni procurou Mirza e lhe disse que Victor Hugo não gostaria de falar com advogados, mas com executivos do Opportunity. Então Mirza apresentou a Chicaroni o ex-presidente da BrT Participações, Humberto Braz. Chicaroni foi além: "Tenho conhecimento de que o controlador do grupo Opportunity é o banqueiro Daniel Dantas e que Humberto estava na condição, naquele momento, representando interesses do grupo Opportunity", declarou.[217]

O professor contou ainda que "pessoas ligadas ao Opportunity" haviam levado à sua casa, cerca de dez dias antes, a quantia de R$ 865 mil em espécie, que "deveriam ser entregues ao delegado Victor Hugo". Chicaroni alegou que o resto do dinheiro encontrado em sua casa, cerca de R$ 300 mil, veio do caixa de sua empresa, a Frango Forte.

---

[217] Termo de depoimento prestado por Hugo Chicaroni à OPS no dia 8/07/2008.

Chicaroni prestou um segundo depoimento. Na presença de seu advogado, Milton Fernando Talzi, ele reafirmou todo o primeiro depoimento e declarou que "gostaria de salientar mais uma vez que busca a delação premiada". Ele ressaltou:

> Sua única atuação se deu na aproximação de pessoas ligadas ao grupo Opportunity e policiais federais, salientando que jamais participou das negociações tidas entre os mesmos [...] Em relação aos recursos que recebeu para pagamento do delegado Victor Hugo, informa que quem coordenou a entrega dos valores ao declarante [Chicaroni] foi uma pessoa de nome Humberto, executivo do grupo Opportunity.

Os dois depoimentos de Chicaroni não poderiam ser mais claros. Em síntese, eles corroboraram as gravações realizadas por Victor Hugo.

Contudo, meses depois Chicaroni apresentou uma versão completamente diferente do que ele mesmo havia dito à PF na presença de advogado. Dizia agora ter sido "coagido" por Protógenes e deu a seguinte explicação sobre o dinheiro achado em sua casa: "Esse dinheiro foi mandado a mim pelo Braz, para que guardasse em São Paulo, mas eu não sabia para que os recursos seriam usados".[218] No posterior interrogatório na Justiça, também disse que Protógenes é quem havia pedido propina.

Os papéis apreendidos pela polícia no apartamento de Dantas foram examinados entre os dias 8 e 9. Movidos a bolacha, café e água, Protógenes, Victor Hugo, Pellegrini, Karina e os escrivães Ranieri e Walter passaram a noite elaborando o novo pedido de prisão. Às 10 horas do dia 10, cinco horas depois da soltura de Dantas, Protógenes e Victor Hugo foram ao fórum da Justiça para aguardar a decisão de De Sanctis sobre o novo pedido.

O juiz decidiu: "O requerido [Dantas] detém significativo poder econômico e possui contatos com o exterior [...] Ficou claro que

---

[218] Entrevista concedida à *Folha*, edição de 7/12/2008.

coragem e condições para tumultuar a persecução penal não faltam ao representado".

A nova ordem de prisão estava destinada a ser pintada em cores de "rebeldia", "armadilha" e "insurgência" de De Sanctis contra Gilmar Mendes, em particular, e contra o STF, como um todo. A defesa do banqueiro procurou, desde o início, demonstrar a Mendes que houve uma armadilha e que ele teria sido enganado pelo juiz de primeira instância. Nos dias seguintes, essa tese foi inteiramente vencedora, tanto no gabinete do presidente do STF quanto em boa parte da imprensa.

"Nova [prova]? Nós não sabemos", reconheceu a advogada do Opportunity, na conversa telefônica com Pavie, que estava em Brasília. "Acho que não vale a pena você afirmar nem que houve nem que não houve, porque é tudo fofoca, rumor e dedução. Mas, mostrando o seguinte: o ardil da parte deles."

Os advogados do Opportunity passaram a insinuar que a PF havia "plantado" provas no apartamento de Dantas.

Explicou Danielle:

O cara, quando estava fazendo a diligência, subitamente apareceu assim, "Ha, ha, encontrei o que eu precisava". E este papel foi um dos papéis que o Daniel fez a ressalva que não reconhecia. E o que eu estou comentando aqui com o pessoal é o seguinte, todo mundo fala tudo do Daniel, menos que o cara é imbecil e burro [...] Não é nem razoável achar que ele teria um papel como aquele na casa dele.

Na manhã do dia 11, o Opportunity tinha algo a comemorar. "Vocês já leram o *Estadão*? O Gilmar está mandando abrir uma sindicância contra o Fausto no CNJ. E *O Globo* também [diz o mesmo]", informou Danielle a Arthur Carvalho.

Mendes também enviou uma comunicação à Corregedoria do TRF da 3ª Região, que abriu um procedimento. Trata-se de uma peça tão bizarra, que De Sanctis depois mandou plastificá-la, como recordação. O

OPERAÇÃO BANQUEIRO

PODER JUDICIÁRIO
JUSTIÇA FEDERAL DA 3ª REGIÃO

PEDIDO DE PROVIDÊNCIAS
TRIBUNAL REGIONAL FEDERAL

```
NUMERO PROCESSO  : 2008.01.0432
TIPO PROCESSO    : EXPEDIENTE ADMINISTRATIVO
VARA(S)          : 6ª VARA FEDERAL CRIMINAL/1ª SUBS.JUD.SP
REQUERENTE       : PRESIDENTE SUPREMO TRIBUNAL FEDERAL MINISTRO
                   GILMAR MENDES
REQUERIDO        : JUIZ FEDERAL FAUSTO MARTIN DE SANCTIS
ASSUNTO          : PRISÃO TEMPORÁRIA DECRETADA NOS AUTOS DOS
                   PROCESSOS      N°S      2007.61.81.001285-2,
                   2008.61.81.008936-1 E 2008.61.81.008919-1, E
                   PREVENTIVA, NOS AUTOS DO PROCESSO N°
                   2008.61.81.009733-3, NA OPERAÇÃO DENOMINADA
                   "SATIAGRAHA".
AUTUAÇÃO         : 21/07/2008

RELATOR(A)       : DES.FEDERAL ANDRE NABARRETE
```

VOL. 1

```
2009.03.00.006677-2  717     PP        SP VOL 1   AUT 02.03.2009
                 PEDIDO DE PROVIDÊNCIAS
REQTE  : DESEMBARGADOR FEDERAL CORREGEDOR GERAL
REQDO  : FAUSTO MARTIN DE SANCTIS
Anotações: PROC.SIG.
MAGISTRATURA/ AGENTES POLíTICOS/ ADMINISTRATIVO
DISTRIBUIÇÃO AUTOMATICA INSTANTÂNEA EM 02.03.2009
RELATOR: DES.FED. PRESIDENTE - GABINETE DA PRESIDENTE
```

Capa do processo de "pedido de providências" feito pelo ministro do STF Gilmar Mendes contra o juiz Fausto De Sanctis. O motivo, descrito no campo do "assunto": as próprias prisões decretadas pelo juiz contra o banqueiro Daniel Dantas.

documento informa a abertura de uma investigação contra o juiz. No campo destinado ao "assunto", que se constitui no motivo da apuração, está dito que são as próprias decisões tomadas pelo magistrado. Uma decisão judicial, sobre a qual há todo um espaço legal no Judiciário para ser debatida, mantida ou derrubada, era agora denunciada como insubordinação e desobediência. Se toda decisão judicial der origem a uma representação, as corregedorias do Judiciário entrarão em pane.

Danielle conversou com o colega João Mendes, que agora estava no STF, em Brasília. Mesmo com o tribunal em recesso, o gabinete da presidência permitiu a entrada do advogado às 11 horas. João cochichou ao telefone: "Quando a gente chegou aqui, só podia entrar duas da tarde. Assim que conseguiram contato com o gabinete, perguntaram quem era o réu, a gente falou que era o Daniel. Aí falou assim: 'Pode subir'. A gente subiu".

Danielle aproveitou para passar adiante todo tipo de boato possível contra De Sanctis. Afinal de contas, João estava numa posição excelente, em contato direto com o gabinete do presidente do Supremo.

— Você sabe que o Fausto mandou colocar escuta ambiental no gabinete do Gilmar, que o jornal *tá* falando?... E que existem conversas de advogados, como se tivesse tido alguma irregularidade, o que não tem, as conversas dos advogados de Daniel, quando foram despachar com ele [Gilmar]?

— Caramba! — assustou-se João.

— *Tá* no jorn... Quer dizer, alguém está me contando aqui, porque não dá tempo de ler tudo o que está acontecendo, que a gente está fazendo aqui outras coisas.

Era uma informação, de fato, trepidante. Um juiz federal mandar instalar um microfone na sala do presidente do STF era surreal, e certamente ilegal, pois De Sanctis não tinha competência para investigar o ministro. O advogado do Opportunity de pronto soube o que fazer com aquela informação: "*Tá*, deixa eu passar isso para eles então. Obrigado, Dani".

Danielle se valia principalmente de uma nota publicada na editoria "Painel", da *Folha*. Ela dizia que Mendes havia sido alertado por uma juíza federal de São Paulo sobre um possível "monitoramento" em seu gabinete. Informava que o ministro "confirmou informação" de que a PF tinha em mãos um vídeo, "com imagens gravadas no Supremo", em que assessores da presidência conversavam com advogados do Opportunity. A nota, portanto, atribuía a Mendes a informação.

A desembargadora e vice-presidente do TRF da 3ª Região Suzana de Camargo Gomes fazia compras num *shopping* no feriado de 9 de Julho quando tocou seu celular. Era um funcionário do TRF, dizendo que o presidente do STF gostaria de falar com ela. O ministro e a juíza são amigos. A desembargadora ouviu de Mendes que uma decisão sua que permitia o acesso dos advogados aos autos da Satiagraha "não estava sendo cumprida". Assim, pediu "a intervenção" de Suzana e afirmou que diria o mesmo à presidente do TRF, Marli Ferreira.[219]

Quando Suzana telefonou para Marli, esta já estava a par das reclamações de Mendes. Num ato incomum, o presidente do STF ligou para as duas principais autoridades do TRF. Marli depois contou: "Recebi ligação do ministro Gilmar Mendes, em que ele solicitou o meu apoio no sentido de obter informações sobre os autos de inquérito referentes à Operação Satiagraha".[220]

Mas o juiz do plantão já havia, conforme o próprio Mendes reconheceu em sua decisão, repassado a íntegra da decisão de De Sanctis. Marli ligou para De Sanctis e ouviu explicação igual. Ela telefonou para Mendes e deu essa resposta. No dia seguinte, contudo, Marli teve uma surpresa: soube pela imprensa que Suzana enviara ao STF páginas do inquérito.

As atividades de Suzana continuaram no dia 10 de julho. Por volta das 14 horas, logo depois da decretação da segunda prisão contra Dantas, ela recebeu outra ligação de Mendes. Dessa vez, segundo ela, o ministro "solicitava providências no sentido de confirmar se o juiz responsável pelo caso estaria afrontando a decisão que proferira [na noite anterior]".

Suzana telefonou para De Sanctis. Ela narrou depois à PF: "Indaguei daquele magistrado sobre o fato mencionado pelo ministro Gilmar Mendes relativo à afronta da decisão liminar da soltura".

---

[219] Para essa afirmação e seguintes, termo de depoimento prestado por Suzana de Camargo Gomes à PF no dia 9 de setembro de 2009.

[220] Termo de depoimento prestado por Marli Marques Ferreira à PF no dia 25 de setembro de 2009.

Suzana disse que De Sanctis lhe falou que havia uma "grande sujeira" e perguntou "se ela achava normal o fato de o presidente do STF ter participado na segunda-feira anterior em seu gabinete de uma reunião com duração de duas horas, com advogados da defesa dos envolvidos na operação".

No ponto crucial do diálogo, Suzana relatou:

> Na mesma oportunidade, o juiz também informou que havia gravações "deles" falando mal de sua atuação como juiz. Não posso afirmar que as gravações "deles" diziam respeito a conversas do ministro com os advogados, mas informo que tais elementos foram repassados no mesmo contexto da informação de que o ministro havia se reunido com os advogados do caso, por duas horas, indicando possível relação entre um fato e outro.

A declaração de Suzana deixa claro que De Sanctis não lhe disse que estava gravando Mendes, mas apenas que foi isso o que ela entendeu, a "possível relação". Em novembro, Gilmar Mendes fez a seguinte narrativa sobre esses eventos:

> Também vem a notícia de monitoramento do meu gabinete, trazida, inicialmente, por um jornalista da revista *Veja* e confirmada, depois, pela desembargadora Suzana Camargo, que falara com o juiz da 6ª Vara e disse à desembargadora que recebia informes sobre o que se dizia no meu gabinete. Portanto, havia a prática do monitoramento. Mas havia, também, a prática do amedrontamento.[221]

A versão de De Sanctis sobre a conversa com Suzana é diferente em vários aspectos. Citando como testemunhas da conversa o diretor da secretaria, uma oficial de gabinete e uma analista judiciária, todos em sua sala no momento da ligação, ele disse que a desembargadora pediu por telefone que reconsiderasse sua decisão que ordenou a prisão preventiva de Dantas.

---

[221] Inteiro teor de sessão que julgou HC 95009 no STF em novembro de 2008.

Fiquei surpreso com o teor da ligação, tendo aquela desembargadora invocado a condição de amiga pessoal do ministro, e informando o quanto o ministro Gilmar Mendes estava "irado", afirmando que ele teria tomado como pessoal a nova decretação da prisão de Daniel Dantas. O objetivo da ligação da vice-presidente era confirmar ao ministro se eram verdadeiras as informações sobre a notícia da nova prisão. Informei que a decisão era técnica, tomada com base na legislação e fruto de novos elementos [...] Houve insistência da desembargadora em relatar a ira do ministro, tendo inclusive solicitado que [De Sanctis] reconsiderasse a decisão, fazendo que eu frisasse novamente que a decisão tinha caráter técnico.[222]

Gilmar Mendes voltou a falar com Marli Ferreira no dia 10, de forma bastante enfática: "O ministro me informou que a desembargadora Suzana lhe havia dito que o juiz Fausto teria feito comentários sobre a existência de interceptação no gabinete da presidência do STF".

Agora não era mais "monitoramento", mas uma "interceptação", isto é, um grampo ilegal. Marli ligou para De Sanctis, que reagiu. "O magistrado perguntou se eu também iria solicitar que sua decisão fosse modificada, como havia feito a vice-presidente do TRF/SP."

Marli disse que não, "até porque jamais faria qualquer solicitação nesse sentido". Ela contou ao juiz sobre a suposta interceptação no gabinete do ministro, "pois o próprio ministro lhe havia informado tal fato". De Sanctis, segundo Marli, "ficou perplexo e nitidamente revoltado" e disse que "jamais cometeria tamanha ilegalidade". Marli telefonou para Mendes e lhe disse que a interceptação não era verdadeira e que a nova prisão era baseada em novas provas.

Mas as especulações sobre uma interceptação no STF, ordenada por um juiz de São Paulo, cresceram de forma espantosa nas horas seguintes. Elas foram incentivadas pela leitura enviesada dos documentos e diálogos telefônicos interceptados de forma legal que já integravam os autos da Satiagraha muito antes da decisão de Mendes.

---

[222] Depoimento de De Sanctis à Polícia Federal no IPL 964/08 em 25 de setembro de 2008.

Dias antes da deflagração da operação, a PF havia interceptado *e-mails* que revelavam a estratégia do Opportunity para que um pedido de liminar no HC caísse nas mãos de Mendes, ou do vice-presidente do STF, Cezar Peluso. Um dos contratados do banco, o advogado Luiz Carlos Lopes Madeira, afirmou em *e-mail* direcionado aos advogados do banco: "Insisto que não estou pensando no STJ. No STF, quem estará na presidência é o ministro Gilmar ou o ministro Cezar Peluso".[223]

Em nova comunicação, Madeira explicou o que deveria ser feito:

O relator [Eros Grau] viajou para São Paulo hoje. Retorna amanhã, 27. Em seguida viaja e só volta no final do recesso. Pelas normas regimentais do STJ, em casos tais de urgência, o processo vai para a presidência. Penso que no STF o processamento deve ser o mesmo. Na presidência não seria mais viável?

Outro defensor do Opportunity, Henrique Neves, concordou com Madeira: "No STF, por sua vez, a questão ainda está na apreciação da liminar, o que pode ser levado ao Presidente no plantão".

Quando os *e-mails* vieram a público, pela *Folha*, após a Satiagraha, Madeira protestou: "Isso se trata de uma ilegalidade, de uma violência. É uma estupidez, nem na época da ditadura se chegou a quebrar o sigilo de advogados".

Em maio, a descoberta dessa movimentação deixou os investigadores da Satiagraha em pânico. No dia 2 de julho, eles informaram Protógenes, que levou aos autos: "O presente relatório foi feito em caráter de urgência objetivando informar a autoridade policial de possíveis manobras no âmbito do Poder Judiciário que possam causar significativo prejuízo para a presente investigação policial".

Havia também as conversas telefônicas de Danielle, aqui relatadas publicamente pela primeira vez, parágrafos acima. Com acesso direto aos *e-mails* e telefonemas, a PF e o juiz tinham plenas condições de saber quando, como e por que os advogados do banco

---

[223] Relatório Policial 02/2008 BSB-STG, autos da OPS.

buscavam o gabinete de Mendes. Mas isso não queria dizer que os dados foram obtidos por monitoramento no gabinete de Mendes. As exaustivas investigações posteriores desencadeadas pela PF, pela Abin e pela CPI dos Grampos, que ouviram dezenas de pessoas, invadiram residências e apreenderam computadores, nunca confirmaram a existência de qualquer grampo no gabinete. O "monitoramento", se pode ser assim chamado, foi indireto, por meio de terceiros. Eram pessoas escrevendo e falando sobre Mendes, o que esperavam alcançar dele ou do Supremo.

Quando alguém está sob vigilância eletrônica ou telefônica com ordem judicial, tudo o que produzir e for de interesse da investigação fica armazenado no inquérito. Pelas leis brasileiras, o juiz não pode simplesmente varrer os indícios para debaixo do tapete, pois as provas não podem ser desfeitas. É assim que uma investigação legal funciona. Não há um poder superior que extermine os áudios e documentos apenas porque os investigados citam, ainda que indevidamente, um terceiro não investigado, mesmo que seja o presidente do Supremo.

Ao conversar com Suzana, pelo telefone, De Sanctis tinha pleno conhecimento da ação dos advogados que falavam da presidência do STF. Daí a dizer que mandara grampear Mendes era uma distância fabulosa, a distância entre a lei e o crime. Mas a estratégia de classificar as simples menções a autoridades de "espionagem" voltaria diversas vezes após a Satiagraha, na imprensa e fora dela. As investigações posteriores, contudo, demonstraram que, assim como Mendes, a então ministra da Casa Civil Dilma Rousseff e o então secretário pessoal do presidente da República Gilberto Carvalho jamais tiveram suas linhas telefônicas interceptadas. Afirmação no sentido contrário é uma mistificação que não tem nenhuma base nos dados reais disponíveis; os indisponíveis, ou inexistentes, são o campo apropriado da paranoia.

No depoimento que prestou à PF de Brasília, no dia 9 de setembro de 2009, a própria Suzana afirmou: "Não acredito que o juiz Fausto tenha decretado 'grampos' ilegais atingindo os telefones do ministro Gilmar Mendes. Os fatos por ele relatados a mim devem ser oriundos de informações obtidas no decorrer das investigações da Operação Satiagraha".

MINISTÉRIO DA JUSTIÇA
DEPARTAMENTO DE POLÍCIA FEDERAL
DIREX-COORDENAÇÃO-GERAL DE POLÍCIA FAZENDÁRIA

TERMO DE DEPOIMENTO que presta

SUZANA DE CAMARGO GOMES.

IPL n° 964/2008-SR/DPF/DF

CPF 371.343.969-91 / CI RG n° 971.869-9 - SSP/PR

Aos nove (09) dias do mês de setembro (09) do ano de dois mil e oito (2008), nesta cidade de São Paulo/SP, no Gabinete da Vice-Presidência do Tribunal Regional Federal/3ª. Região, onde se achavam presentes os Delegado de Polícia Federal WILLIAM MARCEL MURAD, presidente do IPL, e RÔMULO FISCH DE BERRÊDO MENEZES, Coordenador-Geral de Polícia Fazendária, comigo, GLIMALDE JOSÉ MOURA DOS SANTOS, Escrivão de Polícia Federal, ao final assinado, presente a Sra. **SUZANA DE CAMARGO GOMES**, natural de Palmas/PR, nacionalidade brasileira, viúva, nascida em 28 OUT 1955, filha de Dorilda T. de Camargo e Joaquim José de Camargo, vice-presidente do Tribunal Regional Federal da 3ª. Região/São Paulo/SP, telefone (11) 3012-1300, instrução superior (Direito). Inquirida pela Autoridade a respeito dos fatos em apuração **RESPONDEU**: QUE, no dia 09 de julho do corrente ano, feriado em São Paulo, um dia após a deflagração da operação "Satiagraha", a depoente recebeu um telefonema de um servidor do TRF/SP, o qual lhe informou que deveria entrar em contato com o ministro GILMAR MENDES do STF; QUE, por estar em um shopping nesta cidade de São Paulo, a depoente retornou para o ministro, no telefone informado pelo referido servidor do TRF/SP; QUE o ministro lhe relatou o fato de que estava tendo dificuldades, tendo em vista que uma liminar dada pelo STF, que permitia o acesso dos advogados aos autos do inquérito referente a operação, não estava sendo cumprida, razão pela qual solicitava a sua intervenção no sentido de que fosse cumprida, além de ter dito também que havia entrado em contato com a presidente do Tribunal com a mesma objetividade; QUE fez contato com a presidente do TRF/SP, Dra. MARLI, a fim de verificar se esta já havia tomado alguma providência quanto ao cumprimento da liminar, sendo informada que já havia entrado em contato com o juiz do caso, Dr. FAUSTO DE SANCTIS, e este lhe dissera que cumpriria a decisão no dia seguinte, já que se tratava de um feriado; QUE salientou, então, acerca da necessidade de que fosse cumprida a decisão pelo plantão.

Em depoimento que prestou à Polícia Federal, a desembargadora federal Suzana de Camargo Gomes isenta o juiz Fausto De Sanctis de grampos sobre o ministro Gilmar Mendes. Ela foi citada pelo próprio Mendes como fonte das acusações.

OPERAÇÃO BANQUEIRO

tendo a Presidente destacado que falaria novamente a respeito, mas que de qualquer sorte no dia seguinte seria dado cumprimento; QUE, pela imprensa, em noticiário da televisão, soube que alguns dos presos haviam sido soltos em cumprimento de outra decisão do ministro GILMAR MENDES; QUE, no dia seguinte, por volta das 14 horas, recebeu outra ligação do ministro GILMAR MENDES, na qual solicitava a tomada de providências no sentido de confirmar se o Juiz responsável pelo caso estaria afrontando a decisão que proferira determinando a soltura de alguns dos envolvidos na operação, isto porque fora informado no sentido de que nova prisão havia sido decretada e antes de tomar qualquer atitude precisaria saber com certeza se tal ocorrera; QUE telefonou então para o Juiz FAUSTO DE SANCTIS, sem ter conseguido com ele falar, pelo que este, mais tarde, veio a retornar a ligação, sendo que nessa oportunidade indagou daquele magistrado sobre o fato mencionado pelo ministro GILMAR MENDES relativo à afronta da decisão liminar de soltura; QUE o juiz FAUSTO afirmou que havia determinado a nova prisão dos envolvidos, em razão dos elementos que lhe foram apresentados; QUE, na mesma ocasião, o juiz FAUSTO DE SANCTIS disse à depoente que havia uma "grande sujeira", perguntando se a depoente achava normal o fato do presidente do STF, ministro GILMAR MENDES, ter participado na segunda-feira anterior, em seu gabinete, de uma reunião com duração de 02 (Duas) horas com advogados da defesa dos envolvidos na operação; QUE na mesma oportunidade, o juiz também informou à depoente que havia gravações "deles" falando mal de sua atuação como juiz; QUE não pode afirmar que as gravações "deles" diziam respeito a conversas do ministro com os advogados, mas informa que tais elementos foram repassados no mesmo contexto da informação de que o ministro havia se reunido com os advogados do caso, por duas horas, indicando possível relação entre um fato e outro; QUE recomendou cautela ao juiz FAUSTO naquele momento, diante da gravidade dos fatos, tendo aquele magistrado informado que possuía elementos para tal decisão; QUE retornou a ligação ao ministro GILMAR MENDES, informando sobre o teor da conversa com o juiz FAUSTO, destacando que, efetivamente, fora decretada a prisão e que o magistrado havia se referido também à realização de uma reunião com os advogados de defesa dos envolvidos, em seu gabinete, com duração de duas horas, e que havia gravações em que se falava mal da atuação do magistrado; QUE sugeriu cautela ao ministro GILMAR MENDES, tendo este respondido que era uma grande mentira o fato de ter se reunido com advogados dos envolvidos na operação "Satiagraha"; QUE o ministro informou à depoente que tomaria as providências necessárias; QUE, pela gravidade da situação existente naquele momento, a depoente preocupou-se com a repercussão daqueles acontecimentos, limitando-se a não dar entrevistas para evitar a exposição de fatos internos envolvendo a instituição; QUE após o episódio narrado não mais conversou com o juiz FAUSTO DE SANCTIS; QUE não acredita que o juiz FAUSTO tenha decretado "grampos" ilegais atingindo os telefones do Ministro Gilmar Mendes, sendo que os fatos por ele relatados à depoente devem ser oriundos de informações obtidas no decorrer das investigações da operação "Satiagraha". Nada mais disse e nem lhe foi perguntado, determinando a Autoridade

Essa afirmação clara e objetiva não veio a público antes deste livro.

No dia 11 de julho, o primeiro em que Dantas passou preso por força da segunda ordem de prisão, defensores do Opportunity efetivamente se reuniram com assessores da presidência do STF. As esperanças da advogada Danielle foram renovadas com uma informação surpreendente passada pelo advogado João Mendes. Ele não só foi recebido no gabinete do presidente do STF, segundo ele antes do horário de expediente, como ainda pôde argumentar, com auxiliares diretos do ministro, as possíveis deficiências da segunda ordem de prisão emitida por De Sanctis. Essas conversas também são inéditas. João ligou para Danielle:

— Olha só, os assessores aqui do presidente acharam relevante aquela questão da data dos depoimentos [...] A gente tem aí para mandar por fax para mim?

O advogado queria expor ao STF a tese do "ardil" levantada mais cedo. O advogado pediu:

— Manda por fax aqui para a presidência do STF.

Enquanto João perguntava aos servidores o número do aparelho, Danielle lembrou:

— João, você viu como é que precisava de você aí?

— É verdade, é verdade. Você estava certíssima, foi superimportante pra gente.

— Por isso que eu não quis discutir com você na hora, vi que você estava nervoso. Mas é preciso ter alguém de confiança aí. Porque, na verdade, tudo o que a gente tem *tá* aí. *Tá* tudo aí.

O advogado ressaltou o interesse dos assessores da presidência:

— Os assessores são superjovens, fizeram perguntas, estão acompanhando pela imprensa, claro, aí perguntaram: "E esse depoimento?". A gente explicou que não tinha nenhum fato novo no depoimento.

João repassou o número do fax, 61-3217-4526, e consultou para quem o documento deveria seguir.

— Manda para o doutor Luciano. "De Alberto Pavie para doutor Luciano." Luciano Fuck. Que ele vai receber, pediu esse documento.

Fuck era o secretário-geral da presidência do STF. Graduado em direito pela Universidade de Brasília, ele foi indicado por Gilmar Mendes, de quem já era assessor, e tomou posse no cargo em abril de 2008. Procurado pelo autor para que explicasse suas conversas com os advogados do Opportunity, o servidor informou, por meio da assessoria de imprensa do STF: "O senhor Luciano Fuck informa que não concederá a entrevista solicitada".[224] Em 2011, Fuck era o chefe de gabinete do ministro Mendes.

O fax de fato chegou à secretária-chefe da Secretaria Judiciária da Presidência do STF, às 10h45.[225]

Às 17h30, as tevês começaram a divulgar que Gilmar Mendes havia concedido o segundo HC em favor de Dantas — o primeiro fora dado quarenta e duas horas antes. Pavie, o advogado do Opportunity, foi checar a informação e, um minuto depois, telefonou: "Danielle, confirmado".

"Confirmado, confirmado", repetiu Danielle. A sala do Opportunity explodiu em gritos de comemoração, como ficou gravado pela PF.

Dez minutos depois, João Mendes estava com a decisão nas mãos e deu mais detalhes à Danielle. O resultado foi muito melhor e mais amplo do que o esperado:

> Ele antecipou inclusive o mérito. Ele falou que não há suficientes indícios de autoria e materialidade [...] Ele inclusive cita aquela parte que o Hugo fala, "grupo Opportunity", não faz menção expressa à pessoa do Daniel, aquele negócio que você tinha falado ontem. Além disso, ele fala que não há fato novo. E bate no juiz. Fala que era um absurdo, que era simples convicção daquele magistrado e que não tinha... Foi muito legal. Ele pegou vários argumentos da nossa peça, bateu, fundamentou, foi uma decisão bonita.

---
[224] *E-mail* enviado ao autor em 1/04/2011.
[225] Autos do HC 95.009, fls. 819, consultados no Arquivo do STF.

Ainda lendo o papel enquanto falava ao telefone, João se surpreendeu com outro trecho: "E olha só! Ele reproduz, ele bota a nossa parte que a gente falou, 'tratou-se de uma armadilha'. Caraca!", comemorou João, dando uma larga risada. Era o próprio argumento inicial do Opportunity, que passaria a circular com ênfase por vários *sites* noticiosos.

Mendes escreveu: "Ressalte-se, em acréscimo, que o novo encarceramento do paciente revela nítida via oblíqua de desrespeitar a decisão deste Supremo Tribunal Federal".

Para ilustrar seu ponto de vista, o ministro transcreveu partes da manifestação da defesa do banco: "Tratou-se de uma armadilha — engendrada em prévio acordo com o MPF e com o Juiz da 6ª Vara Criminal — destinada a conferir um mínimo de tempo para que aquele magistrado decretasse a 'prisão preventiva' em razão da liminar que suspendera a eficácia da 'prisão temporária'".

Sobre as novas provas propriamente ditas, Mendes utilizou outras desqualificações, tachando-as "de duvidosa idoneidade", "de vago significado" e "documentos apócrifos". Ele não esclareceu o problema da idoneidade. Parecia sugerir que a PF tinha "plantado" as provas, tese jamais comprovada.

Mendes disse ainda que o juiz "já dispunha", na decretação da prisão temporária, da hipótese de que Braz e Chicaroni participaram de um esquema de propina. Contudo, a apreensão do dinheiro ocorreu no dia 8, enquanto a decisão do juiz foi do dia 4. Além disso, o juiz não dispunha de um dado relevante, o depoimento de Chicaroni, que fez importante ligação com o banco Opportunity.

O próprio Mendes transcreveu: "O declarante [Chicaroni] informa ter conhecimento que o controlador do Grupo Opportunity é Daniel Dantas e que Humberto estava na condição, naquele momento, representando interesses do Grupo Opportunity".

Mas nada disso convenceu o ministro: "Evidentemente, essa menção [de Chicaroni] não é suficiente a justificar a conclusão de que o paciente teria envolvimento direto no suposto delito".

De novo em liberdade, Dantas usou o seu telefone celular do Rio. Ligou para Guiga para especular as circunstâncias e implicações da Satiagraha

e reclamou: "É de uma violência inacreditável [...] O que tem ali? Não tem nada. Grampo telefônico em largo excesso, no meu entender".
Ele continuou:

> Tem umas passagens ali... A mais exótica de todas não é nem comigo, é com o Naji, *tá* certo? É o negócio de ele receber informações privilegiadas do Federal Reserve. Eles dizem lá que a taxa de juros, que alguém disse que a taxa ia baixar tantos por cento, e baixou. Então que eles receberam informação privilegiada. Agora, vamos supor que ele tenha recebido. Não é crime no Brasil, não sei nem se é crime nos Estados Unidos. Se o presidente do Banco Central quiser telefonar para Naji Nahas e dar uma informação privilegiada, ele não está descumprindo a lei no Brasil. E o que a Polícia Federal tem que ver com isso?

Entre os dias 8 e 11 de julho, Dantas recebeu um grande baque. Mas as coisas também não estavam fáceis para um de seus algozes, Protógenes. Na mesma manhã em que o banqueiro foi encarcerado, começou a lenta e gradual descida do delegado aos infernos da burocracia e de uma batalha pública no Congresso e na imprensa, que expunham seus erros e questionavam seus métodos. Para Protógenes, ele apenas cumpriu o que entendia ser legal e necessário — recusou uma propina milionária e prendeu um figurão —, mas o preço a ser pago seria alto. Por outro lado, recebeu uma avalanche de congratulações e apoio na forma de *e-mails*, cartas e declarações públicas em *sites*, emissoras de tevê e jornais. O país pareceu mesmo dividido sobre o assunto. Protógenes chegou a considerar desdobramento semelhante. Em 2006, ele disse enigmaticamente que estava prestes a entrar num caso grande e complexo que iria "rachar o país ao meio",[226] sem dar detalhes. O delegado talvez só não contasse que racharia junto, dividido entre a polícia e a política.

---

[226] Conversa com o autor na sede da Superintendência da PF no Distrito Federal em 2006.

A virose

"Na verdade, nós aqui na Câmara dos Deputados, via de regra, os parlamentares, nós sabemos de tudo um pouco, mas de um pouco nós não sabemos tudo. E desse pouco quem sabe tudo, nessa tarefa aí, nesse negócio, é exatamente o senhor [Daniel Dantas]. E nós — eu quero confessar pelo que vi aqui, pelo que tenho visto — sabemos muito pouco ou quase nada."

Deputado federal Pompeo de Mattos (PDT-RS), dirigindo-se a Dantas durante o depoimento do banqueiro à CPI das Interceptações Telefônicas, em 13 de agosto de 2008.

A ordem para a abertura do inquérito da PF sobre a conduta de Protógenes veio do gabinete do então ministro da Justiça Tarso Genro (PT-RS). Ele encaminhou a Luiz Fernando Corrêa reclamações da TV Brasil, emissora do governo federal, e do escritório do SBT em Brasília sobre suposto "privilégio" dado à TV Globo no dia da deflagração da Satiagraha. Uma equipe da emissora flagrou o ex-prefeito Celso Pitta de pijama, quando ele abriu a porta de casa para receber a polícia. O problema da concorrência, portanto, não era exatamente as imagens, mas sim a falta delas.

A PF anexou ao pedido de Genro três relatórios de delegados que disseram ter encontrado jornalistas na rua, com câmeras e microfones, em frente às casas de Matalon, Nahas e Pitta. As suspeitas sobre o vazamento recaíram em Protógenes. Às 5 horas do dia da operação, no *briefing* que reuniu todos os policiais do caso na PF paulistana, Protógenes citou os nomes de Nahas e Pitta, o que causou estranheza entre os policiais, pois o comum era receber os nomes dos "alvos" quando todos já estavam nos carros. No *briefing*, o delegado Paulo de Tarso Teixeira observou que os policiais deveriam impedir que a imprensa filmasse os investigados, mas Protógenes relativizou o alerta, dizendo ser impossível evitar imagens em operações daquele tipo. Paulo de Tarso não gostou. Ele era o chefe da DFIN, a Divisão de Repressão a Crimes Financeiros, subordinada à DCOR, Diretoria de Combate ao Crime Organizado, ambas vinculadas à direção-geral da PF, em Brasília. Como o caso Satiagraha havia sido transferido, em março, da DIP para a DCOR, Paulo de Tarso era o chefe imediato de Protógenes — acima dele naquele setor, só o delegado Roberto Troncon, diretor da DCOR.

Após o *briefing*, Protógenes insistiu em acompanhar a delegada Juliana Ferrer, que iria prender Pitta, no Jardim Paulista. O delegado disse que o ex-prefeito era um alvo politicamente sensível, daí a necessidade de "acompanhamento especial". Porém, quando o Nissan em que estavam saiu da avenida 9 de Julho em direção à avenida 23 de Maio, o delegado recebeu um telefonema de Paulo de Tarso. Ele disse que o colega não poderia ter saído do prédio da PF e exigiu seu retorno. Protógenes contou, dias depois, ter sido ofendido:

"'Que porra você está fazendo que está fora da SR/DPF/SP, Queiroz? Você é um mentiroso, você mentiu para mim. Você não me avisou porra nenhuma', e outras palavras de baixo nível que não recordo devido ao choque emocional que tomou conta de toda a equipe naquele momento."[227]

Protógenes, enfim, regressou para a PF, em outro carro.

Um dia depois da Satiagraha, Paulo de Tarso telefonou a Protógenes para dizer que uma prometida reunião em Brasília, na qual seria feito o balanço da operação, havia sido desmarcada por Luiz Fernando Corrêa. Sem avisar o colega, Protógenes gravou o telefonema. Paulo de Tarso revelou que o ministro da Justiça pedia esclarecimentos à PF e que a Rede Bandeirantes também reclamava das imagens da Globo.

Protógenes começou a ser sangrado em outra frente, ainda mais problemática. Entre 9 e 14 de julho, a imprensa relatou a participação dos agentes da Abin na operação. Revelou-se que, em maio, no Rio,

---

[227] Relatório de execução da OPS.

Braz foi seguido pelas ruas de Ipanema. Uma fonte das informações era o senador Heráclito Fortes (DEM-PI). Em maio, ele foi procurado por seu amigo Carlos Rodenburg e pelo publicitário Guiga. Os dois reclamaram que Verônica e Braz estavam sendo seguidos e que "havia uma operação montada". Heráclito telefonou para o general Jorge Félix, do GSI do Palácio do Planalto, e cobrou explicações.

"Eu lhe disse que estava havendo um desvio de ações no Rio e que isso precisava ser apurado",[228] disse o senador. Dias depois, apareceu em seu gabinete o então diretor-geral da Abin, Paulo Lacerda.

> Ele desmentiu, me disse que não era verdade que gente da Abin tinha seguido o Braz. Aí começou a esculhambar o Daniel Dantas. Eu disse que ele tinha todo o direito de não gostar de Dantas, mas que não podia usar a Abin para isso. Indaguei sobre o Protógenes, e ele disse que era um homem de sua inteira confiança.

Horas depois da conversa, disse o senador, um assessor de Lacerda telefonou para dizer que a perseguição fora um engano, na verdade os agentes da Abin seguiam "um russo" e acabaram topando com Braz sem saber sua identidade.

O ponto culminante das pressões sobre Protógenes ocorreu seis dias depois da Satiagraha, quando a PF fez, numa sala da Superintendência em São Paulo, aquela reunião a princípio cancelada por Corrêa. Dela participaram Protógenes, Troncon, Paulo de Tarso, Leandro Daiello Coimbra, então superintendente da PF em São Paulo, outros dois delegados da Satiagraha, Pellegrini e Karina, entre outros policiais. O encontro foi gravado por ordem de Troncon. O áudio foi depois classificado no mais alto grau de sigilo e levado para Brasília. Protógenes deixou a coordenação da Satiagraha ao término dessa reunião. Quando os jornais passaram a divulgar a versão de que ele havia sido afastado, e não deixado o caso por conta própria, a direção-geral divulgou em Brasília trechos editados da reunião. Eram muito curtos: do total de

---

[228] Entrevista ao autor em setembro de 2010.

duas horas e cinquenta e cinco minutos, a PF liberou pouco mais de quatro minutos, nos quais Protógenes aparecia elogiando Troncon e a direção-geral e concordava em deixar a operação para se dedicar aos estudos na Academia Nacional de Polícia.

A íntegra da gravação, contudo, revela uma realidade bem diferente. Troncon começou fazendo um duro diagnóstico sobre a Satiagraha. Disse que as "informações não fluíram" e que uma cópia da decisão do juiz De Sanctis e a lista dos investigados não foram entregues "para informar ao diretor-geral". Reclamou das imagens de Pitta e da casa de Nahas, disse que só ficou sabendo pela imprensa sobre a ajuda da Abin e quis saber do "monitoramento" do gabinete de Gilmar Mendes. Coimbra também fez diversas críticas a Protógenes. Reconheceu que teve acesso às listas dos "alvos", mas não à decisão judicial. Troncon e Coimbra indagaram sobre o segundo pedido de prisão preventiva contra Dantas não ter sido informado previamente ao superintendente, Coimbra.

Protógenes, Pellegrini e Karina se defenderam várias vezes, dizendo ter seguido todos os trâmites burocráticos.

Em determinado ponto, houve uma revelação importante sobre o número correto de policiais à disposição da Satiagraha. Protógenes lembrou que, quando a investigação foi transferida da DIP para a DCOR, ele enviou a Troncon uma relação dos policiais então vinculados à operação. Protógenes indagou: "Acho que eram seis policiais, *né*, doutor Troncon?".

"Eram cinco ou seis", confirmou Troncon.

Nos meses seguintes, a direção-geral da PF divulgou à imprensa que dezenas e dezenas de policiais trabalharam naquela que teria sido uma das mais custosas operações da história da polícia. No dizer da cúpula da PF, Protógenes reclamava de barriga cheia. Mas a reunião revela o exato contrário, nas palavras do próprio Coimbra:

— É pequena, mas tem sido o padrão, Protógenes [...] Mas é óbvio que nós nos preocupamos, isso tem sido um norte, desde a minha época de coordenação em Brasília, que as operações tenham uma ajuda muito boa no decorrer, mas, depois da execução, elas meio que se esvaziam. Isso tem sido uma discussão longa em Brasília, de não esvaziar, mas sim reforçar. Tu sabes tanto quanto eu que, via de regra, ela esvazia logo depois.

— Todas as operações são esvaziadas — alfinetou Protógenes.

Troncon voltou ao "monitoramento" de Gilmar Mendes. Protógenes disse que havia notícias distorcidas na imprensa, e Pellegrini acrescentou:

É um grupo muito forte. Eu fui executar a prisão lá no [escritório de] Nélio Machado, e tinha dois desembargadores aposentados e um juiz do Rio. Na casa do Daniel Dantas, eu achei vários documentos — o Victor achou um de 2004 —, eu vi um de 2007, de R$ 18 milhões para pagamento de propinas para políticos, juiz e jornalistas no ano de 2007.

Coimbra concordou que denúncias surgem para enfraquecer policiais: "Todos nós que trabalhamos em casos importantes em algum momento fomos minados, muitas vezes por colegas com algum interesse."
A reunião pareceu até caminhar para um desfecho mais tranquilo. Mas a fala de Coimbra sobre ser "minado" internamente era a deixa para o que viria em seguida. Ele, Paulo de Tarso e Troncon se alternaram em declarações no mesmo sentido, apertando o cerco sobre Protógenes. Os dias do delegado na Satiagraha acabaram numa sequência de vinte minutos.
Paulo de Tarso disse que "ficou muito preocupado" com a informação de que o juiz e o procurador tinham orientado Protógenes a não repassar cópia do mandado de prisão para outras autoridades da PF (os dois negam ter feito a orientação): "Eu acho o seguinte, acho que há uma desconfiança em cima do superintendente que está começando".
Coimbra, que em 2011, no governo Dilma, se tornou diretor-geral da PF, concordou: "Que tem que ser esclarecida, porque eu pretendo ficar alguns anos aqui e pretendo fulminar esse problema agora".
Ficou mais claro o objetivo da reunião, que era "fulminar" o problema. Mas qual seria ele?

Troncon dirigiu-se a Protógenes:

— Eu vejo você um cara esforçado, Queiroz, um cara competente, só que tem um problema: você tem uma teoria da conspiração e uma paranoia que contaminam todo mundo.

Troncon ironizou:

— Então, "eu sou um *supertira*, um *superpolicial*, mas só posso trabalhar num caso, ou num caso em que uma pessoa vai desenvolver" [...] A confiança é uma via de dupla mão. À medida que você começa a desconfiar de mim, eu também tenho motivo para desconfiar de você e de cada um de vocês.

O diretor da PF disse que era preciso agir: "Se nós permitirmos essa sequência de desencontros, atritos, essa virose da desconfiança, se a gente permitir que isso se instale e se alastre, não vejo bom desfecho, não [...] Esse é o ponto crucial da nossa crise hoje. É uma crise de confiança".

Troncon contou que sofreu desconfianças por ter integrado, em 1987, o movimento ruralista radical UDR (União Democrática Ruralista), em Dracena (SP). Mesmo assim, foi escolhido por Corrêa, numa gestão petista, como diretor da PF. Protógenes então indagou se já havia desconfiado alguma vez de Troncon.

"Em momento nenhum", retrucou Troncon, numa grande contradição. Ele havia acabado de falar sobre o problema da desconfiança. "O problema é o seguinte, é que, nessa sucessão de atos, eu me senti bastante chateado [...] 'Será que está a serviço do PT, do senador xis'? *Pô*, peraí."

Protógenes disse que a reportagem da *Folha* que revelou a existência da Satiagraha levou o Opportunity a tentar seu afastamento do caso. E revelou que a PF lhe deu um prazo fatal para concluir o caso: "Daí, Troncon, toda minha agonia. Não era teoria da conspiração, eu tinha motivos para agir assim".

Troncon partiu então para o que ele chamou de "a outra situação", um curso a que Protógenes daria início na academia em Brasília.

Protógenes disse que começaria o curso dentro de uma semana. Troncon indagou:

— E esse inquérito, você vai relatar?
— Vou relatar [...] Eu peguei o [inquérito] da gestão fraudulenta e a corrupção, que já está materializada [...] Sabedor de que tem réu preso, eu tenho que terminar essa investigação em trinta dias. Então eu vou ouvir o Daniel Dantas, fiz uma pauta para ouvir a cúpula do Opportunity, me parece que são cinco pessoas e os dois corruptores que estão aí, e o inquérito está encerrado.

O assunto até estimulou os outros delegados da Satiagraha a falarem sobre os rumos do caso: "É preciso comprar *HDs* para fazer o espelhamento", sugeriu Karina. "Esses *HDs* que encontrei na casa dele estavam no fundo falso da biblioteca. O próximo passo dele [Dantas] é pegar esses *HDs* de volta", concluiu Pellegrini (o Opportunity negou existir "fundo falso").

Os delegados ainda falavam sobre o futuro, quando Coimbra fez uma pergunta a Protógenes: "Mas você consegue relatar até sexta-feira?".

Protógenes havia dito, pouco antes, que iria relatar o inquérito "em trinta dias". Pela lógica da pergunta de Coimbra, Protógenes teria apenas quatro dias para acabar o trabalho, vinte e seis a menos do que o pedido. Para não restar dúvidas, Protógenes repetiu:

— Trinta dias.
— *Tá*, mas *tu* vai estar no curso superior — pressionou Coimbra.
— Sim. Mas eu marquei com o advogado de fazer as audiências nos finais de semana, até para preservação de imagem...
— Eu acho isso... complicado [...] Tem que ver, porque fica à disposição da academia — disse Coimbra.
— Mas [no] sábado e domingo tem aula? — indagou Protógenes.
— Sábado tem aula. O problema é parecer que é pessoal — afirmou Coimbra.

Em outras palavras, o superintendente disse que Protógenes deveria deixar o caso para "despersonalizar" a Satiagraha. O raciocínio foi rapidamente apoiado por Troncon: "Quer dizer, o que a gente tem que perguntar no momento, tem que *despersonificar* a investigação. A investigação é a investigação do órgão, é investigação criminal, ainda que você dê sua colaboração, porque você é o cara que mais sabe desse negócio, mas assim, ó, fora dessa situação".

A "situação" da qual Protógenes deveria ficar "fora" era todo e qualquer inquérito da Satiagraha. Portanto, Troncon disse a Protógenes que ele não deveria mais investigar Dantas, mas apenas, no máximo, "dar sua colaboração".

Protógenes ainda argumentou:

— Muito pelo contrário, ela não está personificada. Tem três, tem quatro delegados nessa investigação. Inclusive o Victor fez a ação controlada e ele vai, por sugestão minha, aí cabe avaliação *tua*, fazer o inquérito sobre a unificação das "teles".

Mas Troncon deixou ainda mais claro o que pretendia:

— Não, o que a gente tem que pensar é o seguinte [...] Aí eu concordo com o Leandro. A gente discutiu isso um pouco antes, logo que cheguei de manhã aqui. A gente tem que sair desse foco da personificação [...] Especialmente quem está no período da academia — até tem os outros que trabalham meio período —, ele está com dedicação exclusiva ao curso, à frequência das aulas e tudo mais. Mas por que vamos abrir [exceção] para o Queiroz?

Troncon acabara de revelar que, antes da reunião, havia traçado uma estratégia em comum com Coimbra. A reunião ocorreu apenas para chancelar algo que já havia sido decidido.

— Ele vai relatar até sexta-feira. Não consegue relatar até sexta-feira?
— exigiu Coimbra.

Troncon respondeu por Protógenes:

— Não, porque tem que ouvir o pessoal [...] Você consegue concluir até sexta? Se concluir até sexta, tudo bem — insistiu Troncon.

Era a terceira pergunta na mesma direção. Protógenes, afinal, cedeu ao óbvio. A direção da PF o queria fora da Satiagraha num prazo máximo de quatro dias.

"Depende de eu falar com o advogado. Só faltava o Humberto [Braz], ele se apresentou. Acredito que não tem nenhum óbice, não", finalmente cedeu Protógenes.

"Então, ele conclui até sexta. E a gente fica para resolver os outros...", apontou Coimbra.

O inquérito seria relatado por Protógenes na data exigida por seus superiores, dali a quatro dias, com o indiciamento de Dantas e outras nove pessoas. O relatório e os indiciamentos, contudo, perderam sentido, pois o inquérito foi outra vez relatado pelo novo delegado do caso.

Ainda na reunião, Troncon orientou que não só Protógenes, mas também todos os delegados da Satiagraha saíssem do caso. Ele foi direto:

Eu, particularmente, pela avaliação que fiz, até antes dessa reunião, eu já tinha conversado com o dr. Leandro, dizendo o seguinte: "Ó, para buscar a impessoalidade, eu acho que os delegados que estão nesse caso têm que seguir [sair do caso]". Põe outros delegados. É a opinião pessoal minha. Você [Protógenes] está indo para a Academia, de maneira nenhuma poderia [continuar], Pellegrini está em outra lotação, foi chamado meio de última hora, está ajudando muito bem, está ótimo, Karina já está há tempo... Por quê? Porque a imprensa está explorando isso e vai explorar muito mais.

Troncon voltou-se para Protógenes:

Eu acho assim, no seu caso, em particular, nossa, não tem [o que hesitar]... Se você conseguir relatar sexta-feira, beleza, mas prosseguir numa situação, isso aí é dar lenha na fogueira. Certamente prosseguirá como fonte de consulta, como apoio [...] mas você continuar tocando inquérito...

Protógenes voltou a dizer que queria encerrar a operação: "A minha proposta é essa, eu fico até o final da operação [...] Só que com um diferencial, eu não vou ficar presidindo, não pretendo presidir nenhuma investigação. Ficaria num apoio de um trabalho, coletando dados, analisando...".

As duas últimas frases também foram pinçadas do contexto e divulgadas pela direção-geral da PF como suposta prova de que Protógenes abriu mão do caso.

Troncon se despediu do grupo, disse que tinha de pegar um avião. Outro delegado, não identificado na gravação, pediu a palavra. Protógenes já estava fora, havia jogado a toalha diante da avalanche de acusações. Mas o colega comentou: "Se retirar Karina e Pellegrini sem um motivo aparente e justificado, não vai parecer que...".

Troncon nem deixou que ele completasse a frase. Alegou que Karina e Pellegrini estavam envolvidos "emocionalmente" com o caso.

— Eu vou dizer por quê [...] Eu vejo que vocês, emocionalmente, estão meio confusos. Eu vi certa confusão nisso. Agora, vocês é que me respondam: têm condições de conduzir, tecnicamente, sem emotividade, o caso, até a sua conclusão? — indagou Troncon.

— Tem, se os meios forem dados, tem. Senão, eu preciso sair, inclusive — respondeu Karina.

— Eu não pedi para estar aqui [na reunião], eu fui chamado — protestou Pellegrini.

Dois dos principais delegados da Satiagraha se disseram capazes de tocar o caso adiante.

A fala do diretor da PF era tortuosa — disse que a decisão cabia ao superintendente, mas acusou os colegas de "emotividade". Ele fez as mesmas perguntas duas ou três vezes. Pellegrini se defendeu: "Minha missão, chefe, eu cumpri minha missão. O alvo principal não teve problema nenhum. Eu trouxe todos os presos para cá, me deram outra missão, eu cumpri com a minha missão. De forma técnica, em nenhum momento fui emotivo".

Mas não havia mais por onde avançar na conversa. Os delegados estavam já quase batendo boca com um diretor da PF. Troncon disse que iria encerrar o encontro. Antes, Paulo de Tarso indagou se Karina e Pellegrini "desconfiavam" dos chefes. Mas Coimbra não gostou nada da pergunta, disse que não deveria "nem ter sido feita": "Deixa eu deixar uma coisa bem clara aqui nessa mesa para todo mundo entender. Não são os delegados que confiam no superintendente para fazer uma operação aqui, é o superintendente que escolhe um delegado da sua confiança para fazer uma operação aqui".

Dessa forma crua, Coimbra resumiu como funciona o controle da cúpula da PF sobre as mais importantes investigações. Os superintendentes têm poder total para indicar ou afastar os delegados. Confirma-se pela própria boca de um alto integrante da PF que a presidência de um inquérito pode ser manobrada pelos chefes. Nesse sentido, a reunião forneceu uma visão rara e privilegiada sobre o exercício do poder na Polícia Federal.

A reunião selou a saída dos quatro principais delegados da Satiagraha. Victor Hugo voltou para Ribeirão Preto (SP), Karina seguiu para a Corregedoria, e Pellegrini, para a delegacia antidrogas. Protógenes ficou no caso apenas mais quatro dias. Depois, foi colocado na "geladeira". Sobre ele se voltou toda a força investigativa da Corregedoria da PF, por ordem do diretor-geral. De caçador, o delegado passou a caça, e cada ato seu passou a ser escrutinado, amplificado.

Protógenes virou alvo em nove procedimentos diferentes: três processos disciplinares, três sindicâncias e três inquéritos policiais. O delegado foi acusado de ter ordenado o suposto grampo sobre Gilmar Mendes, de vazamento de informações na Satiagraha, de um texto que escreveu em seu *blog*, de ter declarado apoio à candidatura de Luciana Genro (PSOL-RS) e até de suposto vazamento do caso Maluf, de dois anos antes.

As coisas também não estavam fáceis para Protógenes na imprensa, que fez pesadas críticas ao pedido de prisão contra a jornalista Andréa

Michael. Após deixar o xadrez da PF, o próprio Dantas explicou, num telefonema a Guiga, que a matéria da *Folha* havia sido um problema para o banco:

> Ele [Protógenes] até fez uma construção curiosa [...] Sugerindo ali que aquela Andréa *Michaeli* teria ligado, por exemplo, para me oferecer um negócio, quando ligou por meio de você. Quando na verdade ela estava fazendo uma matéria e queria me ouvir, e eu não queria ser ouvido [...] Eu me lembro de você ter me ligado para dizer que "estão preparando uma matéria contra mim". E eles acham, devem achar, que aquela matéria foi cultivada por nós. Eu não tinha nem informação sobre a matéria.

Outro foco de críticas foi um capítulo que o delegado insistiu em incluir em um de seus relatórios parciais. O procurador De Grandis tentou, inutilmente, demovê-lo da ideia, por considerar o relatório irrelevante no conjunto das investigações, mas o delegado alegou que estaria traindo suas convicções se o retirasse. Denominado "Indícios de manipulação de setores da mídia pelo banqueiro Daniel Dantas", o texto de 76 páginas é uma *pensata* sobre a relação entre jornalistas e o Opportunity, que acabou por não apontar evidência de crime cometido por jornalistas. A maior prova disso é que o próprio delegado não pediu a prisão de nenhum jornalista, com exceção da de Andréa, e o Judiciário não decretou nenhuma prisão. Mas um apoio mais amplo à operação desabou na mídia da noite para o dia, com seguidos artigos apontando erros factuais e de português, incongruências, falhas de entendimento e o tom messiânico nos relatórios do delegado. Os delegados da Satiagraha mais acertaram, como a recusa da propina milionária, do que erraram, mas todos os erros passaram a ser dissecados com uma imensa lente de aumento.

No sentido contrário, na internet diversos *blogs* e *sites* remaram contra a maré, com milhares de mensagens em apoio à Satiagraha. Muitos comentários diziam que eventuais deslizes do delegado não eram capazes de manchar a investigação como um todo.

O maior enfrentamento de Protógenes se deu com a revista Veja, que informava tiragem semanal de até 1,3 milhão de exemplares em 2008. No relatório, Protógenes acusou a revista de "integrar a organização criminosa" do Opportunity. A revista se defendeu: "As referências à *Veja* são sórdidas e desprovidas de evidências mínimas — porque, de fato, elas não existem". Para efeitos processuais, o Ministério Público e o juiz não levaram em conta a suspeita do delegado, mas sua simples existência, no bojo da Satiagraha, foi o que bastou para a revista colocar o delegado sob sua mira.

A crítica ficou realmente pesada na edição de 13 de agosto. Com a capa "Espiões fora do controle", a revista afirmou que um documento mostrava "que o STF foi espionado" e que "o Palácio do Planalto investiga escuta clandestina na antessala de Lula". Segundo a publicação, "descobre-se que as desconfianças não eram produto de paranoia".

A evidência apontada pela revista era um relatório assinado pelo chefe da Seção de Operações Especiais da Secretaria de Segurança do STF, Ailton Carvalho de Queiroz, irmão do governador do DF, Agnelo Queiroz (PT), que dizia ter sido encontrado um sinal de radiofrequência na sala ocupada pelo assessor-chefe da presidência do STF. Tal sinal, segundo o relatório, "é altamente suspeito, e vinha de fora do STF. O que nos leva a suspeitar de um possível monitoramento, que pode ter ocorrido nas proximidades". Duas edições depois, a revista anunciou que "a Abin gravou o ministro. Diálogo comprova que espiões do governo grampearam o presidente do Supremo Tribunal Federal".

A reportagem relatava o conteúdo de um suposto diálogo telefônico ocorrido entre Mendes e o senador Demóstenes Torres (DEM-GO), que pedia apoio do ministro para ajudar a formalizar um convite para uma testemunha na CPI da Pedofilia. A revista *Veja* afirmou que não tinha o áudio da conversa, apenas a transcrição, e que o diálogo havia sido confirmado pelos dois interlocutores. A pessoa que forneceu a transcrição era "um servidor da própria Abin".

Segundo Demóstenes relatou depois, alguns dias antes da reportagem ele foi procurado em seu gabinete por um jornalista da revista

OPERAÇÃO BANQUEIRO

Baseando-se num relatório preliminar feito por um servidor da área de segurança do Supremo Tribunal Federal, a revista Veja afirma que "o Supremo foi espionado". A suposta escuta ambiental também jamais foi localizada.

Após acusar a revista Veja, em relatório, de fazer parte de uma "organização criminosa", o delegado Protógenes foi alvo de diversas reportagens da publicação. A acusação de grampo ilegal nunca ficou demonstrada no Judiciário.

329

Veja que abriu um *notebook*, mostrou a transcrição e perguntou se o senador confirmava ter mantido a conversa. Demóstenes, que não pediu nem ficou com cópia do papel, afirmou dois anos mais tarde: "Não posso dizer que seja literalmente o que eu conversei. Mas, aparentemente, foi aquilo. O diálogo foi aquele. Eu acredito que foi uma transcrição literal".[229]

Demóstenes falou com Mendes de um aparelho fixo, no gabinete do Senado, na presença de três servidores da Secretaria de Direitos Humanos do governo, um chefe da 4ª secretaria do Senado e um procurador de Justiça do Estado de Minas Gerais, que ali estavam para resolver o assunto do telefonema. Um dos presentes, que pediu anonimato, rememorou o telefonema: "O que saiu na revista é o que eu presenciei, mas é óbvio que não me lembro de cada frase. Eu acho que a transcrição é fidedigna".

Entretanto, a confirmação da conversa não era capaz de confirmar o grampo e muito menos vinculá-lo às autoridades da Satiagraha. Na manhã em que a reportagem foi publicada, Demóstenes recebeu um telefonema do então senador Romeu Tuma (DEM-SP), amigo de Paulo Lacerda, a quem empregou como assessor nos anos 1990. Demóstenes rememorou: "O Romeu me disse: 'Demóstenes, isso não é o Paulo Lacerda, é coisa do andar de baixo. É gente que quer derrubar o Paulo'".

Dias depois, Demóstenes foi procurado pelo presidente da Asbin (Associação dos Servidores da Abin), o oficial de inteligência Nery Kluwe de Aguiar Filho. "O Kluwe me disse que entendia que a história contada na revista *Veja* era real. Que no grupo ligado a Lacerda, que estava auxiliando Protógenes, pode ter tido uma divergência, aí uma ala resolveu liberar essa coisa lateral, só para dar um recado de que não concordava com aquilo", disse o senador.

O que Demóstenes desconsiderou é que Kluwe estava prestes a se tornar um alvo da corregedoria da Abin. Em outubro de 2008, a Abin abriu um procedimento administrativo para averiguar a suspeita de que Kluwe, formado em advocacia, havia atuado como procurador

---

[229] Entrevista ao autor em 9/12/2010.

em processos administrativos na União, o que é vedado pela lei do servidor público. Com base nos resultados da sindicância, Kluwe foi exonerado em 2010 sob a alegação de "atuar, como procurador ou intermediário, junto a repartições públicas", como registrou a portaria do ministério. Kluwe negou irregularidade e recorreu ao STJ, pedindo a suspensão da portaria. Em outubro de 2010, por cinco votos a três, o STJ indeferiu o pedido de Kluwe.

Ao tomar posse na direção da Abin, em 2007, Paulo Lacerda vitaminou a corregedoria da agência e autorizou apuração sobre irregularidades internas.

A data do suposto grampo precisa ser considerada. A conversa entre Demóstenes e Mendes ocorreu no dia 15 de julho de 2008 — portanto, uma semana depois da deflagração da Satiagraha, um dia depois de o delegado Protógenes ter deixado o comando da investigação e quatro dias depois de a *Folha* ter divulgado a informação sobre um "monitoramento" no STF.

Assim, os supostos arapongas deveriam ter notáveis nervos de aço, pois teriam decidido manter, paciente e perigosamente, um grampo ilegal sobre a mais alta corte do país no momento em que o "monitoramento" já era um assunto quente e público em todo o país. Considerando a cronologia, é mais pertinente imaginar que o grampo, se é que ocorreu, tenha sido instalado depois do dia da deflagração da Satiagraha, e não antes. No campo das hipóteses, não é demais imaginar que seria um meio efetivo de criar um atrito entre o STF, a Abin e a PF. Aliás, foi esse o resultado.

A revista *Veja* chegou às bancas num sábado, 30 de agosto. No dia seguinte, Mendes telefonou para o então presidente Lula para pedir providências, chamou-o "às falas", como ele disse. Depois, no programa de tevê *Roda Viva*, afirmou que "o presidente tem que ser chamado às responsabilidades mesmo". Na segunda-feira, Mendes telefonou para o então ministro da Defesa Nelson Jobim (PMDB-RS), "manifestando sua indignação".[230] Entre 1995 e 1996, Mendes havia trabalhado como

---

[230] Depoimento à CPI dos Grampos, em 17/09/08.

assessor de Jobim, então ministro da Justiça do governo FHC. Foi agendada uma audiência de emergência com Lula no Palácio do Planalto, da qual participaram Jobim, Mendes e os ministros do STF Cezar Peluso e Ayres Britto. À tarde, houve reunião no alto escalão do governo, incluindo o ministro do GSI, o general Jorge Félix, ao qual a Abin estava vinculada. No encontro, Jobim mostrou a Lula uma lista de equipamentos importados dos EUA e destinados à Abin. O relatório foi produzido pelo Exército, em resposta a uma consulta do ministro. Jobim disse que alguns dos equipamentos da agência eram capazes de fazer interceptação telefônica. Na frente de Lula, Jobim "pediu a cabeça" de Lacerda.

> Eu sustentei a tese de que nós estávamos perante um caso de responsabilidade política e, portanto, eu entendia que deveria haver o afastamento da cúpula da Abin, para que pudessem ser feitas as investigações [...] As informações que eu tinha eram informações de que esses instrumentos viabilizaram interceptação telefônica.[231]

Na reunião com Lula, Jobim também atacou a participação da agência na Satiagraha: "Não haveria justificativa nenhuma da participação da Abin nesse tipo de atividade. E a decisão foi tomada pelo presidente, determinando o afastamento da cúpula para determinar investigações".

Naquele mesmo dia, Lacerda foi afastado da Abin. Contudo, o tempo iria mostrar rapidamente que as suspeitas apresentadas por Jobim estavam inteiramente incorretas.

Dezessete dias depois, a PF enviou ao Congresso o resultado da análise feita nos equipamentos da Abin. Negou a capacidade de fazer grampos, o que contrariava o dado informado por Jobim. As máquinas serviam para detectar grampos, e não realizá-los. Mas a notícia veio tarde demais, e Lula nunca recuou da decisão do afastamento de 1º de setembro. Em 29 de dezembro, houve a exoneração definitiva de Lacerda na Abin. Ele recebeu um cargo de adido policial na embaixada do Brasil em Portugal.

---

[231] Idem.

OPERAÇÃO BANQUEIRO

O suposto grampo no STF foi investigado em três frentes. A Abin abriu uma sindicância, e a direção-geral da PF abriu um inquérito, presidido pelo delegado William Marcel Murad, com o apoio do delegado Rômulo Fisch Berrêdo de Menezes. A terceira frente era uma Comissão Parlamentar de Inquérito na Câmara dos Deputados até então inteiramente fora do noticiário, apelidada de CPI dos Grampos. Ela havia sido criada para averiguar outra capa da revista *Veja*, intitulada "Medo no Supremo", de agosto de 2007, que também citava suspeitas de interceptação em telefones utilizados por quatro ministros, incluindo Gilmar Mendes. Esses supostos grampos também jamais foram encontrados.

No ano que precedeu a Operação Satiagraha, a revista Veja já havia levantado suspeita de grampo no Supremo. Uma CPI foi aberta no Congresso, mas nada encontrou. A mesma CPI voltou-se contra os investigadores da Satiagraha.

A CPI foi presidida pelo deputado federal Marcelo Itagiba (PMDB-RJ), delegado licenciado da PF, notabilizado nos anos 1990 por comandar uma equipe vinculada ao Ministério da Saúde durante a gestão do então ministro José Serra, com objetivo de investigar e prevenir fraudes com medicamentos e irregularidades na pasta. No cargo de superintendente da PF do Rio, Itagiba foi o responsável, em 2002, por mudar a equipe da delegacia de crimes fazendários, então chefiada pelo delegado Deuler da Rocha, que investigava supostos crimes nas privatizações do governo FHC e havia agendado o depoimento de Dantas, entre outros. À época, Itagiba disse que o afastamento foi "um ato de rotina administrativa" e negou qualquer relação entre a medida e o inquérito sobre as privatizações.

Em 2008, a *Folha* revelou que a campanha eleitoral de Itagiba recebeu, em 2006, R$ 10 mil de um dos principais investigados pela Satiagraha, Dório Ferman, do Opportunity. Itagiba disse à época que conheceu Ferman casualmente, na sinagoga que frequenta, no Rio. Outro membro que se destacou pelas críticas à Satiagraha, Raul Jungmann (PPS-PE), foi ministro do Desenvolvimento Agrário no governo FHC e também havia recebido, em 2006, uma doação de R$ 4 mil de Dório Ferman. O deputado disse que não conhecia Ferman e que a doação ocorreu num jantar promovido pelo ex-presidente do BC Armínio Fraga, com "amigos ligados a corretoras de valores e mercado financeiro".

A CPI investiu contra os supostos grampos ilegais da Satiagraha. Vontade não faltava, pois alguns dos parlamentares da comissão haviam tido problemas com as investigações abertas pela PF na gestão de Paulo Lacerda. Como Lacerda era ligado a Protógenes, os deputados tinham muito que perguntar e muito que denunciar sobre o "Estado policial" e a "República dos grampos". Era um ambiente abertamente hostil às operações da PF. Maurício Quintella Lessa (PR-AL) disse que havia "uma rede": "O Supremo foi vítima — ou pelo menos se sente vítima — de uma possível escuta ilegal. Quantos deputados aqui também se sentem, pelo menos se sentem cerceados e vigiados?".

A CPI tinha um objetivo principal: conter os grampos, inclusive os legais. Era o Legislativo dizendo como a PF deveria funcionar. Itagiba chegou a expressar isso: "Temos que investigar para solicitar as interceptações, e não interceptar para realizar investigações. Acho que essa é máxima que deve nortear os trabalhos de quem faz a atividade policial e acho também que esse é o caminho que vamos percorrer nesta Comissão".

A CPI convocou Ailton Queiroz, do STF. Foi uma ducha de água fria. Ele contou que sua equipe não conseguiu fazer a chamada "demodulação" do sinal, que permitiria transformar o sinal em áudio. Ou seja, nunca soube se foi captada uma conversa telefônica. Ailton acrescentou que o dia da varredura, 10 de julho, "não foi um dia normal", pois havia "uma dúzia" de carros e equipamentos de emissoras de tevê em volta do prédio do STF — a sala onde foi detectado o sinal era voltada para o estacionamento. Ailton explicou que os técnicos também não conseguiram saber a origem do sinal, mas tiveram certeza de que ele vinha de fora, e não de dentro do prédio. Apesar de todas as interrogações, Ailton entendeu que deveria informar ao presidente do STF, o que fez. Mas frisou ter dito que a sua comunicação foi bastante cautelosa: "[Foi] sempre utilizada a palavra possível, sempre utilizada a palavra provável, em função da dificuldade que foi de identificar".

Ailton foi claro quanto à precariedade do seu achado. Se não havia origem e natureza do sinal, poderia ser tudo e poderia ser nada. No mês seguinte, o ativo presidente da associação dos agentes da Abin, Nery Kluwe, foi convocado à CPI porque apareceu em outubro na revista *Veja*, dando entrevista sobre a participação da Abin na Satiagraha. Mas negou ter sido a fonte da matéria original sobre o grampo. À vontade no depoimento, acabou por revelar: "O que se traz à discussão é que para a Abin não é interesse nenhum grampear um ministro ou uma autoridade do governo. A Abin não se ocupa disso. Para nós é muito mais, vamos dizer assim, vantajoso recrutar a secretária da autoridade como fonte humana do que interceptar um telefone".

A impressionante informação de Kluwe não suscitou qualquer comentário entre os parlamentares. Desde que a Abin foi criada, no

CÂMARA DOS DEPUTADOS

DEPARTAMENTO DE TAQUIGRAFIA, REVISÃO E REDAÇÃO

NÚCLEO DE REDAÇÃO FINAL EM COMISSÕES

TEXTO COM REDAÇÃO FINAL

TRANSCRIÇÃO *IPSIS VERBIS*

CPI - ESCUTAS TELEFÔNICAS CLANDESTINAS			
EVENTO: Audiência Pública	N°: 1323/08	DATA: 14/10/2008	
INÍCIO: 15h06min	TÉRMINO: 16h45min	DURAÇÃO: 1h39min	
TEMPO DE GRAVAÇÃO: 1h38min	PÁGINAS: 42	QUARTOS: 20	

DEPOENTE/CONVIDADO - QUALIFICAÇÃO
AÍLTON CARVALHO DE QUEIROZ - Chefe da Seção de Operações Especiais da Secretaria de Segurança do Supremo Tribunal Federal — STF.

SUMÁRIO: Tomada de depoimento.

CÂMARA DOS DEPUTADOS - DETAQ   COM REDAÇÃO FINAL
Nome: CPI - Escutas Telefônicas Clandestinas
Número: 1323/08   TRANSCRIÇÃO *IPSIS VERBIS*   Data: 14/10/2008

e ele deu o alerta máximo, nível 5 —, indicando uma probabilidade muito grande de um sinal semelhante àquele que estava havendo ali no ambiente. Então, mesmo que não tenha sido possível identificar, era nosso dever alertar as autoridades do Tribunal, no caso específico, o Presidente do Tribunal, para esse possível... Por isso, sempre utilizada a palavra possível, sempre utilizada a palavra provável, em função da dificuldade que foi de identificar. Se tivesse sido possível identificar, nós teríamos colocado no relatório uma coisa mais concreta, uma coisa mais enfática e não um suposto. Mas, mesmo se utilizando do suposto... Eu trouxe, inclusive, uma cópia do manual de procedimento do equipamento, que dá os níveis de alerta para demonstrar que aquele sinal que nós identificamos acusou, pelo equipamento, o nível máximo. Penso que, inicialmente, era isso que eu tinha a narrar.

Em depoimento à CPI dos Grampos, o chefe da segurança do Supremo Tribunal Federal atestou a precariedade de seu relatório que levantou a hipótese de uma interceptação ilegal sobre a mais autoridade do STF. A fala de Ailton Queiroz recebeu pouco destaque, e o suposto grampo jamais foi comprovado.

final dos anos 1990, o governo repete que ela não investiga cidadãos. Kluwe afirmou o contrário, que a Abin "recruta" secretárias. Mas a CPI estava mais preocupada em atacar a Satiagraha.

A comissão tomou o depoimento do substituto de Lacerda na Abin, um nome que gerou controvérsia. Wilson Roberto Trezza havia trabalhado em 2002 para a BrT, então controlada pelo Opportunity, como diretor do fundo de previdência da CRT. Trezza disse que deixou a companhia em 2003, "em uma situação litigiosa", consequência, segundo ele, de uma ordem que ele não engoliu: "Fui convidado a fazer uma operação financeira que entendi que era ilegal, à época, no valor de US$ 35 milhões. Me recusei a fazer e fui demitido por esta razão [...] Em nenhum momento sequer fui apresentado, tive uma reunião, um contato telefônico ou uma troca de *e-mail* com o sr. Daniel Dantas".

É novamente notável verificar que nenhum deputado presente à sessão da CPI manifestou a mínima curiosidade sobre o que seria essa milionária operação suspeita, se chegou a ser realizada e quem "convidou" Trezza a agir contra seus próprios escrúpulos.

No momento em que as investigações da PF, da Abin e da CPI patinavam sem nenhuma prova sobre o grampo, uma quarta investigação deu sinal de vida, e de forma espetacular. Tratava-se daquele inquérito aberto por ordem do ministro Tarso Genro para atender às reclamações das emissoras de tevê sobre a "exclusividade" dada à TV Globo. O inquérito policial tramitava em São Paulo, presidido pelo delegado federal Amaro Vieira Ferreira e sob a responsabilidade do juiz federal Ali Mazloum. O magistrado havia sido alvo da PF e do Ministério Público durante a Operação Anaconda, em 2003. Mas as suspeitas foram desfeitas no STF, e ele pôde regressar à 7ª Vara, a mesma cadeira da qual teve que sair anos antes. Assim como alguns deputados da CPI, Mazloum tinha inúmeros reparos a fazer sobre as operações da PF e do Ministério Público. Ao depor na CPI, ele fez denúncias contra os responsáveis pela Anaconda.

Na manhã de 5 de novembro, com ordem de Mazloum, equipes chefiadas por Amaro invadiram endereços no Rio, São Paulo e Brasília para cumprir mandados de busca e apreensão. Pela primeira vez na história da Abin, uma equipe de policiais devassou um escritório do serviço secreto brasileiro, ao entrar na subsede da superintendência estadual da agência no Rio e de lá retirar quatro discos rígidos e um *notebook*. A PF entrou nas casas de Thélio Braun d'Azevedo, um dos mais altos dirigentes da agência, coordenador-geral de Operações de Inteligência, de Luiz Eduardo Melo, fiscal da Receita Federal cedido à Abin, do terceiro-sargento do Cisa, Idalberto Araújo, do terceiro-sargento da 7ª Companhia Independente de Polícia Militar do DF Jairo Martins de Souza e em quatro endereços utilizados por Protógenes.

Por volta das 7h55, o general Félix, do GSI, recebeu um telefonema de Tarso Genro. Ele queria avisar que uma ordem de busca e apreensão havia sido emitida contra um prédio da Abin e seria cumprida "dentro de dois dias". Mas o general explicou ao ministro que as buscas já estavam ocorrendo, naquela mesma manhã, havia quase duas horas.

"Eu senti que ele meio que se surpreendeu", contou depois o general.[232] Félix foi apurar o que havia nos computadores apreendidos e disse ao ministro da Justiça, por telefone, que estava preocupado, pois as informações "comprometem o trabalho da Abin". Na segunda-feira, dia 10, Félix enviou uma carta a Genro, com cópia ao presidente Lula, para dizer que viu a operação com "profunda estranheza".

> Os computadores recolhidos contêm dados sigilosos cujo conhecimento por pessoal não autorizado inviabiliza operações em curso e dá (*sic*) conhecimento das mesmas a essas pessoas não autorizadas. Expõe (*sic*) nomes, valores recebidos e dados de informantes que podem até mesmo colocar sua integridade física em risco e impossibilitam a continuação do trabalho com esses informantes e tornam extremamente difícil o recrutamento de novos.

A pedido de Félix, a AGU (Advocacia Geral da União) interveio a favor da Abin. Ela queria que pessoas da Abin participassem da abertura e "averiguação do material apreendido", mas o pedido foi indeferido

---

[232] Gravação de palestra proferida aos servidores da Abin pelo general Félix em novembro de 2008.

por Mazloum. Ele escreveu que a Abin "não pode interferir nos trabalhos do presidente deste inquérito policial".

Apesar da reação pública de Félix, o fato é que o GSI, por meio da Abin, iria escancarar as portas da agência para a PF. Numa atitude sem paralelo, a Abin concordou em entregar à PF as listas completas e nominais de todos os agentes secretos envolvidos no apoio à Satiagraha. O ofício nº 89, assinado por Trezza, por exemplo, lista treze analistas de informação, com nome, sobrenome e local de trabalho. Todos os principais chefes da Abin também foram orientados pela direção a prestar depoimentos à PF, nos quais faziam constar suas funções passadas e atuais. Como o processo era público, a imprensa tomou conhecimento pormenorizado de quem eram os principais servidores da Abin e suas atividades.

O gesto da Abin/GSI seria impensável em muitos outros países. Nos Estados Unidos, dois altos membros do governo Bush foram exonerados e processados depois que o nome da mulher de um diplomata, crítico da invasão no Iraque, apareceu exposto em reportagem como agente da CIA. A essência de um serviço de inteligência é o sigilo sobre seus agentes e funções. Antes de entregar os dados, a Abin/GSI poderia ter apelado a outras instâncias judiciais e alegar, com alguma chance de êxito, possíveis danos irreparáveis à atividade da agência.

A hipótese mais provável é que a Abin tenha sido pressionada pela cúpula da PF a jogar toda a responsabilidade sobre Lacerda e Protógenes, eximindo-se, assim, de maiores críticas. Essa saída foi sugerida à época a dirigentes da Abin por um alto integrante da inteligência da PF, como dois anos depois o policial relatou ao autor deste livro, sob condição de anonimato.

O fato é que a invasão aos endereços da Abin não produziu qualquer avanço nas investigações. Nenhuma gravação telefônica ilegal foi encontrada após um imenso pente-fino realizado em todos os *CDs*, *pen drive*, discos rígidos, telefones celulares e agendas eletrônicas apreendidos na Abin e nas casas de todos os investigados. Achou-se apenas, em um computador, "material pornográfico", um fato banal que foi tratado como um verdadeiro escândalo por parte da imprensa.

O inquérito de Amaro também investiu contra jornalistas da Rede Globo. Robinson Cerântula e William Santos foram submetidos a longos e detalhados depoimentos. O repórter César Tralli foi abordado pelo delegado da corregedoria da PF Armando Coelho, que o convidou para um almoço no restaurante Spot, em São Paulo. Segundo um documento que integra o inquérito, a missão atribuída a Coelho pela corregedoria era fazer "levantamentos preliminares" para o inquérito de Amaro. Na prática, a PF queria arrancar as fontes do jornalista. Mas o encontro foi inútil, pois Tralli não deu qualquer pista.

Nenhum grampo criminoso foi encontrado em poder dos policiais da Satiagraha. Protógenes acabou indiciado pelo delegado Amaro por suposto vazamento de informações e "fraude processual" — que consistia em não ter avisado à Justiça sobre o vídeo feito pela equipe da Rede Globo no restaurante El Tranvía —, mas não por interceptação telefônica ilegal. A cúpula da PF nunca reconheceu oficialmente, e com o destaque necessário, mas sabe-se hoje que todas as interceptações telefônicas encontradas nos computadores pessoais de Protógenes foram autorizadas por decisão judicial. Eram apenas cópias das interceptações oficiais.

Mas o mistério sobre o STF continuava. A imprensa seguiu tentando localizar os audaciosos arapongas que teriam grampeado a mais alta autoridade do Supremo. A revista *Veja* informou que o general Félix teria enfim admitido que o grampo existiu e foi feito por alguém da agência. Teria dito isso numa reunião realizada na sede da Abin, e a gravação do encontro foi entregue à revista. Contudo, revelada ao público pela própria revista em seu *site* na internet, a íntegra da gravação permite entendimento diverso. Félix abriu o encontro com informações sobre as apreensões realizadas pela PF. Falou dos esforços para diminuir os danos. E então fez um pedido à plateia:

> Vou pedir uma coisa que, efetivamente, é extremamente difícil, sigilo com relação ao que estamos conversando aqui. Mas, se vazar, paciência, é o que mais tem acontecido. Infelizmente, tem ocorrido uma série muito grande de vazamentos, vazamentos ocasionados, repito, infelizmente, por colegas de vocês. Desde o vazamento que deu origem

a toda esse... [*sic*] toda essa celeuma, essa reportagem aqui, "A Abin grampeou o ministro", foi vazada por um colega de vocês, está claramente na reportagem.

A gravação demonstra que Félix atribuía a reportagem a alguém da Abin, mas não o reconhecimento de interceptação ilegal. O general não foi claro na sua manifestação. No jargão jornalístico, quando alguém diz que uma informação foi "vazada", supõe-se que ela seja verdadeira. O general parece ter confundido as expressões "vazamento" e "fonte". Nem sempre uma fonte tem informação verdadeira. A fonte pode contar uma mentira, por variados interesses. Ao dizer que a reportagem foi "vazada", provavelmente o general queria dizer, como se extrai do conjunto de sua fala inteira, simplesmente que a reportagem teve como fonte um agente da Abin, como a própria *Veja* já havia dito. O fato é que Félix nunca disse algo parecido com: "*Ok*, a Abin gravou o STF". Suas palavras na reunião com os agentes da Abin foram mal interpretadas, jogando mais gasolina na fogueira.

A Abin e o GSI jamais reconheceram qualquer grampo, pelo contrário. No dia 19 de dezembro, o GSI anunciou o arquivamento da sindicância aberta para apurar a eventual participação de agentes da Abin em escutas clandestinas.

Mas quem sabe a investigação montada pela PF de Brasília poderia trazer maiores revelações. Houve nova devassa, com pente-fino em áudios, arquivos, computadores e a tomada dos depoimentos de mais de oitenta pessoas, entre agentes da Abin, policiais federais e colaboradores da Satiagraha. Em outubro de 2008, os delegados Murad e Berrêdo foram ouvir Paulo Lacerda. Ele disse não acreditar que a Abin e Protógenes estivessem por trás do suposto grampo: "Pelo que conheço do dr. Protógenes, ele trabalha no limite da legalidade, não acreditando [não acredito] que ultrapasse tal limite".

Lacerda contou aos delegados que, em 2006, ele tomou conhecimento de que uma pessoa o acusou, no Congresso, de ter contas não declaradas no exterior. Ele fez um ofício à PF para abrir mão de seus sigilos bancários, fiscal e telefônico. Seis meses depois, disse Lacerda, a revista *Veja* publicou

Em relatório entregue ao Ministério Público, o delegado Protógenes Queiroz, que comandava a Satiagraha, revelou que a operação correu o risco de ser abortada pela direção da Polícia Federal.

a reportagem sobre a suposta conta no exterior e revelou que a fonte da matéria foi Daniel Dantas. Lacerda ressaltou: "Acredito que tal inquérito é importante por demonstrar o perfil das pessoas envolvidas".

No final do seu depoimento, Lacerda deixou consignado: "A defesa de Daniel Dantas tenta anular hoje os atos de polícia judiciária, influenciando autoridades nos vários níveis".

O inquérito da PF Murad-Berrêdo foi concluído no segundo semestre de 2009, sem o indiciamento de nenhum dos integrantes da Satiagraha ou da Abin por grampo ilegal. O relatório final nunca foi tornado público. A Procuradoria-Geral da República também nunca fez o resumo da investigação. O inquérito sobre uma suspeita que derrubou o chefe do serviço secreto e deixou uma nódoa sobre dezenas de servidores públicos não gerou nenhuma informação oficial e ampla, sendo devidamente empurrado para debaixo do tapete. A imprensa informou algumas vezes, em notícias sem fonte identificada, que o inquérito concluiu que não houve grampo e que não seria possível acusar ninguém. A PF e a PGR nunca contestaram essas notícias, aqui tomadas por verdadeiras.

A CPI dos Grampos terminou rachada, com o relatório oficial do deputado Nelson Pellegrino (PT-BA), de 415 páginas, e um voto em separado do deputado Itagiba, de sessenta e nove páginas. Nenhum acusou qualquer policial federal ou servidor da Abin de qualquer interceptação ilegal dentro ou fora do STF. As acusações de Itagiba giraram em torno do emprego irregular de verbas públicas na parceria Abin-PF. Para o deputado, como não havia uma autorização expressa para a parceria, os gastos foram irregulares. Ele também acusou Lacerda e Protógenes de "falso testemunho", por terem dado números e explicações divergentes sobre a parceria Abin-PF. O deputado teve por norma não solicitar o indiciamento de quem já se encontrava investigado em outro procedimento. Assim, Dantas e Protógenes — o primeiro investigado pelo caso Kroll, e o segundo no inquérito da 7ª Vara paulista — também deixaram de ser indiciados.

As investigações desencadeadas sobre a Operação Satiagraha não conseguiram trazer indícios de escuta clandestina, mas as suspeitas iriam atingir a carreira policial de Protógenes de modo irreversível. Depois da reunião do dia 14 de julho, o delegado viu sua "casa", a PF, lhe dar as costas. Ele diz que um de seus filhos, de dez anos, ficou "traumatizado" com a invasão no seu apartamento, no Rio, e recebeu atendimento psicológico. Na PF, o delegado não tinha mais com quem falar. Suas coisas foram retiradas de sua escrivaninha e colocadas num armário de ferro. A PF fechou as portas para o delegado.

Ao mesmo tempo, um importante apoio apareceu. O delegado começou a receber convites para palestras e entrevistas, e ganhou a estrada. Nessa fase, Protógenes, que anos antes tinha dado aulas na academia de polícia, chegou a fazer três palestras por semana, em várias capitais — só em Fortaleza esteve cinco vezes entre 2008 e 2009. Um dos locais mais estranhos foi um galpão montado numa praça pública em Rubiataba (GO). Houve uma palestra num ginásio esportivo numa universidade em Salvador e outra num centro de convenções para alunos de três faculdades. O delegado, de repente, estava falando para multidões.

"Eu parecia o bispo Macedo."

O lado messiânico do discurso de Protógenes foi muitas vezes objeto de críticas na imprensa, e uma frase assim só reforçava o estereótipo. Protógenes, que começou a falar sobre si mesmo em terceira pessoa, queria "varrer" a corrupção do país. Causou apreensão, entre seus apoiadores, uma mensagem em seu *blog* ao anunciar que ele foi vítima de um "atentado". A prova era um problema mecânico no carro que lhe causou uma queimadura no pé. Tal atentado nunca ficou provado. Não adiantou ele explicar que o autor do texto não fora ele, mas um primo que atualizava o *blog*. Ele logo aprendeu que tudo que saísse de sua boca ou lhe fosse atribuído seria devidamente escrutinado, avaliado e desconstruído peça por peça.

Mas Protógenes já havia se liberado dessas barreiras. E tinha um apoio impressionante na internet. As pessoas se manifestavam em *blogs*, redes sociais e nos comentários das reportagens. A imensa maioria protestava contra a interrupção da Satiagraha e as perseguições sofridas pelo delegado e pelo juiz De Sanctis. Protógenes tornou-se uma figura popular, era parado nas ruas para dar autógrafos. Nesse contexto, pouco demorou até ele ir direto para os braços da política.

O processo disciplinar que levou ao afastamento do delegado da DIP, em Brasília, nasceu justamente de uma declaração feita na campanha eleitoral de 2008. Num vídeo de vinte e nove segundos, gravado pela campanha do candidato a prefeito de Poços de Caldas (MG) Paulo Tadeu (PT), o delegado disse: "Sou o delegado Protógenes Queiroz. Para trazer meu apoio e minha solidariedade à candidatura do prefeito Paulo Tadeu, e a importância de trazer uma delegacia da Polícia Federal para esta região".

Após a decisão da corregedoria, Protógenes não mais poderia estar à frente de nenhuma operação policial.

O delegado disse ter sido provocado a lançar sua candidatura quando participou em Salvador, em julho de 2009, de um protesto de funcionários da Petrobras contra uma CPI no Senado que pretendia investigar a estatal. Protógenes agora apoiava uma manifestação contrária a uma investigação sobre irregularidades com recursos públicos. Foi só a primeira de muitas contradições em relação ao seu passado. Nas comemorações do 1º de Maio do mesmo ano, ele recebeu o apoio do deputado Paulo Pereira da Silva (PDT-SP), que havia sido alvo de uma operação da PF no ano de 2008 e contra quem tramitam investigações no STF sobre desvios de recursos públicos.

Quem tentou levar Protógenes para o PDT foi seu amigo, o ex-deputado federal Luiz Antônio Medeiros, à época secretário nacional das relações do trabalho do Ministério do Trabalho. Medeiros queria lançar o delegado como deputado federal pelo partido, mas não conseguiu. Houve um choque de egos.

"O Paulinho não se entendeu direito com o Protógenes. O Paulinho queria controlar o Protógenes. Ele disse que Protógenes teria tanto tempo de tevê quanto qualquer outro candidato. Aí, não deu certo."[233]

Protógenes queria mais tempo na tevê que um candidato normal e, assim, acabou no Partido Comunista do Brasil. Logo ele, católico devoto que sempre traz à lapela uma imagem de Nossa Senhora.

No momento em que Protógenes dava seus primeiros passos na política, a Satiagraha foi o motivo de uma sessão de alto significado no Supremo Tribunal Federal. Gilmar Mendes levou ao plenário os dois *habeas corpus* concedidos em julho em favor de Dantas, para que fossem confirmados ou negados pelos outros ministros. A investigação como um todo, o juiz De Sanctis, o Ministério Público e o delegado foram alvos de acusações sem precedentes. O Supremo foi o palco iluminado da maior desqualificação pública da Satiagraha.

---

[233] Entrevista ao autor em 3/10/2009.

Um caso excepcional

"Todas as vezes que a autoridade da Suprema Corte do Brasil, pouco importa o nomen juris que pode se aplicar a esta ou aquela situação, é ofendida, agredida, malferida, impõe-se, ao pleno da Suprema Corte, uma reação imediata, uma reação dura, uma reação coerente, uma reação firme, de modo que nós possamos ter a certeza de que estamos cumprindo coerentemente o nosso dever. E assim sempre fazemos e continuaremos a fazer, sem exceção, todos nós, uniformemente."

Ministro do STF Carlos Alberto Menezes Direito, na sessão que julgou os *habeas corpus* de Daniel Dantas.

Em 6 de novembro de 2008, de camisa branca, gravata azul e capa preta sobre os ombros, Gilmar Mendes inclinou-se ao microfone para anunciar aos nove ministros e ao procurador-geral da República, sentados à mesa do plenário do STF em forma de "U", a abertura do julgamento do mérito dos dois HCs concedidos a Daniel Dantas. O ministro apontou, depois, o caso Dantas como uma "situação atípica" e "o momento mais dramático" de sua presidência no STF, entre 2008 e 2010.[234]

E foi uma presidência extremamente atribulada. Mendes mostrou-se um agente político em pleno exercício do poder. Ele amplificou os ataques ao que considerava o "Estado policial", a ação independente da PF e do Ministério Público. Só quem acompanhava sua carreira com alguma atenção podia ter previsto que não seria diferente. O coro às reclamações de advogados criminalistas marcava seu discurso havia muito tempo. Ele havia sido, afinal de contas, o próprio advogado-geral da União.

---

[234] Entrevista a Fernando Rodrigues, na *Folha*, em 22/03/2010.

Mendes nasceu na pequena Diamantino, no interior de Mato Grosso, em 30 de dezembro de 1955. Como o nome já diz, a cidade foi fundada durante o ciclo dos grandes garimpos de diamante que deram à economia de Mato Grosso um passado glorioso. O arraial surgiu com as comitivas de aventureiros que saíam de Sorocaba, em São Paulo, para fincar acampamentos e procurar riquezas nas bordas da Chapada dos Parecis. O local registrava pouco mais de 6.000 moradores quando de sua fundação, em 1728, e não cresceu muito desde lá — em 2004, o IBGE estimou sua população em 19.906 habitantes.

Após o esgotamento das riquezas, Diamantino entrou em decadência no século 20. Mas a família de Mendes, no sentido contrário, ganhou prestígio e poder. Depois do Golpe Militar de 1964, o pai do ministro, Francisco Ferreira Mendes, o "Chiquinho", se elegeu duas vezes prefeito da cidade com apoio do partido que dava sustentação política à ditadura, a Arena.

Em meados dos anos 1970, o futuro ministro se matriculou na Universidade de Brasília. Concluiu o curso de direito em 1978. Depois de alguns anos dando aulas na UnB sobre direito público e ética e legislação dos meios de comunicação, Mendes pôs em prática um plano mais ambicioso. Nos anos 1980, passou temporadas na antiga Alemanha Ocidental, onde fez estudos com vistas à aceitação para doutorado, concluído com louvor em 1990, e mestrado, entre 1988 e 1989, na universidade Westfälische Wilhelms-Universität Münster, como informa o currículo divulgado pelo STF. Nesse meio tempo, no Brasil, ele passou em três concursos simultâneos: juiz federal, assessor legislativo do Senado Federal e procurador da República. Optou pela carreira no Ministério Público — órgão com o qual, no futuro, tantas vezes se defrontaria.

Embora procurador de primeira instância, Mendes foi atuar no STF, a convite do então procurador-geral da República Inocêncio Mártires Coelho, nomeado na ditadura do general João Baptista Figueiredo (1981-1985).

Coelho havia sido professor de Mendes na pós-graduação da UnB. Preso por dez dias após o golpe de 1964 por atuar no movimento estudantil de Belém do Pará, onde nasceu, em 1941, Coelho afastou-se da esquerda e passou a dar aulas na UnB. Nos anos 1970, foi para o governo e se tornou, no Gabinete Civil de Figueiredo, assessor jurídico e amigo[235] do poderoso general Golbery do Couto e Silva (1911--1987), um dos artífices do mesmo golpe que levara Coelho à prisão. Em 1981, Coelho foi nomeado por Figueiredo procurador-geral da República. Era um cargo de livre nomeação do ditador, "um delegado de confiança do presidente", do qual este poderia também se livrar a qualquer hora e sem qualquer explicação. A Procuradoria-Geral não passava de uma repartição, que funcionava num andar do Ministério da Indústria e Comércio. Na prática, o procurador-geral era também o "advogado-geral da União", função só criada com esse nome no regime democrático, a qual no futuro seria ocupada, dentre outros, por Mendes. Coelho se orgulha de ter dado os primeiros passos na criação de uma estrutura, inclusive física, para o Ministério Público Federal.

Mas sua gestão seria marcada publicamente de outra forma. O então procurador da República Pedro Jorge de Melo e Silva, de Pernambuco, começou a ser ameaçado de morte por causa das investigações sobre o "escândalo da mandioca", um desvio de verbas públicas na agência do Banco do Brasil de Floresta (PE). Marco Maciel, então governador de Pernambuco, e depois senador pelo PFL, telefonou para Coelho para reclamar de uma suposta parcialidade do procurador na condução do caso. Coelho orientou o governador a dizer a quem se sentisse incomodado que fizesse uma representação contra o procurador, o que ocorreu dias depois, por iniciativa de um dos investigados. Coelho designou seu colega, um subprocurador, para ouvir Pedro Jorge e fazer uma apuração preliminar sobre o assunto. A par do resultado da apuração, Coelho decidiu excluir Pedro Jorge da investigação, substituindo-o por outro procurador. No ínterim exato entre a assinatura da decisão e a sua publicação no *Diário Oficial*, Pedro Jorge foi fuzilado por pistoleiros de aluguel enquanto comprava pão em Olinda (PE). Coelho passou a ter que dar explicações à imprensa, mas conseguiu

---

[235] Depoimento prestado por Coelho a José Walter Nunes em 17/03/2005 no Projeto História Oral da PGR.

contornar a crise e autorizar uma investigação que acabou por prender os autores do crime.

Disse depois Coelho:

> Se, hoje, com a experiência adquirida ao longo dos anos, tivesse que novamente me deparar com a decisão espinhosa que tive de substituir o procurador, eu o substituiria. Mas não sem antes fazer uma espécie de tomada de opinião da própria classe, não para repartir responsabilidades, mas para ouvir mais pontos de vista a respeito da conveniência e da oportunidade de tomar uma medida daquela natureza.[236]

Coelho e Gilmar Mendes se tornariam sócios em uma escola privada de direito, o IDP (Instituto Brasiliense de Direito Público).

Com o fim da ditadura, em 1985, Mendes continuou na PGR e se tornou assessor do sucessor de Coelho, Sepúlveda Pertence. Em sua passagem pelo MPF, Mendes não foi conhecido por conduzir ou acompanhar investigação criminal. O processo de maior repercussão de que tomou parte tinha a ver com o Parque Nacional do Xingu, cujos limites ele apoiou.

Quando ocorreu a sabatina a que foi submetido no Senado, em 2002, sobre a indicação do seu nome ao STF, ele se lembrou dessa ação com orgulho:

> Como me atribuem a pecha de ser um homem conservador e há a ideia de que a questão indígena é tema da área esquerdista, seja lá o que for, não me atribuem nenhum mérito. Fui eu, com a minha atuação como procurador da República, quem evitou que o Parque Nacional do Xingu se tornasse, a rigor, terra de particulares, por isso enfrentei processo na honrosa presença do hoje ministro Sepúlveda Pertence.

Em novembro de 1990, Mendes concluiu seu doutorado na Alemanha com o tema "Controle abstrato de normas perante a Corte Constitucional

---

[236] Idem.

Alemã e perante o STF". Ao voltar ao Brasil, porém, não conseguiu manter seu trabalho de atuar pelo Ministério Público em processos que tramitavam no STF.

A PGR entendeu que a nova Constituição dizia que ele deveria atuar na primeira instância da Justiça Federal de Brasília, junto com os outros procuradores "comuns". Mendes não gostou, atribuiu a medida ao novo procurador-geral, Aristides Junqueira. Anos depois, Mendes deu demonstração de que não perdoou o comportamento de Aristides:

> Quando voltei, a Procuradoria da República estava transformada. Na verdade, era a gestão inicial do procurador Aristides Junqueira. Era uma cogestão. A associação [dos procuradores] e o procurador-geral geriam aquilo. Era uma legitimidade toda própria. Quando cheguei, já era considerado talvez o melhor, o maior especialista em questão constitucional na Procuradoria da República. Devo ter voltado um pouco melhor, mas o dr. Aristides disse: "Você vai para a primeira instância, porque agora a regra é esta: procurador que não é subprocurador fica na primeira instância. Agora, aqui manda a corporação".[237]

É notável perceber que o primeiro dos atritos de Mendes com o Ministério Público, que já remontam duas décadas, nasceu por uma discussão sobre seu cargo.[238] Por diversas vezes ao longo de sua trajetória, Mendes demonstrou uma capacidade extrema de levar a sério suas contendas. Àquela época, já não seria diferente. Mendes decidiu rumar para o Executivo, o que acabou por interromper sua carreira no Ministério Público. Ele foi para o Executivo e nunca mais retornou ao Ministério Público.

---

[237] Sessão do Senado que sabatinou Gilmar Mendes em 15 de maio de 2002.

[238] Procurado por *e-mail* e por telefone entre o final de fevereiro e o início de março de 2010, e novamente em outubro do mesmo ano, Gilmar Mendes não recebeu o autor para entrevista. Em março, a assessoria do STF alegou excesso de agenda, mas não marcou nova data. Na segunda ocasião, nenhuma resposta foi dada.

No governo de Fernando Collor (1990-1992), foi primeiro adjunto da subsecretaria-geral da Presidência, passando a trabalhar no Palácio do Planalto. Um dos trabalhos de Mendes no governo foi presidir a comissão que produziu o novo *Manual de Redação da Presidência*. A bibliografia referida na obra incluiu um livro e um artigo de sua própria autoria.

Mendes, depois, se tornou consultor jurídico da Secretaria-Geral da Presidência. Identificado pela imprensa como "assessor jurídico do Planalto", Mendes teve participação ativa na defesa do presidente Collor, acossado pelas investigações de ninguém menos que Aristides Junqueira e pelo inquérito da PF presidido por um delegado chamado Paulo Lacerda — em relação a quem, no futuro, Mendes também iria demonstrar contrariedade. Em setembro de 1992, poucas semanas antes do *impeachment* de Collor, Mendes trabalhou para obter no STF, "extraoficialmente", as perguntas que o procurador fez por escrito ao presidente da República. Em entrevista, Mendes descredenciou-as: "As perguntas são óbvias demais e desinteressantes".[239]

Mendes voltou ao Executivo no primeiro ano do governo de Fernando Henrique Cardoso, como assessor do então ministro da Justiça, Nelson Jobim (PMDB-RS). Segundo o currículo do ministro, até 1996 ele "colaborou na coordenação e na elaboração de projetos de reforma constitucional e legislativa". Em 1996, voltou a despachar no Palácio do Planalto, como subchefe de Assuntos Jurídicos da Casa Civil. Em janeiro de 2000, ele se tornou o advogado-geral da União, por escolha do presidente FHC. Mendes passou cerca de uma década no Executivo, nos governos do PRN e do PSDB. Além de representar a União em processos judiciais, a AGU atua como uma espécie de conselheira jurídica do presidente e dos ministros.

No primeiro ano à frente da AGU, Mendes teve um grande choque com o Ministério Público. Um grupo de procuradores, incluindo Valquíria Oliveira Quixadá Nunes, do Distrito Federal, investigava denúncias sobre desvios no DNER, o departamento de estradas, quando foi informado de que a gestão do antecessor de Mendes na AGU

---

[239] "O dedo da lei", revista *Veja* de 22/09/1992.

havia realizado uma auditoria sobre o tema, que teria apontado irregularidades. Os procuradores disseram que o trabalho ficou pronto em 2000, mas Mendes demorou mais de um ano para repassá-lo ao Ministério Público. Eles acusaram:

> A conduta do réu [Mendes] indica claramente o propósito de evitar que os fatos apurados nas investigações da Corregedoria da Advocacia-Geral da União fossem conhecidos por qualquer órgão fora da estrutura do Ministério dos Transportes e da AGU. A Câmara dos Deputados, a Polícia Federal e o Tribunal de Contas da União solicitaram o envio de cópia da referida correição ao dr. Gilmar, que, no entanto, recusou-se a enviar os documentos, que somente foram obtidos mediante ordem judicial.

Na contestação à ação, Mendes disse que só virou alvo dos procuradores em razão das críticas que fazia ao Ministério Público: "A presente ação tem sua base assentada em uma falsidade, isto é, em uma mentira concebida para justificá-la", afirmou Mendes.

Anos depois, contudo, Mendes tornou pública sua profunda desconfiança sobre auditorias:

> As correições, como V. Exas. sabem, são levantamentos unilaterais feitos por um ou dois servidores, sem nenhum contraditório. Quantas vezes criticamos os relatórios da Siset, os relatórios das inspeções do Tribunal de Contas exatamente por essa unilateralidade? Hoje, temos até casos de corregedores processados porque fizeram afirmações, depois vazadas na imprensa, sobre juízes e sobre a atuação de procuradores, o que gera uma grande insegurança. Temos muita cautela com esses documentos internos da Administração antes de fazê-los chegar aos demais setores.[240]

O caso acabou arquivado pelo STF, mas Mendes não deixou o assunto barato. Em janeiro de 2001, na condição de advogado-geral da

---
[240] Sessão do Senado que sabatinou Gilmar Mendes em 15/05/2002.

União, ele ajudou a incentivar uma medida provisória que previa uma multa de até R$ 151 mil por ação de improbidade administrativa aberta de forma "infundada". Poderiam pagar a multa procuradores da República, delegados da PF e auditores da Receita Federal. Mendes assim defendeu a medida: "A ação de improbidade dá uma conotação política muito forte. Então, o que a MP 2.088 fez foi limitar este tipo de ação".[241]

Os jornais apontaram Mendes como o autor da MP, o que, dois anos depois, ele negou: "Não participei de sua redação, o texto veio do Ministério da Justiça, mas estou absolutamente conforme com essa ideia, porque ela é compatível com a ideia básica do Estado de Direito".

Da mesma forma, Mendes negou ter participado da redação da Medida Provisória nº 2.049, de 2000, que concedia ao advogado-geral da União o foro especial por prerrogativa de função no STF, o chamado foro privilegiado, que permite a parlamentares e ministros, dentre outros, serem processados e julgados apenas no STF. Apenas vinte dias antes da MP, o STF havia negado o foro a chefes da AGU. Mendes é um ardoroso defensor do foro privilegiado.

A segunda ação de improbidade administrativa contra Mendes foi proposta pelo procurador Luiz Francisco de Souza com base numa representação feita pelo deputado federal Walter Pinheiro (PT-BA), que se valeu de uma reportagem publicada em 2002 pela revista *Época*. A revista revelou que Mendes era fundador e sócio do IDP (Instituto Brasiliense de Direito Público) e que a AGU fazia pagamentos ao instituto, referentes a cursos de formação oferecidos a servidores públicos federais. Mendes disse à revista que recebia cerca de R$ 5 mil mensais a título de "distribuição de lucros" por sua cota no IDP.

O procurador Luiz Francisco obteve uma relação de 112 servidores da própria AGU, portanto subordinados a Mendes, e 339 de outros órgãos federais que haviam estudado no IDP às expensas da União. Em vários casos, Mendes foi o próprio palestrante ou professor. Luiz

---

[241] "Ações por improbidade ameaçam futuro de 40 autoridades federais", jornal *Valor Econômico* de 5/01/2001.

Francisco achou aquilo um flagrante problema ético. Em 9 de setembro de 2002, quando Mendes já era ministro do STF, Souza ajuizou a ação para pedir a condenação de Mendes e o ressarcimento de R$ 241 mil. A acusação do procurador falava em enriquecimento ilícito:

> A AGU efetuou, com o conhecimento e a anuência tácita do dr. Gilmar, 451 (quatrocentos e cinquenta e um) contratos informais ímprobos, com a empresa do próprio dr. Gilmar, locupletando-o, enriquecendo-o ilicitamente. Os responsáveis por tais despesas eram membros da AGU, subordinados ao dr. Gilmar e dependentes do mesmo para manterem cargos de chefia e funções gratificadas.

Essa ação também não foi adiante, acabou arquivada. Mendes alegou que a Lei Orgânica da Magistratura permite aos juízes atuar em cursos de formação, desde que não sejam dirigentes da empresa. Ele apresentou uma nota da presidência da Comissão de Ética Pública, vinculada ao Palácio do Planalto: "A Comissão concluiu não haver qualquer incompatibilidade jurídica ou ética entre o exercício do cargo de advogado-geral da União e de membro e professor do IDP".

Cinco anos mais tarde, o assunto voltou ao noticiário. Entre 2000 e 2008, o IDP obteve aproximadamente R$ 2,4 milhões de diversos órgãos públicos, como o TSE (Tribunal Superior Eleitoral), a FAB, a Receita Federal, o Senado e vários ministérios. Também foi revelado que o prédio do IDP fora construído em parte com um financiamento de R$ 3 milhões do FCO (Fundo Constitucional do Centro-Oeste), uma linha de crédito liberada pelo Banco do Brasil no DF em 2004, quando Mendes já presidia o STF.[242]

Na eleição municipal de 2000, Mendes dispensou grande atenção à sua Diamantino. Seu irmão, o médico-veterinário Francisco Ferreira Mendes Júnior, lançou-se candidato a prefeito pelo PPS. Gilmar Mendes levou à cidade ministros de Estado. Seu irmão foi eleito, tornando-se o segundo prefeito na história da família, e

---

[242] "O empresário Gilmar", reportagem de Leandro Fortes na *CartaCapital* de 4/10/2008.

reeleito em 2004, quando novamente Mendes levou à cidade mais ministros de Estado.

O dono de cartório Erival Capistrano de Oliveira (PDT) e seu irmão, o ex-prefeito Darcy, eram os líderes do grupo político derrotado em 2000 e 2004. Em 2008, Erival venceu as eleições, quebrando dezesseis anos de mandatos de políticos ligados aos Mendes, incluindo os oito anos do irmão Francisco. Uma das primeiras medidas de Erival foi fazer uma auditoria nas contas de Francisco e enviar o resultado para o TCE (Tribunal de Contas do Estado). Mas logo Erival teve o mandato cassado por um juiz eleitoral, em 2009, sob suspeita de irregularidade na prestação de três doações no valor total de R$ 20 mil nas contas de sua campanha. Quem assumiu o cargo foi o político apoiado pelos Mendes, Juviano Lincoln, do PPS. Erival recorreu ao TRE (Tribunal Regional Eleitoral), que suspendeu a decisão. Por conta de recursos, Erival não havia conseguido retornar ao cargo até dezembro de 2010. Nas campanhas eleitorais de Diamantino, Erival contou que Gilmar Mendes foi presença expressiva:

> [Em 2000] ele começou a vir usando de toda a força para conseguir eleger o irmão. Ele vinha com a influência que ele tinha, como advogado-geral da União, junto aos produtores rurais. Ele chegava aqui e o pessoal tinha um respeito muito grande por ele. E acabava influenciando na votação do irmão dele. Ele participou de campanha, pedindo votos pelos bairros.[243]

O poder dos Mendes em Diamantino só aumentou desde 2000. Em 2001, a família pôs em funcionamento a Uned (Faculdade de Ciências Sociais e Aplicadas de Diamantino), dirigida pela irmã do ministro. Anos depois, a instituição mantenedora da faculdade, a União de Ensino Superior de Diamantino, obteve do Ministério das Comunicações a concessão de um canal de tevê. A outorga foi concedida nos últimos dias do governo FHC, em dezembro de 2002.

---

[243] Entrevista de Erival ao autor em 29/11/2010.

A TV Diamante entrou no ar em 2006, como afiliada da Rede TV!. Em 2008, passou a retransmitir o sinal do SBT.

O patrimônio da família seguiu crescendo nos anos seguintes. Em 2009, sua família era proprietária de três fazendas que somavam 1.764 hectares em Diamantino e Alto Paraguai (MT), uma delas avaliada em R$ 1 milhão, além de criar 309 cabeças de gado.[244]

Essa atividade rural não impediu que Mendes, na presidência do STF, fizesse pesadas críticas aos movimentos de trabalhadores rurais sem terra e ao governo, de quem cobrou ação enérgica contra invasões de terras. Mendes, contudo, disse publicamente que nunca foi pecuarista. Em 2008, o jornalista Altino Machado, do Acre, o abordou para saber por que ele não se manifestava sobre assassinatos de lideranças de trabalhadores rurais. O jornalista indagou se isso decorreu do fato de Mendes "ser ministro ou pecuarista". Mendes disse que se manifestava sempre contra "qualquer violação de direitos" e encerrou com uma ameaça: "A pergunta, de qualquer forma, é desrespeitosa. O senhor tome cuidado ao fazer esse tipo de pergunta. Eu não sou pecuarista". No dia seguinte, Machado concordou que sua pergunta foi "desrespeitosa".

A ligação de Mendes com o meio rural deu origem a um dos piores bate-bocas da história do STF. No meio da discussão, o ministro Joaquim Barbosa disse que Mendes estava "destruindo a Justiça deste país" e alfinetou: "Vossa Excelência, quando se dirige a mim, não está falando com seus capangas no Mato Grosso". Mendes reagiu: "Ministro Joaquim, Vossa Excelência me respeite". O debate esquentou depois que Mendes afirmou que Barbosa não tinha "condições de dar lição de moral a ninguém".

O estilo seco e direto de Mendes, que marcaria sua passagem pela presidência do STF, também produziu problemas para todos os lados nos tempos da AGU. Ao saber que um juiz do interior do Pará, Eduardo Luiz Rocha Cubas, decidiu intimar o presidente FHC por edital, por entender que era uma pessoa difícil de ser localizada e muito ocupada, o então advogado-geral da União representou contra o

---

[244] *Eleições na estrada* (PubliFolha), de Eduardo Scolese e Hudson Corrêa.

magistrado na Corregedoria do Tribunal Regional Federal da 1ª Região. No texto, Mendes escreveu que a atitude do juiz "beira as raias do deboche, além de arrostar comezinhas regras do direito processual civil". Cubas não gostou dos termos e formulou uma queixa-crime contra Mendes por supostas injúria e difamação. O então procurador-geral da República, Geraldo Brindeiro, pediu o arquivamento da ação, por considerar que Mendes não teve a intenção de difamar o juiz. Contudo, Brindeiro não deixou de perceber que a crítica de Mendes tinha sido acima do tom recomendado: "Conquanto censurável, inconveniente ou exacerbada, a crítica contida na representação não desvela vontade livre e consciente de praticar fato difamante ou injurioso em desfavor do querelante".[245]

Algo parecido ocorreu durante a privatização do Banespa. Na função de advogado-geral da União, Mendes se mostrou um defensor fervoroso da política de privatizações do governo. Quando a juíza federal Rosimayre Gonçalves Carvalho concedeu uma liminar que suspendeu por cinco dias o leilão de privatização do Banespa (Banco do Estado de São Paulo), Mendes atacou o Judiciário em entrevistas à imprensa: "O autismo é um mal complicado no Judiciário".

Rosimayre se disse ofendida e representou contra Mendes. Na peça, ela anexou o sentido da palavra extraída dos dicionários — "fenômeno patológico caracterizado pelo desligamento da realidade exterior e criação mental de um mundo autônomo" — e lamentou: "Eis uma das mais graves ofensas que um advogado poderia atribuir ao julgador que decide contra sua pretensão". A juíza queria que Mendes demonstrasse com provas a "patologia". O caso chegou ao STF, que decidiu pelo seu arquivamento.

A posse de Mendes no STF foi das mais controversas. Às vésperas da confirmação, cerca de 300 alunos e advogados, reunidos por dois

---

[245] Parecer nº 123.732/GB no inquérito nº 1.674-8/140-PA, de 30/07/2001.

centros acadêmicos da faculdade de direito da USP, fizeram um "ato de repúdio", com a presença de professores simpáticos ao PT, o então presidente da Câmara de Vereadores, José Eduardo Cardozo (PT), e representantes do Ministério Público. O vídeo que registrou o ato foi enviado ao Senado.

Os críticos apontavam um conflito ético na possibilidade de Mendes vir a julgar, como ministro do STF, teses que ele havia levantado ou mesmo processos em que havia atuado como advogado-geral. Seria como bater o escanteio e cabecear para o gol. Ressalte-se que, sete anos depois, quando José Antônio Dias Toffoli foi nomeado, então advogado-geral da União do governo Lula, não houve grita parecida na USP e no MP.

Outra parte dos críticos de Mendes tinha objeções mais específicas. Citaram sua passagem pela AGU como prova de um ativista jurídico que procurava interferir nas atividades do Ministério Público.

Na sessão no Senado, Mendes teve de ouvir uma carta lida pelo ex-presidente do Conselho Federal da OAB, Reginaldo Oscar de Castro, que instou os senadores a investigar o passado de Mendes, citando ações a que ele respondeu. Mendes partiu para o ataque:

> Claro que Sua Excelência faz justiça ao seu passado de agente da ditadura militar [...] São processos triviais. Militei como advogado da União intensamente. Claro que tenho processos de crime contra a honra. Eventualmente, muitos já arquivados. Temos tido refregas com o Ministério Público. Propõem-se, em retaliação, as ações civis de improbidade, as famosas "açõezinhas de improbidade", como depois saem nos jornais etc.

No final dos anos 1960, Castro havia trabalhado por dois anos na PF na análise de letras de música e peças de teatro, na prática um censor. Mas disse que nunca atuou no interrogatório ou prisão de militantes da esquerda e que, quando recebeu uma ordem superior para barrar um filme no qual não viu problemas, deixou a PF. Ao falar do passado de Mendes na sabatina, o ex-presidente da OAB disse que pretendia "deixar historicamente demonstrado que os cidadãos podem questionar a indicação de alguém para o Supremo".

Os atritos entre Castro e Mendes remontam à passagem do ministro no governo FHC. A legislação da época previa que o presidente da República deveria reeditar mensalmente as medidas provisórias em vigor, que eram muitas. Nas reedições, poderiam surgir dispositivos não incluídos nas edições originais, ou, pelo contrário, poderiam ser retirados dispositivos anteriormente previstos. Isso demandava uma atenção redobrada da OAB, que foi uma crítica permanente da edição das MPs. Segundo Castro, Mendes era o responsável por encaminhar ao presidente os textos das reedições.

"Como o presidente tinha que reeditar mensalmente centenas de medidas, jamais teria condições de ler cada uma, antes de assinar. Chegava para ele como um prato pronto. Então, quem era o grande legislador daquela época? O Gilmar. Ele fazia como bem entendia."[246]

Em um texto publicado na imprensa, Castro anunciou a abertura de um processo contra Mendes por suposto problema ético. O pano de fundo era também a reedição de infinitas medidas provisórias.

> As hostilidades da Advocacia-Geral da União com a OAB são recentes. Ao tempo em que era a primeira dirigida por Geraldo Quintão, imperava absoluta harmonia. Embora o atual ministro da Defesa fosse um defensor intransigente do Estado, não moldava a ordem jurídica aos interesses de seu cliente. Muito menos fazia pressão sistemática sobre o Judiciário, comparecendo aos gabinetes dos ministros levando a tiracolo autoridades do primeiro escalão do governo. O atual titular do cargo procede de modo diametralmente oposto, em clara afronta ao Código de Ética e Disciplina [da OAB].[247]

A OAB também dizia que Mendes visitou ministros do STF na companhia do então ministro da Fazenda, Pedro Malan, e do então presidente do

---
[246] Entrevista ao autor em 2/12/2010.
[247] "Insegurança jurídica", artigo de Reginaldo de Castro na *Folha* em 3/11/2000.

Banco Central, Armínio Fraga, às vésperas de julgamentos no STF de interesse do governo. O Conselho Federal da Ordem chegou a aprovar o envio de um processo preliminar para a seção de Brasília para abertura de um processo ético a fim de averiguar se Mendes utilizou "influência indevida" em benefício do cliente, o governo federal.

Apesar das divergências, em 2008 Castro subscreveu um texto de apoio a Mendes. Ele concordou com a defesa que o ministro fez das "garantias fundamentais" dos investigados pela PF.

Na sabatina no Senado, o relator, senador Lúcio Alcântara (PSDB-CE), da base governista, concluiu que as ações judiciais "não tinham nada de gravosas".

Os reparos de Reginaldo de Castro deram em nada. Mas a reunião foi suspensa por causa de um pedido de vista coletivo. Uma semana depois, a sabatina foi retomada, numa sessão que durou quatro horas e cinquenta e quatro minutos. Mendes foi bombardeado de perguntas, principalmente do senador Jefferson Peres (PDT-AM) e do senador José Eduardo Dutra (PT-SE), então líder do bloco de oposição no Senado. O senador Arthur Virgílio (PSDB-AM), líder do governo, saiu em defesa de Mendes.

Mendes teve de dar uma resposta sobre sua participação na obtenção de licença para a faculdade privada em Diamantino. Havia dúvidas se o candidato a ministro havia interferido politicamente para obter a licença de funcionamento da escola. Ele disse que se retirou da sociedade, da qual tinha 20% das cotas, em 2001, antes de a faculdade ter obtido autorização para funcionar, e que o MEC e a OAB haviam avaliado *in loco* as condições da faculdade. Na resposta, contudo, Mendes fez outro tipo de revelação, sobre engajamento político: "Esse empreendimento, senador, não foi pensado como empreendimento empresarial, mas de dimensão social para viabilizar, inclusive politicamente, a eleição, que veio a se confirmar depois, do meu irmão Chico Mendes, pelo PSB, vinculado inclusive ao seu partido [PT] no meu estado".

Francisco estava na plateia, assistindo à sabatina.

O nome de Mendes foi aprovado para o STF por dezesseis votos favoráveis e seis contrários. O novo ministro do STF, aos quarenta e seis anos, era um orgulho para Mato Grosso, como disseram três senadores durante a sabatina, e sua trajetória era vitoriosa — a história de um jovem de uma pequena cidade do interior do país que se empenhou nos estudos, inclusive na Europa, e galgou altos postos da República até obter uma cadeira no Supremo. Sua obra era apreciada por boa parte da academia, da qual nunca faltavam convites para palestras e seminários. Mendes era um vencedor, e isso até seus piores inimigos haveriam de reconhecer. Mas ele tinha ainda muitas contas a acertar com seu passado. Suas manifestações no STF revelaram um homem que se via destinado a corrigir as imperfeições das atividades do Ministério Público, denunciar um suposto "Estado policial" e defender as garantias dos investigados e réus.

Depois da posse no STF, em junho de 2002, iniciou uma escalada de confrontação com o Ministério Público. Ele se vingou de Valquíria Quixadá e Luiz Francisco, citando-os de modo negativo em sessões do STF.

"Essa ação é da dona Valquíria Quixadá", disse, por exemplo, a respeito de uma ação movida pelo MPF contra um ministro do governo FHC que usou um hotel da Aeronáutica para passar férias em Fernando de Noronha. Mais tarde, Mendes voltou à carga: "Quem sabe fazer a leitura de atos políticos, sabe por que essa ação foi proposta, qual a sua motivação. Não preciso falar das histórias de [Guilherme] Schelb e Luiz Francisco, nem das histórias de dona Valquíria Quixadá".[248]

O auge das acusações ocorreu numa sessão em dezembro de 2006. O tribunal julgava reclamação formulada pela então prefeita de Magé (RJ), Núbia Cozzolino, que respondia a seis ações de improbidade e queria ser julgada pelo Tribunal de Justiça do Rio, não pela primeira instância. Por uma questão técnica, Mendes não acolheu o pedido da prefeita. Contudo, disse que "não poderia deixar de registrar posicionamento pessoal sobre o tema", por enxergar "visível abuso por parte de membros do Ministério Público".

---

[248] Inteiro teor da Reclamação 2.138-6/DF, sessão de 1/03/2007.

Mendes defendeu dois ex-ministros do governo FHC, Martus Tavares e Pratini de Moraes, que haviam sido alvo de ações de improbidade. Segundo o ministro, os procuradores buscaram somente "a execração pública dos auxiliares do presidente da República [FHC]". Citando matérias do *site* "Consultor Jurídico", Mendes voltou a atacar Valquíria Quixadá, afirmando que ela moveu uma ação contra a presidência do Banco Central em razão de perdas que ela e outros procuradores sofreram num fundo de investimento, o que a procuradora sempre negou.

O ministro abordou o inquérito aberto por Luiz Francisco sobre o Opportunity Fund. Ele abraçou a tese da suposta "contaminação" da investigação, noticiada pelo *site* "Consultor Jurídico". É um ponto importante na defesa do Opportunity.

"O caso se referia a uma ação movida por Luiz Francisco contra o grupo Opportunity, em cuja formulação se detectou o dedo de um desafeto e adversário do grupo, o empresário Luís Roberto Demarco", afirmou o ministro. Baseando-se exclusivamente na matéria do *site*, o ministro sugeriu que o banco era vítima de um complô, passando ao largo das investigações do caso Banestado, que demonstraram inúmeras remessas para o Opportunity Fund.

O autor do arquivo de onde saiu a denúncia, assinada por Luiz Francisco, era o advogado de Demarco, Marcelo Elias. E o arquivo fora gerado num computador da Nexxy Capital Ltda., pertencente ao empresário, descreveu o ministro.

No STF, quem pode atuar em nome do MPF é a Procuradoria--Geral da República. Valquíria, então lotada na Procuradoria do DF, e Luiz Francisco e Guilherme Schelb, lotados na Procuradoria Regional, portanto todos ausentes da sessão do STF, não tinham meios de se manifestar, ficando sem qualquer chance de defesa contra as acusações de Mendes. O ex-procurador-geral da República Cláudio Fonteles saiu em defesa dos procuradores por meio de uma nota pública, mas só depois da sessão.

Em reportagem na *Folha* de 12 de março de 2007, mais de um ano antes da deflagração da Satiagraha, o jornalista Frederico Vasconcelos listou inúmeras decisões polêmicas de Mendes em casos de investigação federal. Contrariando o parecer do MPF, o Supremo trancou, com base num voto de Mendes, ação penal contra o desembargador Roberto Haddad, do Tribunal Regional Federal de São Paulo, investigado por suposta falsificação de documento da Receita — o que ele sempre negou. Em fevereiro, Mendes, como relator do caso, também decidiu, e foi acompanhado pelo tribunal, pela suspensão da quebra dos sigilos do subprocurador-geral da República Antônio Augusto César, investigado pela Operação Anaconda. Mendes entendeu que a denúncia era "inepta". Na reportagem, Vasconcelos também tratou da ação de Luiz Francisco contra Mendes e o IDP.

As manifestações de Mendes contra o Ministério Público ganharam o apoio das grandes bancas de advocacia. Antes de entrar no STF, como reflexo das polêmicas com o Ministério Público e pela própria função de defender a União contra as investidas dos procuradores, Mendes já havia cimentado uma série de apoios entre advogados de renome. No STF, ele deu voz a todo um grupo dos principais escritórios de defesa de São Paulo e do Rio que atacavam os procuradores da República e a PF.

Um dos principais apoios a Mendes nesse grupo foi Arnold Wald. Trata-se de um dos advogados mais bem remunerados pela Brasil Telecom durante a gestão sob o controle de Daniel Dantas, como o próprio banqueiro descreveu, ao ser interrogado em sessão pelo então senador José Eduardo Dutra (PT-SE) sobre os gastos da BrT com escritórios de advocacia: "Trabalharam na Brasil Telecom uns sessenta advogados [...] O maior advogado das causas da Brasil Telecom era o sr. Arnold Wald, que possivelmente foi o que mais recebeu da companhia. A companhia vem num conflito societário muito agressivo e muito ácido, há bastante tempo".[249]

O escritório Wald e Associados Advogados S/C trabalhou para a BrT por cinco anos (de 2001 a 2006). Nesse período, recebeu 502 pagamentos,

---

[249] Depoimento de Daniel Dantas à CCJ do Senado em 7 de junho de 2006.

no valor total de R$ 27,1 milhões.[250] Wald atuou em favor da BrT em várias disputas societárias que tramitaram na Justiça de primeiro grau do Rio, em agravos de instrumento no Tribunal de Justiça, em audiências na Justiça Federal de Brasília e de São Paulo e nos tribunais regionais federais da 1ª e da 3ª Regiões. Wald atuou num dos casos mais sérios para os negócios do banco, a disputa com os fundos de pensão acerca da legalidade do acordo *umbrella*, alvo da decisão da juíza Márcia Cunha.

A página do escritório de Arnold Wald na internet durante anos apontou a BrT como um de seus principais clientes e a telefonia como uma de suas principais áreas: "O escritório atua intensamente no planejamento e elaboração de defesas e recursos judiciais, bem como no acompanhamento de processos administrativos e em arbitragens envolvendo as grandes empresas do setor".

Wald e Mendes têm muita afinidade sobre temas de repercussão no dia a dia da Justiça, tratados tanto pela AGU quanto pelo STF. Em 1997, coassinaram um artigo de imprensa que considerava uma "aberração" a possibilidade de um juiz de primeira instância abrir uma ação de improbidade administrativa contra um ministro de Estado. A vedação seria uma "condição da manutenção da própria hierarquia judiciária e do sistema democrático".

Entre 2000 e 2005, época em que Wald trabalhou ativamente para a BrT, ele e Mendes atuaram juntos para atualizar, da 23ª à 28ª edição, a obra do professor Hely Lopes Meirelles, que trata de ações diretas de inconstitucionalidade, dentre outros temas.

Wald e Mendes também trabalharam na elaboração da Lei nº 9.882, de dezembro de 1999, que dispõe sobre o processo e julgamento da arguição de descumprimento de preceito fundamental. Mendes assim descreveu o trabalho:

Todos sabem que tive uma participação direta, efetiva, na concepção do projeto que resultou na Lei nº 9.882 [...] O professor Celso Bastos elaborou um texto, encaminhou-me aquele texto. Fiz uma

---

[250] Anexo ao relatório da auditoria interna na BrT, feito pela ICTS em 2005.

revisão [...] Fiz uma nova proposta e criamos uma comissão maior, com a presença de Wald, Oscar Corrêa e Ives Gandra, e discutimos o texto. Chegamos a um texto básico que encaminhamos ao Supremo Tribunal Federal.[251]

No cargo de advogado-geral da União, Mendes deu apoio a projetos de lei cuja origem tinha sido apreciada ou sugerida por Wald. Em abril de 2001, por exemplo, Mendes remeteu ao então presidente FHC proposta de projeto de lei que estabelecia novos parâmetros para o mandado de segurança individual e coletivo. O projeto foi "calcado em uma comissão de juristas" constituída por portaria ministerial, da qual Wald foi o relator.

Sempre que pôde, Wald deu mostras públicas de apreço e apoio ao ministro. Quando a oposição ao governo FHC gritou contra a indicação de Mendes para o STF, Wald subscreveu e enviou ao Senado um manifesto de apoio. Também em abril de 2008, quando Mendes tomou posse na presidência do Supremo, Wald e Ives Gandra Martins escreveram um artigo com rasgados elogios ao ministro.

Procurado pelo autor por escrito, Wald não deu resposta a um pedido de entrevista.

Wald não é o único advogado que defendeu os interesses do Opportunity e manteve relações com Mendes. O ministro é amigo do advogado carioca Sérgio Bermudes, que foi o defensor de Dantas no inquérito aberto em 1998 pelo Ministério Público do Rio para apurar irregularidades no leilão das companhias telefônicas.

"Temos certeza de que houve improbidade administrativa, mas vou deixar o advogado Sérgio Bermudes na dúvida se entraremos com ação contra o banco Opportunity", disse à época o procurador da República Rogério Nascimento. Bermudes desconversou: "Vamos esperar a ação".[252] Bermudes atuou em outra causa de extrema relevância para Daniel Dantas, os reflexos da disputa nas ilhas Cayman na possível

---

[251] Sessão do Senado que sabatinou Gilmar Mendes em 15 de maio de 2002.
[252] Edição 1.548 da revista *IstoÉ*, de 2/06/1999.

dissolução do fundo CVC Opportunity. Bermudes era citado à época pela imprensa como "advogado do Opportunity na causa".[253]

Bermudes também defendeu os interesses de Dantas na Corte Internacional de Arbitragem. "O advogado de Dantas, Sérgio Bermudes, reiterou hoje que o banqueiro não pretende falar sobre a decisão do Citibank de afastar o banco de investimentos da gestão do CVC/Opportunity."[254]

Os fundos de pensão reclamaram muito das onerosas contratações de assessores jurídicos pela BrT sob a batuta do Opportunity, citando Wald e Bermudes.

> Os escritórios mais usados pelo Opportunity são o Barbosa, Mussnich, Aragão (um dos sócios é cunhado de Daniel Dantas), Wald e Associados Advogados, Sérgio Bermudes e Advogados e Advocacia Zveiter. Esses gastos em nada beneficiaram os acionistas das companhias e foram feitos contra os interesses dos próprios acionistas.[255]

Em 2009, a mulher de Mendes, Guiomar, ex-assessora do ministro Marco Aurélio, decidiu deixar o STF. Seu novo emprego foi o escritório de Bermudes, na "área administrativa". Guiomar se tornou colega de ninguém menos que Elena Landau, a ex-consultora do grupo Opportunity. Elena também foi trabalhar no escritório de Bermudes, como consultora.[256]

A amizade entre Mendes e Bermudes foi abordada em reportagem do jornalista Luiz Maklouf de Carvalho na revista *piauí*, em 2010. O ministro e sua mulher, Guiomar,

> já se hospedaram nos apartamentos de Sérgio Bermudes no Rio, no Morro da Viúva, e em Nova Iorque, na Quinta Avenida. Também usam

---

[253] Edição 722 da revista *Exame*, de 6/09/2000.
[254] *O Estado de S. Paulo On Line*, de 11/03/2005.
[255] "Memorial sobre a atuação do banqueiro Daniel Dantas e do grupo Opportunity", da Anapar (Associação Nacional dos Participantes dos Fundos de Pensão).
[256] Procurada, Elena respondeu ao autor, por *e-mail*: "Meu último contato com o Opportunity foi em 1998, anos antes da operação que você investiga. Além disso, trabalhei lá como consultora. Não vejo em que eu poderia ajudar".

sua Mercedes-Benz, com o motorista. Logo depois da solenidade de transferência da presidência do Supremo para Cezar Peluso [2010], Mendes e Guiomar embarcaram em uma viagem de cinco dias a Buenos Aires — presente de Sérgio Bermudes, que os acompanhou.

"O Gilmar e eu somos irmãos, nos falamos duas vezes por dia", disse o advogado a Maklouf. "A gente brinca, ri, sou advogado dele em algumas questões. Somos dois homens de boa-fé e de caráter que podem suplantar uma eventual divergência", contou Bermudes ao jornalista. Ainda segundo a reportagem, Guiomar chama Bermudes de "amigo" e "irmão".

Procurado pelo autor deste livro, Bermudes confirmou por *e-mail* seus vínculos com Dantas, mas se recusou a conceder entrevista:

Tendo sido advogado em causas de empresa do sr. Daniel Dantas, só tomei conhecimento de fatos necessários ao meu trabalho. De qualquer forma, as leis regentes da advocacia me impedem de falar sobre o sr. Dantas, mesmo quando, como no caso, eu não disponha de nenhum elemento que pudesse ser útil ao seu trabalho jornalístico.

Mendes e Bermudes nem sempre foram próximos. Nos anos 1990, o advogado representava o professor da PUC-RJ Manoel Messias Peixinho numa ação popular que questionava a constitucionalidade de uma medida provisória. Num programa da TV Cultura, Mendes chamou Bermudes de "chicanista", ou seja, um advogado que abusa de recursos judiciais com base em argumentos irrelevantes a fim de dificultar o andamento de um processo. Disse esperar que Bermudes deixasse de tomar o tempo da AGU. Em carta, Bermudes revidou: "Sua esperança me dá todo o direito de manifestar-lhe a minha, no sentido de que você deixe o cargo que ocupa e que não merece por causa do seu desequilíbrio, do seu destempero, da sua leviandade, e que abdique da sua propalada pretensão de alcançar o Supremo".

Em 2010, Mendes fundou em Brasília a EDB (Escola de Direito do Brasil), com a missão de "formar líderes com habilidades e competências para analisar os problemas sociais, políticos e econômicos contemporâneos", tendo como parceiras duas faculdades privadas. Dois dos mais ilustres integrantes do corpo docente eram Arnold Wald e Sérgio Bermudes.

Em 2010, Inocêncio Mártires Coelho e Mendes, amigos de muitos anos, se desentenderam na condução do IDP. Coelho abriu uma ação judicial para tentar anular uma decisão pela qual foi retirado da direção do instituto. Ele tentou permanecer na função pela via judicial e até ganhou uma liminar na primeira instância, mas depois sofreu uma derrota no Tribunal de Justiça do DF. O advogado de Mendes nessa causa foi, novamente, o escritório de Bermudes.

As estreitas ligações de Mendes com Wald e Bermudes não impediram o ministro de julgar os dois HCs em favor do banqueiro. O ministro não se considerou impedido para julgar o caso. O Código de Processo Civil, entre os artigos 134 e 138, diz que o juiz pode se declarar impedido "por motivo de foro íntimo", além de outras hipóteses listadas, dentre as quais, "amigo íntimo ou inimigo capital de quaisquer das partes". O CPC também abre a possibilidade de as partes levantarem a suspeição do juiz, o que não foi feito pela Procuradoria-Geral da República. Alguns advogados e juízes alegam que só réus são partes de processos, não os seus advogados.

Entre os HCs que Mendes concedeu, em julho, e a sessão do dia 6 de novembro, que deveria confirmá-los ou revogá-los, outros fatos ocorreram na relação de Mendes com os investigadores da Satiagraha. Além das histórias do grampo e do "monitoramento" do seu gabinete, ambas jamais comprovadas, Mendes também demonstrou incômodo com uma notícia da revista *IstoÉ*, que acusou a procuradora da República Lívia Tinôco de realizar uma "investigação sorrateira" para tentar saber quem havia se reunido com o advogado de Dantas, Nélio Machado, em junho, num restaurante japonês de Brasília. A procuradora enviou um ofício ao restaurante, ato que foi entendido pela revista como indício de uma investigação contra Mendes — mas a procuradora não tinha poderes para investigar um ministro do STF.

Como retrata o relatório de Protógenes escrito em 13 de junho de 2008, portanto muito antes das decisões de Mendes sobre os HCs de Dantas, o delegado estava no restaurante Original Shundi, na Asa Sul, quando viu Nélio Machado entrar e sentar-se a uma mesa em que três pessoas o aguardavam. O delegado, dizendo-se "seguido", pegou um telefone celular e tirou fotos. As imagens, de má qualidade, não permitem saber quem eram as outras pessoas. Mas nunca o delegado disse taxativamente, nos autos da Satiagraha, que aquelas pessoas eram assessores de Mendes.

Talvez Protógenes possa ter sugerido à procuradora da República que tirasse a dúvida sobre se aquelas pessoas eram ou não lotadas no STF — o que o delegado nega ter feito —, mas Mendes recolheu a matéria da *IstoÉ* como a fiel revelação de uma operação deliberada, e ilegal, para desacreditá-lo perante a opinião pública, assim como havia tomado como verdadeira a história do grampo. O então presidente do STF potencializava qualquer sinal contrário a ele, por mais tênue que fosse.

Durante a sessão no STF, Mendes também citou dois episódios de 2007 que atiçaram suas dúvidas mais conspiratórias. Em maio daquele ano, após Mendes ter mandado libertar parte dos investigados pela Operação Navalha, a imprensa divulgou que a empreiteira Gautama, pivô do escândalo, havia distribuído presentes a diversas autoridades, dentre as quais certo "Gilmar Mendes". À época, a *Folha* ressaltou a dúvida sobre quem seria essa pessoa — depois definida como um ex-secretário do governo do Sergipe, homônimo do ministro. Mas Mendes acusou como o autor "da notícia dada" o chefe da comunicação da PF na gestão de Paulo Lacerda, o jornalista François René.

Outro episódio foi uma conversa telefônica que ele disse ter mantido com o procurador-geral da República Antonio Fernando. O conteúdo da conversa teria chegado ao conhecimento da jornalista Silvana de Freitas, então na *Folha*. Para Mendes, foram sinais inequívocos de que a PF queria "amedrontá-lo".

"O que isso revelava, em toda a extens [ão]...? Que havia duas práticas sistêmicas aqui. Uma, monitorar, ouvir, o relator dos processos. A outra, amedrontá-lo de alguma forma, atemorizá-lo de alguma forma com algum tipo de informação inverídica", discursou Mendes.[257]

Dias depois, as acusações contra René ecoaram na CPI dos Grampos, na qual o deputado federal Marcelo Itagiba acusou o assessor de "distribuir dossiês".

Mendes, entretanto, contou apenas uma parte da história. A PF abriu uma investigação sobre o vazamento e tomou o depoimento de René, que havia trabalhado por mais de sete anos na comunicação do Ministério da Educação durante o governo FHC. René contou que a informação sobre a lista dos presentes da Gautama chegou a ele pela própria imprensa e negou ter espalhado os boatos. O jornalista Hugo Marques, então na *IstoÉ*, procurou-o na assessoria da PF com uma cópia da lista para saber se a PF confirmava a existência do papel no bojo da Navalha. O encontro foi presenciado por outros jornalistas. Mais tarde, um repórter de *O Globo* também telefonou para René para tentar checar a mesma informação.

> Eu disse que eles deviam tomar cuidado, pois poderia ser algum homônimo, e não confirmei nem desmenti a existência dessa lista. Eu só soube desse papel por meio da imprensa. Mas fui acusado em plena sessão do STF. Acho que, na verdade, o alvo verdadeiro era o doutor Paulo Lacerda, pois todos sabem da minha ligação com ele. Atingindo a mim, atingiam o doutor Paulo.[258]

Caso houvesse sido ouvido à época por Mendes ou pela imprensa, Hugo Marques confirmaria a história:

> Quando eu mostrei o papel, o René foi checar e me alertou para eu desistir da apuração, que foi o que eu fiz. Ele disse: "Hugo, cuidado

---

[257] Transcrição de vídeo da sessão do STF do dia 6 de novembro de 2008.
[258] Entrevista de René ao autor em 1/04/2011.

com isso aí. Pode ser um homônimo". Nesse sentido, ele até defendeu o Gilmar Mendes. Quando o acusaram de vazamento, acho que queriam mesmo era atingir o Paulo Lacerda.[259]

René nunca foi indiciado nem processado sob a acusação do vazamento. Mas, ainda que ele tenha, de fato, passado adiante um dado que se revelou equivocado, o que sempre negou ter feito, e Hugo Marques nega ter ocorrido, é comum que assessores deem dicas aos jornalistas para que eles confirmem a veracidade da informação antes de publicá-la. Uma dica não é uma informação e não deve ser divulgada acriticamente. Era de alto interesse público verificar se uma autoridade do STF realmente constava daquela lista de nomes. Até para dizer que houve um erro. Mas Mendes demonstrou querer controlar o que um assessor deve ou não dizer em *off* aos jornalistas. Mendes chegou a dizer isso claramente à *Folha*, em 2007: "A PF não pode falar em *off*. *Off* de policial e de ministro do STF é covardia".

Tanto Mendes quanto Itagiba também afirmaram que René era funcionário da Abin. Isso reforçaria o elo com Lacerda. Mas a verdade é que René nunca foi servidor da agência, tendo feito apenas duas palestras para o órgão, em dois estados, por não mais de R$ 500 ao todo. Quando Lacerda foi para a Abin, René não o acompanhou. Sobre a citação à jornalista Silvana, o suposto grampo contra Mendes também jamais foi localizado, e seu áudio também nunca veio a público.

Mendes havia decidido sobre os HCs durante as férias do STF, mas o relator original era o ministro Eros Grau. Após a leitura do relatório de Grau, a palavra foi passada ao advogado Nélio Machado. Ele atacou De Sanctis, o Ministério Público e Protógenes. Disse que o juiz "atua em cumplicidade com o Ministério Público, ao lado da

---

[259] Entrevista ao autor em abril de 2011.

autoridade policial, este famigerado Protógenes" e viu "rebeldia" na reunião dos juízes de São Paulo.

O advogado procurou se colocar ao lado dos ministros do STF. Seriam todos vítimas de uma espionagem em larga escala. "Eu comecei a advogar no tempo do regime militar, conheci as vicissitudes da ditadura, nunca me senti perseguido, nunca me senti vigiado, e o Supremo também [...] É uma luta das forças do direito contra um Estado policial que se pretende implantar no país."

Em sua fala, o então procurador-geral da República, Antonio Fernando Barros e Silva de Souza, repudiou os termos do advogado: "O Ministério Público não tem cúmplices, não exerce atividade ilícita".

O procurador atacou a competência do STF para apreciar aqueles HCs. Disse que o caso "afronta o enunciado da Súmula 691". Havia um grande problema, no entender do procurador:

> A flexibilização da súmula pressupõe a existência de decisão anterior, monocrática, de ministro de tribunal superior que indefira medida liminar em *habeas corpus*. E, no caso, a propósito da decisão que decretou a prisão preventiva, não há antecedente pedido de liminar nem respectiva decisão em *habeas corpus* perante o Superior Tribunal de Justiça.

O julgamento se dividiu em duas etapas. Na primeira, os ministros iriam analisar se a Súmula 691 poderia ter sido afastada e se o *habeas corpus* preventivo poderia ter sido reconfigurado para liberatório. Só depois iriam discutir o mérito. Passou-se à palavra dos dez ministros — o 11º, Joaquim Barbosa, estava ausente.

Eros Grau, o relator, disse que a segunda prisão de Dantas se baseou apenas em "papeluchos". Afirmou ainda que o gabinete de Gilmar Mendes foi "invadido", fato jamais comprovado.

"[...] E as agressões intimidatórias a nós todos? E o gabinete de Vossa Excelência sendo invadido pela bisbilhotagem e coisas mais? Querem nos intimidar e não se intimidam de mostrá-lo às claras."

O ministro Cezar Peluso indagou a Grau:

— Qual terá sido o fato novo em que Sua Excelência [De Sanctis] se baseou para decretar a prisão preventiva [...] Acho que este é o ponto fundamental nesta causa.
— O fato novo foi o aparecimento de dois pedaços de papel. Está nas folhas 925 — respondeu Grau.
— Qual é o fato novo? É isso que eu quero saber — insistiu Peluso.
— Eu não posso responder qual é fato novo porque não há indicação de fato novo — alegou Grau.
Peluso exclamou:
— Não há fato novo!
— O que há é a indicação dessas provas novas — corrigiu-se Grau.
— Teriam, então, surgido provas novas. Ministro relator, por gentileza, essas provas novas consistiriam em quê? — prosseguiu Peluso.

Grau, então, leu o trecho da decisão do juiz que fala da localização, no apartamento de Dantas, dos papéis intitulados "contribuições ao clube". E completou: "É só isso".

Além de minimizar a importância dos papéis, Grau deixou de citar os depoimentos de Hugo Chicaroni à PF, que vinculavam o dinheiro apreendido ao Opportunity, e a apreensão das cédulas de dinheiro. Tais "fatos novos" haviam sido lidos durante o voto do próprio Eros, mas omitidos quando o relator deu a resposta a Peluso. Essa incrível omissão, naquilo que Peluso qualificou de "o ponto fundamental" da causa, resta como um dos tantos detalhes intrigantes do caso Satiagraha.

Passou-se à análise das preliminares. O ministro Menezes Direito disse que todos os ministros eram "extremamente rigorosos, pelo menos na composição da Primeira Turma, no que concerne à aplicação da Súmula nº 691", pois "a Suprema Corte não pode banalizar o conhecimento da hierarquia jurisdicional brasileira". Contudo, no caso Dantas, Direito entendeu "que é perfeitamente lógica a superação da súmula". O principal motivo, segundo o ministro, seria a suposta "nítida via oblíqua de desrespeitar a decisão do STF", o mesmo argumento de Gilmar Mendes.

A ministra Cármen Lúcia disse que também costuma ser "muito dura" sobre a súmula, mas que poderia suplantá-la "quando se configurasse constrangimento ilegal manifesto". Ricardo Lewandowski também concordou. Para ele, aquele era um caso fora do comum: "[Eros Grau] identificou na espécie a excepcionalidade, porque estamos diante de uma patente ilegalidade que só poderia ser remediada mediante o remédio constitucional que é exatamente o *habeas corpus*".

Peluso disse que o afastamento da súmula não era uma inovação e apoiou o voto do relator. A ministra Ellen Gracie apoiou o relator com base no tema da suposta "desobediência" de De Sanctis, mas frisou que "muito raramente" dava por "transposto o obstáculo da Súmula nº 691".

O ministro Marco Aurélio de Mello primeiro criticou o julgamento *per saltum*, a supressão das instâncias:

> Requereu-se, no Tribunal Regional Federal, diante do fato novo, a concessão da medida acauteladora visando a afastar a prisão temporária? A resposta é negativa. Requereu-se no Superior Tribunal de Justiça, mesmo diante da sinalização do relator quanto à relevância do que versado e de ausência de risco que veio a ser transmudado em gravame? Não.

O ministro ironizou a defesa: "Sinto-me muito lisonjeado, no que mais uma vez se acreditou no taco do Supremo. Porque, com queima de etapas, requereu-se o reconhecimento do direito à liberdade no *habeas corpus* aqui impetrado".

Embora crítico dos caminhos percorridos pelo HC, Marco Aurélio apoiou o afastamento da súmula e a transformação do HC em liberatório tendo em vista a nova realidade — as duas prisões de Dantas. Mas ele protestou contra a transformação do HC:

> Não posso conceber que um *habeas corpus* preventivo seja redirecionado a mais não poder. Que se torne liberatório e, uma vez alcançada a liberdade do paciente, havendo outros atos subsequentes de constrição, seja mais uma vez direcionado contra esses outros atos [...] Aí o transformaria [o HC] em verdadeira panaceia, servindo, portanto, para fulminar todo e qualquer ato judicial.

Celso de Mello acompanhou os primeiros colegas. Gilmar Mendes também apoiou o afastamento da súmula. Quase todos disseram a mesma coisa, que normalmente apoiavam a súmula, mas não naquele caso. Era uma tarde de grandes reconsiderações, como a que fez Mendes:

> Hoje, até me penitencio, porque me inscrevi entre aqueles que, em razão do caráter novo naquele momento da súmula, do seu *novel* lançamento, eu ponderei que talvez devêssemos elaborar com *distinguishing*, fazendo as devidas distinções, mas hoje vimos elaborando e construindo essa doutrina que faz esses devidos temperamentos.

Após a penitência, e uma pausa para o lanche, os ministros passaram a analisar o mérito dos HCs. Primeiro a falar, Direito voltou a mencionar uma suposta singularidade do caso: "Quando votamos na preliminar sobre o conhecimento do *habeas corpus*, fizemos questão de destacar que estávamos considerando uma situação de natureza excepcional", reiterou o ministro.

Para Direito, houve "desrespeito" ao STF quando De Sanctis emitiu a segunda ordem de prisão. O ministro instou os colegas a se unirem, como se todos tivessem sido atacados por uma força inimiga:

> Impõe-se, ao pleno da Suprema Corte, uma reação imediata, uma reação dura, uma reação coerente, uma reação firme, de modo a que nós possamos ter a certeza de que estamos cumprindo coerentemente o

nosso dever. E assim sempre fazemos e continuaremos a fazer, sem exceção, todos nós, uniformemente.

Ricardo Lewandowski aquiesceu: "Nós estamos diante de um evidente constrangimento ilegal do paciente". Ayres Britto também falou em "ilegalidade": "No caso, o cerceio à liberdade dos pacientes se deu por abuso de poder e ilegalidade, conjugadamente". O ministro Peluso pegou a deixa, dizendo haver "uma ilegalidade encorpada".

Celso de Mello tomou a palavra. Nesse ponto das discussões, há discrepâncias entre o que foi efetivamente falado durante a sessão e o que acabou constando no texto do inteiro teor, uma espécie de ata da sessão, disponível ao público no *site* do STF na internet. Depois da sessão, os ministros podem "limpar" as declarações que deram ao microfone. Na fala de Celso de Mello, embora o documento confirme o teor de suas intervenções, diversas passagens foram suavizadas.

Ao microfone, o ministro falou sobre o "comportamento" de De Sanctis:

Eu diria que essa verdadeira recusa do magistrado em questão, de prestar informações ao Tribunal Regional Federal da 3ª Região, ao Superior Tribunal de Justiça e ao Supremo Tribunal Federal, na verdade constitui um comportamento que, eu diria, insolente, insólito, no mínimo, para não dizer ilícito, e de todo estranhável.

No papel, o ministro aparece falando de um "comportamento insolente e insólito", mas sumiram as palavras "ilícito" e "estranhável".

Peluso disse que a "Corte tem que tomar uma providência" e disse que Grau esclareceu que não teriam ocorrido "fatos novos" a justificar a decisão, mas sim "provas novas".

"Mas quais seriam essas provas? Papéis apócrifos que faziam referência a não entendi bem o quê [...] O que não consigo ver é como esses documentos, esses papéis apócrifos, poderiam justificar o ato gravíssimo de descumprimento da ordem do presidente do Supremo Tribunal Federal."

Novamente Peluso passou ao largo da apreensão do dinheiro e do depoimento de Chicaroni. Peluso, apoiado por Celso de Mello, disse que o juiz "não quis se submeter" à ordem de Mendes. Ao término do voto, Peluso investiu contra os juízes que haviam feito um abaixo-assinado em favor de De Sanctis. Exaltado e com o dedo em riste, Peluso atacou: "O que se viu foi uma crítica clara, ostensiva, aberta e pública contra uma decisão tomada pelo presidente do Supremo [...] Os juízes, muitos deles noviços, não são corregedores do Supremo Tribunal Federal! Não são corregedores de ninguém, a não ser dos seus subordinados".

Em seguida, a ministra Ellen Gracie deu um curto voto de uma frase, a favor do relator. Seu então namorado, o jornalista Roberto D'Ávila, havia trabalhado para um dos investigados da Satiagraha, o investidor Naji Nahas. Um áudio demonstrou que Nahas mandou entregar, no início de 2008, R$ 50 mil para o jornalista, a título de pagamento de uma pesquisa de opinião feita pela sua empresa, a CDN. O diálogo constava dos autos da Satiagraha e foi reproduzido pelos jornais. Mas Ellen Gracie também entendeu que não era o caso de se declarar impedida de participar do julgamento. E a PGR não levantou suspeição.

Marco Aurélio de Mello foi o único a apoiar as decisões de De Sanctis. Ao longo de quarenta e três minutos, o ministro ofereceu uma visão completamente diferente de tudo o que havia sido dito pelos outros ministros. Disse que leu o processo "com a máxima atenção", ou seja, "com régua e esferográfica vermelha". Sua primeira conclusão é que não estava em jogo toda a primeira decisão de De Sanctis, mas, sim, a segunda decisão, a da prisão preventiva. A questão era se houve ou não repetição de fatos para a decretação da segunda prisão. Para que isso ficasse claro, o ministro simplesmente comparou as duas decisões. E as cercou de elogios: "Devo consignar, presidente, que poucas vezes me defrontei com peças redigidas com tamanha seriedade, com tamanha acuidade, com tamanho zelo, como cumpre ao Judiciário fazer. As duas peças subscritas pelo juiz Fausto Martin De Sanctis foram muito bem elaboradas".

Marco Aurélio começou a ler, ponto a ponto, os trechos essenciais das decisões, explicando-os, debulhando-os. Notou que De Sanctis citou duas vezes a doutrina do próprio Gilmar Mendes. Após a apresentação correta e ampla dos indícios recolhidos para subsidiar as temporárias e as preventivas, Marco Aurélio respondeu à pergunta-chave: "A meu ver, na preventiva, lançaram-se fatos novos".

O ministro apontou que os indícios colhidos permitiam a decretação da preventiva, pois, soltos, os investigados poderiam obstruir a investigação, tal como teriam tentado, anteriormente, ao dar dinheiro a dois delegados federais. Para explicar de onde De Sanctis retirou tal conclusão, o ministro descreveu a apreensão do dinheiro, o depoimento de Chicaroni e os papéis encontrados no apartamento de Dantas. Tais dados, explicou o ministro, só vieram à tona no dia 8 de julho, enquanto a primeira prisão datava de 4 de julho.

Marco Aurélio foi o único ministro a explicar a cronologia dos eventos: "Há elementos calcados em diligências efetivadas no dia 8 de julho de 2008, após a formalização da temporária, conducentes, a meu ver, ao respaldo da preventiva".

Mas a posição de Marco Aurélio foi derrotada. Após quatro horas e trinta e quatro minutos de julgamento, Mendes proclamou o resultado pelo apoio, por nove votos a um, à sua decisão de julho.

Quase ao final da sessão, Peluso cobrou de Mendes uma ação, por meio do CNJ, contra 134 juízes federais que haviam subscrito um abaixo-assinado de apoio a De Sanctis. Ao encerrar a sessão, sussurrando ao microfone, Mendes disse que tomaria providências.

A Corregedoria do TRF da 3ª Região notificou os 134 magistrados. A Ajufe (Associação dos Juízes Federais) recorreu ao STJ, e o ministro Hamilton Carvalhido mandou suspender o expediente da Corregedoria. Ele considerou que o manifesto não foi uma emissão de "juízo depreciativo" sobre decisão tomada pelo STF. Em apoio a Carvalhido, 121 procuradores da República subscreveram um novo manifesto.

Mesmo inocentado de qualquer acusação sobre grampos contra o ministro Gilmar Mendes, De Sanctis tornou-se alvo de representações no TRF e no CNJ.

No Órgão Especial do TRF, De Sanctis acabou inocentado de duas acusações: a reunião dos juízes federais em maio de 2008 e uma ordem do STF para que fosse "investigada" a segunda ordem de prisão.

OPERAÇÃO BANQUEIRO

No CNJ, Daniel Dantas pediu uma revisão disciplinar, com base na decisão do TRF. Também no CNJ, o juiz Ali Mazloum pediu uma investigação contra seu colega De Sanctis, sob alegação de que era preciso avaliar os telefonemas que delegado, juiz e procurador de República teriam trocado durante a Satiagraha — suposta irregularidade ou ilegalidade desses telefonemas foi depois descartada.

Dantas entrou com mais duas representações contra De Sanctis no TRF, alegando que ele divulgou suas decisões à imprensa, o que seria ilegal. De Sanctis não perdeu nenhuma dessas causas.

Aos trancos e barrancos, o juiz conseguiu dar celeridade ao processo que tratava da entrega do dinheiro aos delegados Victor Hugo e Protógenes. Em dezembro de 2008, De Sanctis condenou Dantas a dez anos de reclusão e ao pagamento de R$ 13,42 milhões em multa e reparação. O banqueiro recorreu da sentença. Ele e os outros investigados tentaram de todas as formas desqualificar as provas apresentadas pela PF. Usaram a história da TV Globo para alegar "fraude". E encomendaram três laudos, do IBP (Instituto Brasileiro de Peritos em Comércio Eletrônico e Telemática) e do perito Ricardo Molina, para atacar os problemas de áudio e supostas conclusões precipitadas da PF.

Após a deflagração da Satiagraha, Gilmar Mendes, o STF e o CNJ, ambos presididos pelo ministro, tomaram algumas providências inéditas que tiveram grande repercussão no dia a dia das investigações judiciais. O conjunto foi logo apelidado de "Legislação Satiagraha".

Os milhões de espectadores de tevê no Brasil já estavam acostumados às imagens de suspeitos algemados transitando para cima e para baixo nos noticiários. Muito comum uma equipe de tevê filmar o preso ainda dentro de sua casa. Era quase parte da paisagem nacional. Mas foi a prisão de Dantas que movimentou o Supremo. Apenas um mês depois da prisão, o tribunal aproveitou a discussão sobre um HC já em andamento para emitir uma súmula vinculante, a de nº 11, pela qual os delegados passam a andar no fio da navalha. O texto da súmula contém uma ameaça a todos os policiais:

> Só é lícito o uso de algemas em casos de resistência e de fundado receio de fuga ou de perigo à integridade física própria ou alheia, por parte do preso ou de terceiros, justificada a excepcionalidade por escrito, sob pena de responsabilidade disciplinar, civil e penal do agente ou da autoridade e de nulidade da prisão ou do ato processual a que se refere, sem prejuízo da responsabilidade civil do Estado.

Foi a primeira vez que os ministros do STF elaboraram uma súmula vinculante para "normatizar" aspecto de uma investigação criminal. As dez anteriores trataram de termos de adesão, consórcios e sorteios, anulação de ato administrativo, indexação salarial, defesa em processo disciplinar, remuneração no serviço militar, limite à taxa de juros, prescrição de créditos tributários, limite sobre o tempo remido de condenados e aspectos sobre declaração de inconstitucionalidade de lei.

Dias depois, um procurador de Justiça do Rio, Kleber Couto, publicou um artigo em *O Globo* sobre a "súmula Satiagraha": "A questão de fundo é saber por que a súmula foi expedida. O STF não a expediu em seu conceito jurídico. Na verdade, o seu presidente bradou com raiva e arrogância uma ameaça a todos pela segunda prisão do banqueiro Daniel Dantas". Logo em seguida, a Corregedoria do CNMP (Conselho Nacional do Ministério Público) anunciou ter aberto um expediente para averiguar "a conduta" do procurador. Expressar opinião sobre assunto público tornou-se um perigo.

As novidades continuaram chegando. Em setembro, o CNJ, em ato assinado por seu então presidente, Gilmar Mendes, estabeleceu novas diretrizes para as interceptações telefônicas e de *e-mails*. As regras são incrivelmente detalhadas, pontificando até o número e o texto de envelopes envolvidos na operação. No curso de um inquérito policial, as interceptações têm de ser decididas em curto espaço de tempo, sob pena de se perder algum diálogo-chave para a investigação. Na prática, as tantas exigências do CNJ acabaram minando a disposição dos juízes.

Qualquer deslize nesse emaranhado de protocolos e números, e o magistrado enfrentará todo o peso da Corregedoria do CNJ. Muitos juízes passaram a pensar dez vezes antes de entrar nesse inferno da burocracia.

"Hoje a gente vê elementos suficientes que ensejariam uma interceptação telefônica, mas o juiz se sente acuado. [Ele pergunta] 'será que eu não vou ser representado no CNJ, como o doutor Fausto?'", disse à *Folha*, em dezembro de 2008, o delegado federal Luiz Roberto Ungaretti de Godoy, um dos coordenadores da Operação Têmis, que investigou seis magistrados.

No início de 2009, o ministro do STJ Cesar Asfor Rocha, presidente do CJF (Conselho da Justiça Federal), assinou uma resolução que é a mais completa e abrangente medida que o Estado brasileiro já tomou no sentido de tolher o acesso da imprensa a informações sobre processos judiciais. A medida colocou contra a parede todos os juízes federais que atuam em matérias penais. Desde então, eles estão proibidos de fornecer "quaisquer informações, direta ou indiretamente, a terceiros ou a órgão de imprensa" e quaisquer "elementos contidos em processos e procedimentos de investigação criminal sob publicidade restrita". A publicação oficial ficou limitada a "seus números, data de decisão, da sentença ou do acórdão".

Além de tudo isso, Gilmar Mendes envolveu num mesmo esforço o então presidente Lula, o então presidente da Câmara, Michel Temer (PMDB-SP), e o então presidente do Senado, José Sarney (PMDB-AP). Partiu do ministro a ideia de lançar a segunda edição do chamado Pacto Republicano, uma espécie de carta de compromissos dos três poderes.

Anunciado em abril de 2009, o pacto trouxe como primeira "matéria prioritária" nada menos que a atualização da lei de interceptações telefônicas. O segundo ponto foi a revisão da legislação relativa ao abuso de autoridade. Saber que os grampos e a atuação de delegados, procuradores e juízes foram apontados como os maiores problemas da República dá uma dimensão do ambiente que se formou na cúpula do STF após a Satiagraha.

A operação continuou sendo bombardeada em várias instâncias, com algumas decisões estranhas, inéditas, únicas. Em dezembro de 2009, o ministro do STF Eros Grau determinou uma espécie de apreensão da apreensão. Acolhendo pedido dos advogados de Dório Ferman, braço direito de Dantas, Grau exigiu que todos os arquivos originais digitais, discos rígidos e *pen drives* recolhidos pela Satiagraha fossem enviados ao STF num prazo improrrogável de quarenta e oito horas. A ordem do ministro incluía até os arquivos não copiados ou analisados. Assim, o Opportunity saberia antes da PF o que ela própria tinha em mãos.

Supremo Tribunal Federal

RECLAMAÇÃO 9.324 SÃO PAULO

RELATOR	:	**MIN. EROS GRAU**
RECLTE.(S)	:	DÓRIO FERMAN
ADV.(A/S)	:	ANTÔNIO SÉRGIO ALTIERI DE MORAES PITOMBO E OUTRO(A/S)
RECLDO.(A/S)	:	JUIZ DE DIREITO DA 6ª VARA CRIMINAL FEDERAL DA SUBSEÇÃO JUDICIÁRIA DE SÃO PAULO
INTDO.(A/S)	:	MINISTÉRIO PÚBLICO FEDERAL
PROC.(A/S)(ES)	:	PROCURADOR-GERAL DA REPÚBLICA

DECISÃO: Determino ao Juízo de Direito da 6ª Vara Criminal Federal da Subseção Judiciária de São Paulo que prontamente, no prazo improrrogável de quarenta e oito horas, sob pena de desobediência, encaminhe a esta Corte todos os originais dos arquivos de mídia digital, discos rígidos e *pen drives* descritos no Termo de Recebimento elaborado pela Delegacia de Repressão a Crimes Financeiros da Superintendência da Polícia Federal em São Paulo, bem assim cópia desse Termo, de quantos outros tenham sido lavrados e de fls 9.666 dos autos. Todos os originais devem ser imediatamente encaminhados a esta Corte, **no estado em que se encontram**, estejam ou não os "suportes físicos com defeito ou sem dados armazenados", ainda que não tenham sido copiados nem utilizados como prova para embasar o oferecimento da denúncia. Em suma, "tudo que fora objeto de Apreensão ou fruto de Mandados de Buscas e Apreensões" deve ser prontamente, no prazo acima assinalado, encaminhado a esta Corte, **no estado em que se encontra**, independentemente da produção, ou não, de cópia pelo reclamado.

Após o cumprimento dessa determinação no prazo de quarenta e oito horas, realizadas análises e eventuais perícias no material, decidirei a respeito de sua guarda e da produção de cópias a serem fornecidas ao Juízo de Direito da 6ª Vara Criminal Federal da Subseção Judiciária de São Paulo.

A Secretaria providenciará **com urgência** a comunicação desta determinação ao reclamado, **na data de hoje**, a fim de que seja ela cumprida sem nenhuma delonga, pena --- repita-se --- de desobediência.

Brasília, 3 de dezembro de 2009

Ministro Eros Grau
- Relator -

> **6.ª VARA CRIMINAL FEDERAL**
> *Processo n.º 2008.61.81.009002-8*
> *JP X Daniel Valente Dantas e Outros*
>
> ## CERTIDÃO
>
> **CERTIFICO** que em cumprimento a este r. ofício nº 785/2009-GAB, procedi ao transporte do material descrito no mesmo em companhia dos agentes de segurança deste Fórum Criminal Itamar de Brito e Ediesson Cortez Rocha Siqueira, mais agentes da escolta armada do Egrégio T.R.F 3ª Região - setor transporte, logística e segurança. Partindo no dia 06.12.2009 às 09:50 horas e com chegada ao Supremo Tribunal Federal em Brasília-DF, no mesmo dia às 23:30 horas. Neste momento foi solicitado para guardar a viatura com o material apreendido no estacionamento do S.T.F. e para retornarmos no dia seguinte 07/12/2009 – segunda feira a partir das 11:00 horas para procedermos a entrega do material. Assim, no dia seguinte às 11:00 horas comparecemos no Gabinete do Excelentíssimo Senhor Ministro Eros Grau, conforme certidão em anexo. Regressamos no dia 08/12/2009 às 08:00 horas e cheguei a minha residência em 09/12/2009 às 00:30 horas. O referido é verdade. São Paulo, 10 de dezembro de 2009. Nada mais. Eu, _____, Marcelo Ramos, Analista Judiciário – Executante de Mandados.

O "sequestro" da Operação Satiagraha: o ministro do STF Eros Grau determina a apreensão de toda a investigação sobre Daniel Dantas, inclusive material que ainda não havia sido periciado pela PF. O material foi levado sob escolta a Brasília.

Eram quarenta e nove *notebooks*, 119 discos rígidos, 141 *CDs*, dezenove *DVDs*, trinta e cinco *pen drives*, doze CPUs, treze cartões de memória, 199 disquetes, agendas, gravadores e microcassetes.

O juiz federal substituto da 6ª Vara, Fabio Rubem David Müzel, requisitou escolta policial para o transporte do material. O superintendente da PF paulista, Leandro Daiello Coimbra, que havia ajudado a chutar

Protógenes da Satiagraha, informou que a PF não tinha dinheiro para as diárias dos policiais. A viagem foi realizada por dois agentes de segurança do fórum federal e dois agentes da escolta armada do TRF. Com exceção de seis discos rígidos, um *notebook* e um *pen drive* criptografados que foram encontrados no apartamento de Dantas, naquele momento nos Estados Unidos para uma perícia (e que depois foram devolvidos sem que a criptografia tenha sido devassada), todo o material foi entregue a Eros Grau. Três técnicos do STF e três de São Paulo levaram sete horas e meia só para conferir a carga.

Os advogados queriam que Grau ordenasse uma cópia do material. O pedido foi acolhido pelo ministro, mas a Secretaria Judiciária do STF informou não ter condições técnicas para o trabalho. A Corregedoria-Geral da PF também respondeu que seriam necessárias 826 horas de trabalho e a compra de cinquenta e oito discos rígidos de 500 gigabytes cada um. A Satiagraha havia gerado cerca de vinte e nove terabytes de informações.

Nesse momento, a defesa de Ferman esclareceu que o pedido original não tratava de todo o material apreendido, mas tão somente do que foi apanhado na empresa Angra Partners Gestão de Recursos, em Botafogo, no Rio, apenas oito discos rígidos, três *notebooks*, dois *pen drives* e um *palmtop*.

Ou seja, só ao final de sete meses de atraso no processo, revelou-se que o pedido dos advogados de Ferman foi incrivelmente malcompreendido no STF.

A Angra Partners geriu a BrT após a saída do Opportunity do bloco de controle da companhia telefônica, em 2005. A defesa jurídica do Opportunity passou a sugerir que Protógenes escondeu as provas arrecadadas na Angra, daí a necessidade dessa espécie de intervenção do STF. A tese esbarra num problema cronológico: Protógenes caiu do comando da operação apenas seis dias depois das apreensões. Os laudos sobre as apreensões só foram concluídos pela área da perícia técnica da PF quando o coordenador da Satiagraha era outro. Os relatórios produzidos por Protógenes não levaram em conta a apreensão na Angra Partners porque o resultado da busca só surgiu depois de sua saída.

Mas os arquivos apreendidos na Angra conteriam, de fato, algum indício de crime? A parte do conteúdo surgiu em reportagem publicada pela revista *IstoÉ* e coassinada por Leonardo Attuch, que informou ter tido acesso a uma "agenda" de Alberto Guth, um dos executivos da Angra. Anotações fariam referência a um suposto "encontro secreto", em 2005, do então presidente Lula com o então primeiro-ministro italiano, Silvio Berlusconi, e o presidente da Telecom Italia, Tronchetti Provera, "para discutir o tema Brasil Telecom e a possível venda da empresa à operadora italiana de telefonia. Abaixo, ele anota a expressão delta, seguida de 10%". A revista diz ainda que há anotações sobre pagamentos ao ex-sócio e desafeto de Dantas, Demarco.

Como já havia feito com o "processo italiano", o Opportunity passou a citar a agenda como algo que deveria ser investigado antes de o próprio grupo, como se um fato dependesse exclusivamente do outro. O Opportunity procurou misturar os dois eventos, como escreveram os advogados do banco em petição protocolada no STF:

> Todos esses elementos, isoladamente ou de forma sequenciada, estão a indicar a relevância do material apreendido na sede da empresa Angra Partners, inclusive para o exercício da ampla defesa e do contraditório, o que se revela particularmente importante no caso concreto: a defesa, desde o princípio, está a indicar a origem fraudulenta da Operação Satiagraha, circunstância essa que começa a vir à tona.

O que supostos pagamentos da Angra aos seus advogados e apoiadores ou um encontro de Lula com Berlusconi na Itália têm a ver com uma alegada "fraude" na Satiagraha contra Dantas, orquestrada pela PF, pelo Ministério Público e pelo Judiciário, só uma estratégia jurídica bem delineada poderia explicar.

O fato é que todas as provas da Satiagraha ficaram estacionadas em Brasília durante treze longos meses, pois a devolução só ocorreu em 20 de janeiro de 2011. Ficaram no STF apenas os dados relativos à Angra. Nesse meio-tempo, Dantas entrou na causa como "assistente ou terceiro interessado". Nada mal para um réu condenado na 6ª Vara paulistana.

A estratégia tomada pela defesa de Dantas mirou novamente Paulo Lacerda, a Abin, Demarco e Paulo Henrique Amorim, quase todos aqueles que o banco dizia estarem "por trás" da Chacal. Pelas dimensões que a tese tomou em setores da imprensa, ela merece ser verificada em detalhes. Tudo começou com uma decisão de maio de 2009 do juiz da 7ª Vara Federal, Ali Mazloum, que acolheu denúncia contra Protógenes no bojo do inquérito tocado pelo delegado Amaro. O juiz citou na decisão que existiriam cerca de "cinquenta telefonemas" trocados em 2008 entre Protógenes, a empresa PHA, de Amorim, a empresa de Demarco, a Nexxy, Lacerda e um diretor da Abin.

A PF não havia indiciado nenhuma dessas pessoas por nada relacionado a esses alegados telefonemas e nem mesmo tomado os depoimentos de Demarco e de Amorim. Avançar sobre esse tema foi uma decisão do juiz. Mazloum descreveu Demarco como "envolvido em diversas demandas judiciais de natureza comercial, como é público e notório", e apontou, sobre os telefonemas: "Esse fato inusitado deverá ser exaustivamente investigado, com rigor e celeridade, vez que inadmissível e impensável que grupos econômicos, de um lado e de outro, possam permear atividades do Estado". O juiz então determinou a abertura de um inquérito policial para apurar as ligações.

Após muita insistência, os advogados de Demarco tiveram acesso ao processo. Afirmaram à Justiça não ter localizado as tais dezenas de telefonemas. A essa mesma conclusão havia chegado o Ministério Público. Após uma nova análise minuciosa, o Ministério Público apontou duas chamadas ou chamadas incompletas de Protógenes para um aparelho em nome da Nexxy. Os outros quarenta e oito telefonemas foram realizados ou recebidos pela empresa de Amorim. Demarco negou qualquer conversa telefônica com Protógenes.

A procuradora Cristiane Bacha Canzian Casagrande observou em parecer que a localização dos registros telefônicos não foi feita pela PF, mas "sim em razão de atividade realizada pelo próprio magistrado oficiante no feito [Mazloum]".

Quase três anos depois, o *site* Consultor Jurídico disse que os telefonemas do aparelho da Nexxy que Protógenes fez ou recebeu seriam noventa e três, que "o maior inimigo de Dantas [Demarco] participou, de fato, da operação" e que era preciso saber se a Satiagraha "foi arquitetada e dirigida pela iniciativa privada". O advogado de Humberto Braz, Carlos Frederico Müller, disse ao *site* que "fica claro que a operação foi comandada de fora para dentro".

Com base nesses mesmos argumentos, em abril de 2011, Daniel Dantas protocolou no STF o pedido de abertura de um inquérito policial para averiguar crime de falso testemunho supostamente cometido por Protógenes. Novamente citando uma "ampla comunicação" entre o delegado e as empresas de Demarco e Paulo Henrique Amorim, Dantas afirmou que o delegado mentiu ao ser interrogado em dois processos decorrentes da Satiagraha. Quando indagaram se mantinha contatos com Amorim e Demarco, o delegado respondeu que não, enquanto a defesa de Dantas alega que houve mais de 150 telefonemas entre o delegado e as empresas de Demarco e do jornalista.

Ouvida no processo, a Procuradoria-Geral da República disse que, ainda que ficasse comprovada a mentira de Protógenes, não havia crime algum, pois ele foi ouvido na qualidade de testemunha, o que o dispensa de produzir prova contra si mesmo. A PGR citou ampla jurisprudência no STF. Em novembro do mesmo ano, a ministra do STF Cármen Lúcia ordenou o arquivamento do pedido de Dantas, citando que o fato descrito pelo banqueiro era "atípico", ou seja, não previsto no Código Penal, e que o pedido de arquivamento, quando vem da PGR, é "irrecusável".

Em maio de 2013, o tema da suposta "privatização" da Satiagraha voltou à tona. A subprocuradora-geral da República Claudia Sampaio, em petição subscrita pelo seu marido, o então procurador-geral da República Roberto Gurgel, pediu a quebra de sigilo telefônico e outras apurações sobre Protógenes, Demarco, Paulo Lacerda, um ex-chefe da Abin e Paulo Henrique Amorim. Também pediu investigação sobre um "padrinho" de Protógenes que teria lhe doado dois imóveis em época anterior à Satiagraha.

Na petição, a PGR diz que houve uma apreensão de R$ 280 mil na casa de Protógenes, durante o inquérito que tramitou sob os cuidados do juiz Ali Mazloum. O fato, contudo, jamais ocorreu. Ouvido pela imprensa na época, Mazloum confirmou que não houve apreensão de dinheiro com o delegado da PF. A falsa informação inserida pela PGR pode ter contribuído para a decisão do ministro do STF José Dias Toffoli, que deferiu o pedido de investigação — o caso seguia em andamento até setembro de 2013.

Ainda que as supostas conversas telefônicas entre Protógenes e Demarco sejam um dia confirmadas, dificilmente seriam capazes de representar um problema legal na Satiagraha. É praxe, numa investigação policial, que o delegado procure inimigos da pessoa investigada. Isso também é feito por qualquer repórter com mínima experiência em jornalismo investigativo: não só inimigos, mas ex-sócios, parentes em briga e ex-mulheres são fontes potenciais para boas informações. Incontáveis crimes vieram a público e foram solucionados dessa forma. Não seria diferente com o Opportunity. Mas, prosseguindo na suposição, pode-se imaginar que adversários de Dantas tenham usado suas argumentações contra o Opportunity para, como alega o banco, tentar "dirigir" o delegado. Entretanto, isso não se encaixa como crime e muito menos seria capaz de anular as provas colhidas na apuração. O delegado nunca está sozinho no inquérito, e suas conclusões são verificadas pelo Ministério Público e pelo Judiciário. Delegados não julgam nem denunciam, apenas apuram e informam.

De fato, Demarco havia, no passado recente, cerrado fileiras com canadenses e italianos num esforço contra o Opportunity. Havia conversado inúmeras vezes com Gushiken, ligado aos fundos de pensão, e também esteve em contato com pessoas que poderiam investigar o Opportunity ao longo dos anos. Ele havia incorporado a luta contra Dantas à rotina de sua vida. Contudo, isso não torna suas atitudes ilegais ou criminosas. A despeito dos esforços de seus adversários (como quando Chicaroni, na reunião do restaurante El Tranvía, tentou "jogar" a PF contra Demarco), o empresário nunca foi investigado por suborno de autoridades. Por fim, a Justiça nunca confirmou qualquer suposta "ação privada" na Satiagraha.

A operação seguiu, e a PF obteve muitos avanços na segunda etapa da investigação. O novo delegado do caso, Ricardo Saadi, estava pronto para apresentar seu relatório final. O documento continha descobertas que iriam aprofundar a compreensão dos métodos de Daniel Dantas.

O goleiro diante do pênalti

"Pudemos constatar durante a investigação que estamos diante de um grupo criminoso organizado, nos termos expostos na Convenção da ONU Contra a Criminalidade Transnacional (Convenção de Palermo) [...] O líder é Daniel Valente Dantas. Cabe a ele definir as estratégias 'macro' da organização, bem como dar a palavra final nos assuntos mais importantes."

Relatório final da Operação Satiagraha, do delegado Ricardo Saadi, em abril de 2009.

Se havia um exato oposto de Protógenes na PF, esse era o delegado Ricardo Andrade Saadi. Eles são diferentes em quase tudo. A juventude cheia de dificuldades de Protógenes contrasta com a origem sem sobressaltos de Saadi, passada nos melhores colégios de São Paulo, numa família dedicada aos estudos. Seu pai, professor de geografia, coordenou cursos na PUC de São Paulo. O tio foi delegado federal. Saadi estudou no tradicional colégio São Luís, fez direito no Mackenzie e economia na PUC. Na PF, era descrito como um técnico, avesso a aparecer na mídia, e mais de uma vez afirmou que detesta falar com jornalistas, pois eles fazem "parar o trabalho e perder tempo". A leitura com viés esquerdista que Protógenes fazia do mundo e que por fim o levou à carreira política pelo PCdoB não despertava nenhum interesse em Saadi. Na faculdade, Saadi chegou a ler *O capital*, de Karl Marx. "Entendi o que ele disse, mas nunca concordei."[260]

O delegado assumiu o comando da Satiagraha quarenta e oito horas depois que Protógenes foi dela defenestrado. Estava no olho do furacão de uma das maiores crises da história da PF. Chegou à nova

---

[260] Entrevista concedida ao autor em 14 de julho de 2010.

função em meio a dúvidas sobre suas reais intenções. Será que deixaria a apuração pela metade, sem aprofundar as linhas investigativas indicadas na primeira fase? Seria Saadi um "homem da cúpula da PF" interessado apenas em expor os erros da equipe de Protógenes?

Saadi não foi escolhido à toa. Era tido na PF como uma espécie de bombeiro que procurava resgatar algo de interesse no meio dos destroços ao mesmo tempo em que investigava a causa do incêndio. Ficava assim com a dupla função de construir algo novo ao mesmo tempo em que destruía o errado. Era uma responsabilidade imensa: ele tinha apenas trinta e três anos de idade, dos quais seis na PF.

Em 2005, Saadi teve pela frente seu primeiro grande desafio. Assim como faria três anos depois, ele passou a presidir o inquérito a respeito do Banco Santos num momento em que a PF já havia realizado as investigações preliminares. Houve buscas e apreensões na casa e nos locais de trabalho do banqueiro Edemar Cid Ferreira. Centenas de bens, computadores, obras de arte e documentos estavam à espera de catalogação, leitura e classificação. Era uma das maiores apreensões da história da PF, determinadas pelo juiz Fausto De Sanctis. Saadi tinha apenas 120 dias para apresentar um relatório final que pudesse ou não embasar um pedido de prisão do banqueiro. Ele reuniu um grupo de policiais para a tarefa — gosta do trabalho em equipe. São-paulino doente, montou e incentivou times de futebol por onde passou: a faculdade, a Ordem dos Advogados do Brasil e a PF. Escolheu logo a pior posição, a de goleiro, embora não seja muito alto, com 1,76 m. É uma função em que não se pode falhar.

"Um atacante pode perder dez gols, mas, se faz um, sai do campo consagrado. Se o goleiro comete um erro, sai massacrado."

Após quatro meses de trabalho no caso do banco Santos, ele entregou ao Ministério Público as provas capazes de subsidiar um pedido de prisão. Foi cumprir o mandado de prisão contra Edemar, que passou oitenta e nove dias na cadeia. Dois anos depois, Edemar deu um depoimento contundente sobre sua passagem pelo presídio: "Não há como qualificar de outra forma: é um depósito humano, onde as pessoas estão confinadas de maneira pior que animais no zoológico".[261]

---

[261] *Folha*, 14 de setembro de 2008, coluna Mônica Bergamo.

Em 2007, Saadi tornou-se chefe da delegacia que combate crimes financeiros da PF paulistana. Nessa mesma época, recebeu um telefonema de Protógenes, convidando-o para atuar num caso em Brasília. Já era a Satiagraha, mas Saadi não aceitou o convite. Em julho do ano seguinte, Saadi ajudou a preparar a deflagração da operação. Durante todo o dia 8 de julho, Protógenes trabalhou na sala de Saadi, em São Paulo. E era de Saadi o terno emprestado que Protógenes usou na primeira entrevista coletiva que concedeu a respeito da operação.

Em 14 de julho, Protógenes saiu da chefia do caso. No dia 16, Saadi foi chamado ao gabinete do superintendente, Leandro Coimbra. O chefe disse que a investigação deveria ir até o fim.

"A intenção era mostrar que não havia dedo de Daniel Dantas, que ninguém ia parar as investigações."[262]

A segunda fase da Satiagraha começou a decolar. Saadi pediu mais recursos financeiros e mais pessoal. Havia tanto material apreendido — 30 terabytes era o cálculo —, que a polícia teve de comprar vários discos rígidos. Entre *HDs, pen drives* e *DVDs* apreendidos, havia cerca de 500 mídias a serem periciadas. Saadi esvaziou uma sala no quarto andar da PF paulistana e a destinou para análise e catalogação do material apreendido. De trinta a quarenta policiais, alguns deslocados de Brasília, trabalharam na sala.

Saadi tomou diversas providências que se revelaram fundamentais para a coesão do seu relatório final: acolheu e manteve os relatórios técnicos e periciais realizados na primeira fase da Satiagraha, especialmente os relatórios do BC; manteve as transcrições e áudios que haviam sido interceptados pela iniciativa de Protógenes; tomou o depoimento dos principais dirigentes dos fundos de pensão; interrogou doleiros que operaram para abastecer o Opportunity Fund; e teve acesso aos documentos e conclusões da auditoria na BrT realizada pelos fundos de pensão depois da saída de Dantas do controle da companhia telefônica.

Saadi também recuperou um episódio denunciado pelos fundos de pensão em 2006: a empresa Highlake e seu papel na aquisição de ações

---

[262] Entrevista concedida ao autor em 14/07/2010.

do grupo canadense TIW. A Highlake foi constituída em janeiro de 2003, tendo como gestores várias pessoas do Opportunity. Saadi concluiu que a operação foi lesiva para a BrT e o Citibank.

As descobertas de Saadi guardam relação com os documentos apresentados pelo Citibank, ex-parceiro de Dantas, no processo aberto pelo banco americano contra o Opportunity em Nova Iorque, dentre os quais, uma declaração da executiva Mary Lynn Putney, que por muitos anos foi uma apoiadora de Dantas. Em declaração juramentada de fevereiro de 2008, ela relatou:

> No verão de 2002, Daniel Dantas me informou que a TIW estava atravessando severas dificuldades financeiras e estava ansiosa [*sic*] para vender 49% dos seus interesses na Telpart. Dantas asseverou que acreditava na aquisição dos interesses da TIW na Telpart em um favorável preço baixo que seria possível à luz das dificuldades financeiras e à ausência de outros interessados em adquirir as ações minoritárias da TIW. Dantas e eu concordamos que a saída da TIW, sob essas circunstâncias apresentadas, era uma excelente oportunidade de investimento para o Fundo CVC por conta do substancial potencial de crescimento das ações da Telpart com a eventual venda da Telemig e da Amazônia [Celular].

Dantas sugeriu criar uma nova empresa-veículo, uma *holding*, para adquirir as ações da TIW na Telpart e propôs que o Citibank, por meio do Fundo CVC, contribuísse com US$ 22 milhões para essa nova entidade, denominada Highlake. Mary Lynn informou a Dantas que considerava "a contribuição de US$ 22 milhões, com a compreensão de que o Fundo CVC iria receber uma participação *pro rata* [valor proporcional] acerca dos interesses da Telpart vendidos pela TIW".

Em março de 2003, Dantas disse a Mary Lynn que conseguira um acordo para comprar as ações da Telpart num total de US$ 65 milhões. O Citi contribuiu com os US$ 22 milhões, dizendo ter a certeza de que receberia, assim, cerca de um terço das ações adquiridas. Contudo, segundo a narrativa de Mary Lynn, Dantas providenciou notas promissórias.

OPERAÇÃO BANQUEIRO

UNITED STATES DISTRICT COURT
SOUTHERN DISTRICT OF NEW YORK
--- X
INTERNATIONAL EQUITY INVESTMENTS, INC., and :
CITIGROUP VENTURE CAPITAL INTERNATIONAL :
BRAZIL, LLC, ON BEHALF OF ITSELF AND : 05 Civ. 2745 (LAK)
CITIGROUP VENTURE CAPITAL INTERNATIONAL :
BRAZIL, L.P. (f.k.a. CVC/OPPORTUNITY EQUITY : CERTIFICATE OF SERVICE
PARTNERS, L.P.) :

                  Plaintiffs,

                - against -

OPPORTUNITY EQUITY PARTNERS LTD. (f.k.a.
CVC/OPPORTUNITY EQUITY PARTNERS, LTD.) and
DANIEL DANTAS,

                Defendants.
--- X

    I, Richard V. Conza, an attorney admitted to practice in the State of New York and the Managing Attorney of the firm of Cleary Gottlieb Steen & Hamilton LLP, attorneys for the plaintiffs, hereby certify that:

    1. On the 12th day of April 2005, a true copy of the Amended Complaint is being served by hand upon:

        Howard L. Vickery, Esq.
        Boies, Schiller & Flexner LLP
        570 Lexington Avenue, 16th Floor
        New York, NY 10022

        Philip C. Korologos, Esq.
        Boies, Schiller & Flexner LLP
        570 Lexington Avenue, 16th Floor
        New York, NY 10022

    2. This service is being made by a paralegal of this firm under my general supervision.

Dated: New York, New York
         April 12, 2005

                                                Richard V. Conza

Em ação movida nos EUA, o Citigroup, um importante ex-aliado de Dantas, diz que o banqueiro "induziu" a executiva norte-americana Mary Putney a fazer um investimento de US$ 22 milhões na empresa Highlake em termos que se revelaram desvantajosos para o Citigroup. O banco diz que "Dantas fez esta deturpação sabendo que ela era falsa quando foi feita ou então com um desrespeito imprudente pela sua falsidade".

> 33. In reliance on Dantas' representations, IEII made a $22 million contribution to Highlake.
>
> 34. In or about January 2003, Opportunity settled the litigation with TIW. As part of the settlement, TIW agreed to sell its 49% interest in Telpart to defendants and their affiliates at a reduced price. To effect the sale, defendants and their affiliates formed and capitalized Highlake, which purchased TIW's interest in TPSA for $66 million.
>
> 35. In or about January 2003, however, Dantas caused Highlake to issue to the CVC Fund a $22 million promissory note (the "Note"), which cannot be assigned or transferred without Highlake's prior consent. Though Dantas promised that the Note would be convertible by the CVC Fund into a pro rata share of Highlake's equity, the Note provides that such "conversion" can occur only at Highlake's election.
>
> 36. Moreover, the "conversion" right at issue in the Note is not in fact a conversion right at all, but merely an option for Highlake to make payments on the Note in the form of shares having a market value equivalent to the amount of the Note plus interest.
>
> 37. After subsequently learning of the Note's terms, IEII complained that it had not received a debt interest convertible into a pro rata (one-third) share of Highlake's equity as promised. In response, Dantas represented to Putney that he would modify the Note so that the CVC Fund would receive debt convertible into a pro rata share of Highlake's equity, as he originally represented.
>
> 38. Defendants nonetheless failed to modify the Note to give the CVC Fund a conversion option to a pro rata share of Highlake's equity.

Em seu relatório, o novo delegado da Operação Satiagraha, Ricardo Saadi, retomou o caso Highlake.

Depois que revi a nota promissória, descobri que os termos eram diferentes daqueles que foram prometidos a mim por Dantas. Primeiro, a nota previa que apenas a Highlake, e não o Fundo CVC, podia opinar pela conversão da dívida de US$ 22 milhões do Fundo CVC em interesses equivalentes na Highlake. Segundo, mesmo considerando que a Highlake decidisse fazer tal conversão, a nota previa que o Fundo CVC poderia receber as ações da Highlake com um valor de mercado equivalente apenas a US$ 22 milhões mais correções, não uma ação *pro rata* equivalente na Highlake, tal como prometido por Dantas.

Mary Lynn disse à Justiça que reclamou com Dantas. Ele teria dito que iria corrigir a nota. Contudo, disse Mary Lynn, "até onde eu sei, o Opportunity nunca corrigiu a nota como prometido".

A executiva disse que, depois que saiu do Citibank, Dantas alegou que o Opportunity estruturou a nota daquela forma para "proteger o Fundo CVC", pois várias empresas do grupo Opportunity tinham "reclamações judiciais" contra a Highlake, cujo valor em discussão era maior do que o valor das ações da Highlake na Telpart.

Disse Mary Lynn:

> Essa suposta explicação nunca fez sentido para mim, porque a estrutura da nota tal como fora prometida [...] era a melhor maneira de proteger o Fundo CVC nesse investimento. Além do mais, apesar dos meus reiterados pedidos, Dantas nunca providenciou informações sobre as alegadas "reclamações judiciais", incluindo informações suficientes que permitam avaliar o valor dessas "reclamações".
>
> Eu soube que o Opportunity agora alega que o Opportunity Fund, um fundo de investimento controlado por Dantas, detém 95% da Highlake, apesar de não ter colaborado com nenhum dinheiro para a aquisição das ações da Telpart (na parte dos fundos da Highlake). Eu soube que o Opportunity Fund pagou apenas um preço nominal de US$ 47 mil para adquirir 95% das ações ordinárias da Highlake.

Na reclamação que o Citi apresentou nos EUA, seus advogados acusaram Dantas e o Opportunity de fraude e má-fé:

> Em suma, os réus obtiveram US$ 22 milhões da IEII sob falsos objetivos, desviar fraudulentamente da IEII que, em troca da

contribuição de US$ 22 milhões, o Fundo CVC receberia um terço do capital da Highlake. Na verdade, Dantas apenas deu ao Fundo CVC uma nota promissória de US$ 22 milhões, contendo termos impróprios e altamente desfavoráveis, cujo reembolso foi estendido sem o consentimento da IEII e sem a aprovação do Comitê de Conselheiros.

O relatório final de Saadi também deu atenção ao caso da juíza Márcia Cunha, que havia sido perturbada no Rio após proferir decisões contrárias ao Opportunity.

Saadi e De Grandis, que continuou no caso, também conseguiram desferir um dos mais duros golpes contra o Opportunity. No início de 2009, o secretário nacional de Justiça do Ministério da Justiça, Romeu Tuma Júnior, anunciou que o Brasil obteve o bloqueio de US$ 2 bilhões em contas relacionadas ao Opportunity ou seus gestores nos Estados Unidos, no Reino Unido e na Suíça. Uma das contas, denominada *Tiger Eye*, foi bloqueada por ordem do juiz do Distrito de Columbia, em Washington, John D. Bates, com um saldo de US$ 450 milhões. A base para o bloqueio foi um *affidavit*, ou testemunho juramentado, assinado por Ricardo Saadi.

Para averiguar essa conta, o Departamento de Justiça americano contratou um especialista em lavagem de dinheiro, Kenneth Lyn Counts, ex-agente especial do Programa de Crime de Colarinho Branco do FBI, com vinte e quatro anos de carreira. Ele fez uma descoberta espetacular. Em depoimento juramentado, narrou ter obtido documentos bancários que indicaram que US$ 242 milhões depositados em 2002 na *Tiger Eye* vieram de resgate de cotas do Opportunity Fund, nas ilhas Cayman. Essas cotas eram "pertencentes ou controladas pelos Dantas", o que novamente traz à baila a existência de brasileiros no fundo. Antes de chegar à conta *Tiger Eye*, o dinheiro passou por uma conta chamada *Harpy Eagle*, em Londres, também controlada por Dantas.

Para Counts, a sucessão de depósitos e transferências é um indício de que Dantas "visava camuflar a fonte dos recursos depositados", além de "evitar a atenção, o exame e as sanções legais" dos organismos de combate à lavagem de dinheiro. Em seu *affidavit*, Counts revelou o conteúdo de uma conversa telefônica interceptada pela Satiagraha em 17 de abril de 2008. Ao contatar um funcionário do custódio dos recursos ligados aos Dantas, o BBH, Verônica recebeu a informação de que os bancos Safra de Luxemburgo e UBS de Londres estavam pedindo informações mais detalhadas sobre os beneficiários finais dos recursos, tendo em vista as regras internacionais de prevenção à lavagem de dinheiro. No dia 7 de julho, apenas um dia antes da deflagração da Satiagraha, a conta *Harpy Eagle* transferiu US$ 51,8 milhões para a conta *Tiger Eye*.

Os termos empregados por Counts em seu testemunho foram então duramente atacados pelos advogados do Opportunity. Eles conseguiram um recuo do americano. O primeiro testemunho do ex-agente foi substituído por outro mais ameno, menos incisivo, mas com as mesmas conclusões essenciais do primeiro documento. Um ano depois, o Opportunity anunciou ter obtido do juiz Bates a ordem de desbloqueio da conta *Tiger Eye*.

Um mês depois do seu primeiro relatório parcial, Saadi fez um de seus principais movimentos. Em entendimento com o Ministério Público, ele tomou o depoimento de uma importante testemunha. Claudine Spiero detinha um profundo conhecimento sobre as práticas bancárias e aceitou colaborar com as investigações. No ano anterior, Claudine, formada em economia pela PUC e com pós-doutorado na USP, que havia morado cinco anos no Canadá, era uma gerente independente da filial em São Paulo do banco suíço Credit Suisse. Seu papel era captar clientes para fundos de investimento no exterior e no Brasil. Às 6 horas da manhã do dia 6 de novembro de 2007, portanto muito antes da deflagração da Satiagraha, ela acordou com o toque da campainha na porta de seu apartamento nos Jardins, bairro rico de São Paulo. Acompanhado de nove policiais federais, o delegado Carlos Pellegrini — o mesmo que faria as buscas no apartamento de Dantas — pediu passagem, mostrando um mandado de busca e apreensão expedido pelo juiz De Sanctis. Claudine sentou-se no sofá e foi algemada com as mãos para trás. A busca demorou cinco horas. Atrás de documentos comprometedores, os policiais quebraram uma louça e rasgaram um sofá de couro. Ao final, Claudine recebeu voz de prisão e foi levada para a Penitenciária Feminina da Capital e, de lá, para uma cadeia no bairro de Santana. Ela só sairia da prisão quarenta e cinco dias depois. A PF estava investigando o banco Credit Suisse havia mais de dois anos. A suspeita era a prática de "dólar-cabo", o envio irregular de recursos para o exterior por meio de doleiros, e fora dos canais oficiais do Banco Central. Além de Claudine, foram presos seu filho e mais vinte e cinco investigados.

Claudine se disse chocada com as condições da prisão. De uma cadeia a outra, ela foi transportada na traseira de um Fiat Fiorino com sinais de vômito e sangue.

"São condições subumanas. Se você quer conhecer o inferno na terra, é a prisão feminina. É uma desesperança. Eu tinha mais tristeza que medo. Quando você sai de lá, sai indiferente com o mundo. Não dá mais para ser feliz."[263]

Faltava tudo na cadeia. Não havia vassoura, o vaso do banheiro era uma fossa aberta e a água do chuveiro era gelada. Quando deixou a prisão, Claudine procurou alguns empresários e fez uma doação à cadeia de R$ 50 mil em camisetas, papel higiênico, absorventes e duas mil sandálias. Claudine travou também dura luta jurídica para tirar da cadeia seu filho de vinte e cinco anos de idade. Ele passaria mais quarenta e cinco dias preso, teve crises de pânico e sofreu ameaças de outros presidiários.

Quando Claudine conseguiu a liberdade do filho, concluiu que um dos investigados havia mentido sobre ele, incriminando-o. Claudine decidiu virar uma colaboradora da Justiça, por meio de uma delação premiada. Por esse instituto, previsto em lei, o réu passa a contar com redução da pena, desde que forneça ao juiz elementos objetivos que ajudem no desvendamento dos crimes. É uma ferramenta poderosa no combate ao crime organizado utilizado em todo o mundo.

Só o primeiro depoimento de Claudine rendeu setenta páginas, que iluminaram as fraudes no Credit. Claudine conhecia diversos doleiros e muitos detalhes sobre a prática da internação de capitais — a legalização da entrada no Brasil de dinheiro guardado no exterior. Ela apontou caminhos em diversos outros inquéritos em andamento na PF. Em três anos, Claudine prestou cerca de trinta depoimentos à PF, à Procuradoria e à Justiça Federal.

---

[263] Entrevista ao autor em janeiro de 2010.

Quando Saadi assumiu a Satiagraha, recorreu à Claudine, pois sabia que ela conhecia o empresário William Yu, cuja empresa mantinha contatos com Humberto Braz. O depoimento de Claudine teve como foco as operações que envolviam a empresa Santos Brasil, administradora do maior terminal de contêineres do Porto de Santos, que o Opportunity havia ajudado a adquirir em leilão de privatização ocorrido em 1997.

> O que pude esclarecer é como se compram os debêntures da Santos Brasil via dinheiro lá fora, que paraísos fiscais são usados e de que forma isso acontece. Eu tinha explicado essa história previamente e eles foram buscar a história e a acharam no [caso] Opportunity. Eles já tinham feito a busca e apreensão no Opportunity. Mas eles não tinham como entender a operação. Eles nem sabiam quem era o Roberto Amaral.

Ele é descrito comumente na imprensa como um dos mais influentes "consultores" — um eufemismo para lobista — do país de todos os tempos. Trabalhou por vinte e nove anos na empreiteira Andrade Gutierrez, tendo chegado a diretor-geral da unidade em São Paulo.

Claudine contou à PF que trabalhava no mercado paralelo de câmbio "realizando operações de cabo" quando conheceu William Yu. Ele "solicitou algumas vezes a internação de recursos por meio de operações de cabo".[264] Segundo Claudine, um dos clientes de Yu e, por tabela, dela mesma, era Roberto Amaral. Ela contou que, no início de 2007, recebeu uma consulta de Yu para "internar, por meio de operações de cabo", US$ 5 milhões. "Tais recursos seriam do Opportunity e, caso a operação fosse realizada, o valor a ser entregue no Brasil seria em espécie."

O depoimento de Claudine foi decisivo para abrir as novas portas no caso: "A busca e apreensão no Amaral foram baseadas no meu depoimento. Eles chegaram a ir lá com cópia do meu depoimento".

---

[264] Depoimento prestado nos autos da OPS em 21/08/2008.

O conjunto de informações que a Polícia Federal encontrou na casa de Amaral permite um impressionante mergulho na mente e nas práticas de Daniel Dantas e seus esforços e apreensões acerca de fatos ocorridos no segundo mandato do governo Fernando Henrique Cardoso, mais de sete anos antes da Satiagraha.

As ameaças do grande credor

"Eu conheço a história. Toda essa idiotice de achar que sou eu que está fornecendo informações é tola. Se eu quisesse denunciar, não seria com esta incompetência."

Daniel Dantas, por meio do codinome "SJward", em *e-mail* enviado a Roberto Amaral em maio de 2002.

Quando Dantas recorreu a Roberto Amaral, em 2001, o banqueiro enfrentava problemas em várias frentes. Nas ilhas Cayman, brigava com Demarco e a canadense TIW; no Brasil, enfrentava as primeiras denúncias dos fundos de pensão sobre quebra de dever fiduciário na gestão de empresas de telefonia e lutava para que o BC e a CVM não trouxessem para o país as listas dos cotistas do Opportunity Fund nas ilhas Cayman, o que poderia confirmar a presença de brasileiros. Além disso, o país vivia um intenso período pré-eleitoral, em que o candidato do presidente FHC, José Serra, enfrentava dificuldades para sobrepujar Lula, do PT, e Roseana Sarney, do PFL. Dantas queria saber como ficariam suas posições no futuro governo.

O Opportunity pagou cerca de R$ 3,45 milhões pelo trabalho de Amaral, segundo tabela apreendida pela PF no escritório de Yu. Não se sabe quanto ficou com o consultor e quanto ele gastou com subcontratados.

Nascido em 1937, Roberto Figueiredo do Amaral foi cobrador antes de entrar, aos trinta e dois anos de idade, na construtora Andrade Gutierrez. Nos anos 1980, tornou-se um estreito aliado do então governador paulista Orestes Quércia (PMDB), quando a AG obteve inúmeras obras no governo estadual. Ao longo de três décadas, Amaral trabalhou nos bastidores da política e fechou contratos milionários de obras públicas. Acabou íntimo de vários políticos, num exemplo da simbiose entre empreiteiros e dirigentes públicos.

> Por força de seu ofício, manteve relacionamento profissional com inúmeros prefeitos municipais, secretários e governadores de Estado, ministros e presidentes da República, sendo que, com algumas dessas ilustres personalidades, acabou cultivando amizades, que duram até hoje, sendo, pois, uma pessoa inquestionavelmente séria.

Amaral pagou as despesas médicas do final da vida do ex-presidente Jânio Quadros e custeou os estudos do neto de Jânio, por "quatro ou cinco anos", em um curso de economia em Londres.[265]

Em 1998, ao deixar a AG, Amaral foi morar na costa mediterrânea da Espanha, onde andava em carros de luxo, como um Porsche e um Jaguar, e apreciava vinhos caros e apresentações de música clássica.[266]

Amaral sumiu da cena brasileira até que, entre julho e outubro de 2001, bizarros anúncios fúnebres foram publicados no *Jornal do Brasil*, no *Jornal de Brasília* e no *Estado de Minas*. Eles anunciavam a missa de 50º dia da morte do sucessor de Amaral na empreiteira, José Rubens Goulart Pereira, o Dolly. Um dos anúncios dizia que estiveram na missa os donos da AG e um certo "mr. Swenka, do Banco Helvético Cordier". Todos teriam entoado "um salmo em louvor e solidariedade ao dr. Paulo Maluf e seu filho Flávio, para que terminem as persecutórias agruras que estão enfrentando".

Mas Dolly, na verdade, estava bem vivo. Os anúncios eram uma vingança de Amaral contra o que considerava pouco-caso da AG a respeito do seu desempenho e de sua antiga equipe, traduzido numa "dívida", cujo valor não foi tornado público. O fato gerou um pequeno escândalo, e a AG teve de dar explicações ao Ministério Público.

---

[265] Sobre as amizades, petição de Amaral em ação de indenização ajuizada contra a jornalista Mônica Bergamo, em São Paulo. Sobre o curso do neto de Jânio, *e-mail* de Amaral nos autos da OPS.

[266] Sobre os bens, hábitos e concertos, *e-mails* de Roberto Amaral nos autos da OPS.

Naquele momento, Amaral já mantinha um estreito relacionamento com Daniel Dantas.

Sete anos depois, a ligação se tornou uma linha de investigação da Satiagraha. Em dezembro de 2008, com ordem de De Sanctis, uma equipe de policiais invadiu a casa de Amaral no Morumbi, em São Paulo. O consultor presenciou a batida. O delegado Bruno Titz de Rezende, tendo por testemunhas o zelador do prédio e dois policiais militares, encontrou vários documentos com o nome de William Yu, o mesmo relatado pela testemunha Claudine, e sua empresa Aquarius.

Mas o maior achado estava no escritório da casa: dezenove *CDs*, guardados numa estante, e um disco rígido Maxtor do computador pessoal de Amaral. Ali havia centenas de *e-mails* trocados em 2001 e 2002, que Amaral havia copiado e guardado. Com outros arquivos em Word, fotografias e documentos escaneados, o total apreendido atingiu 2,8 gigabytes.

Uma parte dos *e-mails*, que tratavam da relação de Dantas com dois jornalistas, foi aproveitada pelo delegado Saadi no relatório final da Satiagraha.

Até este livro, o conteúdo de apenas uma pequena parte desses *e-mails* tinha vindo a público, pela revista *Época*.

O material restante representa o maior segredo da Operação Satiagraha. As mensagens foram copiadas em dez *CDs* e remetidas à PGR, em Brasília, a pedido da Procuradoria da República em São Paulo, pois há citação a pelo menos uma pessoa com foro privilegiado, o ministro do STF Gilmar Mendes.

As mensagens impressionam pela extensão das estratégias e dos objetivos e o peso dos interlocutores do Opportunity. Mas o primeiro aspecto a ser enfrentado é quanto à autoria das mensagens. Quando a primeira mensagem veio a público, em 2009, o Opportunity disse desconhecer a autoria. Ao ser procurado pelo autor, em março de 2011, o banco voltou a se dissociar desses *e-mails*: "O Opportunity desconhece de quem são e quem produziu as pseudomensagens atribuídas por você a Roberto Amaral. Os assuntos elencados por você não foram temas de correspondência trocada entre Daniel Dantas e Roberto Amaral".

Amaral, por sua vez, não confirmou nem desmentiu a autoria. Por meio de seu advogado, José Luis Oliveira Lima, disse que foi orientado pela defesa a não se manifestar sobre os *e-mails*.

A leitura das mensagens, contudo, deixa poucas dúvidas sobre a origem e o destino dos *e-mails*. A PF também concluiu nesse sentido. Em seu relatório final, Saadi explicou que os codinomes "SJward" e "OVS", ou "Olhos Verdes Sensuais", eram, na verdade, Dantas, enquanto "lexus3333" e "Rogério Antar" são Roberto Amaral. Diversos indícios corroboram o entendimento da PF. Um deles surgiu após um deslize de Amaral. Ele acionou seu *e-mail* pessoal que usava na Espanha, "amaralbr", para enviar a uma pessoa cópia de uma série de *e-mails* enviados de "lexus3333" para "SJward". Para deixar o destinatário informado sobre o que se passava, Amaral escreveu no campo do assunto: "*E-mails* trocados com Daniel Dantas. Particular". Outros *e-mails* chamam "OVS" de "Daniel" e apontam como "destinatário" exatamente "D.Dantas".[267] Além disso, uma pessoa íntima do consultor confirmou ao autor que as mensagens foram, de fato, trocadas com Dantas. Outras pessoas ouvidas confirmaram o conteúdo de diversas mensagens. Assim, o autor passa a tratar, daqui para frente, os codinomes pelas suas verdadeiras identidades.

Amaral e Dantas utilizavam códigos para esconder seus interlocutores. O autor analisou mais de 1.800 *e-mails*, comparou datas e situações e pôde elucidar o rudimentar código de Amaral. A tarefa não foi das mais difíceis, pois algumas vezes Amaral arquivou, na pasta do programa Outlook Express, cópias de reportagens que falam da pessoa. Assim, é possível concluir que "TH" e "A Pessoa" são os apelidos do ex-presidente Fernando Henrique Cardoso, "Niger", uma cerveja escura conhecida pelo gosto amargo, e "candidato" eram o então concorrente tucano à Presidência, José Serra (PSDB-SP), e "Conde" era Andrea Matarazzo, ex-ministro-chefe de Comunicação do governo FHC.

---

[267] Relatório final da PF sobre a OPS, pág. 217.

> **DD**
> A- RECEBER 117.000
> B- IBIZA.
> C- CANDIDATO. ENCONTRO.
> D- RENOVAÇÃO CONTRATO. SÓ COM O DOBRO.
> E- DISCUTIR COM DD AGENDAS PESSOA E CANDIDATO.

> **SERR**
> A- PREPARAR AGENDA.
> B- LEVAR DD.

> **TH**
> A – MANDAR E MAIL DECISIVO
> B-INDICADO LULIA.
> C-PAGAR 150 DOL.
> D-NÃO VOU RENOVAR DD. EVITEI CRISES SOBRE CRISES.
> E—DD É CREDOR.
> E-FICO MAL IBIZA. COSTURAR ASSIM COM CANDIDATO QUE NÃO SABE DOS 3 DL.
> - OS 3 FICAM POR IBIZA. OU INTERVENTOR FORTE QUE ATENDA DD.
> - DÁ AJUDA A NIGER NOVA.
> - ABAIXA AS ESPECTATIVAS DE NI QUE NÃO SABE DA HISTÓRIA TODA.

Anotações feitas em um arquivo em Word pelo consultor Roberto Amaral, à época trabalhando para Daniel Dantas, e apreendidas pela Polícia Federal relatam que "DD" (Daniel Dantas) é "credor" e que "o candidato" não sabe sobre "os 3 DL". No texto, há referência a "Niger", codinome usado por Amaral e Dantas para se referir ao então candidato à Presidência José Serra.

(Outros códigos foram quebrados graças a uma atrapalhada mensagem enviada por um consultor da Santos Brasil. Ele enviou a Dantas e Amaral um *e-mail* cheio de nomes em código, mas, ao final da própria mensagem, incluiu um "glossário" com os nomes verdadeiros.)

O trabalho de Amaral consistia em influenciar, ou pelo menos tentar, pessoas de grande poder de decisão. O modo pelo qual ele tratava essas autoridades era coloquial e pouco cerimonioso, o que demonstra tanto intimidade quanto ausência de bom senso. Tendo em vista o histórico de Amaral, a primeira hipótese é a mais provável. O então presidente era tratado simplesmente por "você", "vc" ou "FHC". De setembro de 2001 a maio de 2002, Amaral enviou as mensagens a FHC por um canal singular: a caixa de correio eletrônico do Planalto em nome do capitão de corveta Marcos Jorge Matusevicius, então ajudante de ordens do presidente, responsável pela coordenação da agenda presidencial, da secretaria particular e da organização do acervo documental privado do presidente.

Amaral é extremamente direto em suas mensagens a FHC. Como porta-voz dos interesses de Dantas, exige, sempre em letras maiúsculas, soluções rápidas e eficientes para suas demandas. Ele nunca cumprimenta nem se despede do presidente. Eis a íntegra de uma dessas mensagens:

> Seria importante falarmos — dentro de suas possibilidades — com urgência sobre imprensa. Você decide: ou na sua viagem Europa ou eu vou aí. Tenho informes e ideias que cheguei a colocar para você. É uma covardia o que está ocorrendo e os números envolvidos são ridículos; sufocando pessoas sérias. Embora não seja de sua responsabilidade, você não pode deixar isto como herança de um governo, que, como já disse, deixará saudades três meses depois de terminar. Soube que o Bradesco foi solicitado para que apoiasse. Ele está enrolando. Informação segura.

Entre fevereiro e março de 2002, Amaral começou a deixar mais claras suas investidas em nome do Opportunity. Ele queria indicar o substituto do então presidente do fundo de pensão, Luiz Tarquínio Sardinha Ferro. Em dezembro de 2001, Tarquínio havia informado à presidência do Banco do Brasil que queria deixar o cargo, e o Opportunity tentava emplacar um nome de sua confiança, de codinome "Ibiza".

William Yu, o amigo e consultor de Amaral em transações financeiras, mandou *e-mail* para dizer que recebeu a informação de que "um executivo do Banco do Brasil em Londres chamado Carlos Tesandro [*sic*, Tersandro] está sendo considerado para ser o novo presidente da Previ". Amaral copiou a mensagem para Dantas. E mandou uma mensagem a FHC, no endereço eletrônico do Palácio do Planalto, para reclamar da possível nomeação. Trata-se de uma verdadeira ameaça:

> Falei com Eduardo Jorge. Esteve com você ontem. Por ele ter estado com você é que sugiro o seguinte: não é bom para o seu governo que o Carlos Tessandro (*sic*) Adeodato vá para qualquer lugar da Previ, mesmo contínuo. O *pedigree* dele é discutível. Disse isso ao E.J. Confie no Eduardo Jorge, não confie neste caso. É de bom tamanho que Tessandro fique onde está, na Europa e bem quietinho. É bom para o [ministro da Fazenda Pedro] Malan, pessoalmente, para o candidato [Serra], para Ricardo Sérgio, que já sofreu demais e, principalmente, é bom para o Eduardo Jorge.

Tersandro nunca foi nomeado para presidente da Previ.

No primeiro trimestre de 2002, um assunto espinhoso para o Palácio do Planalto mobilizou a atenção de Dantas-Amaral. O senador ACM prestou um depoimento à PF em Salvador (BA) no inquérito que corria em Brasília para investigar as privatizações. Partindo de uma denúncia de ACM, a revista *Veja* apontou que o empresário Benjamin Steinbruch, que havia arrematado a Vale do Rio Doce em leilão, reclamou com integrantes do governo que Ricardo Sérgio teria cobrado um "pedágio" de R$ 15 milhões para ajudar a formatar o consórcio.

Dantas se tornou o suspeito do vazamento dos dados para ACM. Todo mundo no PSDB se lembrou das ligações de Dantas com o senador. Nos *e-mails*, Amaral discute com Dantas uma forma de preservá-lo, dizer que não foi ele a fonte. Eles chamaram o assunto de "Operação Catraca" — como se alguém tivesse que pagar alguma coisa para entrar em um lugar. Amaral pediu a Dantas "argumentos para a vacina para a antifofoca preventiva".

HISTÓRIA AGORA

vc é a pessoa das mais broxantes que conheço. a sua sensibilidade é de uma

panzerdivizionem. NESTE EXATO MOMENTO A PESSOA JÁ ESQUECEU DE VC MAS NO SUBCONSCIENTE

DELA FICOU: FILHA DA PUTA DE J.M. DEPOIS, NÃO SEJA PRETENSIOSO SE HOUVE MENDACIDADE FOI MINHA E NÃO SUA E A MINHA

OPERAÇÃO BANQUEIRO

> CREDIBILIDADE ONDE FICA? E INCOMODAR A PESSOA PARA RESOLVER UM ASSUNTO EM QUE VC ESTAVA MAIS SUJO DO QUE PAU DE GALINHEIRO? ANTES DA MINHA CONVERSA COM ELE, ELE E O CANDIDATO TINHAM CERTEZA, ASSIM COMO A TORCIDA DO FLAMENGO, QUE VC ENTREGARA O ROTEIRO COMPLETO AO ACM. AGORA NÃO MAIS. USEI O MEU CACIFE COMO POUCAS VEZES USEI SOMENTE EM CONSIDERAÇÃO À VC. UMA DAS ESTRATÉGIAS MAIS BEM MONTADAS JÁ FEITAS VC CONSEGUE TRANSFORMAR EM UMA APORRINHAÇÃO. A RAZÃO DA MINHA RESPOSTA DESAFORADA AO CANDIDATO FOI JUSTAMENTE VC E A OPERAÇÃO CATRACA. ABS RA

Daniel Dantas e Roberto Amaral conversam sobre as versões que o banqueiro deveria apresentar para deixar de ser suspeito de ter abastecido o ex-senador Antonio Carlos Magalhães com denúncias no leilão das companhias telefônicas. Em e-mail, Dantas diz achar que determinado valor "foi tudo o que foi pago a RS", iniciais do ex-tesoureiro do PSDB Ricardo Sérgio de Oliveira. O ex-tesoureiro sempre negou envolvimento em irregularidades.

O banqueiro respondeu:

1. Não tenho [tive] interesse nesta publicação. Não ajuda em nada. 2. A *IstoÉ* semana passada saiu com uma matéria muito ruim e totalmente infundada contra nós. 3. Não tenho relacionamento com L. Francisco e ele tem procurado me criar problemas. 4. A única coisa de produtiva que eu acho que você poderia comentar é que, pelo que eu soube, o *candidato* não levou dois dos cinquenta, o que mostra que ele tem que colocar mais ordem e competência nas iniciativas, pois o barulho é proporcional ao valor bruto e a utilidade ao líquido. Operar com uma eficiência de 4% é loucura.

Horas depois, Amaral informou: "Já vacinei".
Amaral mandava mensagens para José Serra por meio de um colaborador do tucano, Luiz Paulo Arcanjo. Ele foi assessor de Serra nos ministérios do Planejamento (1996-1998) e da Saúde (1998-2002) e, em 2007, assessor especial do então governador de São Paulo.
Não se sabe exatamente a reação de Serra, ou de quem recebeu a "vacina", mas ela parece ter sido bastante negativa. Porque logo depois Amaral enviou a Dantas, "para ler e rasgar", a cópia de um *e-mail* que ele disse ter enviado a Serra para protestar contra a suposta reação do tucano. Nessa mensagem, Amaral fez uma declaração enigmática: Dantas teria um crédito, um grande crédito, embora poucas pessoas soubessem disso.

Recebi seu recado lido por amigo comum. Aviso-lhe: não mais mande-me (*sic*) recados neste tom: acho que você estava fora de si quando mandou esta infeliz mensagem. Não sou lambe-cu acanalhado ou acarneirado. Você sabe disso. Já fiquei seis anos sem falar com você e, se necessário, fico mais vinte. Não sou Roseana ou Sarney. Você precisa de mim e eu não preciso de você. Você vá ser acavalado, acerbo, com quem tem obrigação de aguentá-lo. Quanto à sua bizantina observação sobre D [Dantas], devo dizer-lhe: você não sabe de nada — nada mesmo. Ponha isto na sua cabeça.

Ele é credor, grande credor. Eu e duas pessoas sabemos disso. Não seja encegueirado e não se deixe embair pelo pequeno Sérgio Andrade [...] Cópia deste vai para a *Pessoa*.

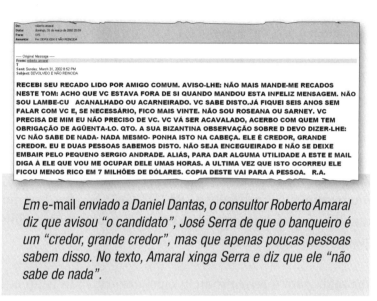

Em e-mail *enviado a Daniel Dantas, o consultor Roberto Amaral diz que avisou "o candidato", José Serra de que o banqueiro é um "credor, grande credor", mas que apenas poucas pessoas sabem disso. No texto, Amaral xinga Serra e diz que ele "não sabe de nada".*

Dantas também ficou incomodado com o tom pesado do *e-mail*, que era para ter sido apenas a "vacina". No dia 3 de abril, ele escreveu a Amaral para falar sobre "a pessoa", FHC:

Fiquei um pouco preocupado com a vacina. Entendo a lógica de que envolvido é mais confiável. Minha preocupação é que desde o início da privatização temos criticado Ricardo Sérgio, os esquemas, e *a pessoa* sabe disso. Maurício tem reportado tudo a ele milimetricamente. Tenho medo de que esta vacina crie mais problemas do que traga soluções. Pode ficar estranho parecendo que mentimos ou que estamos mentindo. Acho [que] é necessário um acabamento neste assunto, como se após a entrada na Telemar tenhamos concordado com uma ajuda para a campanha.

À época, reportagens da *IstoÉ Dinheiro* e da revista *Veja* diziam que uma empresa denominada Rivoli Participações havia sido aberta no final de 1998 em nome de duas funcionárias do escritório de um advogado que atuava tanto para Ricardo Sérgio quanto para o grupo La Fonte, do empresário Carlos Jereissati, que formara o consórcio que arrematou a Telemar. Segundo a notícia, depois da privatização a Rivoli recebeu 4,4% das ações da Telemar, cuja sociedade era mantida pela La Fonte e Inepar, Macal e Andrade Gutierrez, além dos fundos de pensão. Logo depois, as ações da Rivoli foram transferidas para os outros sócios, e a Rivoli acabou esvaziada. E a Macal e a Inepar transferiram suas cotas para a GP e o banco Opportunity. O procurador Luiz Francisco dizia à época que poderia ter sido uma operação para pagamento indevido.

Agora é possível verificar, por esses *e-mails*, que Dantas, de fato, admitiu pagamentos realizados a "RS" (Ricardo Sérgio), por meio da empresa Rivoli, muito embora alegasse que não corrompeu ninguém. O banqueiro escreveu no *e-mail*:

> Uma saída para *a pessoa* sobre o meu envolvimento na questão catraca seria que a participação da Rivoli foi vendida para os quatro sócios na ocasião da minha entrada na Telemar. Assim, parte do dinheiro foi de fato pago por mim, mas comprando as ações e o destino não era minha conta. Na prática, acho que os outros não pagaram pelas ações, só eu mesmo, e acho que foi tudo que foi pago a RS. Como o assunto é difícil de explicar, não me interessa a divulgação, mas acho importante esclarecer *à pessoa* que eu não estava envolvido em corromper o governo dele.

Amaral não gostou nada do estilo defensivo de Dantas. Ele enviou uma mensagem demolidora, mas também reveladora de seus objetivos:

> Você é uma das pessoas mais broxantes que conheço. A sua sensibilidade é de uma *panzerdivision* [divisão de tanques nazistas] [...] Não seja pretensioso, se houve mendacidade, foi minha e não sua. E a minha credibilidade, onde fica? E incomodar *a pessoa* para resolver um assunto em que você estava mais sujo do que pau de

galinheiro? Antes da minha conversa com ele, ele e o *candidato* tinham certeza, assim como a torcida do Flamengo, de que você entregara o roteiro completo ao ACM. Agora não mais. Usei o meu cacife como poucas vezes usei somente em consideração a você. Uma das estratégias mais bem montadas já feitas, você consegue transformar em uma aporrinhação. A razão da minha resposta desaforada ao *candidato* foi justamente você e a Operação Catraca.

Amaral ficou tão contrariado com a posição de Dantas, que decidiu mandar uma segunda mensagem, a "broxante parte 2".

"Tenho medo que esta vacina crie mais problemas do que traga soluções." Por esta frase percebi que você nem de longe viu a enrascada em que estava metido. Não adiantava mandar recados milimétricos ou medidas paliativas. O problema com o *candidato*, o *e-mail* virulento, começou com uma leitura clara que ambos faziam (*pessoa* e *candidato*): você é homem do ACM, entregou e traduziu para ele os dados do R.S. [Ricardo Sérgio]. Omitiu-se quando confrontado com a imprensa. Esta a leitura que percebi. Eu estaria sendo usado por você como um biombo para proteção. Não tenho por hábito abrir tudo que está acontecendo, sobretudo quando acho não levar a nada. Contrario neste momento este hábito para que você sinta onde está pisando. O *candidato* é, ao contrário da *pessoa*, vingativo e tem uma memória notável. Pois bem, tudo isto está totalmente superado pela minha intervenção na hora precisa, EU pondo na mesa para ambos o seu "envolvimento". Acabou a conversa e ficaram sem ter o que dizer. O resto é resto...

Um grande feito da consultoria de Amaral foi o encontro entre Dantas e FHC no Palácio do Planalto, que era para ser secreto, mas vazou. Ele foi abordado, primeiro, pela revista *Época*, em maio de 2002, e depois pela coluna do jornalista Fernando Rodrigues, na *Folha*, para quem a conversa era um exemplo de como o presidente "trabalha nos bastidores para ajudar a candidatura de José Serra". Amaral apressou-se a dar explicações a FHC: "A notícia 'O sociólogo e o banqueiro' vai ser desmentida. Houve vazamento na portaria, indubitavelmente".

A imprensa relatou genericamente que o encontro tratou de assuntos relativos aos problemas que Dantas enfrentava com os fundos de pensão, notadamente a Previ. Os *e-mails* permitem agora conhecer melhor os temas e os resultados da reunião. Ela foi ansiosamente aguardada por Dantas desde, pelo menos, dezembro de 2001. Até o encontro ocorrer, Dantas enviou, por meio de Amaral, diversos recados ao Palácio do Planalto, alguns abertamente ameaçadores. As mensagens mostram como Dantas sabe manobrar os segredos que guarda a sete chaves. Um dos *e-mails* mais enfáticos é de vinte dias antes da reunião e merece ser conhecido na íntegra:

> Não seria o caso de falar com a *pessoa* que você é que me fez publicar a nota? E que a persistir a situação terei que explicar o assunto Telemar. Ele tem medo que todo o assunto volte à pauta, e sabe que eu sei muito. Não tenho é como ficar sendo acusado sem resposta. Eu sei que quando estavam torpedeando [o empresário] Benjamin Steinbruch, ele ameaçou contar tudo e disseram que isto o afastou da *pessoa*, o que de fato ocorreu. Mas pararam de bater nele e deram a CSN de bandeja, financiada pelo BNDES e Previ no descruzamento da CVRD. Na época senti que a *pessoa* estava com medo. Não gosto do tom de ameaça, mas a situação é que progressivamente, quer queiramos ou não, a situação Ricardo Sérgio está vindo para a superfície. Aliás, acho que já deveríamos começar a trabalhar em uma nota para não termos que publicar de emergência.

É possível imaginar o impacto que um recado desses teria no Palácio do Planalto: Daniel Dantas ameaçando contar coisas sobre o "assunto Telemar". Dizendo que "sabe muito". A resposta de Amaral demonstra que esse recado não foi o primeiro:

> Quero entender o que o *Conde* quis dizer com "o *candidato* estava incomodado com os recados que você manda". Não é

curiosidade, não. Acho que pode se encaixar na estratégia que falo acima que se resume grosseiramente: se não vai por bem, vai por mal. O inconveniente dessa estratégia é que não se pode piscar. O jogo é pesado.

A estratégia citada por Amaral está documentada em várias mensagens trocadas com Dantas. No *e-mail* de abril, Amaral assim a definiu: "Segunda, dia 15, 19h *pessoa*. Assunto Ibiza. 2. Terça ou quarta encontro eu só com *candidato*. Assunto Ibiza. 3. Terça ou quarta, você e eu, com *candidato*. Assunto Ibiza e ajuda eleitoral, só depois do sucesso Ibiza e outro assunto de interesse seu".

Assim, o banqueiro condicionava a nomeação desse indicado "Ibiza", na Previ, a uma "ajuda eleitoral" ao candidato Serra. Não há segurança de que o acordo tenha prosperado. Em 2002, o Opportunity não registrou, na Justiça Eleitoral, doações eleitorais.

As mensagens indicam que Dantas e Amaral estavam tendo problemas com Serra a propósito de um suposto "desconhecimento" do candidato a respeito de algo que ele deveria saber, mas que não sabia — a história do "crédito". Isso fica bem claro num resumo escrito num arquivo em programa Word. O autor registrado nas propriedades do arquivo foi "Amaral Roberto Figueiredo Do" — dado inequívoco sobre a autenticidade das mensagens. Ele escreveu, para sua própria memória, que não renovaria contrato com Dantas por estar enfrentando alguns problemas:

Serr[a]. Preparar agenda. Levar DD [...] Não vou renovar DD. Evitei crises sobre crises. DD é credor. Fico mal Ibiza. Costurar assim com *candidato* que não sabe dos três DL. Os três ficam por Ibiza. Ou interventor forte que atenda DD. Dá ajuda a *Niger* nova. Abaixo as expectativas de *Ni* que não sabe da história toda.

Sobre os "três DL" referidos na mensagem, que "ficariam por Ibiza", provavelmente é uma referência a dinheiro. Em outras mensagens, Amaral cita dólares como "DOL".

Há diversas indicações de que houve outra reunião entre Dantas e FHC no final de 2001. Ao falar desse encontro, o banqueiro fez menções ao ministro do STF Gilmar Mendes, à época o advogado-geral da União. Os *e-mails* não revelam uma irregularidade específica, mas sim uma correlação entre os trabalhos de Mendes à frente da AGU e os interesses do Opportunity.

Em novembro de 2001, Dantas informou a Amaral que havia se encontrado com FHC e "Maurício". Gilmar Mendes não estava presente, mas foi tema da conversa: "A reunião com a *pessoa* foi muito agradável. Percorri a nossa pauta, e pedi a ele que falasse com Gilmar para que a União entrasse na causa no lugar da Anatel. Ele disse que falaria e Maurício vai dar o *followup* [sequência]".

Horas depois, Dantas mandou nova mensagem sobre o mesmo assunto, com uma advertência no sentido de que ficasse escondido o fato de que ele, Dantas, é quem estava por trás das iniciativas da AGU:

> Eu pedi à *pessoa* apenas uma coisa, a entrada de Gilmar para deslocar as *cuas* [provavelmente quis digitar "causas"] para a Justiça Federal. Segui seu conselho de nunca pedir muitas [coisas] para evitar de ser atendido na mais fácil e normalmente menos útil. Falei com ele que o erro da Anatel onde escolher uma ou outra causa. O dever dela seria [o] de levar todas as questões para a Justiça Federal que envolvam controle de concessionária. A obrigação enquanto concessionário prevalece sobre a questão societária, assim o tribunal competente para julgar o assunto é a Justiça Federal. Falei que não pedimos um resultado, apenas o direito de que a questão seja julgada de forma isenta e competente. Se você puder lembrar a ele que é importante que Gilmar entre como um caso geral, questão de princípio, para evitar a crítica de que está tomando partido.

Depois, Dantas reconheceu que a estratégia deu certo. Ele explicou a Amaral que o apoio de Mendes se dava de forma indireta, pela pessoa de Antônio Domingos Teixeira Bedran, o procurador-geral da Anatel. E se há alguma dúvida sobre a correta identidade de "Gilmar", ela é dissipada na mensagem: "Está sendo cogitada uma mudança geral na Anatel. Seria conveniente manter e se possível promover o procurador-geral Antônio Bedran, que obedece a Gilmar Mendes (Advogado-Geral da União). Ele tem ficado do lado de Gilmar que tem nos ajudado a levar o assunto para a Justiça Federal".

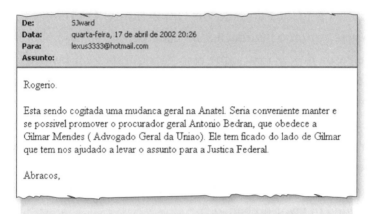

Em e-mail, *Daniel Dantas diz a Roberto Amaral que o então advogado-geral da União, Gilmar Mendes, futuro ministro do Supremo Tribunal Federal, está ajudando a levar para a Justiça Federal processos de interesse do Opportunity no ramo das telecomunicações.*

Bedran assumiu a Procuradoria-Geral da Anatel em 1998, mas, por dois anos, seguiu integrando um escritório de advocacia em Belo Horizonte (MG) que prestava serviços para a Telemig Celular, controlada pelo Opportunity. Em 2001, ao apurar o assunto, a Corregedoria da AGU concluiu que Bedran não atuou nem foi remunerado pela companhia telefônica, e o inocentou das suspeitas. Entre 2001 e 2002, a Anatel discutia as brigas societárias entre Opportunity e TIW. Os canadenses pediam a dissolução da *holding* Newtel, pela qual o banco se tornou o controlador da Telemig.

"Por iniciativa de Bedran, a Anatel vem se manifestando nas ações judiciais contra a anulação da Newtel, o que fortalece a posição do Opportunity, daí a irritação dos fundos de pensão e da TIW com a contratação do escritório mineiro."[268]

No começo de 2002, exatamente como Dantas disse que gostaria de ver ocorrer, a Anatel

> entrou na Justiça ao lado do Opportunity. O procurador da agência, Antônio Bedran, fez um claro pedido ao desembargador que cuida do caso para que resolva a questão em favor da manutenção da Newtel. Na agência, a explicação é de que o órgão tem a obrigação de se manifestar quando o bloco de controle está em jogo. [...] Além disso, a Anatel considera legítimo entrar em favor de uma das partes quando a outra está claramente querendo quebrar o contrato. A posição do advogado dos fundos, Sérgio Mannheimer, no entanto, é de que agência está tomando partido em favor do banco.[269]

Nove anos depois, Bedran disse que apenas se manifestava nos processos quando a Justiça Federal provocava a Anatel. Ele reconheceu que esteve na AGU para discutir com o órgão determinado assunto o qual envolvia o Opportunity na Anatel e que a AGU chegou a se manifestar nos autos, por meio de uma "petiçãozinha de quatro ou cinco parágrafos". Mas negou que tenha conversado sobre o assunto com Gilmar Mendes.

"Eu estive com ele quando ele era subchefe jurídico da Presidência e depois, na AGU, mas só para cumprimentá-lo. Jamais ele me orientou ou pediu ação minha sobre processos que envolviam o Opportunity. Nunca sequer conversamos a respeito", afirmou Bedran.[270]

---

[268] "Contrato com advogados abre crise em tele", de Elvira Lobato, na *Folha*, 3/06/2002.
[269] Revista *Exame* de 11/09/2002.
[270] Entrevista ao autor em 3/03/2011.

OPERAÇÃO BANQUEIRO

Em 4 de junho de 2002, Amaral tinha notícias urgentes para Dantas sobre Bedran. Ele disse ter conversado com FHC. Frisou de novo as intensas pressões que seu grupo estava fazendo sobre o Planalto e falou novamente sobre "grana" para "campanha".

> André não irá. Bedran ficará [FHC] teima no seguinte: conselho e diretoria da Previ são os mesmos. Que o governo terá o voto de minerva no conselho e os funcionários no conselho fiscal. Retruquei que conselho e diretoria são coisas diferentes. Vai ver, mas mostrou firmeza e estava com alguém. Acertamos na mosca: eu disse que você precisaria de ajuda para conseguir administrar assunto CRT, que não conseguiria administrar sem mim, que a picaretagem internacional estava envolvida e você não estava conseguindo controlar uns acionistas. Que a grana — pasme — tinha isso para a campanha do *Niger*, segundo os informantes. Que eu precisava de um programa mínimo. Disse que era urgente ação na Op. [operação] Copa do Mundo. Disse que já tinha agido. Ia aparecer meu nome, do Maurício e do *Conde*, possivelmente e com certeza do R. Sérgio. Silêncio sepulcral. Que o importante era o precedente que seria aberto.

Também é possível compreender o que seria essa "Operação Copa do Mundo", pois há inúmeros *e-mails* tratando do assunto. Amaral pressionava o governo a não dar apoio a um esforço que foi iniciado pelo procurador Luiz Francisco e que passava pelo BC e pela CVM, para obter as listas dos cotistas do Opportunity Fund nas ilhas Cayman, na berlinda após as revelações do ex-sócio de Dantas, Demarco. A estratégia de Amaral foi dizer a FHC que, se as listas fossem enviadas ao Brasil, nomes ligados ao tucanato viriam a público. Uma nota de imprensa havia dito que Luiz Francisco aumentaria esse esforço após a Copa do Mundo de 2002, daí o nome da "operação". Ao escrever "disse que já tinha agido", Amaral comunicava a Dantas que o presidente da República estava a par do assunto e teria feito algo não compreensível.

HISTÓRIA AGORA

> **De:** roberto amaral
> **Data:** domingo, 2 de junho de 2002 21:04
> **Para:** LP.
> **Assunto:** OPERAÇÃO COPA DO MUNDO   Y   AG   AGLS
>
> QUEM DEVE CUIDAR DO ASSUNTO JUNTO À CVM DEVE SER O ARMINIO MESMO POIS É NECESSÁRIO RAPIDEZ E EFICIÊNCIA. INSISTO: A CVM NÃO DEVE - EM HIPÓTESE ALGUMA- ENVIAR À CAYMAN A LISTA DOS APLICADORES E O JUIZ LOCAL DÁ A SENTENÇA DIA 15 DE JUNHO. ESTOU PREPARANDO UM RESUMO QUE ENVIAREI AMANHÃ, SOBRE OUTRO ASSUNTO.

> **De:** roberto amaral
> **Data:** terça-feira, 4 de junho de 2002 01:58
> **Para:** OVS
> **Assunto:** TH-RA TELEFONEMA 1.30H 040602 RAM20   AG   AGLS
>
> PESSOA AGORA 1.30 H SPAIN:
> 1-ANDRÉ NÃO IRÁ. BEDRAN FICARÁ.
> 2-TEIMA NO SEGUINTE: CONSELHO E DIRETORIA DA PREVI SÃO OS MESMOS.QUE O GOVERNO TERÁ O VOTO DE MINERVA NO CONSELHO E OS FUNCIONÁRIOS NO CONSELHO FISCAL.RETRUQUEI QUE CONS. E DIRETORIA ERAM COISAS DIFERENTES. VAI VER, MAS MOSTROU FIRMEZA E ESTAVA COM ALGUÉM.
> 3-ACERTAMOS NA MOSCA: EU DISSE QUE VC PRECISARIA DE AJUDA PARA CONSEGUIR ADMINISTRAR ASSUNTO CRT, QUE NÃO CONSEGUIRIA ADMINISTRAR SEM MIM, QUE A PICARETAGEM INTERNACIONAL ESTAVA ENVOLVIDA E VC NÃO ESTAVA CONSEGUINDO CONTROLAR UNS ACIONISTAS. QUE A GRANA- PASME-TINHA IDO PARA A CAMPANHA DO NIGER SEGUNDO, OS INFORMANTES. QUE EU PRECISAVA DE UM PROGRAMA MÍNIMO.
> 4- DISSE QUE ERA URGENTE AÇÃO NA OP. COPA DO MUNDO.DISSE QUE JÁ TINHA AGIDO. IA APARECER MEU NOME , DO MAURICIO E DO CONDE, POSSIVELMENTE E COM CERTEZA DO R. SERGIO.**SILENCIO SEPULCRAL.** QUE O IMPORTANTE ERA O PRECEDENTE QUE SERIA ABERTO.

> **De:** roberto amaral
> **Data:** terça-feira, 4 de junho de 2002 04:26
> **Para:** OVS
> **Assunto:** OP COPA DO MUNDO   AG   AGLS
>
> A PESSOA ACORDOU-ME AGORA ESTAVA COM TEMER. DISSE-ME QUE TINHA PROCURADO O MALAN PARA TRATAR DA OPERAÇÃO COPA DO MUNDO. DISSE QUE FOI BOM ELE NÃO TER ENCONTRADO POIS A PESSOA INDICADA ERA O ARMINIO. NÃO SÃO MAIS CUNHADOS MAS SÃO AMIGOS[ARMINIO E OSÓRIO]. DISSE-LHE QUE JÁ TINHA IDO UMA LISTA SEM IMPORTÂNCIA. DEMONSTROU SURPRESA. FALEI DA NORMA PARENTE E O IMPORTANTE É QUE NÃO VÁ MAIS LISTA NEM SE PEÇA MAIS LISTA NENHUMA. O ARMINIO QUE VAI TRATAR E- PENSO- P. PARENTE TAMBÉM.

Numa série de e-mails, o primeiro dos quais enviado a um auxiliar de José Serra, o consultor de Daniel Dantas, Roberto Amaral, exige uma série de ações do governo federal para impedir a investigação sobre contas de brasileiros no fundo Opportunity Fund, em Cayman.

    O parlamentar mais empenhado em apurar o assunto Cayman era o então deputado federal Milton Temer, filiado ao PT. Após integrar a CPI do Proer, o programa tucano de socorro aos bancos, ele passou a se interessar por falcatruas no sistema financeiro. Numa entrevista à

TV Câmara, Temer citou declarações que Demarco dera à *CartaCapital* sobre o fundo. Demarco se aproximou do parlamentar.

> O Demarco me procurou, eu não o conhecia. Ele me perguntou se eu estava a fim de "ir para a briga com Dantas". Eu disse, "estou". E ele começou a me municiar. Ele disse, "tem um fundo lá" — porque o Demarco sabia. Eu disse, "então me dá essa porra". Ele me colocou diretamente em contato com o equivalente ao presidente do Banco Central de Cayman [...] Eu desconfiava de que lá [no fundo] estivesse a alta tucanagem.[271]

Temer buscou o respaldo do PT: "O aval que eu tinha era do próprio Gushiken. Nessa época ele era um dirigente importante do PT, em quem eu confiava. Ele disse 'vai fundo nisso'. Ele estava em briga com o Daniel Dantas".

Temer conversou por telefone com a autoridade monetária de Cayman. O deputado gravou a conversa e entregou a fita a um jornalista — não ficou com cópia. A autoridade teria dito que as listas só seriam enviadas ao Brasil se houvesse um pedido expresso do presidente do BC brasileiro. Temer procurou, então, Armínio Fraga, que teria prometido tomar providências. Dias depois, Temer ouviu das ilhas Cayman que as listas haviam sido enviadas ao BC. Mas a informação foi negada a Temer por Fraga. O jogo de empurra continuou até o assunto morrer.

"O Armínio Fraga chegou a se interessar pelo assunto, disse que ia apurar, mas depois [disse] que não tinha recebido nada", disse Temer.

O procedimento aberto pela CVM em 2001 fala do insucesso em obter a lista.

Diz o voto do diretor-relator do caso na CVM:

> Infelizmente, não obstante o esforço da CVM, não foram colhidos bons frutos: as autoridades das ilhas Cayman negaram o fornecimento de

---

[271] Entrevista ao autor em 8/02/2011.

documentação e informações, pois exigiram garantias de que a informação não seria usada em processos criminais, o que, evidentemente, por força de lei, a CVM não pôde assegurar.

A informação revela que a CVM se disse impedida por uma possibilidade e deixou de obter o dado de fato essencial: quem eram os brasileiros nas ilhas Cayman. Luiz Francisco jamais obteve a lista.

Oficialmente, o BC remete às explicações da CVM, que afirmou não ter obtido as listas "em virtude da resistência das autoridades das ilhas Cayman em fornecê-las".[272] Nos bastidores, contudo, a história era outra. Os *e-mails* agora revelados expõem a estratégia de Dantas e Amaral para evitar a apuração. Amaral enviou diversos *e-mails* de advertência a FHC, pintando a tal "Operação Copa" como um golpe político contra o PSDB. Ele escreveu ao presidente:

> A estratégia é diabólica: os alvos são os que mandei no último fax e os supracitados [em amarelo]. A fonte é ótima. Já existe uma lista na CVM, inodora, insípida e incolor. São os bois de piranha. Aberto o precedente, aí o L.F. [Luiz Francisco] faz a festa e um carnaval junto, cronometrado para estourar depois da Copa do Mundo, a melhor época, na avaliação do estado maior encarregado desta operação. Contribuição de petista para petista. Sugiro a você, com empenho, que encarregue o ministro Malan de desmontar com urgência esta armação, felizmente descoberta a tempo. O Armínio, embora parente do presidente da CVM, não é indicado para tratar deste caso. Converso pessoalmente. O juiz nas ilhas Cayman de posse do pedido da CVM, se for enviado, libera os nomes dia 15 de junho.

Horas antes, Dantas havia mandado a Amaral um *e-mail* com essas mesmas diretrizes. Ele carregava nas tintas, dizendo que Luiz Francisco procurava alvejar o filho do presidente.

---

[272] Parecer do BC datado de 17/12/2004, nos autos da OPS.

O presidente da CVM é José Luiz Osório. É casado com a irmã de Armínio e foi indicado por ele. Podemos acrescentar que o precedente é perigoso, Luiz Francisco vai atrás depois de todo mundo [,] e a CVM, uma vez criado o precedente, terá dificuldade de recuar [...] Luiz Francisco quer pegar R Sérgio e o *Filho da pessoa* que trabalhava com Benjamin [Steinbruch].

Amaral disse que conversou com FHC por telefone. O consultor relatou as providências tomadas até então:

A *pessoa* me acordou agora, estava com Temer. Disse-me que tinha procurado o Malan para tratar da Operação Copa do Mundo. Disse que foi bom ele não ter encontrado, pois a pessoa indicada era o Armínio. Não são mais cunhados, mas são amigos (Armínio e Osório). Disse-lhe que já tinha ido uma lista sem importância. Demonstrou surpresa. Falei da Norma Parente e o importante é que não mais lista nem se peça mais lista nenhuma. O Armínio que vai tratar e — penso — P. [Pedro] Parente também.

No apartamento de Amaral, em 2008, a PF apreendeu duas páginas impressas em computador que tratam de uma série de compromissos e tópicos que ele e Dantas deveriam conversar com "P", provavelmente "Pessoa", ou FHC. No final do papel, apócrifo, há o seguinte: "Assunto lista nomes Operação Copa do Mundo. Opportunity. Pactual. Matrix. Garantia". Trata-se de uma lista de bancos que teriam fundos de investimento no exterior nos mesmos moldes do Opportunity. A estratégia de Amaral era dizer ao Planalto que, caso as listas de cotistas do Opportunity viessem para o Brasil, as dos outros bancos também chegariam, com desfecho imprevisível. Havia um interesse especial sobre o banco Matrix, que teria um impacto "trinta" vezes maior do que o caso Opportunity.

Isso fica bem demonstrado num *e-mail* enviado por Amaral a Dantas em 11 de junho de 2002:

> O assunto CVM já está exposto por inteiro. Hoje não é o dia nem a hora de se falar em Matrix. Parecerá chantagem, e chantagem barata que não é o seu ou meu estilo. Leia, por favor, os *e-mails* anteriores, aonde fomos até onde poderíamos ir. Com a minha postura, o assunto Matrix terá que ser utilizado com cuidado. Tenho notícias [de] que o título "Operação Copa do Mundo" vale trinta Matrix. Aguardemos o telefonema de hoje. O assunto "interventor despedir advogados" tem que começar com uma montagem, com uma história. Para amanhã, se não espanta [sic] e não leva a nada.

Uma semana depois, Amaral enviou um *e-mail* para José Serra, por meio do assessor Arcanjo. O tom da mensagem é novamente inquietante, pois fala em querer "preservar o governo", como se ele estivesse em risco.

> Acho que já falei à exaustão sobre a Operação Copa do Mundo. Como seu amigo, sem interesse algum a não ser preservar o seu governo, devo dizer-lhe pela vez derradeira para não ser inoportuno: é um crasso erro — para não dizer burrice — de quem o está assessorando achar que o Luiz Francisco, o procurador *populi*, tendo sucesso em uma primeira lista, vá parar por aí. Acho que já está quase tarde para dar um basta às loucuras da CVM.

Além de pressionar o Planalto e o PSDB para tentar matar a investigação no nascedouro, Dantas e Amaral tinham outro armamento. Eles acionaram uma pessoa a quem identificavam como "Braga" ou "Comandante". Sua correta identificação foi agora possível graças à minuta de um contrato anexada a um dos *e-mails*. Trata-se do empresário Carlos Henrique Ferreira Braga, capitão de corveta da reserva da Marinha desde o final dos anos 1960. Braga e o ex-deputado Milton Temer haviam servido juntos na Marinha e chegaram a dividir um apartamento. Quando Temer foi preso em 1964, após o golpe, Braga conseguiu uma cela melhor para o amigo e, durante quarenta e cinco dias, foi visitá-lo.

No final de 2001, Braga havia assinado um contrato com William Yu, o parceiro de Amaral, no valor de US$ 80 mil mensais, válido de janeiro a março de 2002, com o objetivo de atuar para a compra da canadense TIW, a fim de retirá-la do controle da empresa Telemig Celular. Caso conseguisse, Braga receberia mais US$ 1 milhão. Yu e sua empresa Aquarius, contudo, eram remunerados pelo Opportunity a fim de contratar Braga, como demonstram os *e-mails*. Eles montaram uma história para convencer Braga, alegando que havia "um grupo português" interessado na compra da Telemig, ocultando que o Opportunity era o verdadeiro contratante.

Dantas foi informado sobre a amizade entre Braga e Temer e instou Amaral a acionar o militar acerca do problema nas ilhas Cayman: "Estive com Luis Octavio [Motta Veiga]. Ele me disse que quem conhece o Temer é o comandante Braga. Ele me disse que conhece bem o comandante [...] Ele sabe tudo de Demarco, tem muita credibilidade no partido, foi inclusive convidado para ser secretário de [ex--governadora do Rio] Benedita".

Duas horas depois, Yu enviou um *e-mail* "confidencial" a Amaral, que o repassou a Dantas. Diz que Braga obteve "do irmão dele em Brasília" cópias de dois *e-mails* supostamente enviados por Demarco a Temer. Nas mensagens, Demarco faz uma cronologia dos eventos relacionados à lista das ilhas Cayman e aponta caminhos para a investigação.

Yu, Amaral e Dantas discutiram a possibilidade de alguma autoridade, no Rio, dar uma entrevista coletiva em defesa do Opportunity. E Dantas teve outra ideia: "Seria possível ele entregar o *e-mail* na entrevista e falar que recebeu de Demarco?".

O banqueiro queria novamente "incriminar" seu desafeto. Mas Yu reagiu rápido: "Caro D., impossível entregar os dois *e-mails*, pois eles foram dados somente para o nosso amigo no Rio em confiança".

Amaral apoiou a decisão de Yu: "O W. Yu leu para mim os dois *e-mails*. Eles não podem ser divulgados, direta ou indiretamente, total ou em parte nem notinhas nem nada. Sei que a tentação é grande".

Nos dias seguintes, quando se avaliava a renovação do contrato de Braga, ocorreu um longo debate entre Dantas, Yu e Amaral sobre os reais préstimos do militar. Dantas queria mais resultados de Braga, que ficara encarregado de procurar o ex-presidente do BC, Gustavo Franco, à época representante dos interesses da TIW. Dantas escreveu a Amaral:

Queria discutir um pouco com você o contrato de Braga. A realidade é que não funcionou. O objetivo era pressionar Gustavo [Franco], que na prática não se intimidou [...] Desde o primeiro contrato que venho insistindo em alguma cláusula de eficácia, ou alguma demonstração de que tem a capacidade de agir.

As críticas de Dantas obrigaram Yu e Amaral a apresentar um relatório sobre "os feitos" de Braga.

É lógico que ele [Braga] não gostou e rebateu: trabalhei bastante; muitas coisas não aparecem de imediato; o trabalho meu não é matemático como um financista; articulei bastante com o sogro e com o GF [Gustavo Franco]; articulei junto aos Fundos; impedi que D. [Dantas] fosse chamado na CPI; o nosso contrato é para TIW vender para o *Português* [ficção criada pelo Opportunity para não revelar a Franco o real interesse do banco] e não entrar numa briga e publicar notinhas no jornal que não propiciam resultados.

O contrato não foi renovado, embora Amaral tenha intercedido em favor de Braga: "O Braga não precisa fazer nenhum papel mostrando que trabalhou. Eu sei que trabalhou e agora tive uma conversa final com DD sobre isso, que concordou".

Até início de 2011, quando foi procurado pelo autor, Temer não tinha conhecimento do contrato firmado entre seu amigo e os representantes do Opportunity. Disse que Braga não fez pressão para que a questão das ilhas Cayman ficasse sem solução.

"O Braga é quase meu irmão. [À época] ele conversou comigo sobre isso, mas muito pouco. Ele sabia que eu estava fazendo isso [investigar as ilhas Cayman]. Mas ele nunca discutiu isso comigo, nunca fez uma demanda política a mim", disse Temer.

Eu não operava pela Câmara, eu operava pelo Ministério Público, com representações. Aí o "engavetador" [procurador-geral da República Geraldo Brindeiro] engavetava. Eu fazia batalha política e dava repercussão. Mas tínhamos uma imensa dificuldade, porque não só os donos de jornal estavam empolgados, [mas também] os repórteres estavam empolgados com o governo tucano. Todo mundo defendeu o Proer.

Mais uma vez, dando prova da idoneidade desses *e-mails*, Braga confirmou ter assinado o contrato com Yu e ter se encontrado com Gustavo Franco, exatamente como dizem as mensagens. Mas minimizou seu papel e disse que ficou sabendo que seu contratante era o Opportunity apenas ao final do contrato. "Eu não gosto de ficar jogando pedra nos outros, sou bastante velho para assumir as besteiras que faço. Mas, vamos dizer assim, eu não gostei, não gostei. Me disseram que era um grupo português, mas depois não era. Se ele me dissesse, no início, que era Fulano de Tal, eu provavelmente diria 'não quero'."[273]

"Nós fomos diretamente ao Gustavo Franco para saber por que ele era, à época, eu acho, o representante da TIW no Brasil. A conversa foi franca e objetiva, mais ou menos curta. 'Pode-se chegar a um valor para uma empresa comprar outra?' Ele disse que não. Não evoluiu mais nada."

Braga também negou ter agido para pressionar Temer. "Eu não fiz esforço nenhum. Eu não tinha o menor poder de evitar." Afirmou ainda que não tinha uma memória precisa sobre os fatos.

---

[273] Entrevista ao autor em 11/02/2011.

"Eu fui queimando os troços, depois de cinco, seis anos. Muito papel foi acumulando, agora não tenho mais. Se eles pudessem me usar, me usariam para outras coisas. Mas eu não sou 'usável' mesmo."

Dantas e Amaral trocaram seus últimos *e-mails* ao final do primeiro semestre de 2002, às vésperas do fim do contrato do consultor. Eles fizeram um balanço de todo o *lobby* realizado pela dupla no governo FHC, objetivos, conquistas e derrotas. Surgiu um gosto bem amargo na relação entre os dois. É um documento precioso sobre os périplos e artimanhas do grupo. Quem deu início à lavagem da roupa suja foi Dantas:

> Gostaria de discutir com você se não seria conveniente alterarmos a nossa estratégia de ação. Temos tido o foco do nosso empenho na *pessoa*. Enquanto os outros têm focado mais abaixo, tipo em Calabis, Tarquínios etc. A realidade é que somos muito bem tratados, nos entendem perfeitamente, mas nada ocorre de fato. Tarquínio fica [na Previ], *Ibiza* não emplaca. Calabi é nomeado conselheiro e não sai. Naji entra no circuito que inclui Calabi. O *Conde* me exclui do Jantar, e inclui Tronchetti [da TI]. Os fundos permanecem na mesma batida. Sou acusado e não posso me defender porque poderia expor quem está nos ajudando — mas a ajuda não ocorre. A pessoa ficou de falar com Ruy Mesquita [de *O Estado de S. Paulo*], mas ninguém falou com Ruy. Depois soubemos que ficou para outra data — ficou? Pimenta atuou pelos italianos [...] Todo o mundo está conseguindo resolver a vida junto aos fundos por caminhos diferentes. Nós optamos por esta direção que me agrada, mas a realidade é que não estamos conseguindo. Ajudamos a *pessoa* em tudo que ela quis, lembre as publicações de jornais etc. Ajudamos antes para não vincular — entendo que não gostem do vínculo, eu também não —, mas o resultado é estranho.

As "publicações" foram anúncios pagos por um grupo de empresários, liderados pelo Opportunity, em apoio ao programa de privatizações.

Em suma, Dantas estava bastante pessimista e, indiretamente, fazia críticas ao trabalho de Amaral. A resposta do consultor foi bastante dura:

> Calabi, já expliquei. Jantar do *Conde*, você não pode ir mesmo, mas talvez seja recebido pela *pessoa* na Embaixada. Tarquínio, concordamos com a solução. Naji, [*sic*] não tem nada o cu de ver com as calças. Ruy, foi cobrado ontem [...] Você, que era por eles (tucanos) considerado uma espécie de novo filho de ACM, até que houve grande progresso. Afinal, não foi pelos seus belos olhos que a *pessoa* gastou com você uma hora e meia, mas três horas, e *Niger*, que não podia ouvir falar de você, ouviu-o atentamente por quatro horas. Progresso houve sim, e muito. Estou aberto para qualquer conversa, mas detesto fatos distorcidos e analisados sob uma ótica que só vê um lado da questão.

O jantar citado por Dantas entre executivos do setor telefônico e membros do governo FHC na Embaixada do Brasil em Roma era fonte de desgosto do banqueiro. Amaral tentou encaixá-lo no jantar, mas não conseguiu. Disse genericamente que ouviu de Matarazzo, o anfitrião, que Dantas estava "malfalado". Dantas reclamou:

> Durante este tempo todo recebi as acusações calado, até acusações de ter feito acusações, o que é bizantino. Se eu estou *falado* foi para proteger o anfitrião [Andrea Matarazzo] e o convidado [FHC], ou pelo menos quem os cerca. Não denunciei nada nem este é o meu estilo, mas não gostei do comentário [de Matarazzo], é no mínimo injusto. Eu conheço a história. Toda essa idiotice de achar que sou eu que está fornecendo informações é tola. Se eu quisesse denunciar, não seria com esta incompetência.

Amaral não renovou o contrato com o banqueiro. Numa mensagem aos seus familiares, ele contou que Dantas chegou a lhe oferecer o dobro do que ganhava.

Oito anos depois, Matusevicius, o servidor do Planalto que recebia os *e-mails* destinados a FHC, confirmou ao autor por *e-mail* que uma de suas funções era levar informações, mas que não se recordava ao certo de todas as pessoas com as quais manteve contato:

> Travamos conhecimento com centenas de pessoas [...] Pode ser que, em uma daquelas ocasiões, tenha encontrado o sr. Roberto [Amaral], mas não tenho recordação de tê-lo conhecido pessoalmente. Nas audiências e nos eventos acima mencionados, diversas vezes os interlocutores ficavam de enviar posteriormente mais dados ou informações para o presidente. Quando isto ocorria, entregava meu cartão, com o *e-mail* do Planalto, e, em várias ocasiões, anotava também o particular para evitar qualquer problema de envio ou recebimento.

Armínio Fraga disse que conhece Dantas, mas que nunca tratou do assunto Cayman com ele. Disse ainda não ter recebido orientação do Palácio do Planalto sobre como tratar o assunto e procurou minimizá-lo. "Assuntos como esse eram encaminhados às áreas técnica e jurídica do BC, não me lembro dos detalhes do caso específico."

Interrogado se lembrava de uma conversa com Temer sobre o assunto, Armínio respondeu que "sim, vagamente, se não me falha [a memória], na Câmara". Por fim, o ex-presidente do BC disse não saber qual o desfecho, dentro do BC, do caso Cayman.

Fernando Henrique Cardoso disse que "jamais daria instruções" ao presidente do BC

> sobre como agir em matéria administrativa, muito menos no sentido de favorecer alguém. Pode ter havido a pretensão, mas sem resultado, e mesmo dela não me recordo. Sei que houve muito barulho (acho que até mesmo pela imprensa) sobre uma lista de brasileiros que teriam investido nas ilhas Cayman para se beneficiarem de isenções fiscais. Eu jamais diria ao BC que não cobrasse das autoridades da ilha isso ou aquilo, se fosse obrigação da autoridade

monetária fazê-lo [...] O mesmo se diga quanto à AGU, cujo responsável de então poderá corroborar a veracidade do que digo.

O ex-presidente disse que não utilizava computadores para se corresponder e que "se os ajudantes de ordens os receberam, é possível, pois recebiam centenas ou milhares de cartas e pedidos". As demandas eram, depois de filtradas, entregues às mãos do presidente. Disse não saber de "pormenores" da cooperação de Amaral com o Opportunity, "mas sabia que [o banco] tinha ligação com ele".[274]

Serra, procurado pelo autor, negou, por meio da assessoria, ter conhecimento dos *e-mails*:

Todas as questões "abordadas" referem-se a supostos fatos transcorridos há nove ou dez anos. Em 2002 José Serra estava no turbilhão da campanha presidencial. Ele jamais tomou conhecimento das supostas tratativas mencionadas e desconhece inteiramente questões sobre supostas listas de cotistas, Previ etc. Qualquer presunção em contrário é delirante.

Os *e-mails* Amaral-Dantas também revelam que, para divulgar notícias de interesse do Opportunity, o consultor mantinha contatos frequentes com pelo menos dois jornalistas: Gilberto di Pierro, o Giba Um, dono de um *site* na internet, e Claudio Humberto, ex-porta-voz do presidente Collor, responsável por uma coluna política publicada na internet e em vários jornais espalhados pelo país. Em dezembro de 2001, Amaral acionou Claudio: "A nota que necessitamos é: o empresário Luís Demarco declarou *sobre* [sic] juramento na corte real da Grand Cayman que com R$ 75 mil pode-se fazer alguém abrir um inquérito na polícia de São Paulo. *De quem* [sic] será que ele está se referindo?".

A nota saiu assim publicada na coluna, no mesmo dia: "Em litígio com o banqueiro Daniel Dantas, o empresário Luís Demarco, ex-sócio e inimigo do dono do Banco Opportunity, declarou na Corte Real da

---

[274] *E-mail* enviado ao autor em 10/03/2011.

Grand Cayman, sob juramento, que 'com R$ 75 mil pode-se fazer alguém abrir um inquérito na polícia de São Paulo'. É mesmo? Quem?".

Os *e-mails* mostram outra operação, mais complexa. Ela envolvia a divulgação do conteúdo dos grampos telefônicos feitos de forma controversa no telefone do ex-consultor de Dantas, Paulo Marinho. As fitas mais importantes haviam sido reveladas pela revista *Veja* em junho do ano anterior. Mas outras permaneciam inéditas. Nos *e-mails*, como despiste, as transcrições de tais grampos foram chamadas de "atas". Dantas e Amaral queriam "esquentar" os grampos, ou seja, dar uma origem para poder usá-los na briga judicial nas ilhas Cayman. Em *e-mail*, Dantas procurou Amaral:

> Tanure aproveitou para publicar o assunto parcialmente é claro no JB. Seria muito útil se eu pudesse mostrar as atas nas ilhas Cayman. Só que o documento, embora gravado legalmente, não foi para investigação desse assunto e, portanto, além de não nos servir como prova, não pode ser usado. A única alternativa seria que eu conseguisse publicar, mesmo que em um jornal menor. Será que você tem como?

Dantas também queria que os internautas ouvissem as conversas, para aumentar o impacto.

"Estou preparando o material da publicação [...] No original são muito mais impressionantes. Será que o nosso amigo poderia divulgar no original (som)? Receberia pronta em formato adequado. Você acha boa ideia?"

Amaral disse que sim. Em 31 de março, ele já havia encontrado alguém disposto a divulgar o material, Giba Um. "O Humberto é amigo dele e pode falar em meu nome. Mande urgente, pois eu o acordei naquela madrugada e prometi os 50 mil dele."

Os áudios foram ao ar no *site* de Giba Um na internet no dia 2 de outubro, acompanhados de notas intituladas "relações incestuosas". Essas mensagens guardam relação com uma série de arquivos depois apreendidos pela PF no computador de um executivo do grupo Opportunity. Havia vinte e um arquivos com conversas telefônicas em formato mp3.

O delegado Saadi tomou o depoimento dos dois jornalistas. Claudio Humberto negou irregularidades, mas confirmou o conteúdo dos *e-mails* apreendidos na casa de Amaral, o que novamente empresta credibilidade ao material apreendido. O jornalista disse que recebia da BrT por propagandas divulgadas em seu *site* na forma de *banners*. Contou que Amaral sempre foi "boa fonte" e que, às vezes, lhe arrumava anunciantes.

Giba Um confirmou à PF que Amaral prestou consultoria a Dantas. Disse que o conheceu por ter sido assessor de imprensa da Andrade Gutierrez, mas negou ter divulgado informações "a pedido de Amaral, Dantas ou Braz" e afirmou que "nunca recebeu recursos de Braz, Dantas ou uma de suas empresas".

O conjunto dos *e-mails* trocados entre Dantas e Amaral contém diversos pontos enigmáticos e perturbadores. Que "envolvimento" seria aquele relativo a Dantas que Amaral teve de relatar a Serra e FHC, o que foi capaz de deixá-los sem ter o que dizer? Por que Dantas, segundo Amaral, não é apenas um simples credor, mas "um grande credor"? Por que a simples menção ao banco Matrix poderia ser considerada, pelo Planalto, uma "chantagem"? O que seriam os "três DL", sobre os quais Serra não teria conhecimento? Por que Dantas achava que Serra deveria pôr "mais ordem e competência nas iniciativas"? O que Dantas tanto sabia sobre o "assunto Telemar" que poderia ser obrigado a revelar? Por que Dantas fez pagamentos à empresa Rivoli, um fato que não lhe "interessa divulgar"? O Banco Central foi mobilizado pelo Planalto para impedir que a lista do fundo nas ilhas Cayman viesse para o Brasil? Por que Dantas afirmou estar "malfalado" porque teve de "proteger" Matarazzo, FHC, "ou pelo menos quem os cerca"?

Amaral, Dantas, FHC, Serra, Braga, Temer, Armínio, Mendes, Matarazzo e todos os outros citados nas mensagens nunca foram interrogados sobre esses pontos nem na PF nem no Judiciário, pois todos os *e-mails* permaneceram sob os cuidados sigilosos do então procurador-geral da República Roberto Gurgel no prédio de vidros espelhados da PGR em Brasília. É provável que tudo já tenha sido arquivado, para o conforto dos interessados. Mas não se sabe. Procurado pelo autor ao longo de duas semanas em 2011, por meio de sua assessoria, Gurgel não esclareceu o que fez, se é que fez, ou o que faria com os *e-mails*. A assessoria informou que Gurgel não teve tempo hábil para dar uma resposta que, contudo, também não veio mais de dois anos depois, até o encerramento deste livro.

Gurgel foi bastante atacado no Congresso em 2012 por não ter tomado providências quando recebeu as primeiras informações sobre o envolvimento do senador Demóstenes Torres (DEM-GO) com o dono de caça-níqueis Carlinhos Cachoeira. Os *e-mails* Dantas-Amaral ficaram desde 2009 sob sua responsabilidade por mais de quatro anos, até que deixou o cargo de procurador-geral da República, em meados de 2013. Ele jamais explicou ao autor deste livro qualquer atitude que tenha tomado sobre o assunto.

Epílogo

Após o expediente do dia 22 de junho de 2010, o juiz De Sanctis deixou seu gabinete no fórum da Justiça Federal de São Paulo e caminhou até a Igreja Presbiteriana do Jardim das Oliveiras, na alameda Jaú, nos Jardins. Ele perguntou na recepção pelo pastor Mauro Meneguelli, indicado por um amigo em comum. O juiz vivia uma encruzilhada na carreira e queria ouvir conselhos. Novamente o TRF abriu a possibilidade de o juiz deixar a 6ª Vara e se tornar desembargador do tribunal. Ele já havia recusado a promoção uma vez. Caso a aceitasse agora, o juiz deveria abrir mão de todos os processos sob sua responsabilidade, incluindo a Satiagraha. De um lado, ele queria continuar no cargo, pois dizia gostar da primeira instância. Por outro, estava profundamente desgastado com as infinitas batalhas promovidas pelo Opportunity, dentro e fora do Judiciário. O banco tentara, de todas as formas, provocar o afastamento do juiz, levando denúncias à imprensa, à Corregedoria do TRF e ao CNJ. Alegava suspeição, imparcialidade, lutava pelo impedimento do juiz.

De Sanctis já havia condenado Dantas por corrupção, mas ainda faltavam o processo principal, sobre crimes contra o sistema financeiro, e mais três inquéritos policiais. O banco não havia vencido o mérito de seus inúmeros pedidos, mas naquele momento o TRF havia trancado o andamento da operação. De Sanctis estava desanimado.

"Não se pode mais julgar no Brasil. Parece que em breve pediremos licença aos réus para condená-los."

O juiz e o pastor conversaram por cerca de uma hora e meia. Prestes a tomar a decisão que mudaria sua vida profissional, De Sanctis chorou.

"Talvez ele tenha chorado por causa da impotência para se fazer justiça neste país. Ele estava fazendo algo importante, de relevância, e passar para outro posto não era tão fácil. Se ele quisesse projeção, *status*, seria muito fácil. Mas não era o que ele queria. Ele chegou à igreja em frangalhos."[275]

Ao final daquela noite, o juiz decidiu encerrar sua carreira na primeira instância. Quase três anos depois de assumir a Satiagraha, ele finalmente saiu do caminho de Dantas, objetivo que o banqueiro tanto perseguiu durante dois longos anos. A última medida tomada pelo juiz na Satiagraha foi justamente negar mais um pedido para que deixasse a condução do processo.

Em janeiro de 2011, De Sanctis tomou posse como desembargador, numa sessão curta e simples na sede do TRF, na avenida Paulista. A expectativa era que De Sanctis, dada sua experiência, no TRF fosse colocado na área que julga matérias penais. Por coincidência, naquele momento, abriu-se uma vaga na 5ª Turma, que analisa os casos criminais. Era um destino tão natural, que De Sanctis chegou a ser procurado por dois colegas, que buscavam dados sobre processos que seriam discutidos na próxima sessão da turma.

Na cerimônia da posse, contudo, De Sanctis sofreu um baque. Em discurso, o deputado federal Arnaldo Faria de Sá informou à plateia que o juiz iria atuar na área previdenciária, em substituição ao desembargador Antonio Cedenho. De Sanctis não sabia, ficou espantado. No dia seguinte, o primeiro ofício que assinou foi direcionado à presidência do TRF: "Aparentemente, haveria algum equívoco, uma vez que me foi afiançado, categoricamente, pelos funcionários dessa egrégia presidência, de que não havia interessados na vaga disponível na 5ª Turma". A presidência respondeu que um desembargador mais antigo, que

---

[275] Entrevista de Mauro Meneguelli ao autor em 29/12/2010.

pediu para ocupar o gabinete, tinha preferência, conforme previsto no regimento interno do tribunal.

Assim, o juiz que atuou nas principais investigações de crimes financeiros e lavagem de dinheiro da história recente do país, que determinou a prisão de dois banqueiros e de um megatraficante e que deu seguidas palestras sobre esses temas na Europa e nos Estados Unidos a partir de fevereiro de 2011 passou a decidir sobre recursos de pessoas que tiveram seu benefício recusado pelo INSS.

Em setembro de 2010, De Sanctis lançou um livro de ficção, protagonizado por um juiz com as mesmas iniciais do seu nome. Ele escreveu:

> Fernando Montoya Di Sorrento muitas vezes pensou em desistir, abandonar seu ideal. Muitas vezes sentira dor pelo sentimento de injustiça e o peso de responsabilidade [...] Muitas vezes se emocionou sentindo o gosto de derrotas inexplicáveis [...] Tinha, como muitos, um desejo: ser feliz, sem se valer de desgraças alheias. E ter paz. Só isso.

O 7 de junho de 2011 foi um dia estranho para De Sanctis. Trouxe-lhe um pouco da paz que o personagem do seu livro pedia, mas muito desassossego. O CNJ reuniu-se em Brasília para julgar a última representação apresentada por Dantas contra o juiz no conselho. O banqueiro e seu braço direito, Dório Ferman, acusaram De Sanctis de ter "sonegado" informações ao TRF e ao STF. Essa argumentação já havia sido analisada e rejeitada pelos desembargadores do TRF de São Paulo, após seis horas de uma extensa análise dos fatos. Consideraram que De Sanctis não cometeu nenhuma falha disciplinar ao defender o sigilo da Operação Satiagraha. Dantas recorreu ao CNJ.

O conselho é presidido pelo presidente do STF e funciona num anexo do STF na Praça dos Três Poderes, a poucos metros do plenário e dos gabinetes dos ministros do tribunal. Dos catorze carros oficiais usados pelos conselheiros em 2011, cinco foram adquiridos e doados pelo Supremo. Suspeitas ou acusações contra ministros do STF não podem ser investigadas pelo CNJ, por lei.

De Sanctis se sentou na primeira fila da plateia. O juiz só podia se manifestar por meio de seu defensor, o advogado Pierpaolo Bottini, que ficou à sua esquerda. O lugar à direita foi ocupado pelo presidente da Ajufe (Associação dos Juízes Federais), Gabriel Wedy, que, ao falar por dez minutos ao microfone para os conselheiros, ecoou a nota oficial que soltara um dia antes em defesa do juiz.

"A sociedade precisa ter um juiz que não tenha medo de julgar um político, o banqueiro mais poderoso do país. Não se pode esconder o elefante atrás de uma cadeira."

Em seguida, falaram os advogados de Dantas e Ferman, Luciano Feldens e Antônio Pitombo. O juiz teve de ouvir, calado, várias acusações dos representantes das mesmas pessoas que ele mandara prender três anos antes. Como uma trama kafkiana, agora o réu era o acusador, e o juiz, o acusado.

A conselheira encarregada de relatar a representação, Morgana Almeida Richa, não poderia ter um currículo mais distante da realidade de uma operação policial de grande envergadura na área de ilícitos financeiros. Morgana atuava na área trabalhista, tendo sido indicada ao cargo no CNJ pelo TST (Tribunal Superior do Trabalho). Os seus dezoito anos na área trabalhista não impediram que a juíza proferisse um violento voto contra De Sanctis. Sobre a possível sonegação de dados ao TRF, Morgana disse não ver nenhum indício, mas, quando passou a analisar o mesmo em relação ao STF, seu voto acompanhou as suspeitas lançadas pelo Opportunity. Ela recorreu à gravação da reunião na PF que determinou o afastamento de Protógenes da Satiagraha para afirmar que o segundo pedido de prisão já havia sido tramado com antecedência, sugerindo que o juiz se rebelou contra o Supremo. A mesma versão que o TRF e o ministro do STF Marco Aurélio Mello já haviam descartado. Morgana passou ao largo das evidências recolhidas no dia da deflagração da operação e do depoimento de Hugo Chicaroni. Ao final do voto, contudo, Morgana pediu o arquivamento da representação, sob a alegação de que a legislação não permitia a aplicação de uma pena de censura contra um desembargador federal. O voto foi aprovado por unanimidade.

Para De Sanctis, a vitória teve um gosto de derrota. Ele custava a entender como uma colega podia "julgar o julgamento" de um colega da área criminal. E os advogados de Dantas passaram a dizer aos jornalistas que "houve um crime, mas sem castigo". O juiz não conseguiu comemorar nem mesmo no dia em que se livrou da última suspeita.

Outro protagonista da Satiagraha também começou uma vida inteiramente nova em 2011. Com o voto de 94.906 paulistas, Protógenes assumiu em Brasília o mandato de deputado federal pelo PCdoB. Foi uma eleição difícil, na esteira da votação de 1,35 milhão de votos do palhaço Tiririca. Os eleitores parecem ter relevado a informação, divulgada na campanha, de que o delegado guardava R$ 284 mil em sua casa, uma prática no mínimo estranha. Protógenes alegou que não confiava no sistema financeiro, pois mafiosos poderiam clonar seus cheques e usar sua conta bancária.

O delegado gastou R$ 897 mil em sua campanha, bancada majoritariamente pelo comitê financeiro do PCdoB, que por sua vez foi alimentado com R$ 2,8 milhões de grandes doadores, como usineiros e um grande banco, o Alvorada, um canal usado pelo Bradesco para fazer doações eleitorais. Numa das muitas ironias que enfrenta ao entrar na política, Protógenes foi eleito com ajuda do mesmo setor econômico de Daniel Dantas.

Há outra contradição. Protógenes integrava o arco de alianças do PT, pois o diretório nacional petista, que ajudou a eleger a presidente Dilma Rousseff (PT), foi apoiado nas eleições por ninguém menos que Dantas. Duas empresas do Opportunity doaram R$ 1,5 milhão para o diretório, na chamada doação oculta, quando o dinheiro cai na conta partidária e é redistribuído para vários comitês e candidatos para ser usado na compra de camisetas, impressão de folhetos e produção de programas de tevê. Já que o PCdoB paulista e seus candidatos, como Protógenes, se aliaram ao PT, não é demais imaginar que Dantas possa ter, indiretamente, ajudado a eleger o delegado.

No início do seu mandato, Protógenes apresentou um projeto de lei que equipara a pena prevista para o crime de corrupção à de homicídio. Foi aplaudido. Mas sofreu um revés logo em seguida, ao chamar o então presidente da CBF, Ricardo Teixeira, de "incansável lutador". O deputado recebeu uma torrente negativa de *e-mails* e comentários nas redes sociais da internet. "Você é mais uma grande decepção na política brasileira. Exaltar publicamente Ricardo Teixeira e João Havelange foi demais!", escreveu o internauta Andrew Porto, da Austrália. Pela primeira vez, Protógenes experimentou a repulsa dos eleitores que entenderam que o seu mandato não iria compactuar com figuras tão controversas quanto os maiores cartolas do futebol.

O procurador Rodrigo De Grandis permaneceu na Procuradoria da República em São Paulo. Ricardo Saadi mudou-se para Brasília em 2010, onde passou a chefiar o DRCI, departamento do Ministério da Justiça voltado para cooperação internacional em matéria de ilícito financeiro e recuperação de ativos. Depois do caso Banestado, o perito da PF Renato Barbosa passou a trabalhar na PGR (Procuradoria-Geral da República), em Brasília, onde ajudou a montar um setor de análise e apoio ao trabalho de procuradores em todo o país. De Grandis, Saadi e Renato contornaram as tensas condições dos inquéritos que trataram dos negócios do Opportunity e puderam seguir adiante naquilo que aprenderam a fazer.

Em 2011, o Opportunity voltou com força total ao tema da suposta presença ilegal de agentes da Abin na Satiagraha. A alegação já havia sido derrotada na 5ª Turma do TRF da 3ª Região (SP e MS). Ali, o banco também havia pedido a nulidade de todas as provas colhidas ao longo da Satiagraha, como se o fato de um araponga ter olhado ou transcrito conversas telefônicas pudesse pulverizar a própria existência da escuta, esta obtida por ordem judicial, copiada pela empresa de telefonia e repassada à PF dentro dos trâmites legais.

Por unanimidade, os desembargadores da turma do TRF acolheram o relatório da colega Ramza Tartuce e concluíram que a ação da Abin "deu-se de forma secundária, incapaz de justificar qualquer alegação de nulidade de prova". Os juízes disseram ainda que "o Estado, para o aprimoramento do sistema de inteligência e combate ao crime, notadamente aquele organizado, deve promover o compartilhamento de dados entre as instituições, que integram o [Sisbin] Sistema Brasileiro de Inteligência".

Criado em 1999, o Sisbin é gerido pela Abin e coordena as ações de "planejamento e execução das atividades de inteligência no país". A lei explica que por inteligência se compreendem a obtenção, análise e disseminação de conhecimentos sobre "fatos e situações de imediata ou potencial influência sobre o processo decisório e a ação governamental sobre a salvaguarda e a segurança da sociedade e do Estado" — uma "influência" que não se pode negar à corrupção.

O Sisbin tem como integrantes a Casa Civil, o GSI e a Abin, vinculados à Presidência da República, e mais onze ministérios. Os representantes do Ministério da Justiça são seis, dentre os quais, justamente "a Diretoria de Inteligência Policial do DPF" (decreto presidencial nº 4.376/2002), o mesmo local onde corria a Satiagraha.

A mesma discussão também já havia passado pela 2ª Câmara de Coordenação e Revisão da PGR. O subprocurador-geral da República Wagner Gonçalves deu um contundente parecer favorável à ação da Abin. Ele explicou que o poder de polícia na Satiagraha foi sempre exercido pela PF na operação. De acordo com a Constituição, à PF cabe "exercer, com exclusividade, as funções de polícia judiciária da União". Não veio à tona nenhuma prova de que os arapongas tenham exercido atividade que significasse a usurpação do poder da polícia, como tomada de depoimentos, obtenção de ordem judicial para quebra de sigilos ou interceptações telefônicas. Os arapongas da Abin serviram como analistas de informações obtidas regularmente no Judiciário, além de seguir e fotografar algumas pessoas na rua.

Concluiu o subprocurador:

> Todas as medidas cautelares, busca e apreensão, interceptações telefônicas etc., deferidas judicialmente, não foram solicitadas pela Abin, mas pela Polícia Federal [...] ou pelo Ministério Público. O cumprimento de mandados do juízo, decisões, ordens etc. foi executado pela Polícia Federal, entrando os agentes cedidos [da Abin] como meros coadjuvantes,

em questões pontuais e determinadas, sob ordens da Polícia Federal, muitos deles desconhecendo o objetivo maior da operação.

As decisões apoiam uma prática que é comum no mundo todo: o serviço secreto se dedica a identificar e combater potenciais ameaças ao país. Há notícia de que o poderoso chefe da Camorra napolitana, Paolo di Lauro, foi preso em 2005 com a ajuda sigilosa do Sisde (hoje Aisi), responsável pelo serviço secreto doméstico na Itália.[276] Ameaças ao Estado, na forma de células terroristas, são a investigação prioritária de agências de inteligência como a americana CIA e a alemã BND, ou sua parte doméstica, BfV. Uma das atribuições da mexicana Cisen é "propor medidas de prevenção, contenção, dissuasão e desativação de riscos e ameaças à segurança nacional". Segundo a lógica de Protógenes, a corrupção em altos escalões da República era uma ameaça tão específica e real quanto um homem-bomba.

Em 2011, os advogados do Opportunity Andrei Zenkner Schmidt e Luciano Feldens, um ex-procurador da República, impetraram *habeas corpus* para anular a decisão do TRF. À causa no STJ somou-se o advogado Tiago Cedraz, filho do ministro do TCU Aroldo Cedraz. (A armada dos advogados dos réus da Satiagraha incluiu, depois de 2010, Márcio Thomaz Bastos, o poderoso ex-ministro da Justiça no governo Lula. Ele passou a defender o ex-sócio de Dantas no Opportunity, Pérsio Arida, indiciado no inquérito sobre o fundo nas ilhas Cayman.)

O subprocurador-geral da República Eduardo Antônio Dantas Nobre foi o responsável por atuar no HC. Contrário à posição anterior do seu colega Wagner Gonçalves, Nobre disse que a Satiagraha deveria ser anulada desde o princípio. O ministro relator do caso foi o juiz do Tribunal de Justiça do Rio convocado, Adilson Macabu. Ele concordou com a posição de Nobre e deu voto no sentido de anular todas as provas da investigação, o que incluiria cancelar a condenação de Dantas, em primeira instância, por corrupção ativa no caso do oferecimento de dinheiro aos delegados da operação.

---

[276] *Gomorra*, de Roberro Salviano (Ed. Bertrand Brasil, 2006).

Ao ler nos jornais sobre o voto de Macabu, o delegado Protógenes peticionou no HC para pedir a suspeição do juiz. Apontou que o filho do ministro trabalhava como advogado do escritório de Sérgio Bermudes, no Rio. Para o delegado, havia "nítida existência de amizade íntima e interesse no julgamento". Após analisar o pedido do delegado, a quem chamou de "aético, parcial, agressivo, desarrazoado e antijurídico", Macabu não se considerou impedido. "Não sou amigo íntimo nem inimigo capital de quaisquer das partes, [nem] sequer as conheço, pessoalmente." O juiz disse que é "fato público e notório que o escritório de advocacia Sérgio Bermudes nunca advogou para o paciente Daniel Valente Dantas, pessoa física, mas para o Opportunity, em causas cíveis, e isto, há mais de cinco anos, entre 2001 e 2005".

Como vimos, entretanto, na investigação sobre o leilão das companhias telefônicas, Bermudes acompanhou Dantas em depoimento no Ministério Público Federal. Também não ficou clara a diferença entre advogar para um réu e advogar para uma empresa pertencente ao réu. Macabu disse ainda que "desde 2007" o escritório de Bermudes "litiga judicialmente contra os interesses do Opportunity", citando uma causa que a Bradesplan moveu contra "Elétron S.A., empresa controlada pelo Opportunity Anafi Participações".

Quando o HC foi levado à 5ª Turma do STJ pela primeira vez, em março de 2011, o ministro Gilson Dipp pediu vistas do processo. Devolveu-o em maio, opinando pela manutenção da Satiagraha. Explicou que a participação dos agentes da Abin não envolveu atividades típicas da polícia judiciária, como tomada de depoimentos e formulação de pedidos de interceptações telefônicas. A ministra Laurita Vaz pediu vistas aos autos, devolvendo-os a 7 de junho.

Por volta das 18h20 daquele dia, os cinco ministros da 5ª Turma do STJ começaram a definir o julgamento do HC. Na plateia, havia onze advogados do grupo Opportunity.

Laurita anunciou que era contrária à anulação da Satiagraha, acompanhando o entendimento de Dipp. Ela afirmou que o voto do relator, Adilson Macabu, havia ultrapassado o próprio pedido do banqueiro.

"Eles [Dantas] queriam tão somente a nulidade dos procedimentos acima proferidos [uma sessão do TRF contrária à anulação da Satiagraha].

Nem mesmo os impetrantes vislumbraram, a princípio, a nulidade da ação penal. Não foi trazido a debate pelos impetradores."

Laurita relatou que não estava claro o trabalho desenvolvido pela Abin:

> Mesmo que se admita que houve a participação [de agentes da Abin], tal participação não estaria bem delineada, não esclarecida de que forma, finalidade, grau de tarefas [...] Haveria, sem dúvida, a necessidade de um exame aprofundado dos fatos e provas para se aferir os exatos contornos dessas investigações e seus personagens.

O ministro convocado Macabu já havia lido seu relatório, em março. Mesmo assim, ele novamente pediu a palavra e fez vários ataques à Satiagraha.

"Foram ultrapassados os limites da lei e da Constituição. É inquestionável o prejuízo [ao andamento da ação]."

Com o empate por dois a dois, a decisão sobre o julgamento caberia ao catarinense Jorge Mussi, de cinquenta e nove anos, ministro do STJ desde dezembro de 2007. O ministro fez inúmeras referências à ação judicial da 7ª Vara Federal Criminal de São Paulo, na qual o juiz Ali Mazloum condenou Protógenes por fraude processual e violação de sigilo funcional.

Para ligar aquela condenação ao HC em discussão, Mussi indagou: "Os funcionários da Abin prestaram informação sigilosa a algum jornalista?". O próprio ministro respondeu que sim, que dois funcionários da agência, "Thélio Braun e Luiz Eduardo de Melo", teriam "possibilitado à jornalista" — cujo nome ele não citou, mas certamente se referia à Andréa Michael, então na *Folha* — "dados para a veiculação" de uma reportagem.

Mussi, contudo, não esclareceu que o inquérito por ele citado jamais indiciou qualquer servidor da Abin por vazamento de informações. As alegações constaram apenas de um relatório da PF, mas não se traduziram em indiciamento ou condenação. Ficaram no inquérito do delegado Amaro como uma mera possibilidade. O suposto vazamento de informações pelo qual Protógenes foi condenado não tinha relação com funcionários da Abin, mas, sim, com os produtores da TV Globo, no restaurante El Tranvía — o que Mussi novamente deixou de explicar. O HC em discussão no STJ não tratava do vazamento da TV Globo, mas da ação da Abin. Andréa Michael nunca disse ter recebido dados de qualquer servidor da Abin. Thélio Braun e Luiz Melo nunca foram acusados ou condenados por suposto vazamento. Ao decidir os destinos da Satiagraha, o ministro do STJ valeu-se de uma suspeita que jamais ficou provada.

Mas Mussi foi adiante. Citando a controversa teoria do "fruto envenenado que contamina toda a árvore" — a mesma argumentação oriunda dos Estados Unidos tantas vezes levantada pela defesa do Opportunity, na Justiça e em entrevistas de seus advogados à imprensa —, o ministro mandou cancelar todas as provas da Satiagraha. O ministro afirmou: "Se a prova que deu origem à persecução, [que] deu origem ao *persecuto*, se ela é natimorta, é preferível que demos desde logo o atestado de óbito, para que amanhã não seja usada [...]".

À decisão coube recurso. Em março de 2012, a PGR anunciou ter entrado com recurso extraordinário, que não havia sido julgado até o encerramento deste livro. O ministro do STJ Felix Fischer determinou o envio do recurso ao STF. A subprocuradora-geral da República Lindôra Maria Araújo afirmou, no recurso, que as medidas cautelares, como a interceptação telefônica, foram requisitadas ao Judiciário não pela Abin, mas pela Polícia Federal e pelo Ministério Público. É uma informação que pode ser facilmente verificada pela consulta aos autos. Segundo a subprocuradora, não houve ilicitude na colheita das provas, o que "pode ter havido foi colaboração e auxílio, dentro de uma operação que nunca saiu do controle da Polícia Federal".

O sonho de toda pessoa condenada na Justiça por um ilícito é receber a notícia de que todas as provas contra ela, todas as interceptações telefônicas, todos os depoimentos incriminadores, enfim, todo o processo foi anulado, zerado, fulminado por uma mão divina. Seria como entrar imundo num lava a jato e sair limpo do outro lado. Naquele 7 de junho de 2011, foi o que ocorreu com Daniel Dantas. As muitas horas de gravações sobre o suborno, a apreensão do dinheiro na casa de Chicaroni, os relatórios do Banco Central, os depoimentos de doleiros sobre o Opportunity Fund, as operações de mútuo entre as empresas ligadas ao Opportunity, ou seja, toda e qualquer evidência coletada durante a Satiagraha foi, pelas mãos de três ministros do STJ, incinerada.

Em fevereiro de 2012, Daniel Dantas teve outra vitória retumbante. A juíza substituta da 5ª Vara Federal Criminal de São Paulo, Adriana Freisleben de Zanetti, absolveu onze pessoas da acusação de "formação de quadrilha" feita pelo Ministério Público no caso da Operação Chacal, dentre as quais Dantas, Carla Cico, Eduardo Sampaio e Charles Carr. Os únicos condenados, que ainda poderiam recorrer em liberdade e tiveram as penas de dois anos de reclusão substituídas por penas restritivas de direitos, foram Eduardo Gomide, Thiago Carvalho dos Santos, William Goodall, Tiago Verdial e Júlia Marinho Leitão da Cunha. Segundo a juíza, embora "haja várias passagens no processo em que a acusação afirma que Carla e Daniel conheciam e sabiam dos métodos ilícitos da Kroll, nada há de concreto nesse sentido". A juíza se ateve a verificar se a dupla soube que algum crime foi cometido durante as ações da Kroll, e entendeu que não. A decisão não disse que a investigação privada não ocorreu, tanto que condenou cinco pessoas.

Entre 2010 e 2011, o Opportunity denunciou as supostas "ilegalidade e fraude" na Satiagraha e "parceria privada". Voltou a retratar o banqueiro como vítima de uma espécie de conspiração do governo petista. Segundo essa teoria, Dantas, ao tentar proteger os direitos de seus investidores, acabou destituído por grupos do PT incrustados nos fundos de pensão e foi perseguido pela PF. Para que seja plausível, a tese deve desconsiderar todas as diversas brigas que Dantas já travara em vários *fronts* com pessoas e instituições que já haviam sido seus parceiros, como a TIW, a Telecom Italia, Demarco e, principalmente, os fundos de pensão ainda no governo FHC. Em 2005, a lista seria engrossada com o Citibank, principal apoiador das ações de Dantas no Brasil. Resta acreditar que todos esses personagens e empresas integravam, na verdade, um único vasto esquema contra o Opportunity, a envolver dezenas e dezenas de pessoas, e principalmente que o esquema envolvesse membros do Executivo, do Ministério Público e do Judiciário.

As novas teses contra a Satiagraha, como a equivocada alegação de que a Abin conduziu inquérito policial, vêm se somar, como estratégia jurídica e jornalística, às teses da "montagem italiana" na Operação Chacal, da "decisão plagiada" da juíza Márcia Cunha, das "contas secretas" de Lula, Paulo Lacerda e outros, do "grampo no STF", da "fraude" da gravação da TV Globo no restaurante El Tranvía, da "espionagem ilegal" de Protógenes e da "suspeição" de De Sanctis.

Entre janeiro e fevereiro de 2010, procurei com insistência o Opportunity — por *e-mail*, telefone e em conversas mantidas com suas assessoras de imprensa, incluindo dois encontros em cafés de São Paulo — para que Daniel Dantas me recebesse, por quanto tempo julgasse necessário, para dar sua versão sobre os acontecimentos narrados neste livro. Nessa época, certamente por uma enorme coincidência, o Opportunity peticionou na Justiça Federal para que a PF abrisse um inquérito para investigar um suposto vazamento de informações relacionado a uma reportagem de minha autoria, divulgada na *Folha* no dia 5 de janeiro, que abordava uma decisão no caso Chacal. No final de 2010, já morando em Brasília, tomei um avião e tive que prestar depoimento no inquérito aberto na PF paulistana. O delegado que me ouviu se disse surpreso ao verificar que a fonte da minha matéria não era outra senão o *Diário de Justiça* eletrônico. A juíza do caso, cumprindo a Constituição, havia divulgado publicamente sua decisão, de onde retirei os dados para a minha reportagem.

Em fevereiro, por fim, uma executiva do banco me informou por *e-mail* que Dantas não me receberia para este livro e acrescentou:

> As informações que recebemos é que o sr. está comprometido com um projeto contra Daniel Dantas e o Opportunity, do qual o livro faz parte. Se essas informações são verdadeiras ou não, não sabemos. O fato é que o senhor escreveu 83 matérias, entre 2008 e 2010, com viés contra o sr. Daniel Dantas e o Opportunity.

Perplexo, protestei por escrito. Pedi que o banco apresentasse provas do que afirmou. Observei ainda que, na maioria das reportagens produzidas por toda a imprensa entre 2008 e 2010, certamente houve "viés contra" o banco, já que ele foi alvo da Satiagraha, e isso se traduziu no noticiário. O banco, então, pediu desculpas "se porventura fizemos um juízo incorreto a seu respeito". Jamais apresentou qualquer prova do suposto "projeto" do qual eu faria parte. Nem poderia, pois ele não passa de uma invenção.

De acordo com o *ranking* semestral das instituições financeiras, divulgado pelo Banco Central, o Opportunity manejava, em junho de 2008, um mês antes da Satiagraha, R$ 16,6 bilhões em recursos de terceiros. Seis meses depois, o valor caiu para R$ 8,5 bilhões, uma sangria brutal, mas é preciso lembrar que a Satiagraha coincidiu com uma grande crise econômica mundial, que provocou perdas em todos os fundos de investimento. Contudo, com o passar do tempo, o Opportunity se recuperou. No final de 2010, com R$ 11,1 bilhões, o Opportunity era o nono maior grupo na administração de recursos de terceiros. Em relação ao *ranking* de junho de 2008, galgou três posições.

Mas o grande negócio do Opportunity desde 2008 é o conjunto de pelo menos vinte e uma fazendas que formam a Agropecuária Santa Bárbara Xinguara, no Pará, que cria para abate mais de 500 mil cabeças de gado. A agropecuária tocada pelo ex-cunhado de Dantas, Carlos Rodenburg, recebeu cerca de R$ 1,5 bilhão em investimentos entre 2005 e 2008 e virou alvo de um inquérito sob suspeita de lavagem de dinheiro, também paralisado após a decisão do STJ. As propriedades, adquiridas de diversos clãs paraenses ao longo dos últimos anos, se estendem por quinze municípios, que se fossem reunidas comporiam um formidável latifúndio de "mais de 500 mil hectares".[277]

No Pará, essa região é marcada por conflitos armados e denúncias de trabalho escravo, quadro que deu origem a uma intensa mobilização de entidades de trabalhadores rurais sem-terra.

Três semanas após a deflagração da Satiagraha, o MST (Movimento dos Trabalhadores Rurais Sem Terra) invadiu uma fazenda da Santa

---

[277] *Slide* distribuído no Pará em 2008 à imprensa pela agropecuária.

Bárbara, a Maria Bonita. Em 2009, o MST também invadiu a Espírito Santo, em Xinguara, e a Cedro, em Marabá, num total mobilizado de 800 famílias. Em 18 de abril de 2009, seguranças da Santa Bárbara e sem-terra entraram em conflito armado, resultando em ferimentos de seis colonos e um vigilante.

As denúncias sobre o uso de seguranças armados em fazendas da região chegam ao Congresso Nacional desde 2001, mas a prática persiste, tornando essas regiões um barril de pólvora, agora colocado sob os pés do banqueiro. Dantas trocou o império das telecomunicações pelas grandes fazendas no interior do país. Como nota irônica, a mesma atividade do seu trisavô, Cícero, que, em vez do MST, teve como adversário o beato Conselheiro, fazendo ecoar a sentença do Instituto Genealógico da Bahia, fundado em 1945 por um avô de Daniel Dantas: "Os descendentes colherão os teus frutos".

Agradecimentos

O editor da Geração Editorial, Luiz Fernando Emediato, teve papel fundamental na divulgação deste livro. A ele sou grato por ter acreditado no valor jornalístico e no interesse público desta narrativa. Sua coragem tornou a Geração Editorial um dos principais pontos de apoio hoje no país às liberdades de expressão e de informação. Também sou grato ao diretor da Geração Willian Novaes, que se dedicou com grande entusiasmo à tarefa de tornar pública esta história.

Este livro também não teria sido possível sem o programa sabático da *Folha*, que concede a seus funcionários folga remunerada para a realização de projeto de aperfeiçoamento pessoal ou profissional. O programa, criado em 2000 pela Direção de Redação e por anos sob comando da jornalista Ana Estela, da Editoria de Treinamento, já atendeu a mais de 120 jornalistas. Devo agradecimentos ao meu antigo editor da ex-editoria de Brasil, hoje Poder, Fernando de Barros e Silva, à sua sucessora no cargo, Vera Magalhães, ao ex-subeditor de Brasil Marcelo Diego e a Melchiades Filho, ex-diretor da Sucursal da *Folha* em Brasília, pelas manifestações de incentivo ao projeto e a compreensão pelo tempo que dediquei ao assunto.

Agradeço a todos os entrevistados que deixaram suas agendas de lado para me fornecer esclarecimentos e informações.

Diversos amigos e colegas generosamente compartilharam arquivos e informações, sugeriram fontes e indicaram caminhos. O amigo Chico Otávio facilitou-me contatos no Rio. André Guilherme deu-me a cópia de um notável arquivo de áudio. Flávio Ferreira, que também cobriu o caso Satiagraha em São Paulo, socorreu-me com dicas e informações preciosas. Leonardo Souza cedeu-me documentos que faltavam sobre determinado tema. Iran Alves, colaborador da *Folha* especializado em pesquisas em fontes abertas, obteve num cartório do Rio a íntegra de um acordo societário fechado em 2008 e deu-me uma cópia.

Algumas vezes, tomei o tempo de talentosos jornalistas, tais como Mário Magalhães, Tiago Ornaghi, Mario Cesar Carvalho, Leonêncio Nossa, Amaury Ribeiro Júnior, Donizete Arruda, Frederico Vasconcellos, João Carlos Magalhães, Rodrigo Lopes, Jailton de Carvalho, Lucas Ferraz, Matheus Leitão, Ana d'Angelo, Catia Seabra, Ana Flor e Andreza Matais, muitos dos quais meus amigos.

A ex-diretora da PubliFolha Ana Busch e a ex-editora responsável Luciana Maia me incentivaram desde o primeiro minuto.

Na Bahia, pude contar com a atenção do jornalista Luiz Francisco e dos historiadores Consuelo Novais Sampaio e Álvaro Pinto Dantas de Carvalho Júnior. No Arquivo Nacional, em Brasília, recebi o apoio para pesquisa da coordenadora regional Maria Esperança de Resende, de Paulo Augusto Ramalho, Pablo Endrigo, Camila, Vera, Tereza e Raynes. Os assessores de imprensa da Procuradoria da República em São Paulo Marcelo Oliveira e Frederico Antonio Ferreira, da Procuradoria no Rio, Gabriela Weiterschan Levy, da direção-geral da PF em Brasília, Flávia Diniz, José Gomes Monteiro Neto e Bruno Ramos Craesmeyer, e da Secretaria de Segurança Pública do DF, Vasconcelos Quadros, procuraram facilitar o contato com autoridades. Também devo ressaltar que a assessora de imprensa do grupo Opportunity, Elisabel Benozatti, procurou, na medida do possível, fornecer a posição do banco sobre dúvidas que apresentei. As respostas estão registradas ao longo desta narrativa.

O livro é dedicado à minha mãe, Yolanda, às irmãs Lígia e Diva, aos irmãos e familiares. Em memória, ao irmão Francisco e ao sobrinho Eduardo Ducatti Soares, que faleceram no período em que eu trabalhava neste livro.

Índice Onomástico

Abraham, Wilson Mirza 272, 300
ACM (Antônio Carlos Magalhães) 26, 27, 28, 47, 48, 49, 51, 52, 53, 54, 55, 77, 78, 86, 407, 409, 413, 429
Aith, Marcio 174, 207, 209
Almeida, Luís Roberto Demarco 98, 99, 100, 101, 102, 103, 104, 105, 106, 107, 108, 109, 110, 111, 113, 114, 115, 116, 138, 139, 140, 142, 151, 152, 167, 169, 171, 172, 174, 176, 177, 190, 191, 192, 193, 215, 256, 247, 270, 279, 281, 296, 362, 385, 386, 387, 388, 401, 419, 421, 425, 431
Almeida, Rafania 228
Alzugaray, Domingo 173
Amaral, Ricardo 27
Amaral, Roberto 269, 399, 400, 401, 402, 403, 404, 405, 406, 407, 409, 410, 411, 412, 413, 414, 415, 416, 417, 419, 420, 422, 423, 424, 425, 426, 429, 430, 431, 432, 433, 434
Amorim, Paulo Henrique 172, 177, 385, 386, 387
Andrade, Sérgio 72, 96, 247, 411
Araújo, Idalberto Matias de 232, 259, 338
Arcanjo, Luiz Paulo 410, 424
Arida, Pérsio 57, 58, 63, 68, 69, 70, 74, 99, 100, 101, 103, 104, 105, 109, 110, 138, 442
Attuch, Leonardo 42, 157, 384
Azevedo, Daniel Lorenz de 225, 226, 230, 232, 233, 255, 256, 258, 259
Azevedo, Otávio 271

Balbino, Antônio 26
Barbosa, Joaquim 212, 213, 292, 356, 372

Barbosa, Renato Rodrigues 120, 440
Barros, Antonio Fernando 212, 213, 372, 450
Barros, Luiz Carlos Mendonça de 47, 60, 61, 66, 67, 68, 69, 71, 72, 73, 74, 75, 76, 77
Bastin, Richard 94, 159
Bastos, Márcio Thomaz 134, 181, 207, 210, 221, 223, 245, 442
Batista, Eliezer 43
Batochio, José Roberto 210
Beira-Mar (Luiz Fernando da Costa) 117
Bellomusto, Ranieri 277, 278, 280, 281, 295, 296, 297, 301
Berezovsky, Boris 240, 241, 267
Bermudes, Sérgio 74, 173, 365, 366, 367, 368, 443
Bernardini, Marco 184, 185
Berzoini, Ricardo 290
Bilachi, Jair 68, 69, 75
Bittar, Jacó 165, 166, 167
Boechat, Ricardo 111, 117, 171, 172, 283
Bonera, Marco 160, 187, 190
Borges, Pio 68, 75
Bornhausen, Jorge 122, 124, 128, 129, 130, 136
Bornhausen, Paulo 124
Braga, Antônio Carlos de Almeida (Braguinha) 38, 45, 53
Braga, Carlos Henrique Ferreira 424, 425, 426, 427, 433
Braga, Kátia Almeida 41, 53
Branco, Castello 30

Braz, Humberto José Rocha 14, 15, 16, 17, 18, 20, 21, 138, 234, 238, 252, 257, 268, 269, 270, 271, 272, 273, 274, 276, 278, 279, 280, 281, 283, 300, 301, 314, 318, 324, 386, 399, 431, 432, 433
Brochado, Manoel Rodrigues 29
Browne, Rosângela 110
Bush, George 169, 170

Cagne, Casemir 235, 236
Calabi, Andréa 95, 96, 428, 429
Calazans, José 25
Calmon, Pedro 26
Camanho, Alexandre 129
Campana, José Milton 231
Canabrava, Barão de 24, 25
Cardoso, Eliana 33
Cardoso, Fernando Henrique 34, 49, 50, 52, 53, 54, 55, 57, 58, 59, 61, 62, 65, 66, 67, 70, 71, 74, 77, 78, 80, 81, 85, 133, 142, 169, 171, 177, 180, 199, 332, 334, 351, 355, 356, 359, 361, 362, 365, 370, 400, 401, 404, 406, 407, 411, 413, 414, 416, 419, 422, 423, 428, 429, 430, 433, 446
Carlos, Juan (rei de Espanha) 142, 180
Carr, Charles 142, 152, 154, 210, 446
Carta, Mino 169, 172
Carvalho, Arthur 83, 302
Carvalho, Clóvis 60
Carvalho, Edilson Pereira de 220
Carvalho, Gilberto 257, 309
Carvalho, Luis Mariano de 108

Carvalho, Luiz Maklouf de 366, 367
Carvalho, Márcia Cunha Silva Araújo de 200, 204, 206, 364, 396, 447
Carvalho, Olavo Egydio Monteiro de 39, 40
Carvalho, Sérgio Antônio de 200
Cascudo, Luís da Câmara 24
Casseb, Cassio 87, 88, 89, 90, 91, 151, 180
Castro, Antônio Carlos de Almeida 164, 268
Castro, Fidel 32
Castro, Paulo Rabello de 51, 52
Castro, Reginaldo de 358, 359, 360
Cedraz, Tiago 442
Cerântula, Robinson Braios 274, 275, 276, 277, 278, 340
Cesar, Arnaldo 43
César, Moreira (coronel) 24
Chaer, Márcio 138, 139
Chicaroni, Hugo Sérgio 13, 14, 15, 16, 17, 18, 19, 20, 21, 22, 23, 272, 273, 274, 276, 279, 280, 281, 282, 283, 284, 298, 300, 301, 314, 373, 376, 378, 388, 438, 445
Chong, Law Kin 219, 221, 275, 295
Cico, Carla (CC) 94, 96, 97, 98, 140, 141, 142, 143, 148, 150, 152, 154, 155, 157, 159, 160, 164, 165, 166, 178, 179, 180, 182, 185, 186, 199, 200, 210, 446
Cipriani, Antonio 137
Cipriani, Emanuele 184
Clemenceau, Georges 235
Colannino, Roberto 95

Collor, Fernando 39, 40, 41, 42, 43, 44, 47, 51, 53, 56, 351, 431
Comfort, William 65
Conselheiro, Antônio 25
Constance 235, 236
Corrêa, Hudson 256, 356
Corrêa, Luiz Fernando 223, 224, 225, 226, 228, 229, 230, 257, 259, 316, 317
Costa, João Bosco Madeiro da 69
Costa, Miguel António Igrejas Horta e 211
Coutrim, Maria Amália 95, 169, 186
Cubas, Eduardo Luiz Rocha 356, 357
Cunha, Euclides da (escritor) 25
Cunha, Júlia Marinho Leitão da 151, 446

Dalcanale, Luiz Alberto 124
Dale, Guilherme 100
Daniel, Celso 257
Danilovich, John 210
Dantas, Daniel Valente (DD) 10, 12, 14, 15, 18, 19, 20, 21, 23, 24, 25, 26, 27, 28, 29, 31, 32, 33, 34, 35, 36, 37, 38, 39, 40, 41, 42, 43, 44, 45, 46, 47, 48, 49, 50, 51, 52, 53, 54, 55, 56, 57, 58, 59, 60, 61, 62, 63, 64, 65, 66, 67, 68, 69, 70, 71, 72, 73, 74, 75, 76, 77, 78, 79, 80, 81, 82, 83, 84, 85, 86, 87, 88, 89, 90, 91, 92, 94, 95, 96, 97, 99, 100, 101, 102, 103, 104, 105, 106, 107, 108, 109, 110, 111, 112, 113, 114, 115, 116, 117, 118, 132, 137, 138,

140, 141, 142, 143, 150, 151, 152, 153, 154, 155, 157, 158, 160, 161, 162, 164, 165, 168, 169, 170, 171, 172, 173, 174, 175, 177, 178, 179, 180, 181, 182, 184, 185, 186, 187, 188, 190, 191, 192, 193, 194, 196, 197, 198, 199, 200, 207, 209, 210, 211, 212, 213, 218, 220, 224, 225, 229, 234, 235, 237, 238, 241, 242, 243, 244, 245, 246, 247, 248, 249, 250, 251, 252, 254, 255, 256, 257, 259, 268, 269, 270, 271, 272, 273, 274, 276, 278, 280, 281, 283, 284, 285, 286, 287, 288, 289, 290, 291, 292, 293, 294, 295, 296, 297, 298, 300, 301, 302, 303, 305, 306, 307, 312, 313, 314, 315, 316, 318, 319, 320, 322, 323, 324, 327, 334, 337, 342, 343, 345, 346, 363, 365, 366, 367, 368, 369, 372, 373, 374, 375, 378, 379, 380, 382, 383, 384, 385, 386, 387, 388, 389, 391, 392, 393, 394, 395, 396, 397, 400, 401, 403, 404, 405, 406, 407, 409, 410, 411, 412, 413, 414, 415, 416, 417, 418, 419, 420, 421, 422, 423, 424, 425, 426, 428, 429, 430, 431, 432, 433, 434, 435, 436, 437, 438, 439, 442, 443, 445, 446, 447, 448, 449, 451
Dantas, João Carlos Tourinho 25
Dantas, José Augusto Tourinho (Gute) 26, 47, 49
Dantas, Luiz Raymundo Tourinho 26, 28, 456
Dantas, Verônica 107, 109, 214

De Grandis, Rodrigo 240, 241, 280, 281, 327, 396, 440
Dias, Judite de Oliveira 145
Diniz, Flávia Mendes 255, 451
Dipp, Gilson 239, 266, 443
Dirceu, José 16, 86, 87, 89, 90, 164, 173, 181, 207, 210
Dornbusch, Rudiger 32, 33, 34
Dornelles, Francisco 48
Duarte, Luis Antonio 117
Ducharme, Bruno 78, 113, 116

Eid, Leonardo Badra 166
Elias, Marcelo de Oliveira 138, 190, 191, 362
Emediato, Luiz Fernando 405
Erginsoy, Omer 151, 152, 185, 186
Estevão, Luiz 132, 133
Esteves, Terezinha Aparecida Marques 110

Faivre 217, 236
Falcão, João 28
Félix, Jorge 233, 286, 298
Ferman, Dório 45, 109, 242, 246, 334, 382, 437
Fernandes, Luciano José Porto 199
Ferreira, Alcides 39
Ferreira, Amaro Vieira 156, 337
Ferreira, Edemar Cid 267, 275, 390
Ferreira, Eloy de Lacerda 187
Ferreira, Flávio 168, 451
Ferreira, Frederico Antonio 451
Ferreira, Marli 305, 307
Ferreira, Victor Hugo Rodrigues Alves 14, 15, 16, 17, 18, 19, 20,

21, 22, 23, 273, 274, 276, 277, 278, 279, 280, 281, 283, 300, 301, 326, 379
Ferrer, Juliana 317
Ferro, Luiz Tarquínio Sardinha 78, 406
Figueiredo, João 27
Figueiredo, Ney 169, 171, 172, 173
Filho, Artur Watt 29
Filho, Dario Morelli 221
Filho, Euclides Rodrigues da Silva 134
Filho, Luiz Viana 27
Filho, Raymundo Aleixo 108
Filho, Vicente Ernani 234
Fortes, Heráclito 39, 51, 234, 318
Fraga, Armínio 95, 182, 334, 360, 421, 422, 423, 430
Franco, Itamar 49, 57, 58
Freire, Nelson 172
Freisleben de Zanetti, Adriana 446
Friedman, Milton 37
Furci, Carmelo 148, 151
Furtado, José Alencar 30

Galego Jr., José 111, 112
Garotinho, Anthony 169
Gaspari, Elio 67, 221
Geisel 30, 36, 53
Gennari, Giuseppe 193
Genro, Luciana 326
Genro, Tarso 316, 337, 338
GG (Giani Grisendi) 145, 146, 147, 150, 157
Ghandi, Maganlal 237
Ghandi, Mahatma 237

Ghioni, Fabio 159, 185, 186, 187, 193
Gioia, Ângelo 175
Giordano, Vander 94, 153
Glasberg, Rubens 153, 154
Glat, Moysés 31
Godoy, Luiz Roberto Ungaretti de 381
Gomide, Eduardo 151, 152, 446
Goodall, Bill 146, 148, 154, 182
Goodall, William Peter 146, 446
Gordilho, Pedro 293
Gracie, Ellen 213, 374, 377
Gramacho, Wladimir 102
Grau, Eros 291, 308, 371, 372, 374, 382, 383, 384
Greenhalgh, Luiz Eduardo 238, 248, 271, 285
Guanaes, Nizan 53
Guedes, Paulo (Patolino) 51, 52, 122
Guerra, Walter 234
Guimarães, Ivan Gonçalves Ribeiro 197
Guimarães, José Ribamar Reis 231
Guimarães, Protógenes Pereira 218
Gushiken, Luiz 78, 110, 151, 173, 174, 207, 210, 260, 388, 421

Haddad, Ucho 171
Harris, John 31, 210
Holder, Frank 180, 207, 209
Howard, Carl 62
Hughes, Howard 173

Ismael, Fábio Hassen 126

J. Kellock (juiz de Cayman) 105, 106, 107, 108, 140, 141, 142, 156

Jannone, Angelo 159, 160, 186
Jefferson, Roberto 196
Jereissati, Carlos (CJ) 69, 72, 74, 77, 78, 89, 96, 97, 169, 247, 412
Jereissati, Tasso 69
Jeremoabo, barão de 24
Jorge, Eduardo 171, 407
Jungmann, Raul 239, 334
Júnior, Amaury Ribeiro 135, 451
Júnior, Flávio Paixão de Moura 73
Júnior, Francisco Ferreira Mendes 347, 354
Júnior, João da Costa Pinto Dantas 25
Júnior, José de Araújo Barbosa 109
Júnior, Romeu Tuma 396
Junior, Yon Moreira da Silva 166
Justus, Roberto 292

Kalil 152
Kissinger, Henry 32, 63
Kolmar, Vesna 262
Konder, Paulo 128
Kroll, Jules B. 92

Lacerda, Paulo 134, 156, 207, 215, 219, 220, 221, 222, 230, 233, 259, 260, 299, 318, 330, 331, 334, 341, 351, 369, 370, 371, 385, 387, 447
Laden, Bin 169
Landau, Elena 57, 58, 61, 100, 138, 153, 173, 366
Leitão, Miriam 242
Leite, Janaína 85, 86, 183, 205
Lemann, Jorge Paulo 56
Leonard, John 154

Lima, Arnaldo Esteves de 290
Llosa, Mario Vargas 24, 25
Loyola, Gustavo 55
Luis, Fábio 164

Machado, Nélio 161, 259, 260, 290, 293, 296, 297, 320, 368, 369, 371
Maciel, Lysâneas 30
Maciel, Marco 48, 348
Madeira, Luiz Carlos Lopes 293, 308
Magalhães, Luís Eduardo 52, 54
Malan, Pedro 34, 54, 133, 359, 407
Maluf, Paulo 219, 240, 275, 402
Marcelo, Mauro 187
Maria, Nícia 27
Mariani, Matteo 185
Marin, Vicencia Talan 144
Marinho, Paulo 116, 171, 432
Martins, Cícero Dantas 25, 26
Martins, Enio 53
Martins, Guilherme Sodré (Guiga) 169, 249, 250, 252, 256, 284, 285, 286, 314, 318, 327
Matalon, Marco 287, 288, 316
Matarazzo, Andrea 404, 429, 433
Mazloum, Ali 294, 337, 339, 379, 386, 387, 444
Medeiros, Luiz Antônio 345
Mello, Ana Lúcia 116
Mello, Cecília 183, 260, 261
Mello, Celso de 267, 375, 376
Mello, Marco Aurélio 293, 294, 366, 374, 377, 378, 438
Mello, Zélia Cardoso de 40, 41, 42, 43

Melloni, Alfredo 185
Melo, Adriana Zawada 212
Melo, Luiz Eduardo de 338, 444
Mendes, Gilmar 283, 288, 290, 291, 293, 298, 302, 303, 305, 306, 307, 309, 310, 313, 319, 320, 326, 333, 345, 346, 349, 350, 352, 354, 355, 365, 369, 371, 372, 374, 375, 377, 378, 379, 380, 381, 403, 416, 417, 418
Mendes, João 288, 304, 312, 313
Mendonça, Duda 53, 216, 268
Mexia, Antonio Luis Guerra Nunes 211
Michael, Andréa 255, 256, 258, 259, 260, 326, 327, 444, 445
Michelone, José Maurício 234
Millani, Márcio Rached 215, 217, 230, 238, 240, 245
Modiano, Eduardo Marco 43, 44
Molina, Ricardo 203, 204, 379
Mônica (Dantas) 83
Monteiro Neto, José Gomes 255, 451
Montenegro, Eurico Monteiro 121
Moraes, Sebastião José Vasques de 93
Motta, Sérgio 62
Murra, João 153
Müzel, Fabio Rubem David 383

Nahas, Naji (NN) 85, 89, 96, 152, 171, 180, 188, 238, 286, 288, 315, 377
Nascimento, Francisco Ambrósio do 232, 233, 259
Nascimento, Rogério Soares do 73

Neto, José Castilho 119, 126, 128, 129, 130, 131, 132, 135, 274
Netto, Delfim 48, 52, 268
Nóbrega, Maílson da 173
Nogueira, Elpídio 145, 148
Nogueira, Hélio Egydio de Matos 262

Olinto, Antonio 203
Oliveira, Emmanuel Henrique Balduíno de 214
Oliveira, Luís Flávio Zampronha de 199
Oliveira, Luiz Renato Pacheco Chaves de 213, 294
Oliveira, Ricardo Sérgio de 60, 69, 70, 73, 75, 77, 78, 133, 144, 407, 409, 411, 412, 413, 414
Oliveira, Sílvio Martins 265
Ornaghi, Tiago 451
Ortolani, Atílio 147
Osório, Anamara 91
Osório, José Luiz 423
Otavio, Chico 206, 450
Oviedo, Lino 123

Pacheco, Elizon 93
Paes, Antero 137
Palocci, Antonio 181, 207
Pascoal, Hildebrando 219
Pascowitch, Joyce 45
Patury, Felipe 81
Paula, Rita Francisca de 218
Paulo, Luiz 206
Pedro II, imperador D. 24
Pellegrini, Carlos Eduardo 140, 284

Pellegrino, Nelson 182, 343
Peluso, Cezar 292, 308, 332, 367, 373
Pereira, Ricardo Dominguez 117
Peres, Renato Eugênio de Freitas 112
Pertence, Sepúlveda 292, 349
Piacente, Nicola 193, 243
Pimentel, Anna Maria 267
Piñeiro, José Muiños 113
Pino, Paolo Dal 159
Pinto, Ronan Maria 137
Pompilli, Andrea 185
Presioto, Gregorio Marin 142
Prete, Renata Lo 196
Provera, Marco Tronchetti 158, 186, 385, 428
Pugliese, Adelson 145, 146, 147
Putin, Vladimir 241
Putney, Mary Lynn 65, 88, 89, 392, 395

Queiroz, Felippe Pinheiro de 218, 219
Queiroz, Protógenes Pinheiro de 13, 14, 15, 17, 18, 19, 20, 21, 22, 122, 123, 126, 215, 217, 219, 220, 221, 223, 224, 225, 226, 228, 230, 231, 232, 233, 234, 237, 238, 239, 240, 241, 255, 256, 258, 259, 268, 270, 271, 272, 273, 276, 277, 278, 282, 283, 288, 294, 295, 296, 297, 299, 300, 301, 308, 315, 316, 317, 318, 319, 320, 321, 322, 323, 324, 325, 326, 327, 328, 329, 330, 331, 334, 338, 339, 340, 341, 342, 343, 344, 345, 369, 371, 372, 379, 384, 386, 387, 389, 390, 391, 438, 439, 440, 442, 443, 444, 447
Quixadá, Valquíria 129, 351, 361, 362

Raschkovsky, Eduardo 200, 201, 206, 269
Reed, John 63
Resende, André Lara 39, 40, 42, 43, 47, 67, 68, 70, 73, 74, 75, 419
Rhodes, William 62
Ribeiro, Alberto Pavie 288, 298
Ribeiro, Marcos Lino 13, 273
Rizek, André 220
Roberto, José 68
Roberto, Luiz 112
Rocha, Martha 26
Rocha, Silvia Maria 213
Rockefeller, David 32
Rodenburg, Carlos 80, 83, 153, 154, 169, 176, 177, 197, 198, 199, 234, 256, 318, 448
Rodrigues, Denys 112
Rodrigues, Fernando 67, 69, 346, 413
Roman, Ana Carolina Alves Araújo 213, 214, 218
Rosa, Sérgio 78, 91, 110
Rotta, Pedro 272, 300
Rousseff, Dilma 249, 309, 439

Sá, Ângelo Calmon de 53, 54, 55
Saad, Paulo 268
Salles, João Moreira 57, 172
Salles, Mauro 51, 80, 269

Salvatti, Ideli 136, 199
Sampaio, Claudia 387
Sampaio, Consuelo Novais 451
Sampaio, Eduardo 95, 145, 446
Sanctis, Fausto Martin De 14, 22, 215, 260, 264, 269, 302, 303, 304, 307, 309, 310, 377, 381, 390
Santos, Alexandra Milaré Toledo 95, 145, 446
Santos, Roberto 26
Santos, Thiago Carvalho dos 145, 446
Santos, William José dos 274
Sarmento, Daniel 73
Sarney, José 62, 129, 381, 410
Sarney, Roseana 129, 401, 410
Schelb, Guilherme 129, 361, 362
Scordamaglia, Adriana 239, 240
Seltz, Márcio 233
Sena, Bruno 167
Serra, José 60, 69, 102, 142, 144, 169, 177, 334, 401, 404, 405, 407, 410, 411, 413, 415, 420, 424, 431, 433
Serra, Verônica 101
Servo, Nilton 221
Seta, Giorgio Della 192
Shemesh, Avner 176, 177, 178, 183
Sicupira, Carlos Alberto 56, 96, 100
Silbergleid, Danielle 142, 186, 214, 288, 290, 295, 296, 298, 302, 304, 308, 312, 313
Silva, Élzio Vicente da 148, 162, 175, 180, 190, 191, 214, 217, 218
Silva, Fernando Neves da 293
Silva, Genival Inácio da (Vavá) 221, 222

Silva, Jorge Luiz Bezerra da 93
Silva, Luiz Inácio Lula da 8, 16, 52, 78, 84, 85, 86, 87, 91, 135, 136, 137, 164, 165, 166, 167, 168, 172, 173, 174, 181, 183, 187, 188, 193, 197, 198, 200, 207, 210, 220, 221, 222, 223, 232, 248, 249, 252, 253, 257, 268, 328, 331, 332, 338, 358, 381, 385, 401, 442, 447
Simonsen, Mario Henrique 29, 31, 33, 39, 40, 42, 48, 49, 53
Soares, Anilton 109
Soares, Delúbio 197, 198, 200, 250
Somaggio, Fernanda Karina 196
Souza, Antonio Fernando Barros e Silva de 212, 213, 369, 372, 450
Souza, Karina Murakami 14
Souza, Leonardo 451
Souza, Luiz Francisco de 73, 129, 132, 133, 135, 136, 137, 138, 139, 219, 353, 361, 362, 363, 412, 419, 422, 423, 424
Souza, Marcos Valério Fernandes de 196, 198, 199, 211, 212, 213, 268
Souza, Paulo Renato 61
Steinbruch, Benjamin 60, 61, 407, 414, 423

Tanure, Nelson 105, 116, 117, 142, 151, 152, 171, 172, 177, 432
Tanzi, Calisto 157
Tanzi, Stefano 157
Tartuce, Ramza 291, 440
Tavaroli, Giuliano 158, 159, 184, 185, 186, 187, 188, 190, 191
Teixeira, Roberto 137, 164, 268

Telles, Marcel 56
Tognolli, Claudio Julio 138
Toron, Alberto Zacharias 292
Tres, Celso 120, 129
Trevisan, Antoninho Marmo 164, 165, 177
Trezza, Wilson Roberto 337, 339
Troncon, Roberto 258, 259, 317, 318, 319, 320, 321, 322, 323, 324, 325
Tuma, Romeu 134, 207, 210, 330

Unger, Roberto Mangabeira 181, 284

Vaccari Neto, João 250, 251, 254, 285
Valdez, Luiz Raphael 113
Valente, Sérgio 53
Vargas, Getúlio 16, 26
Veiga, Pimenta da 80
Velloso, João Paulo dos Reis 36
Verdial, Tiago Nuno 145, 146, 147, 148, 149, 150, 151, 152, 153, 154, 156, 157, 159, 160, 161, 162, 175, 182, 191, 446
Vicioso, Victor 106, 107
Vilar, Antônio Carlos Souza 28

Wernesbach, Marilisa Azevedo 202
Williamson, John 32, 34, 35
Wilson, Presidente 175, 234
Wilson, Robert E. 63, 101
Wolfe, David 105

Yazbek, Maria Regina 111, 112, 113

Yu, William 399, 401, 403, 406, 425, 426, 427

Zylberstejn, David 53